C0-ATN-652

Tropicalia caraqueña

Crónicas de música urbana del siglo XX

Federico Pacanins

La FUNDACIÓN PARA LA CULTURA URBANA ha sido creada por *Econoinvest* como un aporte a la comunidad número 25

Tropicalia caraqueña

Crónicas de música urbana del siglo XX

Federico Pacanins

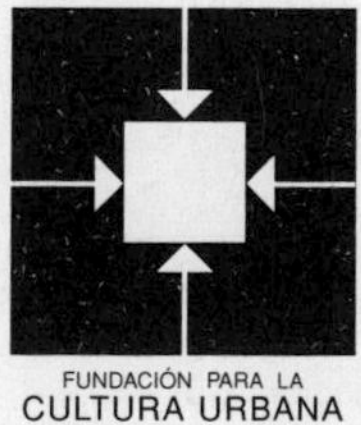

FUNDACIÓN PARA LA
CULTURA URBANA

Caracas, 2005

TROPICALIA CARAQUEÑA
CRÓNICAS DE MÚSICA URBANA DEL SIGLO XX
FEDERICO PACANINS

Hecho Depósito de Ley
Depósito Legal lf864200570061
ISBN: 980-6553-20-9

Diseño de portada: John Lange
Diseño de colección: ProduGráfica

Fotografía de portada: Antonio Lazo
Fotografías interiores: Luis Tomás García (Saúl Vera), Sara Maneiro (Andy Durán), Carlos Marques (María Rivas), Richard Alvarado (Juan Carlos Núñez y Violeta Alemán), Nelson Garrido (Aldemaro Romero y Alberto Naranjo), Raúl Corredor (Ilan Chester), Luis Lares (Rafa Galindo y Elisa Soteldo), María Fernanda Digiacobbe (Rodolfo Saglimbeni), Enrique Lares M. (Biella Da Costa y Rosa Virginia Chacín), Vasco Szinetar (María Fernanda Márquez), Natalia Brand (Renato Capriles), Elisa Vegas (María Eugenia Atilano), Craig Semetko (Gabriela Montero), Memo Vogeles (Alfredo Naranjo).

Cuido de la edición: Gemma de Suñer y Ligia Matheus.

Producción gráfica: Ediplus producción C.A.
Impresión: Editorial Torino
Impreso en Venezuela / *Printed in Venezuela*

Presentación

Esta suma de textos, de valor fundamental para la historia de la música urbana venezolana, recoge el fervor sistemático de Federico Pacanins durante casi treinta años de investigación (1978-2005). *Tropicalia caraqueña* comprende ensayos, reportajes, entrevistas, crónicas, cronologías, algunos de ellos fueron publicados en las revistas y periódicos de los que Pacanins es colaborador, y otros muchos han permanecido inéditos. Los éditos, por otra parte, han sido trabajados desde sus versiones originales en tal magnitud que la mayoría son sustancialmente distintos.

En la Fundación para la Cultura Urbana albergamos la certeza de que este libro que ofrecemos a los lectores, constituye un aporte fundamental para la comprensión de la música urbana venezolana, y así lo celebramos junto a su autor y los melómanos y estudiosos del universo musical venezolano.

FEDERICO PACANINS

Locutor, ensayista, crítico musical. Productor de los programas radiales «La cuarta noche» y «Pensando en jazz» (Jazz 95.5 FM), así como también los discos compactos del sello Obeso&Pacanins y de la colección «Siglo XX revisitado» (Fundación para la Cultura Urbana). Ha ofrecido ciclos de conferencias dedicados a la música; entre ellos «Arrnca en fa», «Swing con son», «Duke en vivo» y «Perfiles de la música caraqueña del siglo XX». Colaborador permanente de las revistas *Imagen*, *Fundación Bigott* y *Complot*. Sus artículos, además, son publicados en revistas y diarios tales como *El Nacional*, *Tal Cual* y *El Mundo*. Es autor de la antología titulada *El libro del béisbol* (Los Libros de El Nacional, 1998) t de los ensayos *En defensa del melómano* (Espacios Unión, Nro. 27, 1999), *Jazzofilia* (Ballgrub, 1996; Alter Libris, 2003) y *Primera Persona* (Banco Industrial de Venezuela, 2003).

Prólogo

No recuerdo de dónde llegó la recomendación de procurarse experiencias propias en los primeros cincuenta años de vida. El tiempo del movimiento, decían los viejos, de gozar la vida intensa, dar verdaderamente al cuerpo el gustazo de la vista, el trato y la comunicación siempre tan necesarios para andar el resto del camino. Dejar para después lo de después, porque más temprano que tarde, y en el mejor de los casos, uno se vería forzado a cierta lógica vital que procura calma en la aventura física, mientras se apresta a cosechar algo de lo que se aprendió. Si algo se aprendió.

Pasa el tiempo –¡claro que pasa! Llega así una edad media propia; digamos, los momentos de sacar provecho al intelecto sazonado con la experiencia vivida. La oportunidad precisa de aquellas ideas que cultivadas de modo personal, de cuando en cuando, pueden materializarse en escritos fundamentados en la regla de oro tantas veces recomendada por el maestro Azorín: tener de verdad un tema, poseerlo a fondo.

Son cincuenta. Se sigue viendo hacia delante con toda potencia, no hay duda, pero también algo hacia atrás. Uno escucha lo de "la lechuza de Minerva sólo vuela en el crepúsculo" y de pronto cree estar frente a las primeras oportunidades de recuento. O al menos así lo creemos quienes hemos tenido la buena o mala fortuna de encajar en la conseja justificatoria de silencios literarios juveniles, lo de vivir en el mejor tiempo de vivir, etcétera. Mejor es ver con lentes de presbicia, se dice convencido de ahora tener algo tal vez interesante que decir. Un algo que legitima la experiencia personal de conocer no tan sólo por intermedio de referencias ajenas más o menos confiables. Saber porque en verdad nos sabe, para complementar así la regla de oro de Azorín y centrar tema en el particular vuelo de la lechuza de Minerva de cada quien. E ir adelante con las ideas y/o experiencias transformadas en escrito.

Hasta aquí cierta justificación del porqué escribir ahora, y hacerlo además totalmente despojado de títulos que acrediten la experticia y el peso propio de los estudios sesudos –nada que ver. Experiencia bien sazonada, básicamente se alega, pero acaso algo más. Porque a la hora del té, la verdad, no son tantas las cosas conocidas tan sólo por la vivencia; es decir, por lo que se ve, gusta, huele y palpa (dejemos un momento de lado las cosas de la oreja). El grueso del apoyo a la experiencia, mucho de lo necesario para el ajuste vital, viene también de lo que se cuenta por escrito y, sobre todo, de aquello transmitido a través del habla o, también vale decir, de lo visto o escuchado con atención (ahora sí).

Asuntos de todo calibre nos llegan: información política, cultural, religiosa, nacional, internacional; grandes y pequeños temas de tinte público, privado y privadísimo. Todo el cúmulo de circunstancias de nuestro espacio y tiempo arma la trama de vida de cada cual. Hasta esos pequeños eventos de memoria colectiva, quizás nada cercanos al análisis o al estudio propio de los temas académicos, pero muy importantes al momento de reseñarnos emocionalmente. Cosas habituales, costumbres del día a día con la importancia de posibilitar un fino bagaje, sobre el que se preservan muchas de las características fundamentales de nuestra identidad, o lo que equivale a decir de nosotros mismos.

Crónica, le dicen a estas cosas. Crónica nutrida por cantidad de circunstancias mayúsculas y minúsculas, llenas de datos nutrientes de la vivencia directa que suponemos cuajada por el paso de los años. Crónica que nos ajusta, complementa e inspira recuentos tal vez urgidos de preservación; de cierta exposición de historias, reláficas, cuentos, apreciaciones acerca de la música urbana caraqueña en el siglo XX, cual materias que bien soportan más reflexión de la realizada a la fecha y, tal vez, hasta dan fundamento a un ensayo de peculiaridades que a continuación me permito resaltar:

Conocer y calibrar la dimensión de nuestra música urbana, qué duda cabe, apunta a conocer mucho de lo que hemos sido y somos. Válida debería pues resultar la ayuda aportada mediante páginas de crónica musical caraqueña y contemporánea –a lo sumo recuentos emocionales del sitio, dirá alguno–, al servicio de quienes creemos en la música urbana como arte y, en consecuencia, cual forma de conocimiento. Éste es nuestro foco temático aunque, por la forma absolutamente libre y antienciclopédica de su desarrollo, desde un inicio se haga necesaria la disculpa por la falta de mención o valoración de muchos personajes de importancia ausentes, según criterios de mejor o más firme ilustración (se hace lo que se puede, no más).

Por otra parte, debo recordar que el jazz ha sido centro de muchas de nuestras actividades comunicacionales en los últimos años. Programas de radio por 95.5 FM («La cuarta noche» y «Pensando en jazz»), ciclos de conciertos, conferencias, documentales, producciones discográficas y algunas publicaciones, nos comprometen con este género básico dentro de la actividad personal. Pero, por otra parte, la vivencia musical propia siempre ha excedido al jazz, al punto de hoy sostener el contenido de estas páginas y marginar, muy a propósito, el tema jazzístico, que lleva reflexión aparte en nuestro libro *Jazzofilia* y aquí sólo consigue titularidad en los capítulos "La expansión de un mensaje" y "Del jazzeo a la cosa latina" (este último aparece como versión de foco salsero del capítulo de igual nombre ofrecido en *Jazzofilia*).

Siete son las partes que ordenan el contenido aquí presentado. Cada una de ellas busca su tono particular y el enlace dentro de un todo proveniente del material que, ciertamente, encontró aproximaciones o versiones en artículos propios escritos para la prensa y algunas revistas nacionales. Será entonces que uno cree en la organización de los temas ya desarrollados; en los lentos virajes que esos temas van dando a su propio favor, para terminar distinguiéndose o aferrándose a las ideas que los originaron. Quepa entonces la licencia de ajustar, versionar y tan sólo hacer menciones genéricas a los medios que originalmente dieron difusión a los artículos referidos: La revista de la Fundación Bigott ("Un siglo de rumba en Caracas"), la revista de la Cancillería de la República ("Notas CDgráficas"), la revista *Imagen* ("Las tres repúblicas", "Las dueñas del bolero", "La expansión de un mensaje", "Del jazz a lo afrolatino"); las revistas *Primicia*, *Date*, *Complot* y los diarios *El Nacional*, *Tal Cual* y *El Mundo* (las confesiones autográficas del segmento "Primera persona"). A estos medios, nuestro agradecimiento por darnos la oportunidad de revisar y rehacer materiales fundamentales para el presente trabajo.

Un cuarto particular obedece a la necesidad de una advertencia: no se pretende aquí la historia de precisión exacta. Es en el género del ensayo donde ubicamos nuestro ejercicio de crónicas. Un ejercicio de interpretación libre de hechos y circunstancias, que no por su licencia imaginativa quiere desvincularse de los datos reales; por el contrario, se desea reproducir con imaginación y apoyo de citas de todo tipo, debidas e indebidas, sin precisiones musicológicas exquisitas, pero sí procurando la veracidad del dato que pide preservación. De allí que narraciones, citas, historias o reportajes sean medios válidos al momento de desarrollar temas, siempre extraídos de una porción importante de realidad vivida y en cierta forma corroborada (¿podrá comprobarse la importante carga de veracidad de los sueños producidos por la melomanía cotidiana?).

Por último, llamo su atención sobre el título del libro. Aquí se utiliza la palabra "tropicalia" a sabiendas de su implicación musical en el movimiento de música brasileña de igual nombre. Caetano Veloso, Gilberto Gil o Gal Costa podrían hacer defensas muy responsables del alcance y significado profundamente brasileño del término y, probablemente, del no poco descaro al comprometerlo en otra cosa distinta. Sin embargo, vale tomar ventaja de la eterna licencia literaria de recomponer los contenidos de palabras que, ciertamente, fueron inventadas por otros, y decir que este libro se llama *Tropicalia caraqueña* sin tener relación alguna con el movimiento brasileño de Gaetano Veloso y compañía, ni con movimiento musical alguno. Nada que ver.

Esta tropicalia va, sí, hacia una revisión de Caracas, Venezuela, cual sitio de partida y llegada en materia de música y de trópico. Apunta en un todo a sabores y colores musicales de este lugar tropical-caraqueño que, como dijera una voz amiga, "pertenece a varios mundos porque ha comprendido ese espíritu trágico-cómico del venezolano, esa deliciosa y a veces inconsciente forma de vivir". Nombra, por fin, buscando la afinidad, el enganche que algunas veces abraza el contenido a la invención de un título. Y nada más.

Tropicalia caraqueña

Crónicas de música urbana del siglo xx

I
Cuatro puntos de partida

Primero

«Iwakichi: ¿Para qué tocar un tambor que
sólo yo escucho?... ¡Renuncio!
Coro: ¡Si hubiese tocado una vez más!...»
El tambor de Damasco
Juan Carlos Núñez

Cierta tarde de septiembre de 2002 recibí una invitación del arquitecto Federico Vegas. Se trataba de asistir a la Universidad Central de Venezuela a intercambiar con sus alumnos ideas acerca de la música en Caracas. «Asunto de sumo interés para quienes cursan la materia», comentó a propósito el profesor y, de paso, nos sembró la necesaria piquiña intelectual para pensar un poco en la razón de ser de la invitación.

¿Ir a la UCV a conversar de música urbana, caraqueña, sin una calificada experticia que, por lo demás, nadie posee del todo? ¿Ofrecer discurso acerca de temas que, si bien reflexionados y vividos a través del tiempo, no tenían en mí el orden apropiado para cierto auditorio universitario? Pues nada, demasiado grande resultaba la tentación de hablar en el foro académico; a dar por bueno aquello de que pensar acobarda y de una aceptar la oportunidad útil para ordenar ideas presentadas bajo forma de «charla universitaria» que, gracias al interés del profesor Federico y de los estudiantes presentes –en especial del arquitecto Iván González, quien se tomó la molestia de grabar la charla–, aquí paso a versionar.

❑

¿Por qué la música puede resultar tema interesante para un curso de estudiantes de arquitectura dedicado a reflexionar sobre los asuntos de la ciudad? ¿Qué tanto debería atraer la materia a una persona no estudiante de arquitectura, pero medianamente impuesta de su condición de habitante urbano?

Al menos tres razones acuden en apoyo a una respuesta positiva a tales interrogantes. La primera apunta a la música como una de las «Bellas Artes» que de hecho halla cobijo en alguna categoría estética similar a la arquitectura, con fundamentos al menos interesantes para abordar los complejos asuntos arquitectónicos. Música cual un orden estético, de goce puro, por demás aproximado a conceptos del profesor Vegas quien, en una declaración reciente, se refería a la estructura arquitectónica ubicando su fundamento más en el placer y en el goce sensual de las edificaciones que en su puro aspecto utilitario. Por su parte Francis Lloyd Wright, arquitecto de arquitectos, en una conferencia ubicada en Detroit hace ya sesenta años, enseñaba cierta idea que rozaba los fundamentos comunes de placer y goce sensual apuntados por Vegas: «La estructura de la música en Beethoven y Bach es la estructura de las cosas que deberían interesarnos hoy día».

Así de contundente Lloyd Wright, así de fuerte la proclamación de nexos comunes que tanto interesaron al profesor Edoardo Crema, quien en su libro *El arte como creación relacionista* ofreció un esfuerzo erudito al respecto :

> Y para terminar, vamos a ver en qué relación está la arquitectura con la música, porque a menudo se ha dicho que la arquitectura es una MÚSICA CONGELADA. La comparación es justa, y a cada paso sería posible encontrar una creación arquitectónica con rasgos semejantes a los de una creación musical. Citaré unos casos. En la música hay una melodía ascendente con sucesivos avances que añaden cada vez una nota más al rasgo ascendente, como en el final de la Primera Sinfonía de Beethoven (op. 21): ahora bien, esta melodía ascendente tiene semejanza con la sucesión de contrafuertes y *ares-boutans* de ciertas catedrales góticas y románicas. Una melodía ondulada, como la de la Sonata de Waldstein (op. 53) de Beethoven, tiene su correspondiente arquitectónico en la fachada de la Catedral de Ferrara. La melodía rectilínea, en la cual la melodía repite la misma nota –como en alguna melodía popular alemana–, se asemeja al friso arquitectónico en que se repite el mismo elemento decorativo, la misma melopea, los mismos triglifos: o bien a la columnata, en que se repite la misma columna. Pero la columnata se asemeja a la melodía –que es sucesión de diversos sonidos en-

gendrando un movimiento ondulatorio– por su sucesión de espacios llenos y vacíos. La acústica musical nos enseña que cualquier sonido no es, en rigor, un sonido puro, sino un sonido compuesto, en el cual suena a la vez, muy débilmente, toda una serie de sonidos armónicos; ahora bien, aun en arquitectura pueden existir estos elementos armónicos, dentro de un elemento que los comprende todos: como por ejemplo las ventanillas que, en muchos edificios góticos, románicos, renacentistas, están al amparo de un arco que en sí los contiene todos. Y si el contrapunto musical consiste en asociar con cierta melodía (*Cantus firmus*) una o más melodías (*punctus contra punctus*) nota contra nota, es posible afirmar que la Arquitectura es contrapunto: en cuanto a un espacio lleno siempre corresponde un vacío, a un elemento ascendente uno descendente, y así hasta el fin.

Complejo, bastante complejo el desarrollo del tema en términos de *El arte como relación creacionista*, según los estudios del profesor Crema. En una onda parecida –buscar conexiones conceptuales a punta de intelecto– hace casi dos siglos Georg W.F. Hegel, filósofo de filósofos, sentenció: «La música es arquitectura traducida o transpuesta del espacio al tiempo; de allí que en la música, apartando los sentimientos profundos que la inspiran, también reine una rigurosa inteligencia matemática». Hasta aquí las citas filosóficas demostrativas del punto. Mejor dejar un poco de lado los ejercicios de filiación erudita y tan solo señalar esta reconocida conexión abstracta con la arquitectura, quizás satisfactoria a los fines de inspirar respeto académico al tema: música, danza, teatro, literatura, pintura, escultura, arquitectura son, entre muchas otras cosas, categorías artísticas de orden común, que se retroalimentan en su dimensión, complejidad estructural, logros y alcances desde hace siglos. Significan cultura indispensable para el desarrollo del hombre arquitecto, del artista, músico, pintor, poeta, hombre humanista, etcétera. Una cuestión de justificar la melomanía individual al refrescar jerarquías a las que pueden pertenecer las cosas de la música, siempre interesantes a los espíritus sensibles atraídos por la arquitectura. Nada más.

La segunda justificación afortunadamente obra en algo mucho más concreto: abordar la comprensión de la ciudad como entorno cultural de manifestaciones, organizadas o no, que en un comienzo, antes de procesarlas intelectualmente, se perciben a través de la vista, el gusto, el olfato, el tacto y, sí, del oído. Entonces vale que el interesado se diga a sí mismo: en cuanto vivo en este espacio, en esta ciudad, en tanto que me corresponde aprenderlo, gozarlo, comprenderlo a través de lo que veo, palpo, huelo o escucho.

Aquí se va más allá del interés vía arquitectura y se llega al interés general: aquel de los sonidos organizados del sitio, música misma, como fenómenos con expresión física que deberían generar la atención sensible del hombre hacia su entorno, con independencia del interés estético que ellos nos produzcan. Es decir, préstese atención a los sonidos difundidos por la ciudad por ser ellos parte física del entorno, independientemente de la mucha o poca carga de interés estético, artístico, derivada de estos sonidos. Interesan mucho, sí, en cuanto provienen de donde vivo; en tanto forman parte profundamente comunicativa de la realidad circundante que se quiere y debe comprender. Mucho del genérico y aséptico «nada humano me es ajeno», bien apoyado por alguna aguda observación aleccionadora de, digamos, un Marcel Proust: «Así como ciertos seres son los últimos testigos de alguna forma de vida que la naturaleza abandonó, la música es tal vez el único ejemplo de lo que habría podido ser –de no haberse inventado el lenguaje, la formación de las palabras, el análisis de las ideas– la comunicación entre las almas». Y a otra cosa.

❑

El tercer justificativo para enfocar la música dentro del tema de la ciudad, tal vez el más interesante, puede aparecer al considerar la expresión musical ya no como un evento puramente físico del lugar en donde se habita, o de interesante jerarquía artística, sino cual evento social importante, útil para ubicar estructuras éticas y estéticas a la orden de todo quien quiera hallarse en la urbe en que vive, pero también cargado de la posibilidad de ofrecer experiencias sensoriales importantes, acaso placenteras, a cada cual. Porque, al fin y al cabo, se está hablando de sonidos más o menos ordenados, ofrecidos para afectar la experiencia sensible de todos y cada uno de los individuos que se acerquen al fenómeno con la esperanza de conseguir placer en la audición, pero mucho más a quienes además lo buscamos a conciencia de su indudable carga de identidad.

En este punto confieso bajar la guardia. Allí está el principio y el final, bastante razón de ser de la difusión que uno trata de proyectar en programas de radio, discos, conciertos y escritos: la música cual hecho social de importancia con el cual se baila, canta, ríe o llora. Se ama o se odia, se convoca el sentimiento patriótico, el religioso, el universal. Se pulen o instalan tradiciones, generan modas y, en fin, se ubica en ella vida misma con características de muy peculiar significado tanto para el interesado en cuanto a individuo o como parte de la colectividad urbana que conforma. «Como es la música, así es la gente de un país», tal el antiguo proverbio turco en apoyo a una melomanía pura, razonada y compartida a favor de pensar en las particularidades del tema y nuestro sitio particular.

¿Música caraqueña cual interesante mecanismo de comprensión y goce? ¿La ciudad con sus sonidos, puntos de partida y hasta de llegada dentro de la comprensión del cada cual individual y colectivo?

Segundo

«Es el crecimiento de la ciudad el que condiciona el crecimiento de la música: es el carácter de los pobladores, modificado en gran parte por los hábitos de vida y las circunstancias ambientales, el que condiciona el carácter de la música. La música nace en el seno de la ciudad, como nacen todas las cosas. Y así como el frailejón no puede crecer junto al Orinoco, ni el cacao en la campiña inglesa, así ciertas actividades musicales no pueden prosperar en ciertos momentos históricos, ni en cierto medio social».

José Antonio Calcaño

Llega en apoyo una cita del profesor José Antonio Calcaño propia de *La ciudad y la música*. Toca así referir el espacio caraqueño como materia viva, propia del discurso, y vale pues hablar de música de la ciudad cual producto cultural típico de la urbe que la demarca y le da características propias. Música urbana en calidad de concepto referido a un contexto geográfico y citadino –caraqueño, insisto–, aparentemente tan preciso o impreciso como pueden resultar los límites de nuestra ciudadanía misma. Caracas dando forma a la manera caraqueña, como Nueva York o París a sus maneras niuyorquinas o parisinas; así de sencilla la definición en principio, pero asimismo de enrevesados sus alcances y límites al repensarlos con algún cuidado.

Siempre resultará más fácil definir la música de la ciudad como concepto de exclusión que hacerlo en positivo. Decir lo que resta luego de lo que no es, porque es casi imposible llevar a una sola definición la enorme diversidad de géneros, estilos, rítmicas y formas que se cuecen en las urbes. Piense tan sólo en la genética de la información musical que llega a través de radios o televisores, y quizás coincidirá en que mejor vale decir que la música de la ciudad es aquella no folclórica pura, no propia del campo, no producto directo de alguna periferia nacional o internacional.

Esa música de las periferias, esas expresiones folclóricas con un importantísimo valor como fundamento, casi siempre significan gérmenes creativos que los artistas de una urbe en particular escuchan, adoptan, mezclan, remezclan. La base misma de géneros o estilos que, una vez decantados, terminan dando respuestas creativas que, si acaso, tan sólo podrán renegar de la pureza de su ejecución, pero jamás de su ancestro inicial. Vale la pena concretar estas ideas.

El hombre que vive en las ciudades muchas veces se va a nutrir culturalmente del hombre que vive en los campos; de hecho quien vive en los campos y se traslada a la ciudad lo hace con sus costumbres, con su cultura propia que luego ajusta al nuevo hábitat. Allí se produce una expresión con fundamento en lo que se trae en las maletas, sí, pero nueva, diferente y ajustada al nuevo sitio.

Como caso concreto, de ejemplo, resulta cierta estética que se formó en Caracas a finales de los años 50. Se veía a Juan Vicente Torrealba o a Mario Suárez, inspirándose en llaneros, tal vez procurando que mucha gente centrara aquello como «música llanera» proveniente de artistas vestidos con «liqui-liqui», botas, mantas al hombro y sombrero «pelo 'e guama» –parecidos a gauchos argentinos tocando aires de arpa paraguaya–, vestidos éstos que nada tenían que ver con el atuendo de un hombre del llano. ¿Significaba aquello una corrupción de la música folclórica llanera?, ¿cierta impostura propia de unos manipuladores de imagen con muy moderado talento? No, de ninguna manera. Significaba que los artistas se habían transformado por y para la ciudad que entonces los acogía. Habían hecho música de la ciudad con un germen de expresión llanera (el arpa, el cuatro y las maracas; la rítmica misma) del todo ajustado al espacio caraqueño del tiempo. Y los críticos recalcitrantes, los puristas, criticaban. Claro que criticaban. ¿Qué más podían hacer con cabezas sólo tolerantes de expresiones de un folclorismo pulquérrimo? Gente que se atrevía a execrar hasta a las mejores creaciones de los cenáculos académicos, ¿qué otra cosa esperar de ellos?

Eduardo Carreño en su libro *Vida anecdótica de venezolanos* cita un caso de principios del siglo XX con moraleja «folclórica-anecdótica» fulminante, más que iluminadora:

> Durante la permanencia de Rufino Blanco Fombona en España, un teatro de Madrid anunció una artística velada con el fin de celebrar el «Día del Descubrimiento», velada en la cual serían representadas escenas típicas de todos los países latinoamericanos. A esa función asistió Rufino Blanco Fombona.
> Al tocarle el turno a Venezuela, aparecieron en escena cuatro

negritos ejecutando un joropo, acompañados de furruco, cuatro y maracas. El insigne escritor montó en cólera al ver cómo se ponía empeño en ridiculizar a su patria. Subió al proscenio, armado de un bastón, con el cual fustigó a los músicos, quienes abandonaron la escena. Al quedar solo, lleno de ira, se dirigió al público: –Señores: Acaban ustedes de presenciar una escena típicamente venezolana.

Algo inspirado por la necesidad de terminar con esa idea de la música nacional procedente de un folclor mal entendido, capaz de encenderle el fosforito a Blanco Fombona, el maestro Vicente Emilio Sojo desde comienzos del siglo XX dio aliento a una tendencia «nacionalista» de compositores quienes se interesaban en ofrecer obras académicas fundamentadas en las tradiciones musicales del país. Nacen así la «Margariteña» de Inocente Carreño, nutrida de temas del folclor margariteño; las investigaciones de Modesta Bör, las primeras obras sinfónicas de Evencio y Gonzalo Castellanos o del resto de maestros compañeros ubicados en la Escuela de Santa Capilla caraqueña, donde si bien la música popular y folclórica no hallaban directa hospitalidad creativa eran, paradójicamente, algo apreciadas sus inspiraciones a los efectos del trabajo académico.

Se cuenta cómo Antonio Estévez, celebrado autor de la «Cantata criolla» –suerte de contrapunteo culto entre los muy llaneros Florentino y el Diablo–, estaba al frente de la Orquesta Sinfónica de Venezuela ensayando una nueva obra, la Obertura Sesquicentenaria. Entre pasaje y pasaje los músicos cuchichean los parecidos con las cosas de Debussy, Milhaud, Stravinsky, Poulenc... De repente estalla el maestro Estévez: «¿Y de quién carajo quieren ustedes que me copiara? ¡¿De Billo?!».

Hay más ejemplos de estilos y géneros procedentes ya no del folclor inspirando a la música académica, sino de esa periferia internacional presente en la ciudad caraqueña y siempre útil para dar inspiración creativa a los artistas del momento, ¿*rock* nacional? Pues, sí, Trino Mora en los años 60 viene de Maracaibo imitando a Elvis Presley, y una década después termina siendo el propio Trino Mora, cantautor de protesta de la más pura cepa nacional, por supuesto, rockera. Estelita Del Llano escoge su nombre artístico (Berenice Perrone Huggins, dice su partida de bautismo) a través de un concurso radial en su Ciudad Bolívar natal y, lejos de seguir el género de música criolla folclórica sugerido por lo «Del Llano» (apodo más viejo que un terreno, según algún quisquilloso), se pasea en Caracas por el rock sesentoso hasta terminar convertida en la quintaesencia del bolerismo nacional. Aldemaro Romero, maestro valenciano, atiende a la forma del trío de jazz en la década de los 70 y, siguiendo la ruta inspiradora del *bossa nova* brasileño, logra en Caracas una *onda nueva* que refunda la rítmica del joropo a través de canciones impecables. Simón Díaz, sí, el propio compositor de tonadas llaneras, en apariencia un folclorista puro natural de Barbacoas, se estrenó profesionalmente como cantante de boleros en una orquesta de baile, según deja saber en algunas de las cien copias autobiográficas aparecidas en su libro *Estampillas venezolanas*:

> En la orquesta Siboney/ fingí de simple «coreo»/ instalador de micrófonos/ cornetas y maraquero... Hasta que llegó una tarde/ de jolgorio allá en «La Granja»/ que se enfermó el bolerista/ Y me dijeron: «tú cantas»... Me acerqué muy turulato/ al sitio que él ocupaba,/ me aclaré el pecho con brío/ y me empujé con «Dos almas»... Y con voz de falsete/ o tal vez de tenorino/ me vi cantante de orquesta/ desafiando mi destino...
> Desde San Juan de los Morros/ cuando ya aquí en Caracas/ me encontraba aclimatao'/ seguí pensando en la música/ y en versos improvisados... Para ello me fui a inscribir/ con nerviosismo y sonrojo,/ en la academia que guiaba/ don Vicente Emilio Sojo... Tres años tengo de música/ recibida de este sabio,/ pero no tengo que seguir/ del maestro en desagravio... Toco serrucho, guitarra,/ cuatro, furruco, corneta,/ piano, bombardino, bajo,/ y de ñapa soy poeta. (¡Caracha negro!)

«Caracas suena. La ciudad se hizo para oírla. No para verla.» Así la observación de José Ignacio Cabrujas en su ensayo «La ciudad escondida», así también la razón de ser de ejemplos en la materia que pueden y deben resultar interminables. Buscar la voz de nuestro sitio, identificarla, conseguir su carga emotiva dentro de nosotros. Saber, por ejemplo, disfrutar del poder poético de supuestos «errores» del habla integrada al arte musical... *así te darás de cuenta, que si te engañas mueres... ¡Llorarás!*, de disposiciones coloquiales, quizás no musicales en un sentido estricto, pero cargadas de mucha poesía de melódica caraqueña: Ludovico Silva, recluido en el sanatorio, le escribe a su esposa una minimalista canción de amor desesperado –ritmo puro– en el papel de la caja de los cigarrillos:

Por favor, tráeme
Pepsicola esta tarde.

Te ama,
Luis

El punto está en atender a la diversidad de fenómenos sensibles, musicales, que llegan a la urbe, a esta Caracas sonora, y son tramitados por los artistas del momento, para tomar orgullo de ellos y decir sin complejos atávicos: esto es mío, me pertenece, me conforma. Canciones como «Rosario» o «Compadre Pancho» son, para el caraqueño nacido en las décadas de los 40 y 50, parte de una tradición musical propia, mucho más fuerte que la música de algún folclorista «puro» de la indiscutible estatura de un «Indio» Figueredo, por decir. La razón de ello pudiera estar en el modo directo en que aquellas canciones llegaron a la casa de infancia mediante un televisor, en una hermana que tocaba cuatro, en el radio de la sala o tal vez en haberlas escuchado en una plaza, medios éstos bien distantes de las raíces folclóricas puras ubicadas en ambientes absolutamente exógenos a uno (esos campos o llanos de la provincia), ciudadano habitante de la urbe caraqueña.

No se trata de un juicio de valor. No se quiere decir que aquello sea malo y esto bueno, por el contrario. Se quiere, sí, decir que hay relación directa entre el ciudadano y los sonidos que su ciudad le propone; una relación que al menos da sinceridad al contorno social y a la persona individual. Un vínculo que supone diversidad comunicativa, creativa; mucha información musical que anima a pensar que todo, o casi todo, lo puede adoptar el sitio y llegar a decantarlo como propio.

> Soy un hombre del Renacimiento que vive en el siglo XX –decía muy a propósito el maestro Freddy Reyna–. Para mi modo de ser, la combinación de polifatecismo y dispersión no es caótica, sino que caracteriza la idiosincrasia de mi trabajo. No soy un músico culto. No me considero un compositor. A través del cuatro hago montaje de música folclórica, siguiendo el proceso de folclorización de los pueblos... No se deben separar el sonido del color, el color de la textura, la textura del ritmo y el ritmo de los ruidos urbanos y los de la naturaleza...

[illegible]

[illegible]

[illegible]

[illegible]

[illegible]

Tercero

«Viejo es el viento y todavía sopla
Viejo es el sol y todavía prende
Viejo es el tiempo y todavía anda».

Billo Frómeta a Rafael Briceño

Resulta interesante distinguir entre la música que ofrecen los artistas del lugar y ciertas expresiones musicales colectivas, anónimas, centradas en las tradiciones del propio entorno. Hay en esta distinción una importante clave de comprensión que amerita algunas observaciones generales.

Los antiguos griegos afirmaban que la música no era nada hasta que alguien la tocaba. Cuando está en silencio es un producto mental, una entelequia, tal vez un papel de pentagrama con signos de vida para la mente de un compositor o de alguien que se disponga a ejecutarla.

El toque convierte la entelequia en realidad y, por supuesto, da valor al medio de su difusión. De hecho, asumir la realidad del evento musical significa en mucho atender al medio que la hace realidad. Tanto el compositor o el intérprete, como los aficionados, necesitan del medio de difusión que precise esos sonidos que nos llegan del entorno y nos dan los mecanismos suficientes para conferir algún nivel de aceptación a las propuestas del momento.

Radio, televisión, cine, discos, conciertos ofrecen «arte» a través de «artistas» de mayor o menor aceptación. Pero los fenómenos musicales van mucho más allá; pueden abarcar desde el Conde del Guácharo hasta las orquestas sinfónicas; del último disco de Shakira a la «marchantica» del carrito de helados. Nada debería tomarse con ánimo peyorativo. La oferta comunicativa es enorme, diversa, y es regla de uso social difundir música a través de los medios de comunicación públicos o privados, mediante nombres precisos, concretos, que ostentan el rótulo de «artistas», o a través del anonimato propio de los usos y las costumbres (¿de quién es el «Arrorró mi niño» que vale para todos como canto de cuna?).

Esos «artistas» difundidos (utilizo las comillas para aliviar los alcances del término), a su vez, pueden ofrecer su «arte» por muchas circunstancias: por necesidades de expresión interna, por satisfacer al público, por el dinero que se produce al prestar servicios o ajustar modas, etcétera. En este sentido, bien dijo alguna vez el célebre baterista del jazz Max Roach que advertía dos razones poderosas para legitimar el quehacer del artista: la una era hacer arte por el goce del arte, la otra era hacerlo como una respuesta a una necesidad social. Y Roach, muy a propósito, también advirtió que ambos caminos eran válidos.

A todo evento los oficiantes musicales del lugar ciertamente entregan géneros, estilos, modas. Tan pronto dan el grito *avant garde* como resultan anacrónicos u otras veces se afanan en melancólicas revisiones. Puede hasta advertirse una onda dizque amparada en conceptos filosóficos teñidos de la complicación de ciertas «transvanguardia» o «posvanguardia». También, coexistentes, se estiman estilos cuyo centro es el retorno a la forma –¿«posmodernismo»?– para así tratar de hacerse «jóvenes», tal cual sucede con el modo de vestirse. ¿Algo nuevo en esta actitud? Vamos por un momento a la cita de Gerry Weil, maestro criollo de jazz y no jazz, utilizada por el crítico rockero Félix Allueva cual frase introductoria de su libro *Crónicas del rock fabricado acá*:

> Pero lo que realmente me llevó a mí, como músico, hacia el rock no fue el contenido musical, era el concepto musical. Me quité la chaqueta, la cambié por una camisa hindú, me deje crecer las greñas hasta la cintura. Los lentes de doctor se cambiaron por unos lentecitos redondos tipo John Lennon, los zapatos se cambiaron por unas sandalias hindúes y en el momento más exagerado anduve un año descalzo por Caracas... mi filosofía era que con los pies descalzos tocaba a Caracas de verdad, sentía a Caracas.

Se retoman las modas y actitudes «musicofilosóficas» de los años 70 y 80. Se rehace bajo el fundamento de «forma por la forma» (vale el dicho de Max Roach); asimismo se recargan los contenidos con la fuerza del entorno (vuelve a valer el maestro

Roach) y surgen buenos ejemplos de grupos caraqueños de fin de siglo: Bacalao Men, Amigos Invisibles o Desorden Público, artistas propios de nuestro espacio y lugar, quienes se sirven de muchos estilos de un pasado inmediato –*bogaloo*, *twist*, *salsa*– para ofrecer un discurso actual. En pocos grupos se advierte la pizca de originalidad interesante, consagratoria, aunque, en casos concretos, también se respeta y entiende un afortunado grado de independencia de los artistas respecto al gusto colectivo. De allí que consiga justificación un concierto «clásico» en el Aula Magna de la UCV con asistencia de unas trescientas personas, frente a la atracción televisiva sabatina del gusto de cinco millones de venezolanos.

Tampoco se trata de hacer queja en este punto, sino de señalar la existencia de individuos de todas las tendencias musicales imaginables, que la ciudad adopta al proponerlos cual artistas propios, del patio, y a quienes uno en principio recibe como tales desde muy variadas perspectivas: salseros, boleristas, criollos, académicos, jazzistas, pop, rockeros... todos creadores musicales reconocibles, que responden directamente por sus obras. Gente en quien uno reconoce propuestas y estatus de artistas; por ello sus trabajos pueden considerarse aparte de las músicas propias de la colectividad, convertidas en dominio público y en cierto modo expropiadas a quienes en principio las crearon para así constituir parte misma de la tradición local; veamos.

❑

El Himno Nacional, ejemplo central de estas músicas de dominio público, se emparenta con una canción de cuna tradicional y es utilizado de la forma más libre imaginable. Nos viene del entorno independiente de quien la compuso (¿Landaeta, Lamas, Gallardo o Andrés Bello?) y lo interpretamos como algo que viene con el sitio. De hecho, hace años le quitaron toda la parte instrumental del comienzo; después le tocó el turno a la estrofa que termina con aquello de «seguid el ejemplo que Caracas dio». Existe la versión proclamada oficialmente al lado de varias miniaturas –¿«bonsai»?–, útiles para presentaciones marciales y presidenciales. Otros arreglos, más o menos incompletos, han servido para acompañar amaneceres escolares, mediodías radiales, medianoches televisivas, marchas políticas o juegos de pelota. Y, a pesar de todo, allí sigue firme como parte del ancestro de cada cual; listo para la versión libre colectiva e individual, oficial u opositora, nacional e internacional, marcial o tan casera como el arrullo del «Arrorró mi niño».

Otro caso importante, interesante más bien, viene siendo «Alma llanera». Un segundo himno del país compuesto por Pedro Elías Gutiérrez, con letra de Rafael Bolívar Coronado, a principios del siglo XX, para formar parte musical de una zarzuela del mismo nombre. Años después, por avatares ligados al cine y la radio, la canción terminó convirtiéndose no sólo en un joropo de mil versiones grabadas, totalmente emblemático de nuestra venezolanidad, sino en el tema obligatorio para la despedida de cualquier fiesta. Por su parte «Conticinio», de Laudelino Mejías, nació para desbancar a «Geranio», del mismo maestro Gutiérrez, en esto de ser nuestro vals más popular, obligatorio para los estrenos sociales de nuestras quinceañeras en sus bailes.

Un fin de año de tradición caraqueña todavía puede y debe venir remarcado por la grabación de un joven Néstor Zavarce y lo *de... Faltan cinco pa'las doce, el año va a terminar... me voy corriendo a la casa... a abrazar a mi mamá...*, o por la voz de Tony Camargo con lo de... *Yo no olvido el año viejo... porque me ha dejao cosas muy buenas...* Además, nada quita que existan familias que, con doce uvas, el 31 de diciembre, rememoren la fuerza poética de Andrés Eloy Blanco al recitar con él, al unísono –su voz grabada y transmitida por el radio–, «Las uvas del tiempo» en el exacto instante del cambio de año:

> *Madre: esta noche se nos muere un año.*
> *En esta ciudad grande, todos están de fiesta;*
> *zambombas, serenatas, gritos, ¡ah, cómo gritan!;*
> *claro, como todos tienen su madre cerca...*
> *¡Yo estoy tan solo, madre,*
> *tan solo!; pero miento, que ojalá lo estuviera;*
> *estoy con tu recuerdo, y el recuerdo es un año*
> *pasado que se queda.*
> *Si vieras, si escucharas este alboroto: hay hombres*
> *vestidos de locura, con cacerolas viejas,*
> *tambores de sartenes,*
> *cencerros y cornetas;*
> *el hálito canalla*
> *de las mujeres ebrias;*
> *el diablo, con diez latas prendidas en el rabo,*

anda por esas calles inventando piruetas,
y por esta balumba en que da brincos
la gran ciudad histérica,
mi soledad y tu recuerdo, madre,
marchan como dos penas...

El cumpleaños que cantamos en las fiestas, otro ejemplo, es de mediados del siglo XX y fue compuesto por Luis Cruz. En su momento le dio popularidad radial Emilio Arvelo, quien resultó satanizado por locutores de la onda *pop* que rompían discos del «Cumpleaños» a cambio de llamadas telefónicas a sus programas. Como sea la canción trascendió a Luis Cruz, a Emilio Arvelo, a la opinión de los aficionados pop de los años 60, a los criollistas puros con deseos de preservar «Hoy es tu día», y resultó adoptada por el colectivo como su canción de cumpleaños.

El público del béisbol profesional canta en el Estadio Universitario de Caracas canciones de Billo dedicadas al equipo Magallanes, o de Porfi Jiménez capitalizando el antimagallanerismo... *Se hunde el barco...* «Compadre Pancho» viene a ser la primera canción que se enseña en el cuatro, una vez afinado éste bajo la fórmula del... *cam-bur-pin-tón...* Los temas de las televisoras nacionales –la «Marcha I.B.C.» de Carlos Bonnett, la de Venevisión de Aníbal Abreu, o de VTV en pluma de Arnoldo Nali– dan relación precisa a nuestra televidencia, también complementada por el cine, la radio y la fuerza difusora de comerciales del calibre de la Maizina Americana... *La del águila en la capa, distintivo nacional...* –según la inspiración de Luis Alfonzo Larrain–, del carrito de helados EFE que marca su presencia con el sonido de «la marchantica», o del entrañable Show de Renny con todo y el silbidito de despedida.

❑

¿Dónde va a parar ese legado cultural del ambiente?, ¿a favor de quién se apunta? Muchos otros ejemplos podrían dar cuenta de una extraña intimidad urbana, propia de cada cual, ejemplificada en los casos anteriores y confirmada por el cúmulo de música colectiva de marchanticas, cantos infantiles, canciones de cuna, campanas de la iglesia (las de la Catedral de inspiraron en un valse pianístico de Federico Vollmer), etcétera.

Muy a propósito, Ludovico Silva, siempre a la saga de los significantes culturales, en su libro *La filosofía de la ociosidad* decía que la música era una oferta absolutamente íntima: «... un lenguaje y unas palabras estrictamente privados, cuyo significado sólo conoce el oyente, por una parte, y el director y los ejecutantes por la otra». Silva descartaba la versión de la música como lenguaje universal y le daba la virtud de la intimidad, la posibilidad de apropiársela con la sola justificación de un oyente a quien nadie le requiere conocimiento alguno. Allí la paradoja misma de un lenguaje de dificilísima elaboración y, sin embargo, de siempre probable captación por intermedio de meras sensibilidades dispuestas a ello.

Las satisfacciones del proceso de audición (aquí complementamos la visión de Silva), pueden llegar a niveles insospechados: conviven en la ciudad en ofertas múltiples. Si uno aplica el gusto para determinar artistas individuales y hace el sabroso esfuerzo de decantar sus propuestas, si además atiende con espíritu abierto a las músicas anónimas del ambiente, de seguro llegará a advertir tendencias, voces o estructuras que ayudarán mucho a comprender el entorno. De allí, melómano puro, un solo paso para percibir de forma diferente –arte de por medio– el sitio donde vive, sin necesidad de conocer ningún aspecto de la música desde el punto de vista formal; de atender increíbles percepciones de civilidad ofrecidas por el mundo a través de nuestro particular espacio.

En todo esto, créanme, reside una de las más satisfactorias recompensas para los seres urbanos. Somos una especie de colador de cosas que nos llegan, decantamos y hacemos nuestras. Caracas, en este sentido, ha sido una gran esponja cultural que a través de sus sonidos organizados, de una u otra forma nos ayuda a descubrir quiénes por fin somos, a qué sitio pertenecemos y, en cierto modo, hacia dónde como colectividad vamos (no en vano tanta intelectualidad refiere al arte como el gran medio de conocimiento emocional de los asuntos humanos).

Cuarto

«La música es la única manifestación de la vida en la que uno nunca envejece. Tú oyes la música y te remite de inmediato al momento equis de tu vida en que esta música te marcó. Si una canción –un bolero, un rock, una salsa– te marcó el primer beso, la primera frustración, el primer éxito, cada vez que tú la escuches puedes remitirte a eso de manera intacta. Todas las generaciones del Caribe siempre han tenido su marca musical».

César Miguel Rondón.

Viene serpenteando la quebrada, la pastora su manada, y su tralarararararaaaaaaaaaa... Tendría tres o cuatro años de edad cuando por primera vez escuche aquello. La radio lo dejaba caer en las mañanas por encima de una mesa de plancha que servía de techo al castillo de plástico donde combatían los soldaditos de plomo. Decía la canción... *Nadie le conoce alguna pena, sola va con sus ovejas y su tralalalalá*..., y el juego quedaba de pronto en suspenso mientras la memoria infantil funcionaba en favor de aprenderse el cuento cantado: la historia de la muchacha abandonada que dejó como un rezo su tralararalalá, etcétera.

Tiempo, mucho tiempo, después supe que el recuerdo musical preciso refería a Tony Camargo remodelando en ritmo de chachachá a «La pastora», un viejo tango de tradición argentina que también Rafael Deyón, tanguista del patio, cantaba muy bien. Un tango «chachá», curiosidad de mínima importancia colectiva, sin el lustre de los llamados éxitos de siempre, pero que viene a ser la primera canción aprendida fuera del típico repertorio maternal.

¿Cosa extraña la memoria ligada a una canción nada patriótica, popular y bailable, acaso insignificante para casi todo el mundo?, ¿curiosa la selección de la mente infantil? Para nada. Algo hay muy personal que juega y gana; un pedazo de la primera infancia de cada cual, que en cada caso procura una canción escogida por gusto propio de la oferta de la radio, sin la ayuda de nadie (o tal vez de quien prendió el aparato en el sitio donde uno jugaba).

Nada fuera de lo común en ese proceso de irse estrenando como individuo, de preferir sin razón alguna, por el puro gusto –¿por qué no?– la voz de un Tony Camargo en vez de Benny Moré, Daniel Santos, Rolando LaSerie, Manolo Monterrey o Víctor Piñero. Nada sorprendente en haber aprendido, frente a sopotocientas canciones ofrecidas por el aparato casero, pues aquel cuento cantado que dejaba como un rezo su tralalalá. Natural más bien resulta la conciencia de quien prefiere porque sí; porque, al buscar causas y efectos primeros, como que resulta muy común empezar a conocer lo que a uno le gusta luego de verdaderamente haberlo gustado, aunque luego las cosas se compliquen, recompliquen, y lleguen quién sabe adónde. Como suena a retruécano, mejor me explayo.

Digo... *Era un bikini amarillo, con un hueco en el fundillo...* la música resuena en la mente y, con o sin razón, aparece Estelita Del Llano llena de curvas, pura sonrisota, metida dentro de los Zeppi al lado de un José Luis Rodríguez jovencito. Digo... *Cuenta la leyenda que en un árbol se encontraba encaramado un indiecito guaraní...* en el acto aparece la imagen televisiva, blanco y negro, de un cantante con una bolsa de pan que le tapa la cabeza, quien resulta ser Néstor Zavarce, niño prodigio convertido en joven promesa del canto. Digo... *Mi perrita pequinesa se ha quedado en el balcón...* y de golpe llega la mariconería extrema de un Pedrito Rico lleno de baba al momento de cantar «El relicario».

También es Billo's quien resuena en la mente: el comienzo instrumental de «La vaca vieja», el mambo –es decir, la parte puramente instrumental de la guaracha– de «Ariel», el... *Caminito de Guarenas donde encontré la novia mía...* Es Emilita Dago haciendo «El catre» con Los Melódicos, o tal vez la contraparte de animación femenina al «Musiú» Lacavalerie en un «Compre la orquesta» que bien pudo competir con el Pirela de Billo, atiplando su quejido por la novia que se va a casar, y tan sólo le da pie al mexicano Antonio Prieto también quejándose por lo mismo, pero en otro tema... *Blanca y radiante va la novia...*

Son cientos de casos de cosas musicales sembradas dentro de uno para alimentar el ensueño personal. Vienen de ayer, de hoy; van hacia adelante, hacia los lados, en movimientos parecidos al de los museos que precisan con sus objetos un ayer, un hoy o un mañana bien presto al redescubrimiento o la preservación. En este sentido, quienes nacimos en la década de los 50 del siglo pasado, ya medio museos ambulantes, podemos tomar la ventaja de ser generación de paso entre el siglo XX y el XXI. Esto, en materia musical, puede significar el acceso a la experiencia auditiva del siglo completo; desde los cantos de los abuelos o de los padres, conocidos por la fuente directa de su memoria en complemento al hecho disquero o de radiodifusión, hasta la vivencia de estreno propia del tránsito vital, consciente, proyectada partir de los años de infancia. Un ilustre escritor amigo -José Balza en su novela *D*- bastante ayuda a la aclaratoria y complemento de la idea:

> Lo mío era una fidelidad a la canción popular. Hace diecisiete años Hebu me ayudó a escuchar piezas de conciertos y discos contemporáneos. Pero esto fue algo marginal, y nunca logré un ingreso completo. Por el contrario, en la canción registraba yo no sólo una memoria que me había precedido: las melodías que el tiempo prolongaba, que seguían escuchándome siempre y yo había terminado por llevar con algunos recuerdos inventados o posibles, sino también cierta esencia, algo como un espacio mágico, que la canción abre y no termina. Siempre tuve debilidad por las palabras cantadas. Si bien yo jamás intenté ser músico o intérprete, adoraba en cambio reuniones o encuentros donde alguien sacara inesperadamente una guitarra. El pequeño espacio de la canción popular crea una coincidencia («un test sonoro, una pendejada sonora», definiría Hebu) para la más humilde señal del dolor, del sueño, y lo transitorio, con la sensibilidad. Una canción renueva el tiempo, actualiza intensidades que habíamos forjado. Yo no asistí -y me molesta no haberme dado cuenta de ellas, en su momento- al éxito de «Nena", ese pegajoso cuplé, ni de las primeras piezas de Guinand, y sin embargo viví entre ellas.

La cita -¿autobiográfica?- puede y debe continuar hasta el punto en que no nos resulte extraña la carga del ancestro, ese importantísimo legado que nos viene dado desde un comienzo, con las condiciones iniciales de la vida impuestas, para bien o para mal, sin que nada se pueda hacer al respecto: sexo, aspecto físico, nacionalidad, nexos familiares o sociales; domicilio, religión, usos y costumbres. Todo lo inicial listo en el paquete de cuna. Mejor ni hablar de lo necesario para la subsistencia infantil, de cuán importante resulta la posición económica familiar, etcétera. Todo es todo, especialmente un aspecto fundamental, el punto de partida: los años primeros de la vida dando fuentes de arraigo, vivencias, referencias esenciales de cultura heredada y, por supuesto, esas memorias musicales –«Una canción renueva el tiempo, actualiza intensidades que habíamos forjado», repite Balza– casi siempre instaladas en los cantos de infancia, o más concretamente en la queridísima «Pastora» de cada cual.

¿Será entonces necesario ubicar todo aquello musical, primigenio en cada cual, para matizar la comprensión de uno mismo y, además, del sitio donde se está? ¿Resultan indispensables estos datos para la comprensión del espacio y tiempo vital? ¿Va por allí cierta clave cultural del quiénes somos y hacia dónde vamos?... En todo caso, ¿no resulta una fiesta de memorias compartibles el recuento de esta naturaleza que prologue crónicas abiertas y muy libres?

II
Un siglo de rumba en Caracas

Un vals europeo que se criolliza al punto de convertirse en «valse» venezolano. La serenata de balcón sustituida por el canto amoroso del bolero bailable. Ciertos ritmos afrocubanos –guarachas, rumbas o congas– que desplazan los joropos y merengues cual música de salón y calle. Los propios géneros norteamericanos –jazz y rock-and-roll–, transformados y climatizado, en favor de expresiones tan populares como la salsa o el pop nacional. Quién sabe cuántos otros procesos de mezcla y remezcla, de beneficiosa fusión procurada por los medios contemporáneos de comunicación, podrían también anotarse para dar perfil a una música popular caraqueña de fin de siglo, con influencias abiertas y plurales: Cuba, Norteamérica, México, o Colombia, también Argentina, Brasil, Italia o Inglaterra, por sólo nombrar algunas naciones que han dado fuente, definición misma, al carácter abierto, sincrético, de gran parte de nuestra expresión popular contemporánea.

Nuestra identidad consiste en no tener identidad, tal la ironía de José Ignacio Cabrujas al señalar una circunstancia de incuestionable actualidad: estuvimos y estamos abiertos a cuanta influencia llega, damos bienvenida al gusto de aquí, de allá, de dondequiera. Adoptamos lo ajeno y, con el mayor desenfado, lo hacemos propio. Es parte del mismo modo de ser que, para bien o mal, deja saber un interés visceral en todo tipo de mezclas, aperturas o fusiones. Y ese interés de mezcla y remezcla, típico en el siglo, deja todo intento de crónica siempre marcado por ciertos prototipos fundamentales: lo que había, lo que vino y lo que al fin se quedó, puntos de partida y llegada en este asunto de apretado recuento cronológico de gustos y sabores.

❑

Comencemos con la entrada del siglo, cuando se hablaba de Caracas como «la ciudad de los techos rojos». Y cuánto trabajo cuesta imaginar la metáfora poética de aquellos techos rojos, para nosotros desconocidos, al lado de retretas, faroles y reuniones nocturnas que daban espacio a un «cañonazo» –«trabucazo» más bien– para anunciar la llegada de los músicos, por tal razón llamados «cañoneros». Una ciudad donde la Plaza Bolívar, según cronistas de la época, atestiguaba bailes imperiales de Cipriano Castro en una Casa Amarilla que «convertida en palacio encantado (...) semejaba una morada de hadas», pero morada de hadas dispuesta para el hombre que danzaba con gorrito y borla, muy presto a empujar a la pareja de turno a cierto cuarto vecino, mientras dos guardias le cerraban la puerta al valse de turno.

Una ciudad donde la música popular, fuera de la Casa Amarilla, apuntaba a la serenata con su doble juego de salir de farra y, de paso, afincar el ánimo de alguna conquista propia o ajena. Cosa de anochecer acompañado de amigos –una cuerdita, le decían–; de cantarle bonito a las muchachas, así fuera por el puro gusto de gozar el encuentro nocturno, guitarra en mano y voz en cuello a la orden de las canciones sentimentales del tiempo... *Fúlgida luna del mes de enero...* o del ritmo arrebatado del cañón que daba fin al trasnocho callejero... *En esa Plaza López que me recuerda, que me recuerda...* para que la fúnebre y serísima «Madreselva» fuera aprovechada en romances de caldos y perolas de comida bien repletas.

De más está decir que aquella ciudad hace rato cambió los techos rojos por los techos chatos y en el trance dio paso al distintísimo conglomerado actual en el que, si acaso, sólo quedan aromas de algunos recuerdos transmitidos mediante las voces de abuelos o bisabuelos, a quienes todavía el tiempo no se ha podido llevar. Porque, necesario es destacarlo, el caraqueñismo de las serenatas y los cañoneros, el de un «Rey del cañón» personificado en José Isabel García, tuvo su esplendor en un par de décadas, las primeras del siglo, cuando aquí nada se sentía de lo que luego fue. Quizás un tiempo más sencillo en cuanto a gustos y distracciones. Un tiempo de señoritas, manganzones, doñas y dones; de formales bailes vespertinos al compás de valses, pasodobles y polkas que contrastaban con el gusto general por las parrandas, o los merengues callejeros *rucaneaos* provenientes de los sórdidos mabiles, y empujados a las calles de la ciudad por carnavales de *carreras*, carrozas y muchachones ofreciendo socarronamente lo de «bailo con vieja y guardo el secreto». Años propios del canto popular con franco tinte europeo –mucho de la París de Guzmán Blanco–, entonado por el puro goce del encuentro con la noche y sus sabrosuras, sin otra gracia distinta a la que cada cual tuviera.

«Caracas iba derecha a su destino urbano, de espaldas al rumor de los bucares y cafetos que fueron su plantilla original», cuenta muy a propósito Manuel Rodríguez Cárdenas en una crónica del tiempo:

> En ese momento surge la ruptura con el folclor. Ya Caracas no será en lo sucesivo sino un depósito de recuerdos. Y es allí, con el material que esos recuerdos producen, donde actúan los cañoneros; es decir, los cantadores y músicos de charrasca, bandolín y cuatro que llenan de alaridos armoniosos o las horas de jolgorio en las casitas pobres. Ellos les recordarán a los mozos de pañuelo perfumado y a las muchachas de falda recortada, las persistencias del pasado rural; les dirán a las «vitocas» y a los «patiquines» lo falso de sus oropeles sacados del fiado mientras el «turco» los persigue; declararán la pena del hombre del pueblo, a quien su Ruperta, la fragante cocinera, deja en abandono por seguir detrás de «un cochero sinvergüenza y atrevido»; plantearán, en fin, la burla del arriero que sigue de largo, cuesta arriba, por la subida de Guayas mientras se quedan atascados con sus brillantes choferes el Packard y el «Super-Seis». El cañonero viene a ser como un reclamo de los recuerdos y al mismo tiempo el puntero de un mundo nuevo. El choque de la Sayona con la ortofónica.

Afortunadamente todavía el siglo XX no es tan viejo y existen algunos artistas preservadores de las tradiciones de los abuelos. Por ello, también afortunadamente, la serenata o el cañoneo de merengues, pasodobles, valses y parrandas, desplazados a partir de los años 30 por los aires argentinos, mexicanos, norteamericanos y muy principalmente cubanos, pueden hoy saborearse, de cuando en vez, mediante nuevos cultores interesados en catar el mejor gusto de esos estilos añejos. Los buenos ejemplos, aunque no muchos –Cañón Contigo, Rucaneo del Mabil, Los Parranderos de Caracas, los venerables Antaños del Stádium y un fino intento de Andy Durán–, pues tan sólo confirman la subsistencia de aquellos géneros patriarcales desplazados y a la espera, eso sí, de una necesaria revitalización.

❑

La Plaza Bolívar: Ruido de músicas. Hombres/ de casimir y de «palmbeach»/ Hay uno solo de bronce. Así el poema de Alberto Arvelo Larriva, así también la imagen de música y retretas a favor del público presente en nuestra plaza principal, convertida en esencia de carnavales, fiestas decembrinas y reuniones sociales de alta o baja sociedad. La plaza Bolívar tan sólo complementada por un par de teatros capitalinos, en esto de augurar las costumbres posteriores de *dancing* en clubes sociales, cabarets, *nigth clubs* o discotecas.

A comienzos del siglo XX el culto por el goce fiestero trucado en teatro musical del interés del mismo general Castro, llegó al punto de producir genuflexión en don Santiago Nevero, quien en su gusto por complacer y ser complacido, según la crónica de Eduardo Michelena y su *Vida caraqueña*:

> ... refería su pasado como empresario de compañías de teatro y sus actuaciones al lado de amigos políticos. Contaba en tono de gustosa evocación cómo había él llevado a Valencia una compañía de zarzuelas en obsequio personal de Cipriano Castro. –Aquel éxito –decía– fue único, fue el desmoche; le pusimos un telegrama al general que firmamos las dieciséis muchachas y yo.

Carnaval, fiesta taurina y navidades son tres eventos periódicos y centrales dentro de esta reláfica. Todos tres se repiten año a año y refieren a nuestro gusto por tomar música para convertirla en baile y canto común. Del carnaval bien se puede tomar su esencia de carnestolenda (del latín *carnen levare*, «quitar la carne», a lo de fiesta de la carne) y buscar en el siglo completo imágenes de fiestas, coronaciones, bailes, hoteles, plazas, carrozas, artistas nacionales e internacionales dispuestos en cuatro o cinco días frente a un público que pone el goce de su pellejo por encima de cualquier idea de familia, trabajo y propiedad («¡Aquí es, aquí es!»). Todo por y para la rumba es la consigna, tal cual sucede con la festividad navideña, de marcado tono familiar pero también convertida con el paso del tiempo en una vacación nacional colectiva donde el aguinaldo, las parrandas y las gaitas maracuchas concentran el ánimo igualmente rumbero de la población, aunque resulte terrible recordar que frente a cientos de «cabras mochas» y «negritos fulleros», está un pequeño disco 45 rpm con una voz de ultratumba que sobre un fondo de órgano lúgubre anunciaba y reproducía el sonido real del terremoto de 1967, grabado coincidencialmente... en el justo momento en que el conjunto infantil Los Tucusitos grababan un aguinaldo.

En cuanto a los toros, pues, cabe el recuerdo del Metropolitano y su «Sociedad de cines y espectáculos» dirigida por don Manuel Madriz quien, según el doctor Héctor Parra Márquez, «entre la música, el amor y otros delicados sentimientos se ha deslizado con altura por los predios del placer», a pesar de que todavía se recuenten bajo su administración las puestas en escena de un encuentro entre un tigre y un toro, o la función del empresario apodado «míster Simmerman», presentando la lucha de otro toro con un caimán previa a la exhibición de la película de turno. De resto, en lugar de privilegio, llega la imagen del Nuevo Circo de Caracas, cargado tanto de toros como de cierta tradición musical que nos viene de España y hace empinar la bota al ritmo de pasodobles criollos con imaginarios «Rey de los Faroles» o el propio «Diamante Negro», dedicado al torero en voz de Alfredo Sadel y grabado cual primer disco nacional producido casi enteramente en el país.

¿Dónde poner las experiencias combinatorias de las tres fiestas básicas? Pues mejor dejar las navidades por su cuenta y referir en Oscar Yanes, echador del cuentos, al torero que en los años 20 incumplió con un importantísimo contrato para presentarse en el Nuevo Circo de Caracas, a causa de un incidente merecedor del más caraqueño de los pasodobles. Sucedió entonces a Rodolfo Gaona, matador estelar de visita en la capital, que se le cruzó una Carmen Ruiz, actriz y *bailaora* montada en carroza carnavalesca, del todo lista a repartirle besos y cerezas al torero delante del público presente en el desfile. También sirvió a la Carmen la fiesta de carnaval para proponerle a Gaona lo de la fuga romántica inmediata en el barco que sale de La Guaira, etcétera. Y Gaona, pues, nada, se va con la Carmen al barco sin tomar cuenta de compromiso artístico alguno. Pasada la primera noche de novios, el torero debe encarar al empresario que le reclama en la puerta del camarote por incumplido e irresponsable:

–Sabe –le contesta Gaona–, uno se pone el traje de luces, se disfraza de mujer con coleta, engaña al toro de quinientos kilos y pitones que asemejan pezones florecidos. Uno hace de la hombría pura profesión y va en busca de los atrevimientos más maravillosos. Uno hace lo que sea... Sabe, el dinero que me adelantó me lo he gastao con la Carmen bebiendo champaña, recordando cuplés y pasándole capote sin clarines ni timbales. Los caballeros, le digo, para esos detalles no tenemos memoria, pero sí para reparar en su momento los agravios cometíos. No se preocupe lo suyo se lo devolveré todo, pero en su debío momento... porque teniendo la música pura de esta Carmen a mi lao, le digo que ni le he cumplío toreando animal alguno, ni tampoco le voy a cumplir. Así de mal van las cosas, y cuidao porque todavía se desenderezan más... Señor empresario, quiero que sepa que yo por una mujer así hago esto y también cosas muchísimas peores que ésta.

De más está decir, que el empresario Eloy Pérez –un caballero criollo de códigos parecidos a los de Gaona–, al entrever a la Carmen de rizos alborotados en bata, de inmediato renunció al desembolso. Tan sólo recordó, días después, cómo un cronista taurino había criticado la ausencia del torero al decir: «De haber sido Belmonte, ni que la mismísima Virgen de la Macarena se le hubiera aparecido...», y cómo otro cronista, de más condescendencia caraqueña, había justificado el caso al decir: «Qué Belmonte ni que ocho cuartos: Quien hace algo, bueno o malo, por el amor de una mujer... pues ése merece el perdón del mismísimo Dios todopoderoso» (suenen clarines, timbales y, ahora sí, ¡Olé!).

❑

Otro camino central en nuestro gusto urbano está marcado por el tango. Eso «de cuando Gardel visitó a Caracas...» hoy resulta una frase convertida en auténtica referencia de tradición caraqueña. Por cuenta de su significado valen los recuerdos del tango-merengue cual género bailable de amplia aceptación a mediados de los años 20, así como las evocaciones propias de los actos anuales en Caño Amarillo, amparados en una escultura conmemorativa con la firma de Marisol Escobar. También por el tango se afirma la existencia de activas peñas melómanas y lugares nocturnos que reúnen a nostálgicos o coleccionistas en torno a recuerdos y porvenires. Hasta «El día que me quieras», gardeliano a más no poder, ha quedado convertido en pieza clásica de nuestro teatro contemporáneo.

Ni falta hace decir que al caraqueño le gusta tanto el tango que lo aplaude, quiere y cultiva desde los años 20 con el Valentino de las películas, los 30 con la visita de Gardel como evento central en los anales de la ciudad... *Milonga pa recordarte, milonga sentimental...* (¿recuerda de la versión salsera del Gran Combo de Puerto Rico?). Mucho después, años 60, Felipe Pirela bolerizando lo de... *la historia vuelve a repetirse...*, Julio Jaramillo haciéndolo con «Rondando tu esquina»; Alfredo Sadel –casi por no decir Alfredo Gardel– cantando «Soledad», Rafael Deyón versionando «La pastora» o José Luis Rodríguez, con Billo, y lo de... *que ganas de llorar, en esta tarde gris...* Así hasta cabe la referencia caraqueña de un cantante clásico del género, Agustín Irusta, prácticamente nacionalizado en la últimas décadas de su vida.

Nada de raro tiene entonces el interés capital en llevar dentro ese germen argentino que en su tiempo se dio la mano con los cantos rancheros de un Tito Guízar... *Allá en el rancho grande, allá donde vivíííííaaaaa...*, de un Jorge Negrete, Pedro Infante y toda la pléyade de mexicanidad transmitida e incorporada a través del cine y radio de la época. La imagen de un pueblo con sentimientos similares; los cantos de charros y mariachis conquistados, movidos por la lástima –emoción fundamental–, o prometiéndose balazos de puro honor; los despechos o las situaciones personales desastrosas provenientes de un amplísimo repertorio pasional. Por algo, razón jamás le faltará a quien piense en el pedacito sureño con sabor ranchero, que más de un caraqueño lleva dentro del mero centro del medio de su pecho (¿Se acuerdan de «El Rey» ligado a... *Y volver, volver, volver...?*, ¿o ya no se acuerdan?).

❑

Qué decir del bolero que no se haya dicho ya. Una música de cuentos tropicales de amor y desamor. Letras que llevan quejas, rencores, deseos o ilusiones pidiendo balanza a su favor al momento de ponerles melodía. Que se cante con el cuento y, en el trámite, surjan los encantos del género: el arte específico con acogida plena al sentimiento latinoamericano de todas las nacionalidades, en contra de la idea, falsa, de una naturaleza exclusivamente cubana. Un ritmo lento, moroso, siempre amarrado a la media luz de la pista de baile en procura de la más calurosa cercanía de la pareja a través de un baile que dio fuerza a cierta teoría de popularidad.

El bolero reemplazó nuestras canciones serenateras –aquellas de los Cantores del Trópico en voz de Manuel Pérez Díaz, Antonio Lauro y Marco Tulio Maristany–, e impuso su popularidad sobre todas las otras formas musicales existentes porque, desde finales de los años 30, dio oportunidad de contacto físico casi pleno a la pareja, en tiempos donde estaban censuradas hasta las miradas. Eso de acercarse, tocarse, sentirse –«pulir la hebilla», pues–, mediante la sencilla pulsación del rítmico cuatro por cuatro suave, pegadito, a través de canciones de intencionado pistón amatorio, tenía que tener el tremendo efecto que en efecto tuvo: ser el único aparejamiento público socialmente consentido.

A propósito del arraigo del bolero entre nosotros, el maestro musicólogo Luis Felipe Ramón y Rivera, en su estudio acerca de *La canción venezolana*, deja caer una reflexión confirmatoria:

> ... es evidente que a partir de 1930, más o menos, la canción tradicional se olvidó y quedaron como herederos de ella piezas criollas de carácter bailable, aunque fueron concebidas para cantar; ellas fueron –y son– el vals, el merengue y el bambuco, este último en la región occidental del país. A ellas se sumó un tipo de canción antillana, el moderno bolero, más o menos modificado en su estructura, según el gusto de los compositores nacionales que lo adoptaron.

Y es que a este género musical, ciertamente, se le consiguen trazas de modificación estructural, arraigo y adopción en intérpretes y compositores distinguidos de nuestro país, que apuntalan la esencia artística del cómo se dice bolero en venezolano: De un modo sencillo, simple pero sensible, listo al canto amoroso mediante un... *Señor yo vengo a pedirte, que no me castigues, por haber querido así...* –Aldemaro Romero–... *Son tus cartas mi esperanza...* –Guillermo Castillo Bustamante– o... *Noche de mar, estrellada y azul...* –José Reyna– en lugar de los elaborados... *Aurora de rosa en amanecer, nota melosa que vibró el violín...* –cubano– o... *Dame la luz que tiene tu mirar, y la ansiedad que entre tus labios vi...* –mexicano.

El bolero entre nosotros sustituyó formas y cambió gustos. Atrás quedó lo de... *Un cisne más blanco, que un copo de nieve...* música popular serenatera de la Caracas vieja referida por el maestro Ramón y Rivera, donde ni cisnes, ni nieve pero sí muchachas conmovidas con los cantos de romanticismo tardío que daban presencia a cuentos de gente moribunda, débil, lista para la fatalidad: el caso musical del novio que saca a su propia novia de la tumba para casarse con ella, según la inspiración de Julio Flórez, poeta colombiano, y su «Boda negra». También la canción «Hacia el calvario», convertida en tema del hombre aun más desdichado que el Cristo crucificado, por no tener él quien se conduela de su segura crucifixión amorosa, según aquel Andrés Cisneros, guitarra y voz, en plan de último ensombrerado caraqueño listo a dar vida y muerte al género funerario musical. Las tétricas canciones de su repertorio fueron canto sentimental de nuestra gente de principios del siglo XX que, de seguro, también sintió eso que llaman «brecha generacional», cuando hijos y nietos buscaban la contra y recontra a la menor alusión de Cisneros, Andrés, y sus cosas: «¿Serenata con urna de por medio? ¡A locha el entierro y a medio el cemento! Qué va mi vale; mucho mejor son los boleros cantados por tipos que no parezcan sepultureros».

Y así, dentro de la reláfica del cambio en el gusto, se cuenta de cómo el mar y la luna sustituyeron las inspiraciones funerarias. O al menos dieron cierta alternativa. Huesos en playas desiertas de antes por las palmas que duermen tranquilas, mientras... *la luna de plata se arrulla, en el mar...* El mismo que se le fue... *en su azul lejanía...* o que lo hace perderse como inquieta ola. Un punto culminante estuvo en canciones bailables referidas a la vitalidad marina, donde... *la vida es más sabrosa...*, o donde la vieja luna... *sabe dónde está mi amor...* y por ello bien se le puede pedir que ruegue por la vuelta de la amada(o), según el pregón de aquel bienllamado «El bigote que canta», Bienvenido Granda.

Fueron entonces –años 40 y 50– los seres tropicales impuestos de olas, espumas, luna y noche, ofreciendo sueños melódicos de aspecto distinto: Alfredo Sadel, el galán del aspectazo, que a su amor castigaba con una media voz demasiado particular para el bolero. El mismo a quien el público nacional aplaudía al punto de identificarse con él, de conseguir presencia nacional dentro de la metralla de radio y cine producto de otros seres musicales perfectos, pero siempre de un más allá inalcanzable.

Sadel se parecía a uno y, de alguna forma, uno como que a través de Sadel podía aparecer en el cine mexicano, en los cabarets cubanos o, quizás, en el universo de la televisión americana del show de Ed Sullivan. Sadel, se insistía, es intocable e incriticable. ¿Quién se atrevería a preferir a Lucho Gatica? ¿Era acaso sensato decir que el cantante venezolano no era de su gusto? Mire bien: en materia de ídolos de la música popular fuera de las fronteras, Sadel es lo más reconocible que hubo de Venezuela en los primeros cincuenta y pico años del siglo XX. Sadel si a uno le gustaba, y si no quizás tan sólo alguna simpaticona anécdota que lo involucre:

Hay ensayo en casa de Aldemaro Romero. Piano y voz buscan descifrar la clave de tonalidad y otros elementos básicos de futuras orquestaciones. La cosa es en serio, muy en serio, pero hay accidentes imposibles de controlar: el perro callejero, por ejemplo, que le mete aullidos al dueto de maestros para convertir aquello en un particular trío.

Llega entonces la interrupción del vecino, quien jalado por los vaporones de la tarde dominical se atreve a protestar no sin cierto desafine: –¡Sadel y Aldemaro! ¡Toquen aunque sea una que no se sepa el perro! (¿No sería el mismo tipo que cuando Sadel cantaba en un teatro caraqueño aquello de... *Yo quisiera ser un mago...* pues le contestó desde el balcón: «Entonces vente acá para darte mi varita»?)

Bolero, pues, con ídolo nacional y cual música clásica de Latinoamérica toda. Vive así la producción de un cancionero de poética pura, afín a la ronda nocturna y al enganche amoroso, aprovechable al máximo mediante piezas maestras en lo que al canto caribeño se refiere. Varios intérpretes reconocidos significan una historia tropical coincidente con el tránsito del siglo mismo. Canciones de Pedro Flores o Rafael Hernández desde Puerto Rico, en voz de Bobby Capó o Tito Rodríguez; de Ernesto Lecuona, César Portillo de la Luz, Ignacio «Bola de Nieve» Villa o José Antonio Dávila, cubanos, al servicio de Rita Montaner, Olga Guillot, Benny Moré, Elena Burke u Omara Portuondo; de Mario Clavell en voz de Leo Marini –argentinos ambos. Lucho Gatica o Mona Bell desde Chile, Julio Jaramillo desde el Ecuador y en Colombia Carlos Julio Ramírez o Matilde Díaz; en México, Agustín Lara, María Greever, Vicente Garrido, Mario Ruiz Amengual –compositores– y don Pedro Vargas, Toña La Negra, Elvira Ríos o el trío de los tríos, Los Panchos... Ah, y los venezolanos... cantantes estilistas con vigencia y espacio propio: Graciela Naranjo, Rafa Galindo –antes que Sadel–, Felipe Pirela –«el bolerista de América»–, Estelita Del Llano, Gisela Guédez, Esperanza Márquez o Nancy Toro por sólo mencionar algunos nombres relevantes que han dado comunicación al quehacer compositivo de Guillermo Castillo Bustamante, Luis Alfonzo Larrain, Aldemaro Romero, Jesús «Chucho» Sanoja, José «El Negro» Quintero y, de nuevo, Billo Frómeta.

Esta música, casi olvidaba decirlo, en cuanto nos resulta hoy día «clásica y afrocaribeña» en tanto que continúa vigente como si se nos hubiera enseñado en el día de ayer. Tal vez por ello el maestro Rodrigo Riera, guitarra en mano, decía que así insistiésemos en las reuniones, rumbas y parrandas, con las cosas venezolanas de siempre, nuestras fiestas jamás terminarían sino con boleros de despecho acurrucaditos en la voz de los amigos presentes (¡así sea!).

❑

¿Cuándo y por qué comenzamos a entender el ritmo cubano como algo caribeño y propio? ¿Qué tanto y tan bien nos ajustó el discurso musical del bongó, cencerro, timbal, conga, maracas y güiro? ¿Fue la salsa setentona el punto culminante? ¿Queda todavía algún buen camino por andar en la materia?

Bolero aparte, la penetración de los ritmos afrocubanos dentro de nuestro caraqueñismo data de aquellos años 30, cuando las serenatas y los merengues se vieron sistemáticamente sustituidos no sólo por los tangos y las rancheras, sino muy principalmente por boleros, guarachas, rumbas y congas que marcarían caminos tan largos y fértiles como el siglo mismo.

La música bailable caraqueña del siglo XX estuvo y está marcada por un innegable sabor afrocaribeño. Las rítmicas y los temas provenientes de artistas cubanos, puertorriqueños, mexicanos o dominicanos fueron favorecidos por el gusto general y dieron origen a un nutrido quehacer propio en la materia. En este sentido, nuestros Guillermo Castillo Bustamante (tal vez líder de nuestra primera orquesta de baile, según Lil Rodríguez) Luis Alfonzo Larrain, Filo Rodríguez, Chucho Sanoja, Pedro J. Belisario, Rafael Minaya, Leonardo Pedroza, Aldemaro Romero, Porfi Jiménez, Renato Capriles, Oscar D'León, Federico Betancourt, Ray Pérez, César Monge o Andy Durán han sido y son nombres orquestales asociados a décadas de baile caraqueño que, por supuesto, consiguen su máxima expresión en Luis María Frómeta, «Billo», personaje clave para la crónica contemporánea ya no de la ciudad, sino del país entero.

«Ahí va la Billo», hace algún tiempo decía un amigo al ver al maestro caminar por una calle de Caracas. –Mi vale, no es «la Billo», es Billo. La Billo's, con su apóstrofo y su «s» final, es la orquesta que buscó abreviar su nombre en inglés para no llamarse «The Caracas Boys of Billo», ¿me comprendes? Mucha gente escucha y medio comprende. El caso está en cómo ese hombre se confunde con sus logros. La orquesta que le adeuda el nombre, la Billo's con todo y su apóstrofo, va por encima en popularidad y trascendencia: desde finales de la década de los 30, hasta el día de hoy, pasando por encima hasta de la muerte física del maestro, ocurrida en 1988.

Se trata de la historia del hombre que se convirtió en orquesta. Billo es la Billo's. Pura música de baile compuesta, arreglada y dirigida a los corazones venezolanos, latinoamericanos, de tres o cuatro generaciones, sin distinción de razas, regiones o condición social e intelectual. Música de baile importante, la más popular de Venezuela, lista para dar al traste con los pensamientos críticos relativos a su inmediatez, a la falta de elaboración compleja o elevación intrínseca, y todo un etcétera lleno de prejuicios antiguos, absurdos. ¿Todavía cabrán dudas respecto al alcance de esta música?, ¿a su poder comunicador?, ¿a su real carga emocional, artística e integradora?

Tomar cuenta de la música asociada no sólo a Billo, sino a nuestras orquestas bailables, es una forma de ampliar el panorama de la música venezolana; de darle un sentido amplio, fusionador de culturas adoptadas y –¿por qué no?– gozadas desde las mismas entrañas de lo que por fin somos: gente caribeña, del trópico, con gusto por los toques de tambores afincados en cencerros, maracas, güiros, piano, bajo, saxofones y trompetas, vengan ellos de donde vengan. Participantes somos de una comunidad urbana, acaso «afrocaraqueña» desde el punto de vista musical, con *crooners* –anglicismo utilizado para los cantantes que susurran la canción al micrófono– y soneros de obra tan sabrosa como concreta: Manolo Monterrey –«El ciclón antillano»–, Víctor Pérez, Luisín Landáez, Cheo García, Ely Méndez y Memo Morales, figuras estelares por siempre ligadas a la mejor tradición billera. Elisa Soteldo, Emilita Dago... *Ven, ven, ven, ladronzuelo ven...* o Canelita Medina, indiscutible reina de nuestras soneras, todas ellas dando por siempre testimonios del quehacer artístico de Luis Alfonzo Larrain, Chucho Sanoja, Los Melódicos o de aquella Sonora Caracas, madre del sonido matancero en nuestra ciudad.

También vale la imagen de Víctor Piñero, absoluto «Rey del merecumbé», con la mano en la oreja y su agudo registro al frente de Los Melódicos. De Wladimir Lozano al lado de Oscar D'León, en plan de chiquito con grandote, siempre listos a recargar la genética necesaria para evocar el gusto guarachero de un Manolo Monterrey vía Luisín Landáez-Oscar D'León («Te caigo a tiros»), o el del soneo salsero propio de «Las caraqueñas» de José «El Negro» Quintero.

Preservar el sabor y color del toque fiestero; tal la condición de la música, tal el gusto al escoger, arreglar y dirigir favoreciendo la fuerza rítmica que liga el pasado al presente, que procura largos solos e intervenciones juguetonas hechas por y para el bailador, jamás dirigidas a una búsqueda de perfección formal, sino a ese «swing afrocaraqueño» que ha movido del asiento a varias generaciones de venezolanos. De eso se trata. Al fin y al cabo son siete décadas a favor de lo afrocubano convertido en nuestra principal música bailable. Setenta años marcando el paso a estilos y orquestas al punto de haberse llegado a inventar un término –SALSA– para centrar su definitiva presencia entre nosotros. Las evidencias son tantas como el tiempo transcurrido, sintetizarlas tiene la dificultad de obviar los obvios y el beneficio de recapitular un asunto importante. Y es que eso de... *Mamá yo quiero saber, de dónde son los cantantes...* además de una canción, puede resultar interesante materia de reflexión para muchos seguidores de los pasos afrocaribeños en música. Porque algunas veces no sólo se trata de oír o bailar al ritmo de orquestas o cantantes, de reconocer a través de los pies aquello con casi un siglo al servicio del goce; también en ocasiones se cuela el gusto por saber, investigar y hasta complacer la piquiña intelectual que deja en el interesado esas cosas propias del sabor: el son cubano, fuente primigenia; su majestad el danzón; la rumba, conga, guaracha y guaguancó legando la impronta de la clave cubana. Más acá, mambos, chachachás, afro-jazz, el cuento de la salsa... el bolero, género universal latinoamericano de parecida especie pero, siempre, formando punto clásico que merece atención especial.

Son tantos, tan buenos, los cruces y recovecos de nuestra música latina que se aprecia el registro ordenado de esas raíces ligadas al baile popular en nuestro país, pero hasta muy reciente fecha casi huérfanas de investigaciones, si no públicas, al menos publicadas. Por ello, en lugar de referir una larguísima historia de forma apretada e incompleta, bien debe apuntarse hacia el reciente resultado impreso de algunas investigaciones en torno a este tema profuso y central. Vale decir, dos libros de distinta estirpe dirigidos a la fundamental obra de Billo Frómeta (*Billo, solamente Billlo* de Carlos Delgado Linares, y *Billo, biografía musical* de Ángel Vicente Marcano), otro centrado en una historia de nuestra música bailable y en el maestro Luis Alfonzo Larrain (*Caracas, una rumba* de Moraima Carvajal); un cuarto libro, con lugar de privilegio, soporte del trabajo de Lil Rodríguez, apasionada investigadora, quien esta vez deja saber muchos datos de interés a través de su particular galería de héroes (Benny Moré, Ismael Rivera, Adalberto Álvarez y «Cheo» García, entre otros) agrupada en *Bailando en la casa del trompo*. De quinto, nunca malo, dejamos el breve pero sabroso *La salsa en Venezuela*, de Alejandro Calzadilla y su recuento de un cuento que todavía se goza. Por supuesto, el tono complementario de estas publicaciones recientes refiere la existencia previa de otros trabajos centrales: *El vínculo es la salsa* de Juan Carlos Báez y, por supuesto, *El libro de la salsa* de César Miguel Rondón, repotenciadores de este anchísimo camino real en lo que a nuestra música popular de este siglo se refiere.

❑

Capítulo al margen en esta reláfica merecen la radio y el disco, dos medios de comunicación centrales.

La radio en su mejor momento apuntaló, por encima del teatro o el cine, géneros, estilos y artistas. Porque, justo es decirlo, hubo un tiempo cuando la radio tenía el indiscutido puesto de la televisión, así hoy día el aparato radiodifusor la más de las veces haya tomado una función subalterna acompañante de calles y cornetas (artefacto empotrado en carros o autobuses), y desde esa función sea que provenga la esencia de su actual propuesta.

En todo caso, algo de la antigua potencia del medio aún queda. Quizás la misma que, a mediados de los años 80, inspiró al reconocido cineasta Woody Allen a realizar una película evocadora –*Días de radio*– con ese tono añejo, dorado si se quiere, de las cosas sabrosas, verdaderamente queridas, pero ya muy lejanas. Siguiendo aquellas esencias, trata uno hoy día de desentrañar el extenso significado del término «radiodifusión» (emisión por telegrafía o telefonía sin hilos, dice un diccionario) y tan solo puede evocar algo de su original magia: sustituto –alternativa, en el mejor de los casos– para el antiquísimo placer de asistir a conciertos y leer novelas; un verdadero empresario gigante de estrellas y estrellados que hoy tan solo puede sugerirnos su carácter esencial dentro de la cultura caraqueña de los años 30, 40 o 50. Porque cuesta trabajo imaginar cuánto pudo significar, para el caraqueño de ese tiempo, tener en su propia casa las orquestas y artistas predilectos del momento... Xavier Cougat, Machito, Pérez Prado, la Sonora Matancera, o la Casino de La Playa al servicio de Pedro Vargas, Toña La Negra, Miguelito Valdés, Daniel Santos, Graciela Naranjo, Marco Tulio Maristany, Magdalena Sánchez, La Perla Negra, Lorenzo Herrera, el dueto Espín Guanipa o Mario Suárez de la mano de maestros locales: Eduardo Serrano, Ángel Sauce o Carlos Bonnet... Eso de ir a una transmisión cualquier tarde de semana, y encontrarse con la Billo's de Galindo y Manolo, a Luis Alfonzo Larrain con Elisa Soteldo, Aldemaro Romero dirigiendo a Sadel, todos ellos adoptando el toque afrocaribeño cual área creativa propia... Oír a Glenn Miller, Tommy Dorsey, Duke Ellington, Louis Armstrong, Ella Fitzgerald –artífices del jazz– en su momento de esplendor; Al Jolson, Bing Crosby o Frank Sinatra compitiendo con los artistas mexicanos, argentinos y españoles, mediante la fuerza del cinematógrafo en plan de cómplice central para una labor radiodifusora principal responsable de nuestra apertura respecto a los géneros y estilos del siglo.

En cuanto al disco, bien puede referírsele una historia de desarrollo económico y expansión tecnológica muy ligada a la evolución de la radio. Del rollo, a la baquelita coincidentes con las primeras transmisiones; de los discos en 78 rpm de los años 40, al acetato y vinil de 45 o 33 rpm propios de los «picó» y «rocola». Casetes, discos de pasta, compactos, VHD, MP3 forman parte de toda una saga melómana contemporánea donde resultan esenciales palabras como «tocadiscos», «discoteca», «grabador», «reproductor», «hi-fi», «estereofónico», «monofónico», «legales y quemaos»... Toda una terminología creada y desarrollada e impuesta al melómano para individualizar la música que la radio impuso o que, eventualmente, él mismo se pueda imponer (hay discos que nunca sonaron en la radio y sin embargo existen debido a la tremenda individualidad impuesta por gente sensible, con necesidad de identificar su gusto con independencia del gusto de los medios masivos de comunicación).

❑

Mucho se ha referido a los años 60 como «la década que sacudió al mundo». Aquí en Caracas, sin ir más lejos, aquellos años significaron cambios y más cambios; en la escena política, en lo social o cultural:

> Venezuela toma con amor furioso sus actos electorales –decía el poeta Pablo Neruda–. Tantos eclipses tuvieron éstas en su atormentada historia, que ahora brillan con papel, bengalas, aviones, amén de ruidos infernales. Caracas se ha convertido en feria multicolor. Cuelgan millones de tiras y retratos, de volantes verdes o blancos o celestes o rojos. Vote por el ancla o por la llave o por el caballo. Vote por el amarillo, vote verde, vote blanco. Vote por Burelli, por Prieto, por Caldera, por Gonzalo. Y por Arturo, por Gustavo, por Wolfgang, por Miguel Otero. La radio, la televisión, los diarios, los teléfonos, ensordecen con una gran alegría. Salen a bailar Hitler, Bolívar, Fidel Castro, Frei.

El verbo del gran poeta parece tomar trazas del tango «Cambalache». Su observación aguda refuerza el cansancio melómano típico de la edad madura, cuando no se tolera sino los sonidos suaves, muy melodiosos. Hay ruido en el ambiente; el poeta escucha el estruendo musical proveniente del 1968 político, electoral, pero también de los años que le preceden y suceden dando cabida a discursos comunicacionales de índole cosmopolita. Suena la calle, el radio y sobre todo la televisión, ahora en primer plano cual sustituto definitivo del aparato de radio casero. Son, entonces, mediodías y noches televisivas de música. También es tiempo de aparición de una oferta melómana propia, adecuada al momento: la música norteamericana compitiendo abiertamente con lo afrolatino bailable –ahora convertido en salsa–; el clásico bolero caribeño desplazado por las baladas ítalo-americanas o brasileño-portuguesas; las orquestas de baile –Billo's, Sanoja o Porfi–, la música criolla modernizándose mediante el talento de las hermanas Chacín, Juan Vicente Torrealba, el Quinteto Contrapunto –Morela Muñoz y el doctor Jesús Sevillano allí incluidos–, Chelique Sarabia, Simón Díaz, Hugo Blanco o Aldemaro Romero y su onda nueva.

Una esencia de *rock-and-roll* de tal magnitud invade el ambiente caraqueño que, en palabras de Félix Allueva, melómano e investigador rockanrolero número uno, «significó una irrupción violenta y un viraje en cuanto a lo que se venía haciendo en materia de música popular»: los Beatles enseñando a los Darts, los Supersónicos, los Impala o 007. Sangre, Sudor y Lágrimas desde la arena de Nuevo Circo o Carlos Santana... *Oye como va, mi ritmo...* a la carga vía *happening* en el stádium de béisbol de la Ciudad Universitaria. Anuncios oficiales advierten que no se expedirá cédula a jóvenes «pelúos», tal vez envueltos en experiencias psicotomiméticas, psicodélicas y un variado etcétera, que incluye la vitrina de época para «jamados», «agitados», «tombos», «pacos», «patotas», «jevitas», «pelos», «peace and love» y mucho «groovy-groovy».

De todo aquel poderoso viraje también surge y se justifica la existencia del término pop, musicalmente utilizado en Caracas para agrupar aquello no-caribeño/no-criollo/no-rock propuesto por los intérpretes populares; vale decir, Mirla, Mirtha, Mirna o Nancy Ramos. Algo después Las Cuatro Monedas, Arelys, Patti Ross o Delia... por los varones Cherry Navarro, Germán Freites, Ivo –el del pelo largo–, Henry Stephen, Rudy Márquez o Trino Mora... en fin, toda una influencia sonora también afincada en un discotequerismo propio de la década de los 70, que hasta nos llevó al extremo de aplaudir nuestros propios y sensacionales «Travolticas» venezolanos, favoritos en aquel afán internacionalizador de unos medios de comunicación con ofertas múltiples, sí, pero menos selectivos que nunca en la vida.

❑

La década de los 80 resulta crónica reciente. Sus sabores –desde entonces también dominicanos– se entremezclan tanto con la actualidad, que hoy día se hace imposible alguna valoración definitiva de sus diversas expresiones artísticas. Sin embargo, a pesar de la evidente falta de perspectiva histórica (ese paso decantador del tiempo), ya con el comienzo de este siglo, muchas cosas interesantes en materia de música caraqueña pueden avizorarse.

Varios compositores-intérpretes entregaron canciones centradas en el trámite urbano de su Caracas nueva. Ilan Chester... *Ávila, cerro el Ávilaaa...* Frank Quintero... *ella era fina y sencilla...* Yordano... *para dejar que corra libre, un manantial de corazón...* Evio Di Marzo y Adrenalina Caribe... *Pa'tiiii solita...* Colina –el propio preposmodernista–, Daiquirí, Sergio Pérez. Gualberto Ibarreto, Los Cuñaos y Serenata Guayanesa –criollistas–, Guaco, Franco De Vita, la jovencita Karina o el grupo Menudo –«Soy de Menudo para acá», se dice hoy como referencia generacional-, y un importante etcétera apostando a la vida de la ciudad y de sus habitantes como fuente de inspiración inmediata. Además, en beneficio de nuestra identidad, esta música fue también producto de una onda posmodernista a favor de traer en escena nuestras viejas formas caribeñas –el bolero, la canción, el son, los ritmos del trópico–, centradas en el gusto popular, bien a través de los nuestros, o bien mediante los nuevos cantores universales del trópico... Rubén Blades –«Poeta de la salsa»–, Juan Luis Guerra –punto culminante del merengue y la bachata de salón–, Luis Miguel (principal responsable de la vuelta del bolero), la Soledad Bravo criolla o el Caetano Veloso brasileño, nombres centrales en esto de abrir fronteras e integrar ancestros musicales de raíces parecidas, por no decir iguales. Ancestros que dejan imágenes concretas resueltas en crónica más reciente –los años 90–, de alguna fuerza iluminadora en la materia.

❑

Se llega a cierta casa atravesando un amplio jardín adornado con antorchas que disimulan los verdaderos focos de iluminación. Se trata de ver y oír a través de tonos verdiazules, sombras violetas o luces blancas indirectas, que acompasan un camino empedrado por la voz de Toña La Negra. De recibir el canto, acaso sorpresivo por lo vetusto de la grabación, desde los alrededores de una piscina acomodada para la reunión fin de siglo, donde se han dispuesto cornetas y aparatos destinados a la voz de aquella cantante tan conocida en la década de los 40 como renegada veinte años después, cuando nuestro favor social encumbró a los ases del rock-and-roll y otras especies similares.

De mujer a mujer, lo lucharemos... eso canta Toña La Negra mientras la casa del jardín termina de enmarcar el sabroso juego nocturno de gente dispuesta al buen rato, al contraste de lindura personal con cierta informal elegancia de vestidos tropicalosos, piñas coladas o recoladas y música olorosa a palmeras cubanas del Hollywood de los años 40. Allí la tónica del nuevo tiempo; aquí las preguntas de quien participa, juega, pero también observa: ¿desde cuándo el cambio en el gusto exquisito?, ¿por qué la naftalina de boleros de anteayer en lugar de algún novedoso producto discográfico?, ¿dónde ubican a Gloria Estefan o Luis Miguel?, ¿qué pasó con Michael Jackson, Prince y compañía?, ¿Britney Spears o Cristina Aguilera perdiendo con

Estelita Del Llano y Alfredo Sadel?, ¿podrá por fin alguien cantar en inglés con el alma latina propia de quienes creemos en el encanto de nuestra mismísima letra ñ? (*... pasarán más de mil años, muchos más...* cual canto profético de la repotenciada voz de esta Toña del ayer, pero muy a tono con los tiempos actuales).

«Pues ahora resulta que nadie en los años 60 y 70 escuchaba a Hendrix, Santana o Yes. Nadie, absolutamente nadie estuvo detrás de aquello ¿quién dijo? En el fondo todos queríamos a Daniel Santos, La Lupe, Maelo, Eddie Palmieri y Willie Colón... pop, ácido, *yeah=yeah, peace & lovc* era entonces cosa de...» Algo vale el quejido del amigo rockero, del duro que, frente a las evidencias bolerísticas del ambiente, comparte postura con Trino Mora o, tal vez, con el narrador Ricardo Azuaje y una visión literaria contenida en «La expulsión del paraíso»: «Oye, ¿por qué los escritores venezolanos nunca mencionan al rock en sus libros? Cualquiera diría que sólo escuchaban salsa, bolero y música clásica... Vestigios de nacionalismo, o de marxismo literario, supongo».

Como sea debe afirmarse, sin dudas, lo mucho que se sectorizó a los habitantes de nuestra Caracas vieja, para confinar el gusto melómano en linderos precisos y excluyentes: la nueva y vieja ola (Billo y Melódicos, ¡gallegos!); el este y el oeste –sifrino y niche– a favor de «Yesterday» o lo de «Micaela» –la que se botó–; la onda nueva y la onda de protesta cual opciones de un definitivo esto versus aquello. Hoy casi nadie querrá acordarse, pero las modas musicales de los años 60 giraron radicales a favor o en contra, y cuando a ver vamos casi nadie se salva. O ibas por el pelo largo, pantalón campana y solapa grosera para seguir Beatles y Rolling Stones (¡que vivan las jevas «rueda libre»!); o querías el afro, la franelita y el *bluyín* para aplaudir al Richie Ray del «Jala Jala» o a la Soledad Bravo de la «Canción del elegido»... *iban matando canallas, con su cañón de metraaaallaaaaaa...*

Mis queridos pavo(a)s viejo(a)s: no había términos medios: o esto o aquello, y ya. Largo tiempo pasó para poder conciliar extremos y entender que el canto de Blades, Rubén, bien cuadraba su guayaba dentro del Le Club o al frente, en la propia plaza de Chacaíto de El Papagayo. Que nada tenía de malo conciliar el cuento de quien quisiera ser un pez, según la voz de Juan Luis Guerra, con el baile de cualquier niña lista a compartir paso y moda con el padre o el abuelo (quizás lo de Ligia Elena, contenta, y su familia *afixiaá*). Que el Negro Piñero, Víctor, muy capaz era de cantar con Los Melódicos sin alejarse tanto del sentido con que afincan en Marín... *Y si vas pa'l cobre quiero que me traigas, una virgencita deeeeeee la caridá...* Que por fin la pizca afrocaribeña sirvió para sujetarnos a lo nuestro, a la tal denominación latina, y superar aquel prejuicio, sembrado desde los años 60, hacia todo lo dicho en lengua distinta a la inglesa con alguna intención musical.

Latino, en materia de música, desde entonces ha sido un término típico, acaso salvador, en mucho destinado a la rítmica afrocaribeña; de allí su fuerza para nombrar tanto lo que suene cubano como las tendencias parecidas o afines (merengue dominicano, bomba puertorriqueña, el enorme territorio de la salsa, etcétera). Bien. Pero necesario se hace recordar que latino no es sólo lo cubano o cubanoide. Italiano, portugués, francés y rumano implican poderosas culturas latinas desarrolladas por pueblos de tal condición. Lo español, jerarquía que nos incumbe, es latino, y latino, en principio, poco tiene que ver con nuestros ancestros indios o africanos negros. Pero dice uno «en principio» por cuanto, al agregarle el componente americano (latinoamericano, según se nombra), de inmediato la referencia marca nuestra mezcla de razas y culturas, mientras sus resultados culturales pican y se extienden hacia todos los ámbitos posibles, música incluida. Y si desde el concepto de latino como algo propio vamos a los ejemplos concretos de cada cual, pues caemos en esos cuentos de nunca acabar que la más de las veces terminan siendo fiel prueba del alcance real del término (en plan demostrativo, vayan dos casos de pura latinidad musical «española»): sea Joan Manuel Serrat, siempre de visita en Caracas, cantando en aquel Municipal ochentoso al borde del olvido. Serrat entonces deja saber al público lo de... *todo pasa y todo queda...* Momentos después le contesta a una aficionada del público que lo requería: «Adaptarse a los tiempos, amiga, adaptarse... Algo de lo viejo hay pero, por favor, vea el teatro, revise el ambiente; póngase usted un vestido viejo y de reojo en el espejo, ande marcha atrás... ¿cómo quiere usted que un tipo de mi edad y porte le cante hoy día aquello del soñador de pelo largo, señora?».

Y mientras resuenan en la memoria los aplausos de aprobación frente a la ocurrencia latino-catalana (¿español este Serrat catalán que comparte con la audiencia venezolana memorias musicales con el sentido de humor... latino?), cabe aprovechar el recuerdo de la visita de Martirio a nuestra Aula Magna. Una presencia marcada por vestidos de tafetán, ramos de flores, abanico, mantilla, lentes oscuros sesentones (la cantante tiene unos ojazos que de repente descubre en el concierto), y demás elementos típicos de una artista dedicada a tocar la sabrosa vena cursilona de todos quienes le compartimos la genética iberoamericana; vale decir, todos nosotros. Son así los cuentos cantados de tatuajes en marineros abandonados, de señoras imprecando a sus esposos o desangrándose de amor. Evocaciones de una Sarita Montiel vendiendo el ramito de La Violetera o de canciones tan bellamente ripiosas como «Ojos verdes» o «Torre de arena» que producen verdaderas confesiones críticas.

–¿Que si me gustó el concierto? –comenta a la salida un distinguido aficionado–, qué cosa mala puedo decir de una cantante que en hora y media nos hace tararear, sonreír, hipar y hasta llorar con españoladas de quién sabe cuándo... Si es que aquí, la verdad, jamás nos ha dejado de gustar ni «El relicario», ni «La perrita pequinesa», ni el mismísimo Pedrito Rico en traje de luces cantando todo aquello (razón tenía Neruda cuando sentenció lo de «quien huye del mal gusto, cae en el hielo»).

Como sea, hoy día nuestra latinidad musical abraza mucho y bien. Da lugar al gusto por expresiones diversas en cuanto a lenguajes y estilos. Acepta giros posmodernistas que den moda a cierta tonada de Simón Díaz vía Caetano Veloso, o al «Qué te pedí» de una Lupe impuesta mediante el tropicalismo cinematográfico de Pedro Almodóvar. Posibilita el cruce natural entre rancheras mexicanas y valses peruanos; va del bossa nova brasileño a cuplés españoles, joropos colombianos o venezolanos. Liga boleros cubanos, puertorriqueños, a congas, bombas, guarachas o expresiones «pop» provenientes de expatriados del calibre de Luis Miguel, Ricky Martin o Marc Anthony.

Vale así el tango argentino de ayer o el tango de hoy, desde Buenos Aires o aquí mismo en Caracas, Teatro Teresa Carreño, Sala Ríos Reyna, con la viva memoria de alguien pidiéndole a la Tana, diva Susana Rinaldi, «un vals, por favor un vals (!)».

De pronto llega el momento estelar: la artista saca duende a un fragmento de *Rayuela* de Cortazar recitado justo antes del canto; luego obra tan a fondo el histrionismo de la interpretación, que la señora sentada a mi lado arranca a llorar cuando escucha lo *de... en aquel pedacito de cielo...* Y sobre aplauso colectivo, la señora comienza a reclamarme: –¿A ti qué te pasa? ¿tú no lloras, tú no sientes?, ¿será que no tienes en las venas sangre (latina, por supuesto)?, ¿no ves que nos acaban de tirar una flecha directo al corazón? Una flecha como sólo podía uno recibir hace años, en aquellas sabrosas reuniones caraqueñas que dejaban escuchar a la gran Toña La Negra.

❑

Toca terminar esta fórmula de recuento apretado y, por ello, va una imagen citadina, cargada de cierta circunstancia significativa: ese Parque Central que presenta las dos torres más grandes de la ciudad. El mismo que de lejos hace pensar en un moderno complejo arquitectónico producto de una economía próspera, pero de cerca conforma un ambivalente centro caraqueño.

El maestro Alberto Naranjo –activo habitante del Parque Central y nombre clave en la música de las dos últimas décadas– lleva años fundamentando su música en el personalísimo trámite urbano que parece, sí, integrarnos al sofisticado desarrollo tecnológico mundial de finales del siglo pero también nos continúa enclaustrando en la alineación propia del ciudadano promedio. Sea por ello, o por alguna causa parecida, que Naranjo, en las notas de presentación de su disco compacto «Oblación», no vaciló en declarar:

> «Rancho Central» se trata de una composición descriptiva, con variadas estampas relativas al trajín cotidiano de la ciudad. Su título alude, de manera sarcástica si se quiere, al domicilio del que escribe, como también otras connotaciones pertinentes dejadas al juicio del que lo lea. Una mezcla de merengue con parranda se pone al servicio de diferentes cambios anímicos que se alternan entre alegrías, tristezas, frustraciones, recuperaciones, pero, por encima de todo, que ofrecen voluntades de lucha y sus gratificantes resultados...

Tal vez el dicho de Naranjo cargue alguna importante fuerza premonitoria respecto a lo que está, lo que viene y lo que quedará; quizás estemos intentando abarcar mucho más de lo adecuado. «Veinte años no son nada», dice el conocido tango de Gardel pidiendo tiempo al tiempo; pero la conseja, creemos, puede y debe ser transgredida a favor de promover la revisión reflexiva para hurgar ese sentido artístico en nuestra música popular, siempre demarcando nuestra identidad como habitantes de una urbe que, a pesar de sus dimensiones, continúa dando bienvenida, apertura acaso demasiado desprejuiciada, a cuanto mensaje de propios y extraños pueda uno imaginar.

III
Heroínas, héroes, reláficas y recuentos

Graciela, Estelita, Gisela, Esperanza y Nancy. Dueñas del bolero

GRACIELA

Una linda muchacha de Maiquetía, lindísima, recién salida de la infancia, busca ubicación en el aparato más encantador de los años 30: la radio. Llega así a la estación central de la capital, Broadcasting Caracas, pide hablar con el responsable, Édgar Anzola, y le propone aquello que quiere y debe hacer: cantar en público –afinado, bonito– para que todo el mundo sepa que esa música de moda, el bolero, no es cosa exclusiva de cubanas, mexicanas o puertorriqueñas. Que el nuevo género, por su inflexión y estructura, está completamente abierto a todo cantante romántico de habla hispana; que Rita Montaner, Elvira Ríos –hasta Toña La Negra– tienen competencia firme, por derecho propio, en una muchacha venezolana con afinque en el estilo desde el primer día... *Escucha mi franqueza que tal vez, juzgues descaro...* El hombre de radio escucha con atención y de puro oído le da el chance de bautizo. Pero la confirmación no es cosa fácil. Un aprendizaje que no da tregua marca a todo aquel que se enrumba por el camino de la radio; no caben excepciones, ni siquiera para la más bonita de las niñas.

Comienza así Graciela Naranjo cantando al mediodía, en la tarde, en la noche; para animar programas, propagandas comerciales, fiestas, espectáculos, negocios; conjuntos pequeños, orquestas de estudio y de baile... Luis Alfonzo Larrain, Billo, Evencio Castellanos, Ángel Sauce, Eduardo Serrano, Chucho Sanoja y Rafael Minaya, entre los directores; Teófilo León,

Alirio Díaz, Lorenzo Rubalcaba y Aldemaro Romero, entre los instrumentistas... El recorrido inicial le viene marcado por el ritmo mismo del desarrollo del género. Es el tiempo en que Agustín Lara, Rafael Hernández o Pedro Flores están en plena actividad compositiva, cuando Pedro Vargas o el doctor Alfonzo Ortiz Tirado son todavía estrellas juveniles.

Años aquellos en que el bolero sustituye la serenata para convertirse en la forma del canto romántico bailable (la serenata nunca fue bailable), siempre posible para todo aquel hispanoamericano con alma de trovador. Porque allí donde el tango necesita del lunfardo, la canción mexicana del charro, el joropo del llanero o la guaracha del cubano, allí mismo el bolero está libre de inflexiones nacionalistas que necesariamente lo refieran a Cuba, México, Puerto Rico y, ¿por qué no?, a Venezuela. Y al ubicar a Venezuela en estilo y tiempo, inmediatamente aparece Graciela como nuestra primera estrella; antes de Rafa Galindo, Alfredo Sadel o Felipe Pirela, al frente de sus contemporáneos nacionales (Lorenzo Herrera, Tito Coral, Marco Tulio Maristany, Jesús Paiva, entre los varones; Elisa Soteldo, María Teresa Acosta, Flor Díaz, Gladys Hernández, Ofelia Ramón, Josefina Rodríguez «La Gitana de Color», o Marucha Henríquez, «La Perla Negra»). A la misma altura de sus más connotados competidores internacionales:

> Aunque muchos intérpretes me hacen el honor de interpretar mis canciones, para mí los más completos son: en el sexo feo Pedro Vargas y Chucho Martínez Gil, y en el sexo femenino Toña La Negra, Ana María Fernández, Elvira Ríos y Graciela Naranjo. Esta última, venezolana, me satisface de manera incomparable.

La opinión del propio Agustín Lara, publicada por la revista *Bohemia* en 1938, estaba más que compartida en nuestro país, donde el alto calibre de su interpretación también cautiva a extraños y propios... *humo en los ojos, niebla de ausencia, que con la magia de tu presencia se disipó...*

Su puesto de número uno en Venezuela nunca tuvo discusión en aquella época de oro aunque, desafortunadamente, tiempo y geografía no estuvieran en favor del estrellato a gran escala. El cine y la grabación fonográfica eran medios todavía en etapa de descubrimiento entre nosotros y la televisión sencillamente no existía. De esta forma el mejor momento artístico de

Graciela queda confinado a los límites mismos de su ciudad y su época: nada de grabaciones profesionales por parte de conocidas disqueras (a lo sumo una que otra intervención en películas del patio); nada de contratos, ni siquiera acuerdos a futuro con los buscadores de talento internacional. Luego, una entrada en televisión en plan de fundadora; algo después el retiro parcial para abrir espacio, dar paso al relevo, aceptar el efecto del tiempo en las cantantes.

Pero ese mismo tiempo, que siempre retira y releva para dar entrada a nuevas figuras en mejores medios de difusión, algunas pocas veces también decanta y hasta preserva. Graciela tomó buena cuenta del paso de los años y se cuidó al punto de mantener en la vejez muy firmes sus cualidades básicas: esa afinación perfecta en una contralto natural con la gracia y el señorío que debe tener nuestra primera estilista pura en el género; cuestión de ser la más exclusiva representante de aquella primera generación que nunca bajó la guardia.

ESTELITA

La muchacha es de Ciudad Bolívar se llama Berenice Perrone Huggins; canta desde niñita y nunca le tuvo miedo ni a las tarimas ni a las orquestas, tampoco a las competencias o a los micrófonos. Con sólo seis años cantaba «Abrojos» para el tío más pichirre del mundo, castigándole el corazón de tal forma que hasta el bolsillo se le aflojaba: un fuerte por cada... *No llores más, que mi llanto te entristece...* El canto en la casa, en la escuela o las fiestas familiares, tiene la natural resonancia de esas pequeñas cosas de importancia que en los pueblos forman rumores y rumores. Y así, de boca en boca, chisme y muchacha llegan a Caracas para buscar ubicación en el escenario natural de todo quien quisiera dedicarse al canto popular a principios de los años 50; otra vez la radio.

Un concurso en la Radio Cultura de entonces la catapulta públicamente; también le da denominación artística. Por consulta popular –encuesta abierta de radioescuchas–, se le bautiza Estelita Del Llano, aunque el nombre nada tenga que ver con Berenice y la música llanera esté casi ausente de su repertorio.

A mediados de los años 50 Estelita entiende que, a pesar de lo «Del Llano», el asunto está en cantar sin distintivos: música criolla (la primera cantante de Chelique Sarabia), rock-and-roll –los Zeppi–; música internacional, sones y rumbas, propagandas comerciales... ¿Boleros? En realidad el bolero no le viene de forma consciente, al menos no como un género que busque desarrollar adrede. La historia es más o menos así: se busca muchacha competente que cante un bolero para una escena de la película venezolana *Twist y crimen*. Se quiere que la bonita figura acompañe al buen canto y que, además, el género le cuadre tanto como para convencer a los cinéfilos de la presencia de una bolerista capaz de despachar al más exigente de los clientes de un bar. Johnny Quiroz ha conseguido ponerle letra y ritmo a una canción brasileña; Estelita por su parte acepta el reto. El bolero es... *Tú sabes que te quiero, y sabes que te adoro...* El resto encaja en la historia del artista que consigue su forma de expresión donde menos lo espera.

¿Cómo iba a creer Berenice que no sería ni una versión femenina de Mario Suárez, ni una reina del rock-and-roll criollo –tampoco la nueva encarnación de María Antonieta Pons–, sino una bolerista afincada en los confines de Carmen Delia Dipiní, María Luisa Landín y de la reina madre, Olga Guillot? El caso es que Berenice por fin cree en la Estelita de *Twist y crimen* y ya más nunca da vuelta atrás. Con la tutoría experta de un buen maestro de canto, Eduardo Lanz, afina el perfil de la vedete tropical propio de sus antecesoras directas, para que sea bolero y bolero en épocas donde el estrellato está mucho más cerca de la balada tipo Mirtha, Mirla, Mayra o Mirna, o de los temas criollistas de las hermanas Chacín. Ni pensar entonces en Estelita entre esas cinco o seis grandes, que de seguro no avizoraban la rocola como pilar fundamental de su arte.

Pero el tiempo ese de balada también... *gira, gira y gira...* Hasta da vueltas en favor del bolero y, una vez más, pone las cosas en su lugar: Los años 80 consagran al género como música clásica tropical. Con la consagración le vuelve el turno a Estelita, íntegra en condiciones vocales, en estilo (el canto teatral donde el suspiro, el lamento o la queja son parte activa de la expresión), también en lealtad hacia viejos o nuevos súbditos que la activan como nunca. Graba discos compactos; se presenta en radio, TV, locales nocturnos o fiestas; influye y consigue respeto de todo quien la escucha.

Con casi cincuenta años como profesional, nunca falta quien todavía se sorprenda de la potencia expresiva de su canto o del arrollador impacto de su presencia física. Como las divas de los años 40 o de los 50, Estelita sigue adelante para ser acaso la última representante del arte de la escenificación bolerística. Tal vez su quintaesencia.

GISELA

El rock y la salsa marcaron la música de nuestra juventud de los años 60 y los 70; de resto, tan sólo quedó algún espacio para las baladas, las canciones-mensaje de algún Joan Manuel Serrat o de la Nueva Trova Cubana. Más que sepultadas lucían todas las formas afrocaribeñas propias de las dos o tres décadas anteriores. Los cantantes de estreno, por supuesto, iban en favor de la corriente de moda. Un bolerista nuevo tan sólo encajaba en las huestes salseras –Wladimir Lozano con la Dimensión Latina, por decir–, y la persona de la cantante romántica-tropical, tipo Graciela Naranjo o Estelita Del Llano, estaba condenada al plano del refrito nostálgico totalmente fuera de moda. Aun así, la apuesta de Gisela Guédez fue clara desde un principio: todo al bolero clásico de la generación anterior. Todo a Lara, Grever, Domínguez y compañía, así tuviera que cargar con la cruz del anacronismo desde el mismísimo comienzo y sus posibilidades de estrellato se alejaran del panorama.

Lealtad debe ser el término clave en la carrera de Gisela Guédez. Constancia con el género, con quienes artísticamente la rodean y, en consecuencia, consigo misma. Serle fiel a lo que por fin lleva dentro y, a partir de ello, cantar (¿habrá algún bolero llamado «Lealtad»?). Este sentido de fidelidad es tan fuerte que posiblemente la lleva a rechazar propuestas que significaban ajustes a la moda, también obliga a postergar contratos con puesto seguro en grandes disqueras o en los clásicos maratones televisivos: en lugar de RCTV o Venevisión están Las Cien Sillas, La Perousse o Juan Sebastián Bar; en lugar de Nueva York, son tres años en Chile y ocho en Perú; a cambio del Festival de la OTI está el festival del bolero en La Habana... El camino escogido por la artista, su camino, la lleva al espacio nocturno del *night club* –caraqueño, limeño o santiaguero– con el oyente bohemio, melancólico o despechado, como su público natural y, también, como natural testigo de una paradoja: ésa, la joven cantante de Lara, Hernández, Domínguez y compañía, tiene tal vez la voz más privilegiada que cantante popular alguna pueda tener. Tesitura, afinación, expresión, rítmica, potencia en la emisión... no hay aspecto en que la calificación sea menor a excelente. Más cercano a una voz de cualidades líricas, pero con franca raigambre en el bolero, especialmente si trata aquellas canciones de líneas melódicas sofisticadas, tan propias de los años 40 o 50... *Esperando tan sola en silencio, que vuelvas conmigo...*

Si alguna vez el calificativo exquisito alcanza el arte del canto tropical en Venezuela, Gisela Guédez debería ser su más natural portadora. Como diría algún buen bolero... *Esa es su gracia también su condena.*

ESPERANZA

Llegó el día de repotenciar la canción romántica íntima. Se trata de Caracas, 1977, cuando Rafael Salazar, musicólogo y productor, intenta rescatar el teatro Alcázar como lugar de música popular selecta. Para ello hay una figura joven, distinguida, que proyecta conciencia de tradición y buen gusto al momento de ofrecer repertorio. Aparece así Esperanza Márquez de la mano del profesor Salazar y de su propio esposo –Roberto Todd, músico acompañante–, con todo el discurso musical apostado a la belleza de la canción tropical mediante un verdadero censor artístico en la oreja y, por supuesto, en la voz.

La propuesta de Esperanza desde un inicio está dedicada a ciertos recitales, públicos o privados, casi siempre orquestados de una forma íntima más acorde con el auditorio teatral que con el público de bares o restaurantes. Es asunto de dar primer plano a la canción escogida y sólo a través de ella resaltar a la cantante. Jamás en ella el afán de estrellato, de culto a la personalidad; mucho de poner la música por delante para que construya al artista. Por ello, la ausencia de lentejuelas o espectacularidades teatrales en favor de una figura tranquila, amiga, cercana al canto sencillo en su mejor expresión; también por ello la proyección elitesca, moderada, absolutamente acorde con una artista sin ruidos, dedicada a la búsqueda del buen gusto a través de la belleza del repertorio. Una «pica pasito» en el mejor sentido del dicho.

El bolero de Esperanza está marcado por el sabor a canción serenatera. La línea melódica que vence al ritmo en lo de... *Señor, yo vengo a pedirte ¡que no me castigues!, por haber querido así...* La inflexión que de alguna manera restablece un secreto vínculo con la búsqueda de belleza siempre cultivada por Esperanza. Sea entonces ese el camino que la lleva a centrar boleros dentro de un repertorio de canciones venezolanas, danzas, baladas, valses o tangos, marcados por el sello de para quien el buen gusto lo es casi todo.

NANCY

A comienzos de los años 80 una muchacha caraqueña muy bonita –otra vez lindísima–, se atrevió a cantar en los restaurantes de su ciudad bajo una fórmula para entonces desconocida. Cosa de acompañar con música clásica caribeña las tardes y noches de todos aquellos apegados al viejo arte de las canciones románticas, sin tener que solicitar el silencio del recital o asumir la pose de vedete de cabaret.

Da Graziella y El Parque fueron los comedores centrales para una idea que poco a poco fue digiriendo un público creyente en los viernes ejecutivos vespertinos. Y la idea cuajó a tal punto que se transformó en el trampolín no sólo de su artista original, Nancy Toro, sino de toda una generación de cantantes con el mismo foco: Dalila Colombo, Hedy Baena, Floria Márquez, Toña Granados, Corina Peña, Antonietta... *Haz lo que tú quieras...* Brenda Figallo; las actrices Alicia Plaza, Elba Escobar, hasta el hada madrina del grupo, la mismísima Estelita de toda la vida.

Ciertamente la experiencia del canto incesante en día viernes trajo a Nancy el oficio de las clásicas boleristas de antaño; esas que a fuerza de presentaciones desarrollaban interpretación, estilo propio, frente a un público con ganas de rumba romántica afectiva... *Usted no puede ser mi amante, ni de broma; a usted no hay nadie quien lo aguante; punto y coma...* o aquello de... *Soy ese vicio de tu piel, que ya no puedes desprender, soy lo prohibido...* sustituyeron con creces la «Perfidia» o el «Frenesí» de décadas anteriores. La reputación, buena, fue tanta entre los ejecutivos que hasta con Nancy se encausaron algunos de la televisión nacional; de allí el salto de artista de los viernes a la popularidad de las telenovelas... *Viviré para ti, al renacer, en el rostro del sol, cada mañana...* La canción de Julio César Mármol se convierte en el tema de *La Dueña* y Nancy Toro llega a ser, por un tiempo, tan popular como Nancy Ramos.

Todo apuntaba a nuestra Nancy impulsada en cadena imparable de éxitos, a que figura y talento terminaran de encuadrar en lo que supuestamente se esperaba de ella: una toma de conciencia de la moda, del significado de ser «estrella», etcétera. Pero, afortunadamente para el público con el viernes en el alma, vuelve a vencer el cuento de las costosas fidelidades artísticas (esas mismas que le dan denominador común con Graciela, Estelita, Gisela o Esperanza), y Nancy termina comprendiendo que... *en la vida hay amores que nunca deben olvidarse...* Que su público ejecutivo está dispuesto a continuar dándole el puesto de dueña en el arte de acompañarlos, así ya no existan Da Graziella, ni El Parque.

❑

Hace más de sesenta años de los primeros correteos de Graciela por la Broadcasting Caracas, convenciendo a propios y extraños de su calibre como máxima exponente del bolero romántico. Casi cincuenta del bautizo artístico de una Estelita portadora de la intensidad escénica propia de las mejores vedetes del género. Gisela siente también atrás el tiempo de giras o exilios voluntarios, ahora a cambio de su asentamiento caraqueño. Por su parte Esperanza continúa recogiendo los frutos de su buen gusto al escoger, y Nancy, pues Nancy tiene en su voz el testigo de continuar toda una tradición que ella misma ha ayudado a construir.

Bien se puede anotar el provechoso camino de cinco carreras que dan firme asiento a quienes todavía hoy apuestan su futuro al canto del bolero. También cabe fantasear libremente, bolerizar en el mejor sentido, y así llegar a creer en la eterna vitalidad de nuestros ancestros a través de los nuevos advenimientos (Mary Olga o María Alejandra Rodríguez, por decir). Tal vez sea necesario tener fe en la potencia premonitoria de aquello pregonado mil veces por el Felipe Pirela, que tan acertadamente decía el mismísimo tango convertido en bolero... *La historia vuelve a repetirse mi muñequita dulce y...* E irse a la acera de enfrente, a la historia de los cantantes varones, a ver cómo y cuándo se medio equilibran estas cosas.

Rafa, Sadel y Pirela

«¡Ruiseñor!
Ruiseñor de mi amor
Dime cuándo volverás
con tus trinos a cantar
hasta el pie de mi balcón.
Rafa Galindo "El trovador de la radio", con la orquesta Billo's Caracas Boys, allá por los años de mil noveciento cuarenta y tantos.»

Renato Rodríguez, «La noche escuece»

RAFA

Al principio fue Rafa. Sadel y Pirela vinieron después, cuando ya Galindo paseaba por las calles de Caracas con la fama de ser el bolerista principal del país. Rafael Ernesto «Rafa» Galindo, nacido en 1921 en La Victoria, estado Aragua, ha formado parte de nuestra mejor tradición musical urbana desde algo antes de principios de los años 40, época que dio al cantante la oportunidad de imponer su estilo romántico-tropical, a través de la orquesta de baile más importante de Venezuela: la Billo's Caracas Boys de Luis María Frómeta, Billo.

«Trabajé con él casi 48 años. Fui su bolerista y estuve en tres distintas etapas de la orquesta. Toda la experiencia que adquirí se la debo; aprendí mucho de él gracias a sus regaños y su cariño.» Las palabras de reconocimiento provienen del momento en que Galindo acompaña al maestro por última vez, el día de su entierro, en mayo de 1988. Casi cincuenta años después de su primera incursión con la orquesta que entonces nacía. Medio siglo de compañía intermitente pero continua. Años de estar, irse y volver (década de los 40, 50 y 60, años de presentarse en miles de bailes o shows radiales para ubicar su figura de *crooner*, del inglés «to croon»: susurrar; canto de susurro al micrófono), o solista seguidor del estilo de Rafael Muñoz o José Luis Moneró, pero con un puesto de vanguardia frente a sus contemporáneos nacionales del canto romántico: Leo Rodríguez, Trino Finol, Jesús Paiva, Miguel Briceño o quizás Marco Tulio

Maristany, la única figura venezolana de aquel tiempo que pudo por derecho propio rivalizarle el puesto central en la materia bolerística.

El inicio de la carrera profesional se remonta a 1936, tiempo en que bajo la tutela de su abuelo, músico de bandas marciales, comienza un ejercicio profesional incesante. Suyo fue un programa radial; en muchísimas oportunidades prestó arte y figura para estrenos vocales de la mayor importancia dentro de nuestra música popular. Aldemaro Romero, Jesús Sanoja, Ángel Briceño, Guillermo Castillo Bustamante, Renato Capriles son apenas algunos nombres centrales que le atestiguan la abultada hoja de servicios como intérprete de máxima solvencia, con sobrada capacidad para alternar con nombres del calibre de Pedro Vargas, Alfonso Ortiz Tirado, Leo Marini, Daniel Santos, Bobby Capó, Lucho Gatica y un muy nutrido etcétera.

Rafa fue y es estrella del bolero. El primer venezolano que cosecha éxitos en el género con repertorio de mérito propio: «Noche de mar», «Ven», «La cita», «El ruiseñor», «Matinata», «Un sueño», «Enamórame», «Caracas Vieja» y otra docena de temas lo avalan cual artista capaz de cargar la escena con arsenal propio en un campo donde los versionadores imperan. Pero, debe decirse, Rafa siempre ha sido un hombre sencillo, sin complejos de grandeza, tal cual se le oye en la voz de tenor ligero que flota con la melodía sin esfuerzo aparente. Allí la cualidad central de entonación y timbre de este «trovador de la radio» siempre listo para el trabajo, según lo impone la tradición de disciplina de las orquestas de baile que obligan a la puntualidad, el orden, la impecable presentación personal, en jornadas de siete y hasta ocho días a la semana según dicte la orquesta de turno.

Los Melódicos, Chucho Sanoja, Aldemaro Romero, Rafa y Víctor Pérez, la Billo's, en sus versiones originales o *post mortem* del maestro Frómeta, entre otros, son agrupaciones que atestiguan una hoja de servicios que, además de la interpretación bolerística, también comprende actuaciones de apoyo en el coro, en temas morunos, pasodobles, merengues caraqueños, joropos, sones suaves, o como percusionista especializado en el güiro, las maracas, la tumbadora y aquellos sartenes pegados a una tabla que daban a la conga los chispazos de alegría necesarios para arrollar al final de una fiesta.

Rafa Galindo, intérprete consumado y segundo de nadie, es crónica viviente e indiscutible icono de nuestro canto urbano romántico en el siglo XX.

Fue a comienzos de la década de los 80 cuando vi por primera y única vez a Alfredo Sadel. El gran salón del hotel Caracas Hilton sirvió entonces de escenario a su reencuentro con Aldemaro Romero, ambos al frente de una orquesta lista para interpretar cierto repertorio popular esperado por una nutrida audiencia de aficionados.

Aldemaro dio marca al pasodoble de entrada y de inmediato la afición presente proyectó el sentimiento que la movía:... *Silverio, Silverio Pérez...* se cantaba a coro con Sadel y eran uno, dos, tres bises. Nunca he vuelto a ver cosa parecida al comienzo de un recital; se daban bravos y vivas, se aplaudía y silbaba. Se quería a Sadel listo, sonriente, lleno del ánimo necesario para hacerle recordar a los más viejos cómo ellos también habían tenido su Luis Miguel de turno. Porque, bien vale resaltarlo, aquella audiencia del Hilton, en su gran mayoría contemporánea del cantante y de su ilustre director, era gente en busca de los encantos de una época acaso sólo rememorable a través de la música e imagen de un ídolo a quien los años no debían empañar.

Compartí una noche simpática, llena de buen canto y mejor atmósfera, pero no recibí sino ecos de una emoción por otros celebrada que dejaron ciertas interrogantes en busca de respuestas: ¿O sea que el hombre robusto de la simpática sonrisa, con impostaciones líricas acaso exageradas, era el ídolo del tiempo?, ¿aquel particular cantante, nuestra primera y única figura internacional de los sesenta años iniciales del siglo?

Como melómano irredento, desde entonces he acudido a cuanto medio de comprensión de genio y figura esté al alcance: a memorias de infancia mediante los boleros grabados en la década de los 50; a tiempos posteriores en que se presentaba en el Show de Renny, en los festivales de la canción o en la ópera; a su fase final cuando cantaba... *Yo soy el hombre de hierro...* y ofrecía un tributo disquero a Los Panchos y a Gardel.

Llegué a pensar que había hecho mi tarea respecto a Sadel; que le tenía bien digerido su puesto como músico esencial para nuestra contemporaneidad. Estaba equivocado. Todavía faltaba una pieza principal del rompecabezas: dar con el porqué de aquel sentimiento que en la noche del Hilton, el artista procuraba de forma tan plena a los cincuentones presentes.

Fue tan sólo el 2 de enero de 2001 cuando conseguí respuesta final al caso Sadel. La Sala de Conciertos del Ateneo de Caracas sirvió esta vez de escena para verlo a través de los ojos de su hijo, Alfredo Sánchez. Un hijo que –cosa magnífica– mediante un documental de impecable factura, ha resultado ser el mejor oficiante de la magia de su padre: «Alfredo Sadel, aquel cantor» perfila al individuo, cuenta su historia –crónica misma de una época de nuestro país–, testimonia una carrera a través de testigos excepcionales, enseña su arte y, finalmente, termina apuñalando el corazón de todo quien lo ve (la hija de 16 años preguntaba por qué no había hoy día un cantante venezolano como ése, mientras la de 13 se secaba lagrimones de afecto para con un artista que desde ahora conoce y quiere).

Resta agregar que jamás he visto un mejor documental de testimonio; o, al menos, de seguro ninguno ha tocado tan hondo, como para forzar la cita de testimonios complementarios, autobiográficos, relativos a la vida del propio artista, a través de fragmentos de sus memorias, publicados en la antología discográfica «Sadel en el tiempo»:

Fue el comienzo de mi entrañable amistad con dos jóvenes aspirantes a grandes pintores: Carlos Cruz Diez al cuatro, Jesús Soto a la guitarra, Ramírez a las maracas y yo de solista...

Catia La Mar... fecha inmemorial. Una noche de plenilunio, cargada de estrellas como un uvero en plenitud. Josefina Cornielles, tras una rústica ventana, simulando estar dormida, sonriendo seguro al conjuro del romance. De repente, de las sombras, emerge la silueta de un policía con el rolo en la mano. Noches antes, habíamos sido víctimas de la represión. Esta vez el policía era otro. El primer haz de luz descubrió una faz rechoncha y menos represiva; interrumpida la serenata, nos instó a proseguir, asegurándonos que se había acercado porque a él le gustaba la música. Esto nos sorprendió y el de las maracas recurrió a la clásica «carterita» y se la ofreció al insólito gendarme, en gesto de bienvenida.

Apenas interpretada una pieza más, cuando el policía impaciente le pidió a Carlos y a Jesús que le acompañaran en una pieza de su repertorio. El gendarme entonaba sus canciones aproximadamente, así que decidimos darle un coro de apoyo, Josefina, ya que había abandonado el lecho, cantaba junto con nosotros y así decidimos ir hasta otra ventana tras la cual soñaba con Carlos Cruz, probablemente, la bella Mirtha, su actual esposa. Esta vez, sin embargo, éramos casi una coral, con un representante del orden a la cabeza. Pobres vecinos, que no tuvieron ya ante quien protestar.

❑

1947 comienza para mí muy tímidamente, con actuaciones de radio en programas de aficionados. Al fin, una noche en un festival benéfico que daba Cantinflas en Caracas, ante la tardanza del mismo, el animador, Roberto Hernández, comenzó por anunciar a los artistas venezolanos que «colaborarían» en ese beneficio. Todos queríamos, veteranos y noveles, la oportunidad de lucirnos ante doce mil personas que plenaban el Nuevo Circo.

No me querían dar la oportunidad por desconocido, pero ante la demora de Cantinflas los nerviosos y sudorosos organizadores, me dejaron subir a la tarima; allí, acompañado por un destartalado piano que tocaba Aldemaro Romero, se me anunció como el joven cantante que interpretaría «María Bonita».

No había comenzado a cantar cuando fui recibido por la más estruendosa pita en la historia del Nuevo Circo. El público impaciente no toleraba en el tinglado a otro que no fuese Cantinflas, ávido de las astracanadas del cómico, y no de las melosas canciones románticas. Pero, al final, la pita se trocó en cálidos y estimulantes aplausos, ¡coronando mi debut!

❑

Nueva York, ¡ah Nueva York!, cualquier cosa puede pasarle a uno allí. Llegué a esa monstruosa capital con 25 años y un «bagaje de ilusiones» en el pecho. No más llegando, el primer día hábil, me presenté ante Terig Tucci, el célebre maestro compositor y arreglista, en su oficina de la Voz de Las Américas. Llevaba carta de presentación de una célebre compositora venezolana –María Luisa Escobar–, con quien él mantenía relaciones profesionales. Ese fue el inicio de una estrecha amistad y colaboración con el maestro Tucci.

En cualquier oportunidad transcurrían las horas conversando y haciendo proyectos; uno de ellos el álbum «Mi Canción». En esas conversaciones noté que eludía a Gardel tanto como le era posible, que a la sazón era y sigue siendo mi personaje popular favorito. Mucha gente se hacía eco, para entonces, del rumor de que Terig Tucci, siendo músico culto, sería el verdadero autor de las canciones del exitoso repertorio de las películas de Gardel.

❑

La editora E.G. Market posee los originales registrados con mi nombre como autor. ¡En nueva York también se pierde una canción!

Una de las noches gloriosas de mi carrera fue aquella en la cual fui condecorado junto a Susana Duijm, César Girón y Carrasquelito, en el parque de atracciones de aquel entonces, el Coney Island.

Su propietario J.A. Borges Villegas nos ofreció, al cabo del acto, un agasajo en un importante restaurant caraqueño. Apersonados allí, encontramos dificultad para estacionar el vehículo. El policía de punto, bastante grosero, agitando el rolo, gritó «¡Allí no pueden estacionarse señores!». César Girón, que se las traía, le respondió con las siguientes palabras: «Susana es la más bella del mundo, Carrasquelito el mejor shortstop *del mundo, Alfredo Sadel, el mejor cancionero del mundo y yo el mejor torero del mundo», dicho esto, cerrándose la chaqueta con gesto altivo, nos guió hacia el interior del lujoso local.*

Concluida la suculenta cena, nos dirigimos al vehículo, donde encontramos en el parabrisas una sustanciosa multa, firmada y con una nota aparte en la siguiente forma: «Del mejor policía del mundo».

❑

Mi suerte en Cuba, llegó a ser tal que los «guagüeros» –conductores de buses– gritaban al llegar a la esquina de Radio Progreso, con ilusión de aludir a las jovencitas que plenaban el bus: «Pepillas, llegaron a la esquina Sadel».

Pero no todo es gloria. Una madrugada, fatigado y deseoso de comer algo, tomé un taxi hacia un conocido punto de la ciudad, guiado por un corpulento mulato de mucho más de cien kilos, que más que un chofer parecía campeón de lucha; al introducirme en el taxi, el caballero daba síntomas de muy mal humor, pues no lograba captar en la radio canciones que no fueran de Alfredo Sadel. Después de su infructuosa búsqueda, pegó un grito que me hizo saltar del asiento: «¡C... qué le verán las mujeres a este come m...!».

Al final del breve viaje, con la solapa alzada sobre la cara, le pagué al descontento señor murmurando entre dientes: Guárdese el vuelto.

❑

En 1956, en plena apoteosis en La Habana, Cuba, comencé a sentir afonías permanentes. Examinado a fondo, los médicos encontraron un pólipo colgante, en la cuerda vocal izquierda. Hube de ser operado urgentemente, cancelando en consecuencia contratos vigentes. Debo reconocer el cariño de los médicos cubanos. Seguí mi viaje a México totalmente mudo, con la esperanza de recuperarme allí, bajo la vigilancia de la foniatra Consuela de Guzmán y el eminente Dr. Fumagallo. La primera entrevista con éstos fue devastadora: una vez examinada la cuerda recién operada, sentenciaron que no volvería a cantar. ¡Se equivocaron!

❑

Colombia guarda inmensos recuerdos para mí. La gente fanática me ha besado las manos, los pies, me ha sacado en hombros, me ha dado serenatas y me han rendido toda clase de homenajes.

Una anécdota que nunca olvidaré sucedió en 1959, al final de una gira, cuando muchachas enloquecidas se disputaban la chaqueta del smoking que les lancé, sin recordar que dentro iba un cheque de varias decenas de miles de dólares, fruto de esa gira. En la batalla campal por la recuperación de la chaqueta, figuraba un aguerrido joven, hoy famoso comentarista taurino, mientras yo brincaba de un lado a otro del escenario, tratando de fildear la preciosa prenda. Recuperada la misma, encontramos, para nuestro alivio, un hermoso y arrugado cheque producto de mi labor.

❑

Todos los artistas conocemos lo que se denomina «altos y bajos». Etapas de poca demanda y pocos aplausos. En uno de mis regresos a Venezuela, confronté una situación que podría llamar «un bajo».

Estaban de curiosa moda Los Torrealberos, el Indio Araucano, los Hermanos Arriagada, y otros. Mis discos estaban ausentes de la radio, o se oían muy poco. Acostumbrado a las constantes invitaciones y a la adulación del público, me sentí algo deprimido. Un día, sin embargo, para mi alegría me llegó una invitación a cenar en casa de una distinguida familia. La cena fue suculenta, la gente agradable y amena la sobremesa. Como parte de la misma, la familia me informó que tenía un niño fanático de Alfredo Sadel, a quien tenían que ponerle discos míos para que se durmiera.

De pronto, a alguien se le ocurrió presentarme al niño, sacándolo de su cuna, y uno de los presentes, el padre posiblemente, le dijo al niño: mira, mi amor, ¡quién está aquí!, ¿cómo se llama él?, a lo que el niño respondió con desenfado «¡guá!... Lucho Gatica».

❑

En 1963 fui invitado a la inauguración del canal 13 en Buenos Aires. Conocí así esa fabulosa capital. Allí aproveché de grabar unos discos, y le rogué a un amigo que me reclutara los mejores guitarristas disponibles para ese propósito. El problema fue conseguir estudio y fue así como aterrizamos en el estudio del señor Vaca, percatándonos allí que ese sitio era para pequeños trabajos, dejando mucho que desear. Sin embargo, los ensayos los habíamos efectuado en el sótano del estudio, donde notamos una acústica favorable. Así, para sorpresa del Sr. Vaca, insistimos en que allí se realizara la grabación. Al final de la misma, el maestro Grela, el más grande guitarrista argentino, de quien yo ignoraba su grandeza, al yo intentar cancelar sus honorarios, me respondió: «Aunque así no se canta el tango, para nosotros es una honra que una voz tan maravillosa como la suya haya cantado nuestra música,... no nos debe absolutamente nada».

❑

La zarzuela, siendo el género vocal más difícil, me ha aportado grandes satisfacciones. La señora Pepita Embil, madre del celebérrimo Plácido Domingo, conociéndome en Caracas en 1964, me contrató al igual que al gran barítono Tomás Álvarez, para que la acompañáramos en el elenco que actuaría en Lima, Perú.

Agotamos el repertorio a lleno completo, despertándose un fervor en el ambiente zarzuelero de Lima, suscitándose la interrogante de cuál sería el próximo vehículo para mis presentaciones. Al sugerir yo El Gato Montés, ópera española, gritaron en Coro: «Esa ópera es funesta», no habiendo más que renunciar a mí o montar la fulana obra. Aquella producción alcanzó la friolera de 27 funciones. En cada una de ellas, el público me exigió repitiera hasta tres veces el famoso pasodoble, El Gato Montés, perteneciente a la obra.

❑

Si algún sacrificio auténtico pude hacer en mi carrera, fue el de abandonar familia, amigos, patria y fama para irme a convertir en un oscuro estudiante en la ciudad de Salzburgo, Austria.

Luego de meses de ardua labor –hasta 10 horas diarias de clases–, al final del curso, me presenté seguro del éxito que tendría en los parciales; tal era la admiración y el cariño, que tanto el conservatorio como la ciudad manifestaban por mis condiciones vocales. La pieza culminante de aquel examen era la celebérrima Adelaide del gran Beethoven, la cual me tomó seis meses de aprendizaje.

Terminado el examen, me sentí eufórico por lo bien que, a mi juicio, había cantado; al día siguiente corrí solícito a buscar los resultados: «Reprobado», desanimado pero con la mayor humildad pregunté a uno de los principales jurados la razón de mi sorpresivo fracaso; a lo cual secamente me respondió: «Usted posee una excelente voz, pero Beethoven no se canta así; le queda por aprender». De entonces a esta parte, aprendí la lección: no todos los estilos requieren el alarde vocal y, sí, mucho menos de la vida interior del intérprete.

Orgulloso me siento hoy en día de haber sido aprobado en Mozartheum con todos los honores y de las aprobaciones críticas que le han hecho a mi versatilidad.

❑

Una mañana, muy temprano, del mes de abril de 1978, mientras acompañaba en su gimnasia de rutina en la Casona al entonces presidente de la República, Carlos Andrés Pérez, entró una llamada para él... «¿De Francia para mí?, se preguntó el presidente.

De Francia me llamaban para cantar dos de las seis funciones seguidas de «Carmen» compartiendo con dos célebres tenores, Tudaré y Lance, nada menos que en Marsella. No sé cómo me localizaron en la Casona. Enseguida riposté afirmativamente, y en dos días volé hacia Marsella.

Llegué con varios días de anticipación para ambientarme y ensayar. Durante los mismos me enteré de lo difícil y crítico del público de Marsella, semejante solamente al terrible público de Parma, Italia, donde las galerías van a agredir y pitar al artista que cometa el mínimo desliz. Yo pensé que eran exageraciones y la noche de la primera de las seis funciones, me apersoné al Teatro Municipal de Marsella como anónimo espectador.

Para mi desagradable sorpresa, el público, en efecto, pitó justamente al tenor Tudaré, quien en dos o tres pasajes no estuvo muy afinado. Fue lamentable para mí semejante espectáculo, nunca había visto a un artista humillado en escena. Tudaré era un hombre humilde y sencillo. Al día siguiente Lance corrió con la misma suerte. Yo no estuve presente porque me estaba resguardando para mi debut al día siguiente. Se trataba de cantar la obra maestra del teatro lírico francés, ante franceses exigentes e inmisericordes. De anticipo iba ya resignado. Para mi sorpresa fui premiado con grandes ovaciones. El crítico Deme Santy tituló su crónica «Viórica Cortés y Sánchez Luna triunfantes de la fiebre» aludiendo con ello a la epidemia de gripe con que justificar las pitadas anteriores.

Como es costumbre en los cantantes de ópera, al día siguiente me dediqué a guardar silencio y dormir, pero a eso de las nueve de la noche, cuando roncaba en mi precioso hotelito donde durmió Chopin, se presentó mi hijo alborotado, instándome a que me levantara del lecho y me vistiera. Lance había abandonado intempestivamente el escenario, no dispuesto a tolerar pitas. Debía yo continuar la función. Contra mi protesta, por estar dormido aún, me vestí de Don José y canté una segunda función mejor aún que la primera.

Al día siguiente me tocó cantar mi tercera función, segunda del contrato, también fue un éxito. El domingo decidí dormir hasta tarde, pero de nuevo el director del teatro me honró preguntándome si yo era capaz de cantar una cuarta función de Carmen, *una ópera considerada terrible y fatigante para el tenor. Algo que me halagó extremadamente, fue saber que su comentario fue: «después de la calidad de Sánchez Luna, o localizo a John Vickers o a Domingo, o fuerzo a Sánchez Luna a una cuarta función».*

Seguro de que me negaría a semejante esfuerzo, el director me ofreció aumentarme el salario, lo cual no quise aceptar, pero sus palabras y cinco mil dólares extras eran más que suficiente. Como colofón de gloria, cuando el director del teatro el domingo por la tarde anunció que en vez del tenor Lance actuaría en sustitución Sánchez Luna, el público irrumpió en aplausos, aquel público terrible.

No me gusta hablar de mis glorias, pero hasta ahora no conozco de un tenor que haya interpretado Carmen cuatro veces seguidas sin quedar afónico quince días. Yo tuve la suerte de realizar semejante hazaña y ahí quedó, en los anales líricos de la bella Marsella.

Alfredo Sadel

PIRELA

Rafa fue el inicio, Sadel la cumbre. Pero estos asuntos venezolanos del canto masculino romántico, afortunadamente, no terminan con estos nombres. Hasta se pueden trazar líneas estilísticas de influencias o confluencias, que dejan saber cómo Héctor Murga, Héctor Cabrera, Luis D'Ubaldo, Raúl Naranjo, Germán Freites o Ricardo Montaner hallan tronco común en Alfredo Sadel, quien, de alguna forma, representaba la posibilidad de realizar los sueños de internacionalización de cada cual.

En el caso de Galindo el rol de *crooner* ha sido tomado y retomado al punto de ubicar los nombres de Miguel Briceño, Rafa Pérez, Memo Morales, Oscar Santana, Cherry Navarro, Wladimir Lozano, Ely Méndez y hasta José Luis Rodríguez dentro de un género que ubicó en las enseñanzas de nuestras orquestas de baile (¡Oh Billo's y Melódicos!) a un Felipe Pirela con el mayor prestigio imaginable dentro de la historia del bolero ya no solo en Venezuela sino en toda Latinoamérica.

Llama la atención que nuestro dramaturgo central del siglo XX, José Ignacio Cabrujas, le haya ubicado a Felipe Pirela un rol central dentro de su pieza «Una Noche Oriental». O al menos así se percibía al personaje del cantante en el estreno de la pieza. Ese es Pirela en alma y corazón, decían los espectadores. Un cantante jovencito ejerciendo su oficio en el cabaret, totalmente desentendido de problemas políticos de comienzos de 1958, o de problemas de cualquier tipo distinto a lo que significa la bohemia de su canto.

Así la visión del dramaturgo, así también la historia real del artista con el triunfo y el fracaso a la vuelta de la esquina: José Napoleón Oropeza, escritor, años después retomó al personaje para una novela; Milagros Rodríguez, cineasta, le enfocó protagonismo en un documental cinematográfico. La televisión, el cine, el radio, las páginas de farándula y crónica policial han dado amplia cobertura a la vida del artista.

Tres décadas van desde la fecha de su muerte y todavía se ubican investigadores de nuevas generaciones interesados en valorar y aclarar. Continúan las ediciones en compacto de sus discos, tal cual fueron originalmente concebidos; llegan antologías de su pasantía con Billo –o con Billo's, para ser correctos–, con las orquestas mexicanas o puertorriqueñas.

La voz sigue sonando porque suena a dolor del pueblo. Porque la queja, el tono lastimero, viene a ser esencia de nuestro ser latimoamericano. El mar, la luna, la muerte misma no pueden pasar inmunes por las personas; Pirela lo sabía y, además, lo cantaba.

El melómano acucioso deja saber, con óptica crítica, cómo la carga emocional del artista, su legado, ciertamente ha trascendido en el mejor sentido del término. Deja saber que Felipe probablemente es, no solamente en Venezuela sino en Latinoamérica toda, uno de los boleristas más importantes de la década de los 60. El único venezolano de relevancia como figura internacional en aquel tiempo; el que trascendió, porque no solamente se escuchó aquí, sino que llegó a ser muy conocido en Puerto Rico, Colombia, México, Estados Unidos y en Suramérica toda.

¿Con quién compararlo en cuanto a cantantes masculinos de boleros de los años 60? ¿Con Roberto Ledesma?¿Orlando Contreras? ¿Johnny Albino? ¿Marco Antonio Muñiz? Pirela competía de tú a tú con todos ellos; incluso en el tema de los honorarios: se habla de seis mil dólares por una presentación en aquella época o en esta, cosa muy difícil de lograr para un cantante de boleros. Muy buen dinero en cualquier tiempo que a Pirela se lo pagaban sin problemas, quizás obviando toda una historia de penurias donde la humildad y el compromiso con su canto, fuera lo que fuera, lo marcaban. ¡Y de qué manera!

El cantante nace en Maracaibo el 4 de septiembre de1941. Proviene de un hogar muy humilde; de gente sencilla, con una situación familiar de difícil entorno económico. La mamá lo sobreprotegía por ser el más pequeño de un grupo grande de hermanos dentro de la casa. La figura paterna no le era cercana; no así la relación con la mamá, siempre importante por ser su incentivadora en el canto inciado, naturalmente, con gaitas maracuchas, canciones venezolanas, sones y boleros.

Una educación formal que llegaba al sexto grado de primaria y un curso de comercio son los elementos de su instrucción formal. Sólo quería cantar como siempre lo había hecho; desde niño, cuando lo hacía para su gente maracaibera del barrio El Empedrado, serenateando, o para el un concurso de radio en Ondas del Lago, la emisora más importante de Maracaibo, que marca su primera incursión pública.

Con el bolero «Mi complejo», del trompetista y director español Juanito Arteta, gana el concurso de aficionados. Así se inicia como profesional en un tiempo en que Alfredo Sadel y Lucho Gatica eran cantantes que estaban de moda e indudablemente daban pautas a cualquier joven cantante. Lila Morillo, joven maracaibera como él, o Mario Suárez eran figuras interesantes de finales de la década de los 50.

En 1959 viene a Caracas a participar en el show de Víctor Saume. Canta el bolero «Vanidad» y «El guarapo», merengue caraqueño compuesto por Alfredo Sadel. Gusta, insiste en Radio Caracas Televisión, busca escenarios, pide oportunidad una y otra vez. Audiciones van y vienen hasta que al fin le asignan puesto en Los Peniques, orquesta de baile y planta de RCTV. Un cantante más dentro de una orquesta con posibilidades limitadas (a pesar de estar en televisión, tenía pocas presentaciones en bailes). Hacía un coro, par de boleros: «No sufras corazón» y «Entre copa y copa» son sus primeras grabaciones oficiales. Pero en ellas Pirela ya es Pirela. Puro arte de cantar con sentimiento, con el dejo de dolor; la queja ancestral aplicada a la canción y que deja saber su misma condición de hombre modesto, sentimental, de por estos lados del mundo.

Algo más de medio año era el plazo del contrato de Los Peniques. Con esta orquesta había tenido cierta exposición que, en cierto modo, le daba cartel para llamar la atención del maestro Billo o de quien quisiera interesarse. Y Pirela llega a la Billo's Caracas Boys de los años 60 haciendo dupla con otro maracucho, el guarachero Cheo García, quien curiosamente había tenido actuaciones con Juanito Arteta y Los Peniques.

Las actuaciones con Billo's van desde el reestreno de la orquesta en 1960, hasta finales de 1963, cuando José Pagé, dueño de la Velvet, lo contrata como solista para su sello disquero. Durante su tiempo con Billo's recibe la máxima exposición posible: radio, televisión, bailes, presentaciones que le dan mucha figuración y ayudan a convertirlo en toda una figura. El maestro Frómeta hasta le arregla un disco como solista, cuando entiende que Pirela ya debe dejar su puesto de *crooner* en la orquesta y partir como solista.

«Por la vuelta» –tango bolerizado–, «Para qué recordar», «Pobre del pobre», «Espera quisqueyana», «El son se fue de Cuba», «Puerto Cabello de Italo Pizzolante, o los temas compartidos con Cheo García dentro de los famosos mosaicos, son éxitos con Billo's. Las porciones de «Frenesí» y «Ya no me quieres» en el mosaico #7, ayudan a conformar la condición de clásico que este mosaico tiene dentro de la música popular venezolana.

La carrera como solista comienza a su salida de la orquesta. A mediados de los 60, la balada se había impuesto en el gusto popular, dejando a boleros y boleristas como algo para el recuerdo. Comunicadores y público encasillaron el bolero en la nostalgia y con ello se condicionó al recuerdo a los artistas del género. Pirela, a pesar de todo, era una figura demasiado arraigada en el gusto del pueblo –sentimiento latinoamericano puro– y su carrera continuaba en continuo ascenso.

El nombre vendía discos no sólo en Venezuela, sino en Estados Unidos, Puerto Rico, México. Las presentaciones personales eran requeridas y bien pagadas. Mario de Jesús y otros compositores, arreglistas y directores importantes le apoyan musicalmente: José Sabré Marroquín, Chucho Rodríguez, Porfi Jiménez, Memo Salamanca; Armando Manzanero, a quien en 1967, Felipe le graba un disco entero con sus composiciones.

«El bolerista de América» va gestando carrera y fama: buenos temas, magníficos acompañamientos orquestales, comprobada solvencia profesional y estilo a toneladas. Todo va sobre ruedas profesionalmente, pero en lo personal las cosas no resultan del todo. Se casa con una muchacha de trece años de edad; el matrimonio da demasiada materia para el chisme en Venezuela: un tipo de veinticinco años, artista famoso, con una muchacha muy joven, en algo relámpago... Viajes a México, a Puerto Rico, al Caribe todo; trabajo que lo aleja de un país, el suyo, que lo censura. En Colombia recibe aplauso colectivo; todo el mundo tiene que ver con él. Los almacenes de discos lo premian por gran vendedor de temas del gusto popular... *Amor se escribe con llanto...*

Se cuenta cómo Cherry Navarro, muy popular en Venezuela, refería la gran demanda que tenían las copias del primer disco solista de Felipe, tanto que la disquera las ofrecía hasta sin carátula, o con otra distinta a la originalmente diseñada. Cherry frotaba los discos y le decía al cielo: –*Oye... a ver si yo puedo vender un poquito como vende Felipe... a ver si puedo vender algo, como lo hace él...*

Temas grabados por Billo's se reinterpretaron. «Sombras nada más» volvió al igual que «Por la vuelta» con la orquesta de Porfi Jiménez. Algo en el ambiente indicaba que no había que perder los logros con Billo's sino, por el contrario, debía incentivarse el tipo de canción rítmica, bailable, que lo había llevado a la fama... *Únicamente tú, eres el todo de mi ser...* Más giras a Nueva York, Chicago... *Entre tu amor y mi amor...* otro disco como solista y, de nuevo, a vivir entre un sitio y otro: Panamá, Colombia, Costa Rica, República Dominicana, Puerto Rico, ¿Caracas?

Problemas personales van y vienen. No más Caracas. Estalla otro escándalo por el fracaso de su matrimonio; una acusación farandulera de homosexualidad –gravísima para aquel entonces– le termina de menoscabar la imagen y, en consecuencia, aquí no le piden más presentaciones. Entonces el hombre introvertido, manipulable y buena persona se reúne con quien debe y con quien no. Se administra mal, gasta más de lo que puede. Se había marchado de Venezuela en 1968 porque no aguantaba los problemas y, desafortunadamente, sólo consigue más y más problemas: en República Dominicana, hubo algún lío judicial; Puerto Rico luce como un sitio que le respeta y donde no le cuesta conseguir trabajo, en un tiempo difícil para todo cantante de boleros –hasta para Tito Rodríguez–, un tiempo en que la música tropical había bajado mucho en la estima popular general.

Llega el año 1972, el año final. Pirela graba en Nueva York. Quería que con ese disco aquí en Venezuela la gente supiera que seguía siendo un bolerista próspero y cotizado afuera. Debía cumplir algunas presentaciones en el Molino Rojo, allá en San Juan de Puerto Rico. Se habló de deudas, de gente mala alrcdedor, de asuntos de drogas, de circunstancias no esclarecidas. Días antes de su muerte, lo golpearon. Todas las noches lo fastidiaban. El sábado de la víspera cantó su show de medianoche. Luego se fue como siempre se iba, de parranda con amigos. En la mañana de aquel domingo 2 de julio de 1972 había tenido un problema en el apartamento donde estaba y la persona del problema, Ángel Medina Rosado, lo intentó matar por primera vez. Intentó disparar pero la pistola se le encasquilló y Pirela pudo irse tal cual estaba, emparrandado y muy tomado. Se fue con otra persona y estando en la calle Medina Rosado también salió y lo mató. Oficialmente murió a las diez de la mañana (circunstancias no esclarecidas, de nuevo). No llegó nunca vivo al hospital, a pesar de los esfuerzos por trasladarlo y salvarlo.

Así termina una historia y nace un mito quien, en la medida que pasa el tiempo, puede confrontarse de tú a tú, de grabación a grabación, con quien se quiera dedicado al canto romántico tropical aquí en el país, o en cualquier parte del mundo. «El bolerista de América», pues.

Las tres repúblicas

Recordar la lejana crónica de una o dos fundaciones, el lento desarrollo, la expansión; cuentos de rivalidades, fracasos y, sobre todo, triunfos. Traer de nuevo la imagen de nuestro músico tropical de mayor importancia –Billo–, buscándose a sí mismo parecido con eventos cien mil veces más potentes (a saga de la Roma antigua, historia universal pura). Darle así a la gesta, mejor dicho a su orquesta, una pizca de trascendencia propia de aquello narrado en libros y repetido mil veces desde chiquito: una fundación, par de épocas; el comienzo, la conquista, hasta un imperio. «Las Repúblicas» que siempre refirió el maestro; de eso se trata.

PRIMERA REPÚBLICA: LOS HAPPY BOYS

Empieza el recuerdo en aquellos finales de los años 30, cuando la música popular cubana invadió todos sus confines cercanos. Una orquesta inicialmente agrupada por el maestro Ernesto Lecuona, Lecuona Cuban Boys, había marcado el camino, mientras su más notable sucesora –Casino de la Playa– se encargaba de difundir al máximo la fórmula.

No se quiso entonces otra cosa que guarachas, congas, boleros o sones mediante el modelo cubanísimo, bien preciso, de Miguelito Valdés, Guillermo Porte, Anselmo Sacasas y compañía, presentando el sonido peculiar de aquella Casino de la Playa. En esa primera formación, más un combo agrandado «a lo Lecuona» que una *big band*, los saxofones se combinaban con trompetas –también uno que otro violín–, mientras la sección rítmica, el coro, los cantantes solistas, eran apenas otros componentes del grupo.

La influencia del descubrimiento jazzístico (formar orquestas a partir de saxofones, trombones y trompetas) quedaba únicamente referida por el sonido libre de los instrumentos, quizás cierto espacio para la improvisación y, eso sí, una atmósfera de jolgorio bailable común al jazz del momento. De resto, todo era cosa de transmitir ritmo cubano bien sembrado de comparsa, bien mediante ciertas intervenciones de colorido exótico –el canto afro, el bolero/son– siempre endulzadas por la inclusión del violín acompañante; por ello, el toque de la «Bruca 'e Manigua» en llave con «Panamá», «Taboga» y «Los componedores». «El reino de tus ojos» al lado del pregón «El manicero»... *Maníií... Caserita no te acuestes a dormir, sin comer tu cucurucho de maní...*

El mensaje llegó tan claro a Dominicana como a Caracas, la evidencia no se hizo esperar: Luis María Frómeta (joven dominicano apodado Billo, estudiante de Medicina, músico por afición) reúne a varios compañeros y forma el conjunto Santo Domingo Jazz Band. Comienzan así los nombres clave de Simó Damiron –el mismísimo del «Piano merengue»–, de «El negrito Chapuseaux» y Freddy Coronado, siempre al lado de Frómeta, líder y saxofonista alto.

El ánimo juvenil de aventura, salpicado por un pequeño contrato, los empuja a viajar para que aparezcan así en Caracas –31 de diciembre de 1937– con aquella primera y aceitada versión de la popularísima Casino de la Playa: Billo's Happy Boys es el nombre escogido para presentar su Santo Domingo Jazz Band, al momento rebautizada quizás por buscar una connotación más internacional (lo de «Boys» era una feliz ocurrencia de Lecuona), tal vez por no seguirle el juego a Rafael Leonidas Trujillo, quien hasta había rebautizado como «Ciudad Trujillo» a la propia Santo Domingo.

Llega así la banda a Caracas ofreciendo la formación propia de unos éxitos heredados; algo de Rafael Muñoz, pero Casino a más no poder... *Con tu cara 'e parampampim; pim, pum, pam... yo te he visto con María, guarachando en el solar...* Hay además algo muy de ellos, ciertamente novedoso en nuestro ambiente; se trata del también bullanguero merengue dominicano «de salón» –la «Caña Brava», el «Compadre Pedro Juan»–, así entre comillas.

Quien crea que conquistar a la Caracas parroquiana de

finales del 30 fue cosa fácil se equivoca. ¿Músico pionero? ¿innovador? Quizás hoy a la distancia eso parezca; pero en el momento primero la oferta musical se sentía tan sabrosa que resultaba orillera, tan cubana que sonaba a imitación, tan similar a cierto músico del patio que parecía una buscadera de rivalidad, por no decir de pleito. Para entonces, finales de los 30, ya se vislumbraba en Luis Alfonzo Larrain, venezolano de pura cepa, al escogido socialmente para el baile de categoría o la exploración de música tropical propia y ajena, a través del mejor *big band* nacional: valses o merengues criollos idealizados, música brasileña, norteamericana –¡jazz!– y hasta también los ritmos esos de la cubanidad de moda.

Será pues un principio de segundo plato (Luis Alfonzo siempre adelante), desde la música de baile bullanguera, populosa, el que marque a estos Happy Boys. Habrá también algunas fiestas menos encopetadas, el toque en plazas, uno que otro club social o sitio comercial –del Roof Garden al Club Florida–, pero el foco principal estará en meterse en toda la gente, desde San Juan barrio hasta bien Paraíso arriba a través del radio; mejor «la radio», por la época. ¿Cuánto tiempo estaba supuesta a durar la primera aventura? ¡No tenía, por fin, puesto más importante la carrera de Medicina en alguien con un papá abogado y para quien, a lo mejor, la orilla no le resultaba ni tan natural? Quién sabe. Lo cierto es que una enfermedad mortal –fiebre tifoidea, dicen– lo fuerza a la cama de moribundo –1939– y la orquesta se disuelve cuando apenas empezaba a cimbrarse. El hombre con su idea parece irse para siempre.

SEGUNDA REPÚBLICA: ¡A GOZAR MUCHACHOS!

Cuentan que en algún momento de 1940, Pedro Luis Aponte y Ángel Briceño –saxofonistas venezolanos; Briceño compositor de «Adiós»– toman cuenta de que ni Billo se había muerto, ni tampoco se iba a morir. Comienzan pues a comunicarse con el líder, quien, desde su lecho de enfermo, les confía la idea de una segunda orquesta, contando ahora con ciertos compañeros originales: el trompetista Cecilio Comprés; Freddy Coronado, sin el violín, solamente tocando saxofón... gente de primera que debe combinarse con el talento local.

La nueva orquesta tendrá ya la estructura de una *big band* latina, «a lo Machito» –también la Casino había cambiado. Además será de nacionalidad venezolana. Median muchos ensayos a puerta cerrada, el típico secreto a voces y un nombre definitivo: «Billo's Caracas Boys», una forma coloquial de decir en inglés «The Caracas Boys of Billo», o lo que es lo mismo «Billo y sus muchachos caraqueños».

Esta segunda fundación comienza con el terreno ganado por la agrupación anterior y desde el arranque no queda desplazada ni por Larrain, ni por nadie. Si acaso un asunto de apoyo irrestricto por parte del público barriobajero conquistado que ya, ni tan secreto, proyecta la cosa hacia bien arriba.

Billo, sano y salvo –medio calvo, por la enfermedad–, si en algo ha cedido será en su lado de saxofonista intérprete, ahora mucho más profesional y totalmente concentrado en el liderazgo, en los arreglos de la orquesta. El nuevo sonido sigue marcado por la Casino pero ya apunta a su independencia. Puede que, como a tantos artistas, la enfermedad le haya traído estudio, reflexión, asentamiento, definición profesional; ese reposo necesario para considerar las cosas más desde el lado del concepto, que desde la ejecución. Quisiera uno pensar en un evidente gusto por la orquestación jazzística, reflejado en una influencia clave de Fletcher Henderson, maestro de maestros en eso del arreglo para el *big band*, inventor no sólo de la fórmula de separar las lecciones de la orquesta, sino en hacerla brillar sin recurrir al estruendo. Y por allí camina la fórmula de un Billo «a la Henderson», capaz de presentar secciones de saxofones y trompetas –luego, también trombones–, separadas o en grupo, irrumpiendo de una forma brillante, pero moderada; muy a tono con las limitadas capacidades del músico promedio, ese que le garantiza una ejecución uniforme, no sujeta a la contratación de virtuosos ni portentos.

También cabe imaginar la actividad del líder arreglista aderezada por la necesidad de un repertorio propio a cargo de cantantes estelares, que genera verdadero peso específico e independencia musical. Y todo eso no tarda en llegar. Rafa Galindo, «El trovador de la radio» y Manolo Monterrey, «El ciclón antillano», cantaron boleros, guarachas y sones que fueron repetidos miles de veces: el cuento de ser como «Ariel» con la parte instrumental –mambo de puro Billo– más perfecta posible; «¿Ya don Rafael habló?» en disco de 78 rpm, con un vacile a la radionovela más famosa de la época; «Noche de mar», «Enamórame», «La cita», «Ven», «El Ruiseñor» y la «Matinata», cantos amorosos de estreno complementados por más Monterrey con «La niña de la ventera», «Guarachona», «Swing con son», «Cosa linda», «Falda larga», «Tú no me engañas», «Despacio se va lejos», «Se murió Camilo», y el... *Caminito de Guarenas que le robé a la novia mía...* Complementaron también la escena Víctor Pérez –primer guarachero asociado a Rafa– con «El caimán», «Campesino», sus «gustos», lo de... *camarones donde están los mamoncillos...* y otra docena de éxitos. Miguel Briceño cantándole a la «Caracas vieja»... Algo después, el Luisín Landáez del «Disco rayado», el Alci Sánchez de «Maybá» y «Las pilanderas»... «Quién fue que mató a Consuelo», «Que me la den entera», «Abaniquito de a real», «Cállate muchacha», encabezan otra centena sembrada en el gusto popular a través de la radio... Magín Pastor Suárez, el «Musiú» Lacavalerie, Henry Altuve, el programa «A gozar muchachos»... Llegamos aquí al punto donde el recuerdo se hace imposible; demasiadas las canciones, las fechas, los intérpretes: Pat O'Brien al piano, Cecilio Comprés dando el trompetazo del tema de la orquesta con José Dolores Guevara apoyándole la sección; Antonio María Soteldo, al contrabajo... *cun, cun, cun... cun, cun, cun...* Antonio Maci Rubí repicando timbales; Carlos «Pan con queso» Landaeta entendiendo tanto de maracas y bongos, que luego se convertiría en su mejor «Luthier»... Muy estrechas las líneas para lo grueso del recuerdo.

Son diecisiete años –1940/1957– de firme consolidación. La firma de Billo se siente en la selección de músicos, en el repertorio (el hombre ya desarrolla carrera como compositor de canciones que empiezan a exceder el ámbito bailable), pero, sobre todo, en la forma personalísima de arreglar para que la orquesta tenga sonoridad característica y sobreviva con independencia de las idas y venidas de las estrellas; de hecho, hasta se da el lujo de retirar a Manolo y Rafa por «pasadones» en algún momento de los años 50.

Es el tiempo en que el toque diario se vuelve costumbre. Son fiestas, clubes sociales, carnavales, muchísima radio; algo de cine (*Yo quiero una mujer así*, 1949). Tanta presencia hace que las anécdotas lleguen solas: Jacques Braunstein lo convoca al Segundo Festival de Jazz en Caracas para hacerle marco al guitarrista Barney Kessel y enfrentarse, a puro jazz con Aldemaro Romero y –¡qué raro!– de nuevo Luis Alfonzo. En algún carnaval Billo le ofrece el puesto de primer trompetista al virtuoso cubano Armando «Chocolate» Armenteros, miembro de las propias filas de Machito. Algo más de dinero e igual distinción argüiría Billo: «tocar siete días por semana puedo, pero jamás ocho», rechazaría Armenteros... En una presentación en el Nuevo

Circo, mano a mano con la orquesta de Xavier Cougat, se va la electricidad y viene el delirio con el toque a ciegas y a oscuras.

El éxito es total, quizás propiamente dictatorial: maestro que todo lo puede, todo lo logra, todo lo resuelve; no hay para nadie. Sólo Luis Alfonzo («El mago de la música bailable»), a veces, desde las alturas (Club el Paraíso, Caracas Country Club) le late en la cueva y, de cuando en cuando, es capaz de ponerlo en su sitio. Alguien recuenta que Frómeta orquestaba en un cuarto casero, utilizando como apoyo la foto volteada del viejo rival; el único que de verdad le hacía coco... Sin embargo, el de los éxitos semana a semana, el que la gente canta y baila, ese es Billo. Lo de «La más popular de Venezuela» termina de perfilarse de manera definitiva; la república luce firme, parece que el bien durara cien años... pero, como todo, mientras más alto se vuela...

Un asunto familiar –personal, privado– se convierte en materia de litigio. Simultáneamente, ciertos colegas asociados decretan y ejecutan una rotunda prohibición de actuación (!). De la noche a la mañana la orquesta, por segunda vez, se desbanda y el jefe sale del país. Sencillamente caído el líder –como alguna vez recordara–, cae la república misma.

TERCERA REPÚBLICA: LA MÁS POPULAR DE VENEZUELA

El 15 de julio de 1958, la televisión nacional da bautizo a una nueva orquesta. Suenan por vez primera Los Melódicos bajo el comando del joven publicista Renato Capriles. Músicos de Billo, arreglos de Billo o «a lo Billo's» («Mi novia de Naiguatá», «Por qué será») afirman una presencia ausente del maestro. Para Renato se trata del mismo cuento de la influencia inicial de la Casino sobre su mentor. El aplauso no se hace esperar.

Mientras Los Melódicos ayudan a reabrir el apetito, dos importantes complementos terminan de preparar la escena del regreso: por un lado el ambiente nacional propicio para los estrenos –la democracia misma–; por el otro, los problemitas judiciales y gremiales consiguen solución. Así el año de 1960 trae de vuelta a Frómeta desde un exilio forzado –Cuba/Estados Unidos–, donde había probado suerte sin conseguir nada parecido a los logros anteriores.

Esta vez la refundación tiene escenarios de lujo (bailes importantes, televisión) y un padrinazgo liberador: Luis Alfonzo Larrain da la bienvenida, toca su orquesta por última vez y –¡al fin!– le deja el camino libre. Se diría que la mesa otra vez esta servida, quizás como nunca.

Renovación total ofrece Billo en esta su «tercera república». Cinco o cuatro saxofones (Sócrates de León, Ernesto Urbina, Raúl «Marino» Suárez y Francisco Liendo son nombres constantes en la sección). Tres o dos trombones –cosa nueva–; cuatro o tres trompetas y, por supuesto, sección rítmica: Aníbal Sojo y «Pescaíto» Vargas, percusionistas; Enrique Coto al bajo; Horacio Abreu, Stelio Bosh y/o Román Martínez, pianistas subdirectores.

Los pasodobles, las guarachas, los boleros (uno que otro merengue caraqueño, vals o joropo) quedan enmarcados por mucha música colombiana –porros, paseos y cumbias– afincada rítmicamente en el uso de güiro charrasqueado que marca la nueva fórmula: donde antes estaban clave, maracas y bongó ahora queda el... *chaca-chaca...* del «Pescaíto», facilísimo para bailar. Al clásico... *cun, cun, cun...* del bajo se le arrima una tumbadora elemental marcando un paso sencillo, ajustado al bailador más corriente... *Y la vaca vieja...* También la música cubana –Casino de la Playa, una vez más– es presentada con la misma fórmula mediante de unas *suites* muy bien elaboradas, ya experimentadas en la orquesta anterior como números para el recuerdo, los «mosaicos». Además, los merengues dominicanos crecen y se multiplican.

Dos cantantes interpretan el repertorio básico: José «Cheo» García, guarachero de la escuela del grito potente de Miguelito Valdés... *managüerito, mío... mío... mío...* y Felipe Pirela, bolerista de voz atiplada, continuador del estilo de Rafa Galindo, posteriormente convertido en una especie de Julio Jaramillo criollo con proyección internacional... *Te vas a casar, queriéndome a mí...* ésa, la voz del quejido profundo, de extrañísima afinación, consigue formación plena en la orquesta. Otro tanto pasa con su sucesor, José Luis Rodríguez; un insospechado «Puma» quien desarrolla profesionalidad en su pasantía de cinco años como bolerista a la orden del maestro. Siguen Memo Morales, «El gitano maracucho», cantador de pasodobles o aires flamencos, y Ely Méndez... *entonces dime qué haré cuando me faltes tú...* último en la línea sucesoral de Galindo. Todos ellos, Galindo incluido, completan la nómina principal de los cantantes encargados de transmitir los principales éxitos de la tercera república: «La vaca vieja», «El profesor Rui-Ra», lo de... *Y por qué no se quita el saco... porque tengo la camisa rota...* «Comunicando», «Bacoso», «Al paso», «Por la vuelta», «Para que recordar», «Pobre del pobre», «Mosaico 7», «Ni se compra ni se vende»... *Yolanda la reina de la parranda...* «La cañada», «Por eso estamos como estamos», «Valencia señorial», «Caraballeda», «Somos», «Parece mentira», «Un año más», así hasta el último número uno radial: aquel «Brujo» de cuando Herrera Campíns, el mismo que tiraba la baraja y adivinaba el presidente... *Son muy feos los dos...*

A pesar de la evidente popularidad de la orquesta, de su potencial internacional –Colombia, las Islas Canarias y Estados Unidos Latinos lo atestiguan–, la juventud de los años 70 parece abandonarlo en favor del snobismo rockero o de la emergente salsa. El método para el abandono consistía en aplicar el peyorativo término de «gallego» a todos quienes cambiarán el afinque cubano por el chaca-chaca, y/o mantuvieran la estructura de banda grande común a sus nuevos rivales, Los Melódicos. Con todo, la crítica del sector salsero excedía el simple abandono, era demasiado exacerbada y generaba reflujo en el maestro, quien a su vez los descargaba por simplones:

> La salsa no existe, es un nombre, algo así como decir salsa de tomate. Es una expresión como cuando Celia dice: Azúcar o caliente... es el son cubano. Eso fue creado en Estados Unidos por los puertorriqueños. Es una expresión americanoide de los latinos en Estados Unidos. El cantante es el que hace la salsa, no le dan importancia a los otros músicos... no la admito como un género, es una forma distinta de tocar el son. La salsa es son cubano... no existe, eso es cosa de Pacheco (dominicano como yo) y Masucci en el sello que llamaron Fania... es un fenómeno publicitario...

Además, en todo caso, aquí sería el rey de los gallegos, porque esos Melódicos sólo pudieron vencerlo, mano a mano, una vez: el célebre baile de los años 60 donde el público pidió quince repeticiones de... *ella baila el pompo...* a cargo del despedido por viejo –mala decisión– años antes: Manolo Monterrey. ¿Revancha o afirmación del nivel de los rivales? En todo caso, de los años 60 en adelante, ya se supo que la república tal vez tendría opositores, pero jamás volvería a caer.

¿Qué tan importante podía resultar la música bailable de un saxofonista dominicano? ¿Quién lo titulaba para competir a niveles más elevados? ¿Cuánto de trascendencia se avizoraba en todo aquello?

Se nos ocurre respuesta pensando en el propio discurrir del orden académico establecido para la formación plena del músico: primero, debe ser el instrumentista –en nuestro caso saxofonista–; luego vienen los arreglos, la dirección de la música de otros que ayude a precisar un estilo; en último término, las composiciones propias. Por algo antes de la llegada del fonógrafo, el premio de trascendencia en música estaba reservado a los compositores, y entre ellos sólo a quienes calaban en el alma de los demás.

En la carrera de Billo se ve especialmente aplicado ese precepto de desarrollo musical, con un particular acento en dirigir la orquesta como interés fundamental. Fueron mil y una noches, cinco décadas, con todo el oficio musical apuntando a presentar la Billo's Caracas Boys en plan de agrupación popular, de sonoridad absolutamente definida (el arreglo fácilmente bailable que brilla sin estruendo), siempre al día en el mensaje musical afín al estilo. Para ello su trabajo como líder; por su efecto, ese necesario oficio de principal compositor de la orquesta que lo llevaba a la revisión musical de situaciones, personajes, lugares, transformados en música a tono con el acontecer de su tiempo, y cuyo resultado global termina conteniendo toda una poética de crónica caraqueña:

«Caracas Vieja», «Toy contento», «Mensaje a Juan Vicente», «¡Epa Isidoro!», «Sueño caraqueño» y «Canto a Caracas» son sus canciones puntales, historia menuda de la ciudad al igual que las composiciones ajenas incorporadas para afirmar la orquesta a través del tiempo; esos cantos del Magallanes... *será campeón... No hay quien le gane...* hoy da cantos del colectivo nacional.

Los cantares de Navidad puertorriqueños, absolutamente nacionalizados... *Navidad que vuelve, tradición del año/ unos van alegres, otros van llorando...* puro Billo, si no por vía de composición, por vía del arreglo. Docenas de temas propios, muchos de ellos inspirados en el ejercicio de un caraqueñísimo inteligente y artístico: «El muerto de las gradillas», «La burrita de Petare», «Los cadetes», «Callecita de La Guaira», «Mi novia de Naiguatá», «Caracas, siempre Caracas», «Nuevo Circo», «El metro»... también hay que mencionar el grupo de canciones de compositores afines, dedicadas a conmemorar otras ciudades nacionales y colombianas: «Tres perlas», «Mi Cali bella», «Yo soy Cartagena» –Carlos Vidal / Víctor Mendoza–... *Hoy llegó mi canto hasta Maracay...* «Barquisimeto», «Bella Margarita», «Gaita con Billo»... *Mi Puerto Cabello pedacito de cielo...* –Italo Piazzolante. Por último, ciertas composiciones propias dedicadas a la República Dominicana o Cuba; «Espera Quisqueya» y «El son se fue de Cuba» son dos que crían fama afuera, también ciertos resquemores... *Guajiro de mi tierra, si pasas por La Habana, no hay la risa cubana, porque el son se fue de allá...*

A pesar de los detractores académicos –«la expresión no es elevada»–, de los nacionalistas –«el tipo es dominicano, le vendió el alma a Colombia; desmerece el patio»–, de ciertos intelectuales –«¡el son no se fue de Cuba!»–, de los salsosos recalcitrantes –«hace música para el baile sin tumbao», «¡gallego!»–, por vía del repertorio propio, y de la construcción de un estilo, el cuento de las repúblicas queda transformado en el imperio de un real maestro de música popular. El verdadero «Cantor de Caracas» a decir de mentores y detractores.

EL FINAL

Queda por contar lo del ensayo general en el Teresa Carreño. A principios de mayo de 1988 toda la Orquesta Sinfónica de Venezuela está a su disposición; se le prepara un concierto conmemorativo en la sala más reputada del país con toda la pompa y circunstancia posible.

La música, enteramente propia, los arreglos bajo su supervisión; el orden del concierto y la batuta, en sus manos. La Billo's resultará ampliada a la magnitud de Sinfónica, las canciones sonarán como nunca... *Para cantarte a ti, puse al arpa... todas las cuerdas de oro...*

Tanta es la emoción de oír y ver lo suyo elevado al plano académico, tan románticas las expectativas personales, que el corazón no aguanta. El 5 de mayo de 1988 su «Canto a Caracas» sale de la garganta de los habitantes de la ciudad, tal vez de Venezuela misma. Lo de... *el último compás de Alma llanera...* se escucha en las voces de un coro multimillonario, desde una tristeza profunda, rara; muy distinta a la transmitida por las miles de veces que se habían dejado escuchar los mismos compases al final de cualquier fiesta.

Sin embargo, el final no es final. Allí siguen las orquestas Billo's o tipo Billo's. La misma música, originalmente popularizada y arreglada por el maestro, es ofrecida mediante toques de seis y siete días a la semana, las cincuenta y dos semanas del año. Se consiguen grabaciones actuales y pasadas. Compilaciones en disco compacto –ediciones, reediciones– generan el material para seguir la difusión masiva necesaria.

Aunque la popularidad jamás es la misma –¿qué o quién aguanta sesenta años intacto?–, continúan firmes algunos programas semanales de radio; también ciertas presentaciones por televisión. El montaje más exitoso en la historia de la Compañía Nacional de Teatro –«A bailar con Billo»–, aguanta constantes reposiciones. Para colmo, hasta el Magallanes, de cuando en cuando... ¡por fin gana!

Nuestra gente de tres generaciones todavía hoy quiere que el hombre y su música se sigan escuchando. El estilo, ya inmune a los filtros de la moda, está tan profundamente arraigado que deja colar un claro mensaje de trascendencia: quien por fin no baila, o no haya bailado con Billo, está a punto de hacerlo.

Entonces... ¿cuál final?

Acercamientos a Luis Alfonzo Larrain

Al menos dos versiones nutren la crónica de la entrada al merengue criollo en los bailes de salón caraqueños: la una, proveniente de las investigaciones del profesor Rafael Salazar quien, en su ensayo «La espiga musical del Ávila», relata los pormenores siguientes:

> Un día, en diciembre de 1940, en una elegante fiesta celebrada en la Casa Amarilla, sede de la Cancillería venezolana, tuvo el maestro Luis Alfonzo el atrevimiento de dirigirse al público asistente para solicitarle permiso porque quería bautizar un merengue de su autoría en sala tan distinguida. En sus bien pensadas palabras, el músico advertía que esta nueva danza sólo se bailaba en sitios populares de la cuidad, los mabiles, pero que él le había puesto su traje de etiqueta porque se trataba de un ritmo tan venezolano como el valse, el joropo o la contradanza criolla.
>
> Ante esta solicitud, se escucharon apenas algunas voces de aprobación, que el maestro tradujo en el sonoro bautizo del merengue «Métele de ancho», mancillando así, por vez primera, la castidad secular de las Casa Amarilla en la caraqueñísima Plaza Bolívar.
>
> Al comienzo, sólo algunos tuvieron el valor de salir a bailar tímidamente, acorde con la discreción dancística que el lugar imponía, porque de hacerlo al calco de la pasión rucanera, propia de los mabiles, quedaban los caballeros al descubierto ante las distinguidas damas concurrentes.

Pero avanzada la noche, luego de varias tandas orquestales, o set como se le llama ahora, y de algunos tragos oficiales, el merengue fue mostrando su verdadera clase, su ritmo cadencioso y popular que entusiasmó al público de la Cancillería, otorgándole, desde ese momento, su carta de reconocimiento citadino.
En adelante, las orquestas de salón incorporaron el merengue a su repertorio musical, para convertirse en la danza caraqueña por excelencia, mostraba orgullosa su raíz caribeña, aderezada con la picaresca criolla y propia del entonces buen humor de los caraqueños de antaño.

La otra versión del asunto, bastante coincidente con la anterior, va en boca del propio maestro Alfonzo Larrain quien, muy mayor y aquejado de males propios de la edad avanzada, le recordaba a Moraima Carvajal los mismos hechos, sólo que ubicándolos en el Caracas Country Club en lugar de la distinguida sede de la Cancillería. A pesar de la pequeña disonancia con la versión del profesor Salazar, lo importante está en cómo el mismo marco general de la anécdota da espacio suficiente para que la autora también corrobore al maestro el carácter de renovador no sólo del merengue, sino de valses y joropos venezolanos impulsados a los confines de las orquestaciones contemporáneas. De esta forma queda confirmada la dimensión venezolanista del maestro, firme precursor conceptual de esa preservación definitiva de nuestra música de salón realizada luego por un brillante pupilo, Aldemaro Romero, mediante aquel «Dinner en Caracas» que, desde los años 50, resulta una pieza discográfica indispensable en la historia de nuestra música popular.

Sea el Caracas Country Club, sea la Cancillería de la nación, lo cierto es que Luis Alfonzo vino a dar el perfil de músico contemporáneo de vanguardia, tal vez dedicado a explorar los linderos entre lo popular y lo «culto» en cuanto a música popular bailable se refiere. Un baile de proclamación presidencial, por ejemplo, bien podía servir para corroborar el quehacer del maestro y su orquesta de «distinción y buen gusto»: Rómulo Gallegos, nuevo presidente, recibe la banda presidencial de Rómulo Betancourt y todo el tren político acciondemocratista. El Salón Elíptico del Congreso sirve de salón de fiesta, tal cual sirvió la Casa Amarilla en tiempos de Cipriano Castro, quien a principios de siglo acaso allí también practicó la creencia bolivariana de «el baile es poesía en movimiento», y, de paso, consiguió reseña en algún cronista de época rescatado por doña Carmen Clemente Travieso: «Desde los tiempos prehistóricos, el baile ha simbolizado paz, conciliación y amor. Hoy simboliza todo eso y, además, cultura, adelanto, civilización. De suerte que no se explica un pueblo civilizado que no baile, que no baile mucho».

En todo caso, en febrero de 1948 es Luis Alfonzo el encargado de la música para que el pueblo civilizado elector de Gallegos baile simbolizando... *paz, conciliación y amor... cultura, adelanto, civilización...* y además lo haga la noche de su proclamación. Al efecto, el músico arma no una sino dos orquestas para abordar repertorios distintos. Uno, dedicado a los valses nacionales y otro a dar los ritmos de moda. Rumbas, congas, sones, boleros y guarachas así se encajan en sets bailables donde los merengues caraqueños y el jazz norteamericano (presente en sus bandas desde los tiempos en que participaba de la Orquesta Flavia con Carlos Bonnett y Eduardo Serrano, a finales de la década de los 20), también tienen cabida. En la selección, en el toque de cuidada perfección formal, está la diferencia que lo distingue con el lema de «El mago de la música bailable» y quizás una sabrosa interrogante para quienes escuchan su orquesta: ¿Mago por hacer sentir a Caracas cual espacio urbano donde se canta y baila lo propio con la misma buena categoría de lo foráneo?

«La orquesta de la distinción», la de «El mago de la música bailable», tuvo sus altos en la mejor fama imaginable difundida mediante toques en los mejores salones de su época, y también sus bajos al no producir discos realmente populares. Sostuvo, sí, la reputación firme de banda de solistas, orquesta capaz de ofrecer jazz, géneros venezolanos, cubanos o brasileños a cargo de solventes ejecutantes e inventivos arreglistas. Dio piso a un líder comprometido con la responsabilidad y el talento, al punto de dar oportunidad a propios y extraños sin tomar mucho en cuenta los riesgos estilísticos que esto comportaba: Elisa Soteldo, primera muchacha venezolana en presentar temas de jazz y merengues como *crooner* femenina –«canario» también se les decía– de la banda; Aldemaro Romero al piano siendo casi un menor de edad; José Pérez Figuera, armando toda una escuela de arreglos y composición, a partir de las enseñanzas jazzísticas de Duke Ellington y compañía; Manolo Monterrey, cubano guitarrista de un trío visitante, convertido en guarachero principal del país; Rafael «Gallo» Velásquez y Frank «Pavo» Hernández, jóvenes venezolanos tomando aprendizaje de, digamos, un

George Lister y Mario Fernández, baterista y trompetista dominicanos de incuestionable virtuosismo; Celia Cruz, en el papel de solista invitada para las primeras grabaciones que en este rol hiciera en su vida; Tony Camargo o Kiko Mendive, dándole sabor y pimienta a una música cubana cercana a lo que hacían Machito y, después, Tito Puente. Arreglos de última moda en materia de música norteamericana y mambo jazz. Mucha y muy nutriente rivalidad con Billo's, bailes, teatros y programas de radio, hasta la renuncia a la música bailable del líder en favor de la labor gremial, política y publicitaria.

❑

Llega la memoria de Federico Alfonzo-Larrain Soteldo, cual auxilio y complemento de aspectos importantes de la vida y obra del maestro Luis, su padre. Esto recuenta el tocayo.

Hacia finales de los años 50, mi papá escribía para la prensa columnas de diferentes géneros: farándula, crítica musical, política. Columnas todas de crítica constructiva pero muy precisa; algunas firmadas con el seudónimo de «Los Morochos», personaje de alta credibilidad para el año 1963, tal y como Renny Ottolina decía: «Al único crítico de farándula que yo respeto es a Los Morochos».

También Luis Alfonzo escribió artículos de política de importancia: por el año el año 1959 sostuvo una polémica escrita con monseñor Pellín que fue comentada por muchos actores de la vida política del país. Mi papá defendía la filosofía del marxismo y monseñor Pellín, pues, sus creencias cristianas. Debatieron entonces ideas con altura y respeto, como correspondía a dos caballeros.

¿Parece contradictorio que un marxista de convicción, activista político, fuera el director de la más elegante orquesta de baile que haya conocido la sociedad venezolana? Pues sí, no solo es contradictorio, sino que ese director, Luis Alfonzo Larrain, también animaba las fiestas de Marcos Pérez Jiménez, a quien se oponía. Y es que no resulta nada fácil entender las coherencias y contradicciones en la vida de las personas, ¿o sí?

Mi papá nace en La Victoria el 22 de julio de 1911. Fue el menor de dos hermanos. Alejandro, su hermano mayor, ALFA, *tuvo muy destacadas posiciones como hombre de letras, dibujante e intelectual de valía. Ambos fueron educados en La Victo-*

ria durante su infancia y luego en Caracas. El tío Alejandro, a la muerte de su mamá, prácticamente adopta a mi papá, quien desde niño tuvo inclinación por la música, reflejada en una gran habilidad para memorizar y reproducir temas en su instrumento inicial, la guitarra.

Ya en la capital decide dedicarse por completo a la música. Son los años 30 y entra a Radio Caracas como director artístico, donde dirige todo tipo de conjuntos u orquestas; entre ellas, una llamada Orquesta Flavia en compañía del maestro Carlos Bonnet. Su formación era autodidacta; oía una canción, de inmediato podía escribirla con todas sus notas. A él se le atribuyen los primeros arreglos orquestales del merengue caraqueño en la década de los 40 –lo cual es cierto–, pero, curiosamente, pocas veces se habla de los adaptaciones de la música criolla propia del arpa, cuatro y maracas –joropos, corridos, pasajes– que hizo para la orquesta de Radio Caracas, fantaseando con violines, piano y demás instrumentos que dejaban oír la modernización de nuestra música.

Creo que mi papá influyó en el pensamiento organizativo de Aldemaro; en el cómo se hace una orquesta, cómo se administra, cuáles son las posibilidades sonoras a destacarse, etcétera. No obstante, lo de Aldemaro siempre fue muy novedoso. Otros músicos venezolanos, arreglistas jóvenes, recibieron generosa opotunidad en la orquesta de baile: José Pérez Figuera, Jesús «Chucho» Sanoja, Aníbal Abreu, Pepe Bravo... Ahora, a su vez hay un personaje que mi papá conoció en Nueva York, llamado Desi Arnaz, quien tuvo mucha influencia en la forma de estructurar la orquesta, los uniformes, los atriles, el repertorio de mambos, boleros, rumbas, congas, música americana, criolla, brasileña. Arnaz, el esposo de Lucille Ball, fue gran amigo de Luis Alfonzo y uno de sus modelos a seguir como director de orquesta de baile.

Mi papá fue fundador del Partido Comunista. Para las elecciones que ganó Betancourt, en 1959, fue candidato a concejal... Tal vez lo de componer y arreglar merengues y música venezolana fue un poco por buscar las raíces de la música en el proletariado y poner la gente de sociedad a bailar aquello. Si se piensa a fondo, a lo mejor se puede advertir un poco la filosofía del marxismo aplicada con cierta ironía. Quizás.

La orquesta de baile era una compañía, a veces cooperativa, y los músicos eran los empleados, con un sistema de pago metódico que estimaba hasta las horas extras que se iban acu-

mulando por concepto de bailes o programas especiales de radio. Había en la oficina un cuadro con las fechas de los bailes y fichas de control de los músicos. Luis Alfonzo era exigente con los músicos en cuanto al vestuario, a su conducta en general. Cuando se iban de viaje si un músico iba sin medias, le increpaba: «¿Para dónde va usted? Vaya a su casa; arréglese para que viaje como es debido».

La orquesta desaparece en 1958. Dos factores creo que determinan su disolución: uno está en la caída de Pérez Jiménez y el advenimiento de la democracia, lo que daba oportunidad a la consolidación del sueño de mi papá, que era la fundación de la Sociedad de Autores y Compositores de Venezuela, Sacven, dedicada a la protección y el resguardo de los derechos de autores artísticos. El otro factor es uno de desilusión personal: con la caída del régimen también se le cae un proyecto con la Polar, económicamente muy bueno, que consistía en viajar con la orquesta por toda Venezuela, ofrecer presentaciones masivas en plazas y demás sitios públicos.

Todavía hubo un intento más en el año 1959, promocionado por Renato Capriles, pero no resultó. Ya Luis Alfonzo tenía sus intereses centrados en Sacven y en diversas actividades que bien le ajustaban a los rasgos de su carácter: un hombre que no conocía el concepto «perder tiempo», preparado para abordar el trabajo de cualquier cosa que necesitara o se propusiera. La primera máquina de fotocopia que había allá en la oficina él mismo la construyó. Los atriles primero los diseñaba y los mandaba a hacer; luego los hacía el mismo. Tenía un instrumento preciso para hacer cada cosa que se proponía, y un orden también preciso en las cosas que en verdad le interesaban.

Por aquel año de 1959, ya lo dije, irrumpió en la política con sus escritos, además de hacer vida activista y ejercer el periodismo de opinión. Al no tener ya el ingreso de la orquesta, las necesidades económicas lo obligan a emplearse en una agencia de publicidad, donde destaca en el departamento de medios, utilizando, por supuesto, mucho del talento organizativo, pero también del musical que ya lo había llevado a crear la música comercial de la Maizina Americana o de la manteca Los Tres Cochinitos, por nombrar dos firmas con temas comerciales conocidísimos.

Estudios Larrain nace cuando mi papá siente que puede independizarse de las firmas de publicidad. Siendo tan amigo de Carlos Eduardo Frías y Arturo Uslar Pietri, la idea sale de

Ars Publicidad. Así forma un estudio para grabar comerciales. Ese primer estudio quedaba detrás de Radio Caracas; luego, cuando vio que podía grabar en su propia casa, compra unos grabadores y empieza en una habitación en el edificio Vam de la avenida Andrés Bello, donde vivía con su familia para comienzos de los años 60. Allí, en compañía de nosotros, sus hijos, grabamos jingles *–música para comerciales de radio o televisión– para Ars, e hicimos grabaciones dedicadas al registro de autores de Sacven. La cancioncita, o el tema que el autor fulano iba a registrar en Sacven, era grabada en el estudio por Carlitos, mi hermano, de la siguiente forma: el artista hacía algo muy elemental, cantaba su tema con un acompañamiento básico y lo que Carlitos recogía en el grabador era la fe de inscripción. Eso sí, la grabación debía ser perfecta, de acuerdo con los cánones de trabajo del maestro Larrain, cánones por demás reconocidos por otros músicos* jingleros *del calibre de Raúl Renaud o Chucho Sanoja, quienes decían, «Si Luis Alfonzo montó un estudio de grabación, ese estudio debe ser bueno. Vamos pues a grabar con Luis Alfonzo».*

Las grabaciones de jingles *las pagaban agencias de publicidad serias, responsables; así mi papá tenía una fuente de ingreso fuerte, confiable dentro del doble rol de compositor y dueño del estudio. Llega un momento en que la demanda para grabar era tal que mi papá resuelve no componer más cuñas o* jingles, *para no crear conflicto de intereses con otros compositores que trabajaban para las agencias publicitarias. Se queda, sí, con un grupito de clientes personales como Viasa –*... En Viasa, el tiempo pasa volando...*–, para quienes realiza sus últimos trabajos como músico profesional. Crece el estudio, se comienzan a grabar discos* long plays, *y nos mudamos para La Campiña. Allí comienza la época dorada de los Estudios Larrain, época que armoniza con la incesante labor de Luis Alfonzo en beneficio de Sacven y sus justas luchas gremiales.*

Mi papá, también lo dije, fue un hombre de contradicciones –¿quién no?– y muchos logros. Familiar pero enamoradizo, al punto de que, a fuerza de composiciones, ¡cuántas habrán sido las muchachas conquistadas! Lector de textos pragmáticos que lo hacían despreciar las novelas y gustar de relatos biográficos, temas geográficos, relativos al espacio sideral y, sobre todo, todo lo que tratara de experimentos y ensayos soviéticos.

Gustaba de la música seria, bien hecha, y no tenía problema de utilizar su capacidad organizativa para ponerla al ser-

vicio de la publicidad: en Radio Caracas Televisión creó un programa en la televisión llamado «La media jarra musical», martes y jueves a las 9:00 pm, donde se ocupaba de la orquesta acompañante de estrellas invitadas y, a la vez, de comerciales musicales armonizados con el contenido del show televisivo. Fue un programa modelado por sus experiencias radiales, emblemático en aquellos comienzos de la televisión nacional.

Un hombre de alta sociedad, pero con ideas marxistas. Admirador de los soviéticos e intérprete de la música norteamericana de big bands. *Dedicado a lo popular, pero cercano a los músicos académicos de su generación: Antonio Estévez, también marxista; Inocente Carreño, miembro de la junta directiva de Sacven; Antonio Lauro, desde los tiempos del original trío «Los cantores del trópico» del que mi papá fue fundador... Un artista despierto, pendiente siempre de todo lo que significara buena música, viniera del género que viniera...*

A mediados del año 64 un día voy al estudio allá en el edificio Vam. Él acababa de llegar de Londres, de una de las reuniones de Sacven con los organismos gremiales internacionales. De pronto me doy cuenta de que había oído algo de los Beatles. Le llamaba la atención que los músicos estuvieran arregladitos, con los trajes y la melenita igual, pero... «allí hay talento. El que más me gustó fue el muchacho del bajo, ese que se llama Paul McCarney. Mucho ojo con él»...

❑

«Caracas era una rumba» es el título de un meticuloso recuento musical caraqueño enfocado hacia la obra del «Mago de la música bailable», Luis Alfonzo Larrain. La investigación de Moraima Carvajal, su autora, busca y rebusca para ofrecer importantes claves que conforman un perfil histórico en favor de Luis Alfonzo como personaje central dentro del desarrollo de nuestra música popular; de allí el mismo subtítulo del libro, «Del minué al mago de la música bailable», en un todo acorde con su tesis y contenido: enmarcarlo como el músico venezolano mejor reputado en su género durante las décadas de los 40 y 50, cuyo hacer artístico –un compositor principalmente centrado en las complejidades de la dirección orquestal– quedó concluido en 1958 cuando, de cierto, cambió el rumbo para dedicarse a su estudio de grabación y a la organización de la Sociedad de Autores y Compositores de Venezuela (Sacven).

Han transcurrido más de cuarenta años desde el retiro del maestro. Su muerte, el día 4 de julio de 1996, ocurrió en la oscuridad de cierto anonimato que sólo la Sociedad de Aurores y Compositores puso empeño en alumbrar. La pérdida de nuestra memoria colectiva en su caso llega al punto del extravío de todo rastro que suponga discos, grabaciones o interpretaciones actuales de sus composiciones. El desdibujo de la imagen del maestro, de su obra, ha sido tal, que resulta imprescindible una voz inicial de rescate –en este caso la de Moraima Carvajal–, como primer paso en la labor de poner a un hombre importante en su merecido sitio. Por ello la reseña histórica con que Carvajal enmarca la obra del maestro como su episodio central; por ello, también, que sorprenda gratamente –ilumine– la decisión de la autora al ofrecer un apéndice con la voz del propio Luis Alfonzo entregando a los melómanos los puntos centrales para su apreciación:

Póngase a pensar en una comedia donde trabajan seis personajes, cada uno tiene su papel. La muchacha, el novio... Y son muy buenos lectores todos. Y usted dice: Bueno, vamos a ver la comedia. Usted la oye y después que termina usted siente que no se ha emocionado con aquello que está oyendo; están leyendo sin la entonación necesaria para el papel. Uno es un enfermo, el otro es un tipo nervioso, el otro es un tipo que habla con mucha ironía, que necesita un tonito especial. Y con un músico pasa igual... ¡Toquen! Y... pin pan rilalila... pim pom... *y suena, pero no tiene sabor, no tiene calidad. Uno tiene que hacer lo siguiente: agarrar esta sección, los saxofones, y poner a la batería para que marque el ritmo y el director toma a uno de los saxofonistas, y le dice que toque un solo y él hace...* pumpam pam...

Entonces, según la interpretación del director, sube más el volumen en este sector, baja más, se marca más. Fíjese que es como una comedia: estás triste entonces tienes que leer eso con tristeza y eso no se pone en el papel, la tristeza la pone el actor en la interpretación, igual pasa con los músicos... «Y tú, subes, tú, bajas», así acoplas el ritmo. Y después que están listos, ensayados por partes, los reúnes a todos y cuando uno lo oye, ¡ah! ¡Qué maravilla!

Esa paciencia, esos conocimientos ya no los hay. Ahora lo que hacen es leer las piezas. Lo que está escrito no es la alegría, ni la tristeza, ni las consideraciones, eso lo hace, lo pone la voz.

Y así como una comedia que no tenga un buen director, igual pasa con la orquesta. Ese trabajo hay que saberlo hacer.

De los arreglos, le voy a explicar: de la música americana eran arreglos traídos de Estados Unidos por arregladores famosos de allá. Por ejemplo, el repertorio que tocaba Glen Miller, lo traía con arreglos de primera. Yo iba a Cuba... y a los mejores arregladores de Cuba yo los traía. Y aquí tenía, le voy a nombrar, a Aldemaro que era buen arreglador, Chucho Sanoja, y arreglos míos directamente. Hay una cosa curiosa, si el arreglo bueno no se monta bien no suena... Lo novedoso de estos arreglos era, por ejemplo, que están tocando y hacen unos cortaítos son para que otros músicos hagan otra cosa distinta... Pitum pitum pitam... *El arreglador cuando hace eso, el buen arreglador, está pensando en el efecto de eso. Me gustan los arreglos complicados, porque de lo contrario no vale la pena poner a 20 hombres a tocar, con esos arreglos sencillos, magunchitos...* plim, plim, plam... *como una marchita, no.*

Nuestros arreglos marcaban la diferencia con otras orquestas, porque eran más interesantes. El acoplamiento, el sonido de los instrumentos... Yo me ocupaba de todas las secciones de la orquesta haciendo énfasis en la música que se interpretaba, de acuerdo con los instrumentos que se resaltaban. En los arreglos se les daba oportunidad a todos para que hicieran sus solos y había algunos especialmente solistas porque tenían facilidad para jugar, por ejemplo, con la trompeta. Y uno busca los músicos pensando en todas esas cosas, que sea buen músico, disciplinado, que no tome y a la vez que sea buen solista.

Figúrese la importancia de un buen sonido, un buen arreglo hacía que en muchos bailes colocaran frente a las orquestas una hilera de sillas. Eran personas que se sentaban a oír la orquesta como un show. Y al frente yo, viendo a mi orquesta para que no fallara en lo que habíamos montado. No se me escapaba ni un peloncito, lo capturaba rápidamente. Y además de esto, hay que agregar la calidad de los músicos. Cubanos, mexicanos, norteamericanos, peruanos, venezolanos...

Fíjese, yo creo que aparte del merengue criollo ayudé a imponer la música cubana que casi no se tocaba. Empecé a tocar danzones, y de todo con Hilda Salazar que cantaba muy bien. Recuerdo un baile en el Country Club. Vamos a tocar un danzón, dije. Y lo rechazaron, pero luego bailaron. Lo tocaba igual como lo había visto en Cuba... Mi orquesta impuso la música latinoamericana en los grandes salones. Tocaba esos bayones brasileros, calipsos también. Viajaba a Puerto Rico, Cuba y Brasil para escuchar las orquestas de bailes. Es que mi orquesta se formó viendo y oyendo. Luego decantaba y montaba los números.

Serían dos las diferencias con Billo. Musicalmente los arreglos, los míos eran complicados, y, segundo, los estilos de cada uno. Billo siempre tocó igual, sus merenguitos y sus guarachitas... chacutututa... Yo no, yo tocaba música americana, swing, blues, merengues venezolanos, danzones. Esta orquesta que le estoy señalando aquí, con más de 15 músicos, para tocar... chiquipum chiquipum... no vale la pena... Billo siempre utilizó un mismo estilo, desde el principio hasta ahorita. Y él me lo decía: «yo no tengo paciencia para lo que tú haces, qué va, yo sigo con mi música...». Nuestros públicos no eran iguales; él tenía un sector más popular. Pero mi orquesta no nació así, con ese objetivo de tocar para la clase alta, no. No es que yo lo hiciera con ese objetivo porque a mí me complaciera personalmente, por mi gusto, por mi capacidad, no lo hacía así. Yo la música la hacía más por placer, para que me la aplaudieran y no por que me produjera más dinero. La prueba es esta: Billo y yo teníamos la siguiente combinación, éramos muy amigos. Me llamaba una señora, ¿cuánto cobra? Y yo le decía tanto ¡Ay, señor, es muy caro! ¡Billo me lo hace más barato! Bueno señora, llámelo, qué bueno que él le cobra menos. Y de inmediato llamaba a Billo y le comentaba, me llamó la señora fulana de tal para decirme tal cosa. Nos peloteábamos los clientes. Al final el baile lo hacían conmigo o con él.

¿Salir al exterior? ¿Para qué? No, porque para salir dejábamos mucho trabajo aquí que era bueno. No tenía utilidad práctica. Me hablaron muchas veces, pero no me llegó a entusiasmar... El trabajo de prepararnos, el viaje, la cuestión. No sé. Es que con los bailes de aquí teníamos suficiente. La orquesta era una empresa rentable. Y la verdad es que en esa época no se pensaba tanto en salir del país... Cuando la orquesta estaba en su buena época llegué a vender cincuenta mil bolívares mensuales por disco. Y cincuenta mil bolívares mensuales en venta era muy buena cifra en esos años. También tuve mi propio sello disquero. Fui el primero que grabó en Venezuela con sello propio, tuve que dejarlo porque la distribución, edición y la coordinación general de esta empresa me quitaba mucho tiempo. Los discos se hacían en Estados Unidos, entonces uno tenía que estar pendiente, viajar, chequear las matrices. Apenas duró unos cinco años.

¿Que cuándo comienza y cuándo termina ese sello? No sé, no me acuerdo. ¡Vivita! ¿Vivita, tú te acuerdas? Caray, ni me queda nada de esos discos... No tengo ni uno. Ah, ¿usted sí tiene?...

Años Melódicos

Billo y Luis Alfonzo estaban fuera de juego. Chucho Sanoja y Aldemaro Romero iban y venían ofreciendo cierta solución de continuidad mientras, desde un allá bien cercano, Pérez Prado, Machito y Tito Puente seguían dando pauta en lo que a orquestación afrocaribeña tocaba: saxofones, trombones, trompetas y sección de ritmo acompasando mambos, boleros, guarachas y chachachás. Todavía el rock-and-roll era tan sólo otra alternativa y las circunstancias de tiempo –año 1958– o lugar –Caracas, Venezuela– no podían ser más propicias para la fundación de una orquesta de baile.

Nacen así Los Melódicos bajo el amparo de ciertas circunstancias favorables impulsadas, como siempre, por el hombre con la pasión necesaria para capitalizarlas: Renato Capriles, melómano profesional convertido en el mejor promotor-músico que habite nuestra crónica, se encarga entonces de dar vida al ideal de todo diletante. Así forma su orquesta buscando equilibrio entre los estilos de moda y gustos propios, algunas veces anacrónicos, pero acaso tan importantes como la idea misma de sostener la banda.

Si algo destaca el balance artístico de los primeros años de Los Melódicos, es el recorrido medianero entre aquello que pedía el público y ciertos caprichos musicales que, de seguro, había soñado miles de veces el director Capriles en sus años de oyente; por decir:

–Utilizar la formación de la *big band* latina como único medio orquestal (nada de combos, grupos pequeños u otras reducciones para acomodar economías apretadas o superar problemas financieros).

–Contratar a Billo Frometa, su gente y repertorio, e inicialmente dirigir a la mismísima Billo's Caracas Boys, solo que con otro nombre.

–Servirse del concepto de Luis Alfonzo Larrain para ofrecer diversidad rítmica, estilística, mediante arreglistas y músicos ejecutantes del más alto calibre (Freddy Coronado, Stelio Bosh, Luis Arias, Germán Muñoz, Alberto Naranjo, etc.). En una frase, tratar de ser fiel a su lema: «La orquesta que impone el ritmo en Venezuela».

–Dar continuidad a la vida artística de la primera y segunda generación de cantantes afrocaribeños-venezolanos: Manolo Monterrey; Rafa Galindo, Víctor Piñero; luego Chico Salas o Cheo García. Estos cantantes, a su vez, afincaban por derecho propio en el repertorio de la orquesta, los sones, guarachas, boleros, rumbas y congas provenientes de una época anterior, pero absolutamente clave dentro del mismo público bailador.

–Contar con una vocalista femenina como figura importante en la definición de la orquesta. Con ese sentido aparece la cubano/criolla Emilita Dago, cantante pionera, popularísima, quien abre la puerta a las Teresita Marti, Lee Palmer, Verónica Rey o Diveana que vinieron después.

–Apoyarse en un inteligente diseño administrativo y publicitario que diera cabida tanto a la presentación personal como a la difusión sostenida de la música a través de discos, radio y, sobre todo, televisión. De esta manera se aseguraba la formación del elemento clave para garantizar la permanencia en el tiempo: un repertorio de éxitos propios.

Por último, acaso con la mayor importancia artística, debe apuntarse la consecución de un sonido propio. Un sonido entregado, es cierto, a facilitar el baile al punto extremo (el güiro en sustitución simplificadora de maracas, claves, cencerros y otras complejidades de la expresión afrocubana, por ejemplo), pero también un sonido distinguido por ciertas características peculiares: las secciones de saxos, trompetas y trombones, robustamente formadas, que casi siempre contrapuntean en los segmentos instrumentales de las piezas del repertorio; los popurrí, llamados «recuerdos», con una dinámica distinta a los «mosaicos» de Billo; la inclusión de ritmos colombianos y merengues dominicanos como focos de importancia; la variedad rítmica –ya se dijo– y continua presencia de vocalistas jóvenes combinados con voces «venerables»; la incorporación de instrumentos electrónicos dentro de la *big band.*

❑

El recuento acucioso de la historia de la orquesta es amplio y sujeto a un millón de anécdotas. No viene aquí al caso. La referencia a la época de los inicios, en cambio, encuentra interesantes coincidencias con otras muy competentes orquestas de baile que ofrecieron firme presencia y quedaron como música del recuerdo: «Los Solistas», aupados por el mismo Renato Capriles para dar continuidad al sonido de Luis Alfonzo, quien dejó para siempre el ambiente de los bailes en 1959; «Sans Souci» creada para dar continuidad al legado clásico de la Billo's Caracas Boys de los años 40 y 50; «Los Peniques», orquesta de planta de Radio Caracas Televisión, poniendo a prueba los talentos de Víctor Piñero, Cheo García o un Felipe Pirela jovencito.

Jesús «Chucho Sanoja», hombre de conceptos, de colores orquestales con sonidos experimentales, que llevaban la identificación de su banda a un saxofón barítono apoyado al unísono con una flauta (o a la guitarra eléctrica con el vibráfono), y quien combinó sus experiencias como publicista al quehacer musical selecto, inteligente e intenso: compositor (su «Magia Blanca» fue tema del repertorio de Pedro Vargas y Alfredo Sadel), arreglista de orquestas de planta de radio y televisión (famoso fue el debate acerca de la autoría del tema del Show de Renny Ottolina), líder de una orquesta bailable por lo demás clave durante los primeros años de la década de los 60, cuando «Lamento náufrago» en voz de Chico «Sensación» Salas era recibido con una popularidad tal que también dejaba colar mosaicos particulares, no dedicados al recuerdo de antaño, sino al resumen del año que transcurría... *Me gusta Paula Bellini, a quién no le va a gustar... Telaraña la vida mía, Telaraña la vida tuya...*

¿Qué sucedió con las inquietudes experimentales de un Jesús «Chucho» Sanoja dedicado a la música bailable? ¿Hasta qué punto sufrió los embates de un tiempo en el que se separaba totalmente lo «académico» de lo «popular»? –¡Sanoja está contratando sección de cuerdas para la orquesta de baile! ¡Sanoja quiere componer música «seria»! ¡Sanoja...!

❑

Porfi Jiménez, trompetista dominicano, maestro de la orquestación *big band*, se dio a conocer como director de su orquesta de baile en 1964. Cuatro décadas después sigue Porfi adelante con su oferta de merengues pegajosos y una carrera donde los buenos arreglos, la trompeta y el jazz le han balanceado su perfil de perfeccionista de la música popular. Su nombre se junta a los de Pedro J. Belisario, Guillermo Castillo Bustamante, Filo Rodríguez, Rafael Minaya, Leonardo Pedroza, Orquesta Sonorámica, Megatones de Lucho, Armónicos, Supercombo los Tropicales, la Tremenda, Los Blanco y así hasta llegar a la salsa con sus requiebres (Federico y su Combo, Los Dementes, Sexteto Juventud, Dimensión Latina), especie tan distinta como puede resultar las incursiones en el mundo del baile del «Pavo» Frank Hernández, con una fabulosa banda de jazz latino-salsa a finales de los 60 y, para variar, Aldemaro Romero, siempre en capítulo aparte.

❑

Sanoja desapareció, al igual que los hermanos Belisario y Pedroza. Porfi redujo el formato. Aldemaro y Minaya no quieren saber de música bailable. Billo's, ya se dijo, es omnipresente. Hay, sí, orquestas ocasionales que satisfacen demandas concretas de matrimonios, cumpleaños y celebraciones similares. De las organizaciones orquestales con personal fijo, Billo's y Los Melódicos, adelante con Capriles quien siempre ha sabido cambiar al combinar los aciertos musicales del comienzo (una historia de más de cien éxitos radiales), con las necesarias concesiones comerciales requeridas para la sobrevivencia y, tal vez, para la conquista de algún público internacional. Quizás hasta valga la pena tomar conciencia del giro de «modernización» que han tomado estos Melódicos actuales, vivos en una época que le niega la vida misma a este tipo de orquestas.

¿Demasiadas concesiones a los estilos de moda en detrimento del repertorio afrocaribeño «clásico»? Puede ser, pero ¿no fue la atención a los ritmos de moda una de las misiones empresariales de la banda desde el día de su bautizo? ¿Es que acaso la orquesta no suena hoy día fuerte, afinada, con pleno ajuste a la música ofrecida? En todo caso, como colofón de cumpleaños, bien vale la pena recordar la observación aquella que atribuye a cada cual la cara que merece, justamente luego de cumplir los cuarenta años... *Y ella baila el pompo...*

Del jazzeo latino a la salsa (versión libre, emprosada, del capítulo morocho de *Jazzofilia*: «La cosa latina»)

«Yo no adivino si lo voy a emocionar no. Yo sé que lo voy a emocionar, porque las estructuras que sagradamente mantengo son afro-cubanas, y esas estructuras entregarán tensión y resistencia para llevar al clímax a cada composición (...) Los últimos diez años han sido un desastre para nuestro formato de música bailable, con un puñado de orquestas convencionales descuidando la estructura de la que hablo. Tú puedes morirte del fastidio bailando esas cosas. No hay animación alguna, todo el foco reposa en el cantante; la música es anticlimática y esto para mí es el peor pecado, porque la verdadera esencia de una orquesta de baile está en traer la alegría de quienes extrajeron los ritmos y las escalas de sus propios pesares históricos...

Eddie Palmieri

Llega a la memoria como al principio fue Bauzá. Y Machito. Un poco antes Ellington se anticipó a la futura mezcla: juntar afrocaribe con jazz, trataba. Con él era también Juan Tizol, trombón de Puerto Rico, inyectándole clave a su «Caravana» ducal y a otros compuestos musicales de parecida estirpe. Casi hubo un antes del Ellington de los 30; aquellos principios del siglo XX con Morton –Jelly Roll–, Oliver –el «King»–, Handy –W.C– e ilustre compañía. Gente primigenia del jazz buscando lado español a Nueva Orleáns, para bautizar al sonido con ritmito gallego: *spanish tinge*, así le dijeron. Luego tocaron los pianistas de Nueva York dándole al *spanish tinge*, mientras Ellington y su Tizol quedaban casi solos, únicos y exclusivos antecesores directos. Hasta que llegó el principio; digo, años 40 del *be-bop*. Nueva York-Cuba, Cuba-Nueva York.

Pero al principio –ya se habló– fue Bauzá. Y Machito.

❑

Cierto quiebre poderoso del ritmo tropical resuena en Nueva York, vía Cuba, por fuerza de un «El manicero» pregonado por Machín y soleado por Bauzá; Mario, el hombre aquel que en sólo una semana aprendió libremente a trompetear. Y se fue a tocar swing americano con la gente buena: Chick Webb y Cab Calloway, creo. El mismo tipo a quien el llamado de un amor lo refluja a Cuba y de allí de vuelta a la carga, a la Gran Manzana estrenando sociedad: de esposa una Grillo y otro Grillo de cuñado; Frank, o mejor dicho: Machito.

Sea entonces como parentelas y afinidades ayuden a dar firmeza a las batutas centrales: de Bauzá, Mario, venga lo académico, la *big band*, el lado orquestal; del Frank Grillo, Machito, el swing cubano, la rítmica, lo vocal. Que suene la orquesta bien, dando piso al Valdés, Miguelito; a Machito, maraquero, vocalista, genio y figura. A Graciela, guarachera y bolerista; a René Hernández u O'Farrill, el Chico, hombres arreglos. Quepa así el mismo Bauzá, trompetero, director, saxofonista, clarinetista; gestador del nuevo enjambre para dar jazz al ser latino y pintar a la propia Cuba de jazz.

❑

Los años 40 de guerra y posguerra asientan internacionalmente la siembra y cosecha jazzofila caribeña. Un cuento muy repetido dice que entonces Machito tocaba cierto pregón que Miguelito cantaba... *Boootellero...* Pero tuvo Machito que dejar el frente de la orquesta e irse al frente de la guerra mundial; cosa de entregar en Bauzá la responsabilidad completa en el mientras tanto. Y mucho se recuenta cómo Mario tomó ventaja del tal «Botellero», fuera ya de la parte vocal, dejándole su sencillo mambo instrumental listo para darle duro a la trompeta, al saxofón –¡a la descarga! ¡a improvisarrrrr!–, y llegar así a la feliz transformación de «Botellero» en «Tanga», cual tema fundador de la propia fusión final con otros personajes primigenios y centrales, siempre listos para armar el pedazo complementario de propia e importante historia:

Un Arturo «Chico» O'Farrill, dándole alcance al Bebop cubano con el diseño de poderosas orquestaciones; Dizzy Gillespie... *Be-Bop-be-bop...* genio fusionador, quien en verdad captura lo de Machito –o lo de Bauzá–, coge swing tropical, pide buen consejo, atrapa al Chano Pozo, conguero afincador como ninguno, y se hace del George Rusell para que ponga cabeza a toda esa cosa furiosa... *Cubano-Be, Cubano-Bo...* tal cual canta y cuenta en los años 40 el nuevo e internacional pregón.

Llegan al fin los años 50 con tanto del mensaje echado, que hasta el blanco de Kenton se sirve de «El manicero». La moda del bongó lleva la música adonde mismo debía: al salón de baile, al Palladium, sitio de Nueva York, para que Machito de vuelta siga adelante y de Cuba muestren la facultad del soneo instrumental –descargas de Cachao, el Bebo Valdés y su gente. Para que al fin arribe un Pérez Prado rey del mambo... *¡aaaaahhhh!...* de España recuerden la nacionalidad de Xavier Cougat, o del propio Nueva York –José Curbelo... José Curbelo...–, pues arranquen otros dos legítimos profetas: el Tito cantante y el Tito timbalero.

Ahora es cuando la música coge impulso superior. Da mambo, rumba o chachachá jazzificados; músicos y bailadores se acercan... Blancos, amarillos y negros; buenos y malos... Es la rumba de Puente aguantando un orquestón –«El Rey», lo nombrarán–, de Tito Rodríguez cantando y jazzeando con ajenos o propios desde el Palladium... *El que se fue no hace falta, hace falta el que vendrá...* así dicen los melómanos que Rodríguez, años después, le cantó a Puente, antiguo socio, desde entonces rival –pero no fue así, ¿o sí?

Todo el mundo toca y baila mambo-jazz. Todo músico del ambiente reclama paternidad de la sabrosa invención; hasta Bauzá, Mario, a quien no le hace falta y, por supuesto, hasta Machito, a quien tampoco.

❑

Latinoamérica entera se enfiebra tremendamente. Ya no es la elegante conga de salón, el baile de sofisticación cubana a lo Lecuona, Hermanos Castro, Cougat, Riverside o Casino de la Playa. Todo cambia; nuevas caras, nueva gente, nuevos modos de hacer las cosas. Le toca el turno a la clave endiablada dentro de la *big band* jazzófila. *–Dios santo, Dios santo* –dice una doña– *aquí en Caracas solo mambo y mambo se escucha... Dios santo...* Coincidente con la moña de la doña, don Mario Briceño Iragorry deja caer un mensaje con destino: «¿Qué decir de la música exótica, traída de las Antillas, con que ha sido sustituida nuestra vieja música romántica y que desaloja nuestros propios aires folklóricos? ¿Qué sino contribuir al vértigo de la mente y acercar las víctimas a los manaderos de la marihuana pueden hacer rumbas, congas y mambos del peor alarde antirrítmico?»

Dios santo, Dios santo, don Mario, ¿qué hacer con estas cosas?, ¿cómo hacerle entender a los más jóvenes que lo de antes es lo bueno? Diga algo, don Mario... denuncie, denuncie...

> Caracas presenció recientemente un doloroso espectáculo de incultura y de negación de nuestros valores nacionales, cuando un grupo de mozos de nuestra «primera» sociedad destruyó los altoparlantes que en la plazoleta del Obelisco, en Altamira, difundían música venezolana. Ellos querían mambos, congas y rumbas. Plausiblemente las autoridades han sostenido su propósito de preferir nuestra música...

El caso está en que el mambo sacude al mundo musical de los años 50 y, como todo fenómeno artístico de importancia, también genera opositores y partidarios de calibre comprobado. Alejo Carpentier, en la acera caraqueña contraria a la de Briceño y la doña, desde su erudita musicalidad cubana toma partido pro mambo para cuasicientíficamente declarar:

> 1) Es la primera vez que un género de música bailable se vale de procedimientos armónicos que eran, hasta hace poco, el monopolio de los compositores calificados de «modernos» y que, por lo mismo, asustaban a un gran sector público. 2) Hay mambos detestables, pero los hay de una invención extraordinaria, tanto desde el punto de vista instrumental como desde el punto de vista melódico. 3) Pérez Prado, como pianista de baile, tiene un raro sentido de la variación, rompiendo con esto el aburrido mecanismo de repeticiones y estribillos que tanto contribuyó a encartonar ciertos géneros bailables antillanos. 4) Todas las audacias de los ejecutantes norteamericanos del jazz, han sido dejadas muy atrás por lo que Celibidache llama «el más extraordinario género de música bailable de este tiempo».

Claro, clarísimos los mensajes. Pero en el mientras tanto del tiempo, mientras el palo va y viene según se dice, aquí Billo hace duelo con Luis Alfonzo, Sanoja con Aldemaro y, de cierto, aquello del «Alma llanera», «El cigarrillo», «La muerte de Consuelo», «Barlovento», «Piedra 'e Kutamaren», hasta los cantos y los cuentos del nacionalismo más puro, mi llave... todo aquello queda desvencijado por los afinques carnavaleros del nuevo grito que ya se siente venir: *¡En el Ávila es la cosa!*

De vuelta en EEUU, ojo del huracán musical, jazzeros y jazzófilos, boppers y hard boppers, quedan ganados del respeto necesario para improvisar con lo del mambo. Kenny Dorham trompetea y compone, otro tanto hace el duro Eric Dolphy. Desde la costa oeste el Shorty Rogers, Art Pepper, Herbie Mann o el Cal Tijader; desde más cerca, Flip Phillips y el propio Parker hacia Machito van para que, como siempre, comience un bla bla: que si Parker no entiende; «Que sí entiende», dice Bauzá acompañado del talentoso O'Farrill –¡la suite afrocubana, mi hermano! Para muestra también el «Mango mangüe», grabado cual obra parkeriana, poderosa y afincada.

¿Arte aquello? ¿Sabor tropical con clave descentrada? ¡Saporrabúos!... no tienen tumbao, no saben sonear... Igual, nada que hacer. También son Blakey, Silver y sus mensajeros, principales cultores de la ilustre mezcla tocada por moros y cristianos. Queda, al fin, un testimonio central de esto y aquello: las «Night in Tunisia» y «Manteca» de los años 40, una década más tarde confirmadas cual gran tributo latinoso, a prueba de balas, tocadas por el patriarca Gillespie y montones de su lado.

❑

Atención, mucha atención, a pasar la página: viene el tiempo de los años 60. Y de los 70. Años de rock y cerramiento de Cuba. De allá vino el germen del comienzo, pero el comienzo estaba ya terminado.

¡Fuera las orquestas viejas! ¡Fuera las hordas cubanas! ¡Bienvenido el nuevo sonido! La gente caribeña del Niuyork en español grita: ¡Arriba la salsa!... *ahora que mamá, no está aquí... dame un cachito, pa'güelé...*

Todos los que eran van al matadero... *¡Gallegos!...* Sólo Puente y Machito de milagro se salvan, mientras a Rodríguez, Tito, el otro profeta aquel, bien se lo lleva quien lo trajo. Entretanto, ora la piadosa multitud: salsa reina, protectora de lazos, Ray Barretto, Pete Rodríguez –el de Micaela con su Boogaloo–, Eddie Palmieri y Richie Ray, te cultivan y veneran. Así sean favorecidos el conjunto pequeño de ritmo, trompetas, piano y trombones, si acaso. Sonido de Niuyork; aderezo de Puerto Rico con jazz y duende cubano. Afinque verdadero para solistas virtuosos, convertidos, que allí están.

Doc Cheatham, el indio Cherokee, viejo hacedor del *swing-swing*, ahora trompetero del piano jazzístico del Richie Ray. Barretto, el «Manos duras» de Wes Montgomery, también profetizando el elemento *watusi*. Willie Bobo, Mongo Santamaría y su «Watermelon man» –el «Pavo» Frank estuvo contigo. Eddie Palmieri con el Barry Rogers del trombón, adoptando los trompetazos del grande Chocolate Armenteros, dando montuno a la izquierda del piano, y las mejores improvisaciones posibles con las blancas y las negras de su derecha –tu hermano Charlie, Palmieri; también el gigante de tu hermano metido con Kako, Chombo, Johnny Pacheco, Louie Ramírez y esa gente de las Estrellas Alegres.

¿Por qué gente con nombre norteamericano está metida en esto? ¿Charlie Fox, Barry Rogers, Larry Harlow...? Pero si es que norteamericanos vienen siendo tantos y tantos importantes: los Palmieri, Charlie y Eddie, Barretto, Pacheco, Willie Colón, Richie Ray y hasta el propio Puente... todos nacidos y criados en la manzana de las manzanas, cerca del Fuerte Apache de los González –Andy y Jerry, calle de por medio con todos los Barry, Charlie y Larry imaginables. ¿Entonces? Entonces todos enllavados como ovejas seguimos al ritmo de los pastores salsosos del otro lado del gran charco.

Americanos del norte o del sur, latinos, latinoamericanos... ¡Familia!... llego la hora del sabor, la Salsa y el Bembé... Con ustedes la voz de la Salsa... de la salsa de tomate Pampero... Phidias Danilo Escalona... El santo del bigotón, hoy se celebrará... Floro Manco, Floro Manco, ¿dónde estás metido? ¿Qué te has hecho para darle paso al Tigre Rafael, Floro Manco? Es la radio y la televisión con salsa abundante desde y para Estados Unidos, Puerto Rico, Dominicana, Cuba, Colombia, México, Venezuela, y viceversa –¿bisconvexa?–... ya ni se sabe, «Crossover» también le llaman.

Los años 70 adentrados, los de Travolta, entregan testigo en manos de cada cual. Ni Niuyork es el centro de la cosa, ni... *mi cocodrilo verde...* tampoco es. Cruza la salsa a lo popular, se vuelve mezcla de la mezcla. Acaba la antigua diferencia entre esto, aquello, lo de más allá: Celia Cruz, nunca jazzista, va con Tito Puente; Barretto, Palmieri, Ray y Colón unen fuerzas a Santiago, Quintana, Cruz y Lavoe. Joe Cuba ya había pitado el pito de Cheo Feliciano y de la garganta del Jimmy Sabater, mientras Fania All Stars llaman al más pretencioso de los «ventetú». El suma y sigue es interminable: Larry Harlow con Miranda, Pacheco y Pete Conde haciéndole la gracia al antiguo sonido de la Sonora Matancera en el propio papel de Faisán trompetístico. Betancourt, Justo: el hombre de «El lenguaje de las flores» y... *Pa'bravo yo...* Puerto Rico, tú eras el Combo de Cortijo y Maelo, ahora eres el Gran Combo de Ithier y Montañés, Andy:... *Juan, le dices a Juanito cuando vaya pa'Vietnám... Que no se achante, que eche pa'lante... que se acuerde que Vietnam no es Puerto Rico...* La «Salsa y control» de los Lebrón, Joe Battan, La Ponceña, el Rafael Cortijo del Maelo, con o sin el refuerzo de Tite Curet Alonso o de sus Cachimbos... ¡Bendito seas! (¡qué lejos está el aroma del jazz, mi pana!).

❑

¿Y la Caracas del Trabuco con Naranjo elevando el nivel del toque? Es la Caracas que, por otro lado, baja al terminal de pasajeros de La Guaira a bailar carnavales, así sea en traje de baño y chancletas. La misma de templetes, cervecerías o Poliedro con festival mundial en manos de la Típica 73 y crítica dura para con el bailar (totalmente caraqueño, por demás) de patas escobilladas, barriendo en un chacachaca acompasado a las charrascas y bajos... *Natkingcole-Natkingcole...* de Billo's o Melódicos... *¡si es que así es nuestra vaina, vale!...* De carajitas, muchas, pegadas con cola al motorizado para captarle su *ranking*, y abreviarse de pura rueda libre lo que antes sólo los boleros descubrían. La ciudad toda que adopta el sonido de Joe Cuba transformado en el Mango de los sofisticados, o de los muchachos de escalinatas «pa'rriba», Sexteto Juventud propio de... *Que malo es estar, estar en la cárcel...* Ciudad que ya había visto al «Pavo» Frank Hernández dirigir un orquestón a lo Tito Puente y acepta al combo de Federico –orquesta precursora de trompetas y trombones entre nosotros– para dar inicio al concepto con el disco «Llegó la salsa». Aquel año 66 de Carlín, el negrito Kalaven y Dimas cantando... *Pobre Cocolías, se lo llevó la policía...*

Caracas: ciudad que coge mensaje de La Perfecta del Palmieri pequeño, con aquellos trombones de Los Dementes de Ray Pérez, o con las trompetas de los consiguientes Kenyas y Calvos (por allí están grabados los «Hukeleles» o las descargas con Lewis Vargas y Luis Arias pitando de verdad, ¡vaya!). Ciudad que conoce su punto salsero superior –Salsa Mayor, también– cuando la Dimensión de Wladimir ofrece al máximo exponente de todos los máximos exponentes: un Oscar D'León de sí mismo, de la Dimensión y de La Crítica. El gran sonero por todos esperado con su himno central que nunca deja de decir... *así te darás de cuenta, que si te engañan, duele... ¡Llorarás!*

En verdad nadie engaña, nadie llora. La palabra *niche* se siembra con orgullo por fuerza de la onda salsosa: niche, ¿y qué?¿Verdad uniforme azul, Marvin Santiago, Ángel Canales, Henry Fiol? Si es que donde más pinta hay, sifrinos, se bailó lo de Micaela, lo de Ray y el Jala-Jala, lo de Palmieri con su Champaña, al Tito Puente de... *Oye como va...* Si es que el ambiente deja colar las esencias de los niuyorquinos latinosos, al lado de la cosa puertorriqueña de un Gran Combo de Puerto Rico... *y los zapatos de Manacho son de cartón...* por sólo decir.

Bien, *bieen...* pero no todo aquello brilla bien dentro del experto oído caribeño. El tumulto es tan poderoso que poco tardan los maestros consagrados en dejar saber ciertas opiniones aguafiestas:

> Salsa: no existe, es un nombre, algo como decir salsa de tomate... una expresión americanoide de los latinos en Estados Unidos... (Billo Frómeta).
>
> Salsa: Yo sólo conozco una salsa que venden en botella y llaman Ketchup. Yo toco música cubana (Tito Puente).
>
> Salsa: Réplica de lo que venimos haciendo en los últimos cincuenta años (Machito).
>
> Salsa: Es una farsa, no existe; porque su verdadero nombre es guaracha... sólo a los tontos les puede gustar ese mamarracho de música (Dámaso Pérez Prado).

Pensadores musicales, salsófilos de concepto, mi gente (¿lo más grande de este mundo?), el guante está echado por poderosos caballeros; la música sigue sonando como nunca, cierto, pero llegó la hora de contestar firma, sin aguaje:

> Alberto (Naranjo): Una etiqueta cómoda para acumular cantidad de géneros (...) es una forma, no un fondo; tal vez un término integracionista que acumula música caribeña de distinta estirpe, a veces buena y a veces...
>
> César Miguel (Rondón): La salsa es una forma abierta capaz de representar la totalidad de tendencias que se reúnen en la circunstancia del Caribe urbano de hoy [1980]; el barrio sigue siendo la única marca definitiva.
>
> Juan Carlos (Báez): Música cubana evolucionada con los aportes de las comunidades latinas instaladas en Nueva York, en contacto con los estilos negros norteamericanos, con un contexto urbano y contemporáneo, con una soltura y cadencia que se aprecian al instante.
>
> Gracias, profesores.

❑

El duelo termina dentro de más y más remezclas. A principios de los años 80, sólo híbridos sacan la cabeza. Queda el cuento del rockero Santana refritando al propio Puente... *Vamos rumberos, que la rumba ya va a empezaaa...* (Años antes aquel Stádium Universitario de Caracas se veía en pleno happening setentoso, de gente pidiendo monte a gritos, como loca... *chirriiinche, chirreee...*) Va también el Colón, Willie, emergiendo al Rubén Blades para conciliar el gusto de barrio, country club, viejos gallegos y jóvenes sifrinos o niches... *En la montaña de Sorte de Yaracuuuy...* O, depués, al Juan Luis Guerra procurando el baile de la sirvienta con el dueño de la casa, y a la mamá haciendo lo propio con el hijo pelúo: *¡Bendito sea el señor Guerra que reconcilia a los aparentes contrarios! ¡Ay, es que a mí me da esto como tanta lástima!*

Fusión es palabra más clave que la misma clave: trova, vieja o nueva, ensambles, grupos y experimentos por montones: pianos eléctricos, fender rhodes, guitarras, baterías, orquestas de cuerdas; formatos simples o complicados, fórmulas trajinadas dentro de aciertos y fracasos. Por aquí pasó una Banda Municipal, un Melao, el Sietecueros o la Adrenalina de Evio, ese Daikirí venezolano... *Agua que no has de beber...* –paso y gano. También fueron las letras brasileñas en voz de Soledad Bravo con el Willie Colón... *Pero deja a esa negra bailar en paz...* punto superior dentro del recuento caribe venezolano, digo. Tal es el resuelve revoltilloso del tiempo, pero... Y ¿qué del viejo acto de improvisar sobre afrocaribeño? Y ¿del latinoamericano con alma de jazzista, qué?

❑

Fuera careta, sean los años 80 y 90. Fin de siglo, cambalache, cada quien con su cada cual. Que lo erótico se apodere del majunche bailador... *Cuarto de hotel, el cero tres...* Que Barretto, Palmieri, Santamaría, Many Oquendo, Jerry y Andy González, hasta el mismísimo Chico O'Farrill –la gente seria, pues–, vuelvan por lo suyo. No mas Fania, ni confusión rockera. Tristemente, no más Machito, ni más Puente, ni más Bauzá, ni más O'Farrill. No hay bien que dure cien años.

El mundo entero se abre y la música afrocaribeña invade dondequiera: músicos holandeses, alemanes o franceses suenan cual puertorriqueños o venezolanos –¿o no Andy Durán? Africanos aparecen, muy naturalmente, ligados a Cuba y de Cuba misma llegan jazzistas por derecho propio: el Chucho Valdés, el Paquito D'Rivera y el Arturo Sandoval. Sandoval anunciado como «¡El trompetista más grande del mundo!»; D'Rivera apostado en el lado festivo de la cosa tropical: bien administrado, sonido propio e inmensa facultad de improvisación. Valdés, por su parte, carga fama de pianista virtuoso sumada a la dirección del Irakere (Rubalcaba, Gonzalo, ¡cuánto le debes!).

Es el círculo musical que generosamente se esponja y abraza. El que dio nueva vida a Israel «Cachao» López con descargas cubano-mayameras fenomenales, organizadas por Andy García. La expansión que recientemente incluye al Ry Cooder músico, norteamericano de edad mediana, quien guitarra en mano ubica los ancestros comunes emparentadores del blues, jazz y demás especies, con esas raíces africanas también afines a los toques iniciales de la afamadísima cubanidad habanera actual del Buena Vista Social Club: ¿será el viejo bolero «veinte años», cantado hoy día por Ibraím Ferrer y Omara Portuondo, mellizo gemelo del viejo estándar jazzístico «Boulevard of broken dreams»? ¿Habrá salsa en eso?, ¿salsa en estos y los otros? No, nada que ver. Qué va.

El mensaje está echado: todo sirve, todo vale. Mueran las etiquetas que nada distinguen. Sea como nuevos profetas venidos de Europa, África, Asia y, por supuesto, América, hagan que afrocaribeño y jazz se den la mano otra vez. Bienvenido de dondequiera el fruto preciso, con etiqueta de arte, producto de certeros aspirantes o hasta genios por derecho propio.

Abierta está la frontera caribeña, ganada la tendencia a su posible universalidad. Cosa de descargar en todas partes la libre sustancia del ingenio de Bauzá: el entendimiento en jazz, queridos muchachos, pero el tumbao, el tumbao para siempre en este preciso lado: ¿verdad Eddie Palmieri?

Las burbujas de Juan Luis Guerra

Un curioso regalo de Navidad hace bailar al abuelo con la nieta. La música del disco obsequiado pertenece a ambas generaciones. Puro ritmo latino de afinque sinuoso, ajustado al antiguo repliegue del cachete con cachete pero que ahora merenguea suavecito... *Quisiera ser un pez, para tocar mi nariz en tu pecera...*

¡Ay del sexagenario que al fin concilia con la quinceañera! Vuelven para él los momentos de gozo sin diferencia de edad; a olvidar que no hace nada fue distinto, y hasta peor... *Y este corazón, se desnuda de impaciencia ante tu voz, pobre corazón, que no atrapa su cordura...* Lo viejo, viejo –¡gallego!–; lo nuevo diferente, para menores de treinta, dentro de la escala del «no me comprenden» más radical posible. Pero... *Oh, oh, un pez...* Y sea el caballero con su brazo derecho a la espalda de una muchacha que, a su vez, marca discreto freno al roce procurado por cada requiebre del ritmo. Vida nueva al arte del cruce musical de manos y torsos, tal cual la danza de bastantes años atrás. Parece que el recuerdo de la Navidad de aquel año, a mitad de la década de los 80, devuelve estas cosas al lugar de donde nunca deberían haber salido: al salón de baile donde la música reconquista su gracia de ser lenguaje común; punto de encuentro de emociones con título disquero y artista absolutamente responsable: «Bachata rosa», por Juan Luis Guerra, músico quisqueyano desde entonces consciente de cómo Santo Domingo nos merenguea.

La República Dominicana, ciertamente, ha tenido una importante cuota de participación dentro de la historia de nuestra música popular. Para nadie es un secreto que el más venezolano de los músicos dedicados al género bailable, Luis María «Billo» Frómeta, pues, resulte ser dominicano, o que Porfi Jiménez, otro dominicano con cuarenta años al frente de su orquesta, haya entregado toda su creatividad al mensaje musical, quisqueyano instalado en al país. Y a estos dos nombres bien se pueden agregar los de Rafael Minaya –arreglista y director de orquesta–, Mario Fernández –trompetista y también director–, Alci Sánchez, o la tetralogía Freddy Coronado, Simó Damirón, «el negrito» Chapuseaux y Cecilio Comprés, personajes de aquella Billo's Happy Boys que en 1938 nos dejó el gusto por los merengues «Caña brava» y «Compadre Pedro Juan», como cosas propias de nuestras fiestas. Desde entonces el merengue nos ha sido un género musical que necesita del auxilio conceptual de su procedencia. Lo de «caraqueño» o «dominicano» define intenciones y sustancia rítmica, al punto de establecer linderos precisos que sólo rara vez se entrecruzan: digamos en «El chivo», un clásico de nuestra tradición cañonera que a principios de la década de los 60 –siglo pasado– se consiguió en el golpe de la tambora de un Santo Domingo que celebraba con música su destino político... *Mataron a El Chivo, y se lo comieron... mataron a El Chivo, y a mí no me dieron...*

El final de siglo atestiguó cómo entre nosotros el merengue dominicano desplazaba al caraqueño. Se impuso, acogió las propuestas de los maestros locales y, de paso, dio bienvenida a músicos del talento de Johnny Ventura, Simó Damirón –el hombre del «Piano merengue»–, Fernandito Villalona, Wilfrido Vargas *...Ese barbarazo, acabó con to'...* y, muy especialmente, a aquel artista joven capaz de entregar una insospechada vuelta de tuerca a la música popular latinomericana de fin de siglo.

Fue Guerra que siguió a Blades. Buena la canción con la metáfora del pez; «Burbujas de amor», que resulta sabrosa para oírla y aún más sabrosa para bailarla. Bachata, bachata rosa... ¿pero qué cosa es bachata? En principio es algo ofrecido por el músico con pinta de profesor: ¿licenciado en filosofía que llama su conjunto 4.40 por lo de la nota de afinación, «La» natural, de las orquestas? ¿Maestro egresado del Berklee College of Music, cuna de jazzistas? Pues, sí, de allí mismo proviene el responsable de canto, composición y orquesta, quien puede responder al cuento de la bachata con más música original rodeada de lírica–lírica que la enmarque: ritmo propio de la danza amorosa popular de su pueblo, poética callejera estilizada, ¿derivación reconocible de boleros y sones?

Juan Luis es filósofo, poeta, músico que conoce el jazz e impone orquestaciones que requieren conocimiento y destreza al momento de ejecutar. Pero, oiga: lo «popular» y lo «culto» no están para nada divorciados. Su combinación puede dar resultados impecables. «Popular» no es, ni ha sido jamás, obligatorio sinónimo de lo ordinario o chabacano. Nada que ver. Escuche con cuidado, perciba qué lejos quedaron los días en que aquí mismo, en la Caracas cuatricentenaria, se dividía el gusto de forma tan radical como absurda: para el este, el rock-and-roll; para el oeste, la salsa. Sifrino y niche; protesta y música gallega; viejos y jóvenes. El mismo punto del comienzo ya contado, que vio primero en Rubén Blades la propuesta musical conciliatoria a más no poder... *Ligia Elena está contenta y su familia está afixiá'*... Desde el público de las telenovelas al de las fiestas juveniles del barrio, la universidad o los clubes sociales.

Rotos al fin los condicionamientos sociogeográficos, sucede la integración del gusto juvenil de éstos y aquéllos. Pero algo faltaba: ¿quién puede calar tradiciones del anterior baile afrocaribeño en los muchachos? ¿Quién reúne al abuelo con nieta en el baile común?

Guerra, Juan Luis, trajo la conciliación que Blades había preludiado. Tal vez tomó ventaja inconsciente de raíces musicales, tan fuertes como las salseras, sembradas entre nosotros por Billo, Porfi y compañía. Atinó, sí, a ofrecer una mezcla de tradición y contemporaneidad que satisface el swing juvenil y deja intacto el sabor de siempre: ¿alquimia de letra, música y orquestaciones actuales adosadas a ritmos de potencia ancestral? ¿Duende con veinte años en un ambiente que, todavía hoy, le pide la magia de convertirnos a todos –evangélicos incluidos– en... *un pez, para bordar de corales tu cintura, y hacer siluetas de amor bajo la luna...*?

La expansión de un mensaje

A partir de los años 40 Duke Ellington cuestionó abiertamente el alcance del término «jazz». Sus continuas exploraciones con las posibilidades sonoras del *big band* lo habían llevado a presentar composiciones bajo la académica forma de «suite sinfónica», pero con los arriesgados medios que para entonces suponía una orquestación típica de baile, totalmente salpicada por la improvisación de sus intérpretes.

Buscaba así Ellington ubicación plena, trascendente, en un medio académico donde ya recibía cierta aceptación –Stravinski, Bernstein, Copland, daban fe de ello– y al que quería tanto como transgredía. Tal cual le sucedía con su propia gente del jazz, para quienes abría las fronteras aunque, en apariencia, estuviera dándole la espalda: ¿Por qué «jazz»? ¿Cómo calificar el inusual quehacer de un compositor más atado a las capacidades específicas de sus solistas que a la partitura misma? ¿Qué decir de una música continuamente transgresora de sus propios fundamentos formales –si acaso alguna vez los tuvo–, cuya única regla inmutable estaba en el foco hacia la libre expresión del músico intérprete y, por lo tanto, hacia el acto de improvisación? ¿Era posible entroncarse cerradamente dentro de un género abierto, con un fundamento tan impulsor del individualismo como del mismo concepto de libertad que lo define?

Ellington, verdadero profeta, tenía razón. La mayor prueba se verifica con el transcurrir del presente siglo, espacio y tiempo para la transformación de una expresión musical si se quiere folclórica, natural de la marginalidad de Nueva Orleáns, en un mensaje artístico liberador, en continua evolución, con un discurso de tal fuerza expansiva que resulta casi imposible precisar sus linderos actuales y mucho menos futuros. Veamos.

Si de aspectos puramente musicales se trata, los logros apuntan en importantes y variadas direcciones: el rescate del solista-improvisador como figura central y la consiguiente revolución conceptual que esto significa para compositores, arreglistas y directores; la ampliación de las posibilidades sonoras de instrumentos normalmente encadenados a las reglas académicas: ¿Cómo podrían la trompeta y el trombón «desajustarse» con el uso de sordinas, sombreros o destapadores de pocetas? ¿Por qué esa «mala manía» de engavetar el arco del contrabajo; de sólo tocarlo con los dedos, al *pizzicato*? ¿Qué decir del sonido «rajado» del clarinete? ¿De la técnica-antitécnica para tocar al piano las notas *blues*, las armonías «sucias», los ritmos intrincadamente sincopados? ¿Cómo entender la emancipación de la voz humana, por fin libre para desplazar notas, al oírla cantar sin embellecimientos postizos ni normas en contra de una naturaleza tan individual como el cantante mismo...? De igual manera se debe aquí anotar la invención o popularización de instrumentos musicales clave para la expresión contemporánea: la guitarra y el bajo eléctricos, los sintetizadores y sus derivados; muchos de los instrumentos de percusión actuales, encabezados por la batería y el vibráfono; los propios saxofones, revestidos del remoquete de «instrumentos exóticos» hasta la llegada del jazz.

La sola generación de novedosas fórmulas de instrumentación, de nuevos ritmos y estilos, merecería un análisis cuasienciclopédico. Piénsese nada más en el *big band* conformado por secciones de saxos, trompetas, trombones y ritmo, como formación musical de amplísimo espectro e ilimitadas posibilidades: Billo's, Los Melódicos son *big bands* al igual que siempre lo fueron las bandas de Count Basie, Stan Kenton, Woody Herman o Jaco Pastorius... Cientos de otras orquestas siempre prestando servicio en los teatros, estudios de grabación o de televisión para apoyar a gente tan distinta como Harry Conick Jr., Celia Cruz, Joni Mitchel, Natalie Cole, Madonna o Miguel Ríos... Algo parecido se podría decir de los tríos, cuartetos y quintetos propios del jazz; formaciones fundadas en el piano –quizás la guitarra–, bajo, batería, saxofón o trompeta, cuya presencia ha sido una constante en las atmósferas de hoteles, bares y restaurantes alrededor de todo el mundo; hasta en las propias formaciones rocanroleras iniciales (Bill Halley, Chuck Berry, el mismísimo Elvis) que ciertamente tomaron prestados instrumentación y basamento rítmico –*rhythm and blues*– para desarrollar su exitosísima aventura.

Entra aquí la nunca bien conocida historia de los *blues*, de los iniciales cantos y ritmos de los negros norteamericanos que, al combinarse con elementos musicales europeos, dieron inicio a toda una saga estilística todavía en desarrollo: Del *ragtime* a *New Orleáns, Chicago, stride, swing, be-bop, cool, west coast, hard bop, funky, modal, free jazz, new thing, third Stream, fussion, hip-hop, neo-Conservatismo*... las segundas generaciones y sus parientes estilísticos –buenos y malos–; la música puramente bailable producida por casi todos las *big bands* actuales, el *easy listening* propio de ascensores, automercados y consultorios médicos; el *jazz-rock* y sus engendros...

También quedan, fértiles todavía, los infinitos cuentos de los músicos de jazz al lado de la poderosa historia de la conquista geográfica, colonizadora, comprometida en el asunto. Puede así denunciarse al ancestro cultural europeo completamente mestizado por el hacer de un Django Reindhart –guitarrista gitano–, de un Stephane Grapelli –violinista francés–, o de un Stan Tracey –pianista inglés–; de los Sidney Bechet, Benny Carter, Don Byas, Dexter Gordon, Bud Powell, Kenny Clarke y otro centenar de músicos norteamericanos mudándose de Estados Unidos, expatriando música, conocimientos y vida misma no sólo por Europa sino por todos los confines imaginables: Buck Clayton desde la chandleriana Shangai de los años 30, Randy Weston y su percusión ancestral africana, Sun Ra sufriendo una interplanetaria mitomanía; Don Cherry, tocador de trompeta de bolsillo, con aquel afán de convertirse en ciudadano del mundo que lo llevó a ser precursor del *world music* y a una muerte desarraigada, nómada, en algún perdido camino de España.

Mucho más cerca de nosotros podríamos asimismo centrar crónicas –¿cuentos o historias?– acerca del deslinde entre el *bossa-nova* brasileño y la *onda nueva* venezolana, la una quizás producto de la otra pero también del ingenioso quehacer del maestro nacional Aldemaro Romero, el mismo de los primeros experimentos semijazzísticos-semiacadémicos con música venezolana –*¿Dinner in Caracas?* De la misma forma, cabría inventar sagas, acercar los tiempos, y así referir aquella gente del *be-bop* (Dizzy Gillespie, Charlie Parker, Bud Powell, James Moody) juntando creatividad con músicos latinos afines –Chano Pozo, Mario Bauzá, Machito, Tito Puente–, para engendrar al tal jazz latino y que éste, a su vez, diera germen a la popularísima salsa de los años 60, ésa que en su turno apuntalara a los salseros de los 80 y se viniera hasta nuestro hoy día.

Jazz indudablemente va mucho más allá de lo que inicialmente el jazz fue. Cabe el término para la música mezclada y remezclada, pero también cabe para la literatura, danza, cine, artes plásticas. Sean entonces vía jazz aquellos célebres recortes a color del pintor Matisse; la técnica corporal –*dripping*– de Jasón Pollock y su corriente gestualista; ciertos manifiestos casuales del pintor Jean Dubuffet («El día en que los pintores dejen de firmar sus obras, el arte ya se portaría mejor. Debieran inspirarse en el anonimato de los compositores del jazz»); uno que otro nuevo Modrian jugando a más *boggie-woogie* –¿Víctor Valera y sus pinturas de los 50?–, quizás hasta encabezando la continua búsqueda de miles de artistas plásticos que presienten en la acción improvisada una fuente de creatividad válida.

Sean también por la misma causa jazzística los claros acercamientos de la danza, arte jamás alejado del todo de la libertad interpretativa que tanto nos interesa: Mikhail Baryshnikov aceptando coprotagonismo cinematográfico, danza misma, con el Gregory Hines, heredero del *tap dance* propio de un Fred Astaire declarado como máximo bailarín del siglo por muchos connotados balletistas, y bien cercano al zapateo –*tap, tap*, nuevamente– de los ritmos sincopados bailados por platillos, trombones y palos desde la batería de un Gene Krupa o de un Jo Jones, por decir.

Pensar en el cine y el teatro; las películas que involucran la idea de libertad expresiva de los intérpretes (una *Kansas City* de Robert Altman, con la aparente potencia de músicos y actores improvisando sobre temas dados), el teatro musical –Broadway–, inmensa vertiente para el asunto de nuestro interés... la posibilidad de nuevos *performances* con quienesquiera sean los Kerouac, Ginsberg y compañía actuales, frente a frente con músicos improvisadores capaces de crear bajo el ángulo de sus antecesores –nuevos Gerry Mulligan, Chet Baker, Charlie Mingus y compañía...

En cuanto a establecer correspondencia con los medios literarios, resulta un asunto aún más difícil que hacerlo con las artes plásticas, la danza, el cine o el teatro. Tan intensa es la relación del jazz con la literatura, que la posibilidad de un recuento se aparea al incontable número de escritores –narradores, ensayistas y poetas– que han trabajado el tema, bien utilizándolo como anécdota misma, bien abrazando el concepto de libertad expresiva propio de la música. En este segundo sentido, la improvisación ha servido de continua fuente inspiradora para autores tan distintos como Leroi Jones (Imamu Amiri Bakara) o el Salustio González Rincones, venezolano, quien hacia los años 30 ensayara expresiones onomatopéyicas –ruidos, quejidos, sonidos de banjo– en el poemario titulado *Viejo jazz*. Raymond Quenau y sus variaciones sobre un tema dado contenidas bajo el título de *Ejercicios del estilo*; Julio Cortázar desde la fórmula estructural de *Rayuela* –tan parecida a la estructura de tema y solo típica de una interpretación jazzística– hasta el poético desarrollo del *Perseguidor*... Severo Sarduy –agudo oyente ellingtoniano– con el poemario *Mood Indigo*... Boris Vian ejerciendo crítica musical, hoy literatura misma, desde las columnas de las revistas francesas especializadas... Aquí mismo, en Venezuela, oír al poeta Armando Rojas Guardia adentrándose en los órganos de la materia, mediante un poema dedicado a la sorprendente trascendencia de John Coltrane o, lo que es igual, a la trascendencia de la música misma.

Sería absurdo querer desligar al jazz de su centro: el doble foco improvisación-libre expresión propio de muchos músicos contemporáneos en plena actividad. También sería miope negarle fuerza expansiva –ocupación de un mayor espacio–, quizás capacidad invasora de territorios en apariencia poco afines. Quienes respiramos jazz creemos entender este mensaje y casi siempre terminamos flexibilizando el criterio hasta el punto de aceptar cómo la libertad expresiva de la música, justamente por su tremendo poder expansivo, puede llegar a desdibujar aquello en principio entendido como género, estilo o ritmo. En esto nos diferenciamos –¿distanciamos?– de otros melómanos acostumbrados a reverenciar categorías y para quienes jazz es tan sólo un estilo de música norteamericana, nada más.

Afortunadamente ha sido tanta la fuerza liberadora transmitida por el jazz, tal su onda de influencia (a pesar de la persistencia del mal hábito de etiquetarlo, tan presente ahora como cuando Ellington lo atacaba, sin mayor éxito, a mediados del siglo), que hoy no sólo marca las más diversas áreas del quehacer artístico, sino también puede extremar su mensaje hasta el punto de resultar un adecuado soporte conceptual para impulsar el contemporáneo sentido de individualidad creativa; vale decir, esa licencia de combinar ideas, pensamientos, inspiraciones propias con fundamentos ajenos, bien cercana al arte de la improvisación.

«Lo que necesitamos es gente que, muy simplemente, sepa cómo pensar, que sepa cómo sintetizar el conocimiento y encuentre conexiones entre fenómenos distantemente relacionados, que relacione en vez de aislar la experiencia», alguna vez acertó a escribir Arthur Miller para, sin proponérselo, darnos bandera y credo; hacernos sintetizar en los constantes ejercicios de improvisación individual, en nuestra liberalidad de relacionar música con otras artes e ideas, quizás la máxima fuerza expansiva del jazz –o al menos, de la verdadera jazzofilia.

Lo popular y la sala José Félix Ribas
(Recuento de fin del siglo XX)

Cuándo y en qué forma la expresión popular se fusionó al decir académico, es un asunto complejo como la historia misma de las artes del siglo XX. Largo ha sido el camino en procura de romper linderos e integrar al imaginero del pueblo, artista por pura inspiración propia, con ese hombre cultivado para quien la capacitación artística proviene del estudio concienzudo y metódico. Enrevesada, por decir lo menos, resulta la crónica de tantos vistos buenos y exclusiones que hoy día, en cuanto a música toca, ya no hay quien defienda el antiguo orden donde la manifestación académica resultaba la categoría tope, más apreciada, a cuya sombra se desarrollaban las expresiones patrióticas, militares, teatrales, bailables y, por último, folclóricas.

Es el cuento de los encuentros y desencuentros del profesional escolástico de vuelta a un mundo «ingenuo» dedicado a la belleza de lo esencial; del versificador coplero, convertido en poeta literario por fuerza de algún duende lorquiano, o del profesor sinfónico descubriendo la inagotable fuente nacionalista que naturalmente nutre al músico por fantasía. De cómo valses, merengues, parrandas o aguinaldos –el llamado «color local»–, terminaron acoplándose a sinfonías, suites o conciertos; de artistas de jazz, pop, rock o salsa celebrados en los más distinguidos teatros del mundo, sin que nadie cuestione la potencialidad artística de sus géneros.

«Música buena y música del otro tipo», fue el único criterio aceptado por el maestro Duke Ellington al momento de discriminar expresiones, elevar categorías y dar aliento extra a la apertura de las salas de concierto hacia toda manifestación cualitativamente aceptable. Pero este camino de apertura, de ruptura con los prejuicios estéticos, repito, ha sido muy largo y contiene tantas historias como espacios y circunstancias existen: el caso de un Carnagie Hall norteamericano, dándole la mano al jazzismo de Benny Goodman en 1938, por decir, consigue parangones en las salas más distinguidas de Europa, Asia o América; desde una Salle Pleyel parisina o un Teatro Colón argentino, pasando por cuantos palacios, catedrales o espacios concertísticos pueda uno imaginar, hasta llegar a nuestros ejemplos nacionales: La sala Ríos Reyna del Complejo Teresa Carreño, siempre dispuesta para todo tipo de manifestaciones musicales; el Teatro Municipal caraqueño que en 1958 fue escenario para la visita de un artista «popular» (el jazzista Woody Herman y su orquesta), pese a la queja pública del crítico Eduardo Feo Calcaño –«Este espectáculo que dentro de su radio de acción tiene sus méritos de habilidad está fuera de sitio en el Teatro Municipal. ¡Hasta cuándo se maltrata artísticamente a nuestro primer coliseo!»–, o al aplauso escrito por Israel Peña –«Es un artista, un genio del jazz. Y el jazz evolucionado, perfeccionado, llega con él de su mano, del soplo de sus labios, a la altura de un arte que nadie podrá negar al oirlo...».

El tema de la apertura en favor de lo popular hace que cada sitio posea sus circunstancias particulares, y que esas circunstancias, a su vez, tengan fundamento en crónica de datos, eventos y fechas clave. En el caso de la sala José Félix Ribas, el año 1975 no sólo marca el comienzo de actividades públicas sino también de una función cultural concreta entonces a ella asignada: ser espacio dedicado a diversas expresiones musicales de enfoque marcadamente académico. Y el término académico, valga decirlo, sirvió en aquel tiempo para amparar el quehacer de orquestas sinfónicas, coros, solistas y conjuntos de cámara –el germen del Sistema Nacional de Orquestas Juveniles e Infantiles actual–, siempre en favor del músico en formación procedente del conservatorio, o de aquellos interesados en la incuestionable potencialidad artística de ese mundo.

Tal claridad contenía la definición de aquel destino inicial, que nada difícil era suponer cómo la expresión popular, la música del día a día del hombre común y corriente, no resultaría precisamente bienvenida. Cuestión de concepto, no de afecto; de ser firme con una misión precisa y loable. Una encomienda de dar a cada cosa su lugar y el lugar, en este caso, estaba muy bien delimitado: área reservada al uso exclusivo de compositores, arreglistas, directores y ejecutantes de franco interés académico; espacio dedicado al ensayo, la presentación o grabación de música con ese enfoque. Acaso una cierta licencia para manifestaciones de ópera, danza y teatro; una que otra oportunidad para propuestas de carácter fusionador o sincrético (Eduardo Marturet, Timothy Kotowich y Randall Griffin presentan «Música Viva» en 1981), algunas presencias folclóricas, y ya. A poner las cuentas tan claras, tan encuadradas en el concepto inicial, que muchas afinidades artísticas, para bien o mal, se conservaron fuera del recinto.

Total, pasaron unos quince años, pero ya entrada la década de los 90 el concepto cambió. Quizás la tendencia del ambiente crítico a valorar lo popular, esa misma tendencia que concedió el premio nacional de música a dos artistas de nuestra más elevada condición popular –Freddy Reyna y Eduardo Serrano–, pues algo influyó en flexibilizar el destino de la sala; tal vez la política económica de la directiva del teatro obligó al cambio en favor de abrir el espacio a la gente cultora de la música del día a día. A lo mejor fue un trámite de ajuste a un nuevo rumbo filosófico-musical –«El pueblo también sabe ser oscuro», decía José Lezama Lima–, de redefinición en la misión general del teatro o, simplemente, el efecto de la periódica sustitución de funcionarios. Causas habrá muchas, pero lo cierto es que a partir de la década de los 90 la tendencia academicista de la sala se amplió para dar cabida a toda expresión musical que parezca comprometer una audición sensible, seria, capaz de respetar un espacio ahora dedicado a expresiones plurales, pero altamente cualitativas. En este sentido, resulta útil enunciar música venezolana, jazz e internacional como los tres rubros que, a solos efectos demostrativos, ayudan al recuento clasificado de espectáculos ofrecidos en la sala José Félix Ribas hasta el año 2000, con ese tinte distinto al académico ya anunciado. Y hacia ellos precisamente ahora vamos.

¿Qué abarca la música popular venezolana?, ¿será la expresión de compatriotas tocando géneros con raíces provenientes de nuestro folclor o, más bien, de venezolanos componiendo, arreglando, dirigiendo o interpretando cualquier género?, ¿tiene esto algo de pura y estricta separación entre el músico criollo adiestrado en la academia y el músico criollo adiestrado en la calle?, ¿podría alguien delimitar exactamente los linderos o alcances cualitativos de nuestra venezolanidad en cuanto toca a la música? Respuestas habrá tantas como criterios sesudos existan. Valdrá así la opinión de quien se concentre en la referencia folclórica cual punto conceptual básico; también tendrá sentido aquella opinión más bien interesada en el proceso de aprehender formas inicialmente ajenas, tan propio de la cultura popular, para adoptarlas y desarrolllarlas (el mismo proceso por el cual el vals europeo se convirtió en valse criollo, o la música bailable cubana terminó en salsa caraqueña). Y, según el interés de uno u otro tono, no faltará el diletante purista, apoyando la presencia en la sala de Los Vasallos del Sol, el grupo Pasacalle, la Orquesta Típica Nacional –octubre y diciembre de 1997–, El Cuarteto, Un Solo Pueblo, Simón Díaz –agosto de 1996–, Cecilia Todd, o el grupo Raíces de Venezuela. Tampoco faltará el aplauso de aquellos interesados en la venezolanidad fusionada al decir contemporáneo: el grupo Onkora en el festival de oboístas –junio de 1993–, el Grupo Maroa –junio de 1995–, Luis Julio Toro con Rubén Riera –noviembre de 1995–, el Ensamble de Saúl Vera, Pabellón sin Baranda –agosto de 1997–, o el Aldemaro Romero precursor en lo que a fusiones criollistas se refiere (su «Dinner en Caracas» celebrado por la Orquesta Nacional Juvenil el 29 de abril de 1998).

Otra compuerta de apertura de la sala está en favor del jazz. Porque, ciertamente, la cualidad de género puente entre lo popular y lo culto, de punto conciliatorio entre el músico académico afín a lo popular y su respectivo viceversa, ha servido en todas partes del mundo como área de encuentro o reconciliación (un clásico ejemplo está en esa «Rhapsody in blue», compuesta por George Gershwin para dar cabida en el jazz al solista del piano sinfónico, tal cual la interpretó Carlos Duarte y la Orquesta Sinfónica de Trujillo, dirigida por Gregory Carreño, el 13 de julio de 1977). También obra el mensaje de jazz cual música del intérprete, arte de la improvisación o la libre expresión del ejecutante, que ha ganado una interesante audiencia para los jazzistas nacionales quienes, en nuestro caso, han contribuido mediante sus presentaciones en una medida abundante y concreta: la figura de una Biella Da Costa, Álvaro Falcón y el maestro Alfredo Rugeles en la dirección musical, afirmando su condición de *prima dona* en el arte de interpretar *standards*; el «Pavo» Frank Hernández y la orquesta Moisés Moleiro, un primero de septiembre de 1994 celebrando sus incuestionadas dotes para la batería solista; Janice Williams –18 de marzo de 1995–; la *big band* de la Orquesta Sinfónica Venezuela bajo la dirección de

Angelo Pagliuca, presentando a María Rivas cual *crooner* invitada –31 de mayo de 1997–; Aquiles Báez,director y guitarrista de su Platabanda; los grupos de Alfredo Naranjo y Gustavo Carucí –7 de febrero de 1998–, bautizando musicalmente sus propuestas discográficas de tono fusionador; Keith Karabell y su ensamble, en representación del jazz nacional por los cien años del cine venezolano –enero de 1997–; Andy Durán Caribbean Jazz Big Band –el 4 de abril de 1998–; Domingo Sánchez Bör y su Jazz'tá, o con la suite «Ángeles» (Leonor Jove y Rosalba León, solistas invitadas), ofrecida como parte de la celebración caraqueña del centenario de Duke Ellington, el 16 de julio de 1999.

Bajo el remoquete de internacionalidad, muy acorde con los tiempos actuales, se puede marcar un tercer camino que acoja por igual a los artistas populares de otras nacionalidades y a los mismos compatriotas. Es una característica más de universalidad de los géneros musicales, de potencialidad expansiva de sus raíces, que de geografías o nacionalidades: jazz, rock, afrocaribeño, pop (una categoría residual, si a ver vamos), o las vaguedades conceptuales de términos como *new age* o *world music*, pueden perfectamente recoger música de aceptable factura, con independencia de la nacionalidad del intérprete. De hecho, en todos los países existen músicos autóctonos dedicados a los más variados ángulos estilísticos (diversidad de ritmos, melodías, idiomas), mediante un claro interés en adoptar corrientes interesantes provenientes de fuera. Intérpretes de tono internacional, digamos.

Tal vez por razones de limitada capacidad de espectadores, quizás por estrictos motivos económicos, lo evidente es que nuestra José Félix Ribas, si bien ha dado bienvenida a la presentación de diversos géneros internacionales, hasta la fecha no ha sido el escenario habitual de músicos extranjeros del área popular. Con muy pocas excepciones de visitantes foráneos (Chucho Valdés e Irakere, o Tania Libertad, por decir), han sido nuestros artistas los encargados de ofrecer una importante muestra de la diversidad estilística que, por su intermedio, se cultiva en el país: Rosa Virginia Chacín junto a la Rondalla Venezolana –marzo de 1995–; algo después Estelita Del Llano y sus boleros, acompañada por la Banda Filarmónica Moisés Moleiro a cargo de su directora Adela Altuve, quien también ofreció el contundente discurso pop de una Luz Marina ganada a la internacionalidad interpretativa; Carlos Guédez y su onda *new age-world music*; la Orquesta Nacional Juvenil, bajo la batuta de Alfredo Rugeles, la Mariscal de Ayacucho o la Sinfónica Municipal de Caracas, bajo la batuta de Rodolfo Saglimbeni, y María Rivas cantando clásicos caribeños o navideños de todas partes del mundo; el Cuarteto de Clarinetes de Caracas, o el Cuarteto de Cuerdas Modesta Bör –24 de mayo de 1998–, a cargo de Domingo Sánchez Bör, interpretando un programa de Beatles, Ellington, danzones, tangos, pop, composiciones brasileñas o venezolanas en el más variopinto discurso «académico» que pueda uno imaginar.

> Cuando los músicos estilizan el folclor, hacen arte popular, para regodeo de nobles mentes y corazones. Lo popular no tiene nada que ver con lo plebeyo, ni es la canallocracia su ingrediente. Lo popular es siempre puro, selecto, y más si se jerarquiza en arte, conservando sus esencias.

Cito a Luis Beltrán Guerrero para compartir una idea con buen tono de conclusión en cuanto a la actividad futura: determinar selectividad, jerarquía, en un concepto de arte popular respetuoso de sí mismo, que no admita la mediocridad cualitativa como distintivo; que atienda, sí, al gusto del colectivo, pero sin dejarse perturbar por ese ruidoso aplauso inmediato, también capaz de confundir al criterio más centradamente académico.

¿Fórmulas decantadoras para lograr una selectividad acertada al momento de prestar apoyo, audiencia y sala? No las hay. Sólo cabe el acierto o yerro de quienes al seleccionar, pues deben prestar toda su experticia, la máxima atención, para continuar con la puerta abierta en favor de artistas que parezcan ofrecer «buena música» (imposible evitar la terrible subjetividad comprometida en este juicio), sin jamás atender a prejuicios respecto a bondades o presuntas deficiencias artísticas de los géneros o categorías estéticas comprometidos en las diversas ofertas. Un asunto de tomar conciencia del amplio campo cultural existente, donde se quiera y pueda ubicar valiosas manifestaciones musicales de la más distinta procedencia.

Una noche en el reino de O'Farril

Tres amigos de visita en Nueva York decidimos repartir las responsabilidades turísticas que la ciudad impone. El uno, ojo adiestrado en la apreciación de artes plásticas, consigue sendos pases de cortesía para el Museum of Modern Art (MOMA), y así convida al paseo vespertino dentro de una interesante exposición acerca de la cultura visual universal del siglo XX.

El segundo amigo, copa buena y mejor mesa, cerca de la hora de cierre del museo advierte cómo el gusto es lo que sigue en el orden natural a la vista: «Aquí no hay buena visita sin comentarios rociados de escocés que, por supuesto, continúen con el subsiguiente *steak* niuyorquino, ciento por ciento antivegetariano». Esto anuncia el guía culinario, mientras conjura al restaurant Ben Benson cual sitio de darle pleno gusto al gusto carnívoro y dejar la escena lista para el tercer turno, el mío; ese de adentrarse en la noche a través de los placeres propios de la oreja bohemia: jazz con quien y donde mejor se pueda; porque en la Nueva York de museos exquisitos y restaurantes superiores, nadie puede negarlo, también se consiguen las mejores vitrinas nocturnas del género, existentes en el mundo.

Saben, les digo a los compañeros de viaje: Village Vanguard, Village Gate, Blue Note son lugares indiscutidos; no hay nombre importante en esta materia que no se haya presentado en ellos alguna vez. Pero al revisar los tales o cuales ofrecidos por la prensa, esa noche se sienten las flechas de la noche apuntando hacia otro sitio; al reinagurado Birdland de la 8ª Avenida, el mismo bar donde Charlie Parker fuera canonizado hace un montón de años y que ahora, principios del siglo XXI, se ha convertido en recinto de los oficios dominicales de cierta orquesta, a cargo de otro hombre con sobradas razones de trascendencia en este particular asunto: Arturo «Chico» O'Farrill.

Me toca entonces la caminata hacia el Birdland explicando que el artista, con todo y su apellido irlandés, es figura clave para la historia del jazz: músico cubano cercano a los 80 años de sólida formación académica; arreglista, director de orquestas, en sus comienzos trompetista; caballero de muy buenas maneras, cuidada educación y carácter elusivo. Se trata del hombre de música con la limitada fama propia de los arreglistas –siempre a la saga de compositores, directores e intérpretes–, pero cuya figura encarna la quintaesencia de ese arte: un arreglo suyo significa ajuste perfecto de lo compuesto al formato de ejecución elegido (su concepción orquestal de la *big band* es a prueba de los más recalcitrantes oídos académicos).

Y lo cierto está en que el maestro, ya para el principio del milenio ofrecía más de cincuenta años de una experiencia confirmada por versiones orquestales entregadas a leyendas del calibre de Machito (su «Afro Cuban Suite», grabada en los años 50 con intervención del propio Charlie Parker, hoy día es un clásico); Tito Puente, Stan Kenton, Dizzy Gillespie, Benny Goodman, Count Basie, Clark Terry, Wynton Marsalis. ¿Y qué decir en materia de intérpretes latinoamericanos afectados por su talento? Pues hay grabaciones clave para las carreras de Omara Portuondo, Elena Burke –el Cuarteto las D'Aida–, Miguelito Valdés, Andy Russell, «Gato» Barbieri; estadías profesionales para trabajar en estudios de su Cuba natal, en México, en Los Ángeles, Nueva York... Por cierto, fue invitado central en la Caracas de los festivales onda nueva de Aldemaro Romero, con quien también estuvo asociado en los años 50, en varios arreglos del disco «Almendra». En fin, se puede decir que el espectáculo escogido promete al artista emblemático, tal vez interesado en darse sus últimos lustres mediante la orquesta que ofrece esa precisa noche; la misma banda de sus discos recientes: «Pure emotion», «Heart of a legend» y, acaso el trabajo central de su carrera, «Carambola».

El Birdland termina con las explicaciones. Ha llegado la hora de la música. La puerta luce atestada de aficionados, casi a la fuerza logramos entrar; lo de conseguir mesa se convierte en prueba económica de nuestro interés por el toque. El set comienza con algún retraso que de inmediato se olvida. Una banqueta con atril y luz es ocupada por O'Farrill al frente del orquestón: cinco saxofones, cuatro trombones, cinco trompetas; sección rítmica de piano, contrabajo, batería-timbales, conga y bongó. El diminuto maestro –lo de «Chico» le viene muy a propósito– aspira profundo el aire azul del night club. La voz en *off* lo anuncia; le ilumina el foco salpicado de aplausos, abre entonces los brazos y cae el enorme, elefantino sonido de la *big band* pleno de profesionales jóvenes, virtuosos, de potencia intacta; hombres de jazz, conscientes de cuánto positivo les significa tocar un arreglo de O'Farrill a estas alturas del juego. Pero ojo, cero juego con la exquisita ejecución requerida por las partituras o con las improvisaciones solicitadas durante la interpretación; es una rumba para quedarse sentado, silente, escuchando el arte de quien usa las estructuras rítmicas afrocubanas ya no para el baile, sino en favor del sonido orquestal de perfecto equilibrio entre aquello escrito y las improvisaciones correspondientes a ejecutantes reconocibles: Arturo O'Farrill jr., hijo del líder, pianista, corresponsable del funcionamiento de la orquesta; el virtuoso «Papo» Vásquez ubicado como trombonista de sección; Michael Mossman, primer trompeta y solista de «Oro, incienso y mirra» o de la «Suite azteca», un par de conciertos escritos por el maestro. También están Mike Migliore y Jimmy Cozier en dos saxofones –tenor y alto–, cuyas acertadas intervenciones solistas alguna noche fueron sustituidas en el bolero «Tú, mi delirio», por la voz de una María Rivas presente en el sitio e invitada especial para descargarlo jazzísticamente.

El amigo entendido en artes plásticas me comenta que jamás en su vida ha escuchado una orquesta sonar de esa forma; le contesto que, la verdad, yo tampoco. El tercer convidado da vivas y pide nuevos tragos. La impresión concertística del toque deja boquiabiertos a críticos, curiosos o aficionados por igual; «el buen jazz convierte a los bares en inmejorables salas de concierto», dice alguien. Ha terminado el set y, durante el eufórico aplauso del público, tomo cuenta de cierta dama discretamente ubicada en una mesa al lado de la escena. Es la señora O'Farrill ofreciéndole bienvenida y asiento. Pido permiso, voy a conocerlo; se trata de la oportunidad de hablar con el último grande de la estirpe de Machito, Bauzá, Gillespie, Rodríguez y Puente; aquellos originales creadores del latin jazz a través de la big band. «¿Venezolano? –pregunta Chico sonriente–, Venezuela es un bello país, tengo buenos recuerdos, la quiero mucho.»

–Pero dígame, ¿le gustó la banda? Es la mejor que he tenido en mi vida; solistas solventes, sonido grueso y, lo más importante para mis arreglos, afina de una forma tal que puedo jugar a plenitud con matices, combinaciones, colores... el clarinete, la flauta y un trombón contrapuestos a trompetas con sordinas y arpegios de piano, ¿me entiende lo importante de la afinación en lo que hago? Es curioso que a esta edad pueda disfrutar de una orquesta sin limitaciones técnicas; se lo digo porque ni se imagina los elementos precarios con que uno ha tenido que trabajar en la vida; olvídese de otras cosas, nada que ver con esto... ¿En serio le gustó? ¡Qué bien! Entonces escuche el último disco, «Carambola», se lo recomiendo; oiga, disfrute y, por cierto, deje saber allá en Venezuela lo mucho que me encantaría volver...

La sonrisa de un O'Farrill satisfecho y triunfante queda fija en la retina y me lleva a reencontrarlo, tiempo después, aquí en Caracas, cuando el cineasta español Fernando Trueba lo presentó fotografiado y grabado en un espléndido blanco y negro, para su película *Calle 54*. «Chico es la dignidad de la gran orquesta de los 50; Chico es en blanco y negro», confesó Trueba en la rueda de prensa. Bien por Trueba: Chico entrando en el Birdland de la mano de su esposa –«¡a ése lo vi yo!», dirá el amigo rumbero–; Chico a través de toda la vitalidad de su «Afro Cuban Suite» preservada en cine documental por un ojo cinematográfico y «jazzófilo» que supo ver sutilidad, discreción, silencio, nobleza, cual puntos clave dentro del quehacer de un genio nunca favorecido por la popularidad pero, eso sí, jamás cuestionado por la gente del arte-arte. Chico «gran señor, arreglista de arreglistas; músico de músicos», según el maestro venezolano de la trompeta José «Cheo» Rodríguez, quien, presente en el Birdland meses antes de la muerte de O'Farrill, también pudo disfrutar de una noche en su imponente reino.

IV
Notas CDgráficas

En verdad un disco nunca fue artículo de primera necesidad. Ni siquiera en el tiempo en que era ofrecido frente a las cajas registradoras de los supermercados, como natural acompañante de la bolsa semanal de víveres domésticos. La suma dedicada a la satisfacción de la necesidad melómana siguió siendo la misma de siempre –según se verá luego–, sólo que hoy día, por gracia de las volteretas económicas nacionales, luce como cifra destinada a lujos muy eventuales, con ejemplos concretos nunca antes imaginados en plan de artículos sofisticados. Nace así en los años 80 toda una generación de productos compactos concebidos sobre la cuerda floja de un «¿quién te podrá comprar?», aún no resuelto ni para los productores, ni para los compradores que abordan los avatares de un mercado discográfico, inconstante e incierto, como mejor pueden.

No existe relación o inventario capaz de informar, con exactitud, la cantidad de discos compactos producidos en Venezuela durante estas dos últimas décadas. Tal vez el departamento de depósito legal de la Biblioteca Nacional pueda decir algo al respecto. Quién sabe. En todo caso, no resulta nada exagerado afirmar que desde la llegada de la tecnología compacta se ha producido a decenas en casi todos los géneros de música existentes: discos académicos o clásicos; bailables afrolatinos, de tinte colombiano, dominicano o venezolano; folklóricos, románticos contemporáneos o no; salsa, criolla, popular inclasificable... rock, ska, jazz... Tanta y tan variada es la experiencia que cualquier análisis o recuento breve encontrará límite en la mucha o poca capacidad del informante quien, en razón del importante número de discos producidos, jamás podrá entregar un resumen medianamente completo bajo el formato de reseña moderada.

Hecha la necesaria salvedad, hablemos de cuatro rubros para amparar nuestro resumen personal: el académico, compilador de las grabaciones de nuestras orquestas, conjuntos de cámara y virtuosos del área; el criollo, enfocado a las grabaciones con reconocibles raíces folclóricas; el jazz, propio de una muy personal melomanía; y, por último, las otras alternativas, especie que acaso ampara residualmente esa otra música de nuestro interés de muy diversa clasificación. Cuatro rubros que dan lugar, más o menos ordenado, a una discografía personal, quizás arbitraria y seguro incompleta, que procuraremos de seguidas comentar.

El discurrir de la música académica encuentra un importante centro en las diversas orquestas del circuito nacional. Esto no quiere decir que no existan discos de grupos de cámara o solistas; tan sólo significa la existencia de un vínculo de músicos con orquestas que amparan y promueven su presencia. La Orquesta Filarmónica Nacional, por decir, se ha dado la tarea de grabar la obra de los compositores venezolanos del presente siglo; así, puede uno escuchar, siempre bajo la batuta de Pablo Castellanos, las antologías de consagrados maestros como Inocente Carreño –una grabación con la fortuna de recoger momentos de ejecución inspirada–, Evencio Castellanos, Juan Bautista Plaza, Vicente Emilio Sojo, Modesta Bör, o también de los propios compositores que han trabajado en la filarmónica (Josefina Benedetti, Luis Morales Bance, Domingo Sánchez-Bör o Icli Zitella). Es esta una colección con criterio y sentido de colección, cuya apreciación debe concebirse dentro del esfuerzo de dar a conocer masivamente la obra de aquellos aplaudidos por un cenáculo de especialistas académicos, que acaso también gusten del visto bueno de sus compatriotas melómanos.

La Orquesta Sinfónica Simón Bolívar es otro interesante foco de producciones disqueras. En este caso ha existido una alianza con el internacional sello disquero «Dorian», para ofrecer música latinoamericana con destino a mercados europeos. De esta alianza, cabe destacar el disco que ofrece una correcta versión de la «Cantata Criolla», clásico contemporáneo del maestro Antonio Estévez. Otro tanto sucede con la Orquesta Gran Mariscal de Ayacucho –«Danzón» es pieza discográfica obligatoria–, y con la Sinfónica de Venezuela o la Sinfónica Municipal de Caracas y su serie «Música para una ciudad», grabada para la serie «Siglo XX revisitado» de la Fundación para la Cultura Urbana, suerte de importante puente conceptual entre la academia nacional (Inocente Carreño, Juan Carlos Núñez) y las expresiones populares «elevadas» (Aldemaro, Alberto Naranjo, Billo «sinfónico» y, por supuesto, el arte del canto de Rafa Galindo).

Las batutas de Rodolfo Saglimbeni, Pablo Castellanos, Alfredo Rugeles o Eduardo Marturet han sido centrales dentro de las producciones sinfónicas que, de una u otra forma, han ayudado a proyectar grabaciones de conjuntos de cámara, solistas y virtuosos del ambiente, amparados o no por el quehacer sinfónico: desde el piano, Carlos Duarte, Giomar Narváez (en su interpretación de composiciones de Inocente Carreño), Leopoldo Betancourt, Carmencita Moleiro, José Vicente Torres, Judit Jaimes –premio nacional 1998, a quien le produjo un compacto la Gobernación de Caracas–, Clara Rodríguez (en su interpretación de obras de Federico Ruiz o de valses criollos) y Gabriela Montero. Con la guitarra, Alejandro Vásquez –sus «Apuntes» en Discos León–, Luis Zea –el «Vals Elegíaco»–, Ana María Hernández o David de los Reyes (artista capaz de interpretar con suficiencia a Lauro). También deben aquí mencionarse los discos del Octeto Académico de Caracas, los duetos de Luis Julio Toro y Rodrigo Riera –«15 cuentos para 2» o «Tonadas»–, y el Cuarteto de Clarinetes y sus «Aires Tropicales», con intervención del propio Paquito D'Rivera en condición de invitado especial.

El rubro criollo es tal vez el más fecundo e interesante. Hay tal variedad creativa en las propuestas musicales ofrecidas bajo esta etiqueta, tanta búsqueda de ancestros desde distintos ángulos, que en ella conviven perfectamente el quehacer de artistas académicos y populares. Me explico: aquí puede perfectamente ubicarse cualquiera de los productos de Luis Julio Toro, Alfonso Montes, Aquiles Báez o del Cuarteto de Clarinetes de Caracas, pero también aquí caben las propuestas de El Cuarteto, Paul Desene, Gurrufío, Pabellón sin Baranda, Tucán Age, Caracas Sincrónica, Luisa Elena Paisano y su Trancao, Saúl Vera y su ensamble –«Selva y lujuria»– o Huáscar Barradas y una impecable fusión venezolano-flamenco-caribeña intitulada «Candela», que en 2003 vendió en plan de *best seller*. Se trata aquí de conjuntos formados por músicos de conciencia y formación académica, en perfecta sintonía con las propuestas populares virtuosas de una Serenata Guayanesa, Cheo Hurtado y los arpistas o de Hernán Gamboa y Cristóbal Soto, por decir. El campo, insisto, es amplio y sumamente fértil: Lyric y Musicarte (sello de muy cuidadas producciones) ofrecen u ofrecieron interesantes catálogos; la Fundación Bigott y la Fundación para la Cultura Urbana presentan series con esfuerzos conceptuales desde el ángulo del folclor estilizado o de las expresiones musicales de la ciudad (los duetos de Aldemaro y María Rivas, en concierto), según el caso. Sin embargo, merece especial mención la existencia de Discos León, propietario de una consistente oferta que va desde la música llanera recia, pasando por colecciones y antologías (Morella Muñoz, Rosa Virginia o María Teresa Chacín), hasta los clásicos de la onda nueva y el indispensable concepto «Dinner en Caracas» del maestro Aldemaro Romero, nombre más allá de géneros o estilos que, gracias a León, reedita su música venezolana de salón con orquestación sinfónica moderna.

En cuanto al jazz nuestro de cada día –así también se llamaba el programa radial sabatino de Rafael Tovar Herrera–, trataremos de ser juez y parte, por haber abordado la condición de aficionados-productores, buscándole al jazz sus esencias entre nosotros mediante algunos músicos interesados en correr la aventura de grabar. ¿Cómo ignorar los discos de María Fernanda Márquez, Alberto Naranjo, Junior Romero, Olegario Díaz, Domingo Sánchez Bör en el homenaje al maestro Duke Ellington; Víctor Cuica y Alberto Lazo haciendo su acto noctámbulo, Gonzalo Micó con Antonia Toro, Eugenia Méndez, o la revisión jazzística de la música de Aldemaro Romero, realizada por músicos de reciente generación? Digamos pues, que todas estas producciones nuestras –Obeso&Pacanins– forman parte activa del increíble contingente de más de setenta discos compactos de jazz producidos en Venezuela. De hecho, en un momento de los años 90 hasta se instaló un sello especializado –el Avatar Records de Darío Peñalosa y José Gasso–, otro con una colección exclusivamente dedicada al género –el Lyric, ya mencionado–, y un pequeño grupo de producciones independientes bajo la brújula de una distribuidora-hada madrina con nombre y apellido: Beatriz Pacheco.

De Avatar cabe recomendar los discos de Gerry Weil –«Volao»–, Aquiles Báez –«Tara Tara»–, Andrés Briceño, Andrés Carrasquero o Rodolfo Reyes. De Lyric, el de Alfredo Naranjo –«A través del tiempo»–, aquel dedicado a preservar el arte de nuestro maestro trompetista, Rafael «El Gallo» Velásquez y el «Bravo Pavo» de Frank Hernández. En cuanto a los independientes más independientes, los «Blues y Jazz» de Biella Da Costa, María Rivas con un «Moaré» arreglado y dirigido por Alberto Naranjo, «Claronade» de Virgilio Armas con Mario Zambrano al clarinete, «Cuidao con los escalones» de Oscar Maggi, Andy Durán –«Latin Jazz Light» o «Timeles»–, Pablo Gil –nombre joven proyectado en la composición y dirección–, Alfredo Naranjo –«A través del tiempo»– y cualquiera de las propuestas de Gonzalo Micó –el particular homenaje al guitarrista gitano Django Reindhart.

Con todo lo injusto o absurdo que luzca agrupar residualmente géneros distintísimos, los más populares si a ver vamos, dentro del ambiguo término «otras alternativas», la verdad es que nos resulta una fórmula útil para presentar otras grabaciones de interés. Es cosa de tomar libre cuenta de la licencia para encontrar orden y así precisar los resultados de la muy particular experiencia auditiva propia. Quizás uno no soporta las inconsistencias definitorias de los tales «world music» o del «new age». Tal vez prefiere ir agrupando sin la influencia de ninguna etiqueta estricta que acopie lo que por fin no puede ser acopiado. Vamos a lo concreto.

Rodven y Sonográfica han sido dos megaempresas absorbentes de nuevas y antiguas ofertas con destino masivo. Discomoda, Palacio o Velvet mantienen una relativa independencia tal vez afirmada en esos... *recuerdos de un ayer que fue*... ¿mejor? Periódicos y revistas han pactado para ampliar el mercado mediante excelentes antologías a un precio francamente moderado: los dos volúmenes del «Sentimiento Criollo» o los de Alfredo Sadel del diario *El Nacional*; ciertos discos de la Serie 32 Rodven (Felipe Pirela, Billo's, José Luis Rodríguez, Gualberto Ibarreto, antologías criollas); Discomoda con selecciones de lo mejor de nuestra música bailable: Chucho Sanoja, Los Melódicos, de nuevo Billo's... En fin de cuentas, los costos fijos de una producción se pagan solamente una vez; por ello, en estos casos vale decir que termina ganando tanto el melómano, que compra más o menos barato, como los productores, que recaudan de acuerdo con una venta más o menos masiva.

Pero no todo son reediciones y reediciones; también caben las nuevas ofertas de las viejas disqueras, eso sí, esta vez respetando el costo de lo nuevo internacional: Ilan Chester revisando clásicos venezolanos o puertorriqueños del siglo; Simón Díaz, Soledad Bravo o Serenata Guayanesa en concierto; Desorden Público o Los Amigos Invisibles y su «New sound of the venezuelan gozadera». Por su parte, los productores independientes también en este rubro tienen algo que decir y ofrecer: Ofelia Del Rosal –«Aldemareando»–, Taumanova Álvarez y Alonso Toro («No me perdonan», se llama el CD que presenta ironía político-musical de la más creativa estirpe), ambos en Musicarte; las dos compilaciones del cuarteto de Freddy Reyna (la una para la UNEF, la otra para el bufete D'Empaire, Reyna y asociados); Orlando Poleo con su salsa-jazz «Por el buen camino», el Gerardo Rosales de «Señor Tambó»; Lapamariposa o Bacalao Men con una fusión que tiene de todo, y un tal «Caracas Underground» cuyo nombre lo dice casi todo.

Nota aparte en este recuento para el sello de Samuel Quirós: Latin World Entertaiment Group. Desde la década de los 90, Quirós ha resultado un productor disquero con el norte puesto en las nuevas expresiones musicales del país. Ha invertido cuando nadie lo hace y los frutos, importantes en número y calidad, algunas veces consiguen mercados internacionales de cierta amplitud. Parte de su contingente artístico está formado por grabaciones de Simón Díaz, María Teresa Chacín, Guaco, Ofelia Del Rosal, Francisco Pacheco, Martes 8,30 –su propia banda de jazz– y un grupo de cabecera en la vanguardia de la mejor música pop venezolana: Vos veis.

En este punto (esta vez sí atiendo a reglas de cortesía básica) deben mencionarse la saga de Billo y Luis Alfonzo Larrain grabada por Alberto Naranjo –«Swing con son», «Dulce y picante»–, y la colección «Luna llena», en la que Obeso&Pacanins presenta el arte de cantantes populares de amplia trayectoria, trabajando en formatos íntimos: Nancy Toro, Esperanza Márquez, Gisela Guédez, Rosa Virginia Chacín, Graciela Naranjo, Estelita Del Llano, Rafa Galindo y otros por venir. Si Dios quiere.

Toca aquí también comprometer opinión crítica con algunos discos de personal estima. Tratar ahora, ya no de nombrar discos por fuerza del resumen acotado, sino de ubicar piezas discográficas compactas dentro de un contexto más o menos razonado. Quizás compartir algunas catorce anotaciones de melomanía discográfica útil para que cada cual descubra, reencuentre, coincida o no, y en consecuencia apunte internamente sus cada cuales.

1) Debe decirse que en Venezuela Billo's Caracas Boys grabó más que nadie. Desde comienzos de los años 40 hasta la muerte del maestro Billo Frómeta (1988), se suman más de cuarenta y cinco años; de allí al día de hoy, otros diecisiete. Total,

seis décadas y media de grabaciones continuas con el aliciente de una aceptación popular que hace imposible el recuento breve y, por lo visto, la reedición precisa de los discos tal cual fueron producidos.

Hago la anterior salvedad porque hoy día no es posible conseguir la discografía clásica de Billo's, sino de forma compilatoria. Algo, no sé qué, impide a las casas discográficas entender la carga conceptual que daba unidad a los LP: ser grabados en un mismo tiempo, por un mismo personal; con temas ordenados según la mente del maestro Frómeta. «Comunicando», por ejemplo, con María Gracia Bianchi en la portada justamente comunicándose con el maestro Billo tal vez para dar oportunidad a una audición de «La vaca vieja», «Por la vuelta» con Pirela o al «Mosaico 3». El disco «Paula» –foto de Paula Bellini en la portada–, es de los pocos que se pueden conseguir en compacto tal cual fue concebido en el LP, con el atractivo de ver el renacimiento del sonido de la orquesta en 1960, bajo la estrellas de Cheo García y Felipe Pirela.

Afortunadamente y en beneficio de las ediciones compactas, la discografía Billo's es tan profusa que bien podría alegarse la existencia de clásicos fuera del contexto de los LP: Las grabaciones de los años 40 y 50, y hasta de los años 60, que no conseguían la unidad conceptual de un disco específico; por decir, el «Mosaico 7», obra superior dentro de la discografía venezolana del siglo XX. Oír el arpegio del piano dando entrada a la voz de Pirela en «Frenesí» es cosa natural y todavía, cuarenta años después de su grabación, resulta éxito diario de nuestras radios de música popular. Milagros Socorro le dedicó un ensayo al baile de este mosaico; Alberto Naranjo lo reputa de perfecto como suite musical donde el bolero se junta con el afro, resuelve en el son y apunta al pambinche dominicano. La orquesta, por su parte, jamás lo ha excluido de su repertorio, aunque Pirela, García y Billo hace años que sólo lo interpretan por la gracia de alguna de esas compilaciones CDgráficas que, afortunadamente, nos obligan a jamás olvidarlo.

2) Otra vez la misma denuncia: en Venezuela, a diferencia de otros países, la discografía compacta tiene el problema de la reticencia de las disqueras a proponer la reedición de los discos originales tal cual fueron concebidos: «Mi canción», Alfredo Sadel, TCC23 RCA Víctor, «la voz del amo»; carátula verde con el artista en la plenitud de su carrera, dándole unidad a boleros y

canciones de tono único: «Desesperanza», «Mi retrato», «Damisela encantadora», «Mi canción». La orquesta de estudio apoyando el estilo romántico, la sugerente media voz en apoyo de entradas vocales que combinaban acrobacias operáticas, travesuras rítmicas y susurros enamorados. Sadel con su estilo puro que no se parecía a nadie y viceversa. Además, hay quien afirma que se trata del primer disco de larga duración que presente a una estrella venezolana.

Tales deberían ser razones suficientes para obrar en favor de la reedición en compacto del disco más famoso y logrado de Sadel. En el mientras tanto, señor, nos queda el consuelo de buscar «Mi canción» por pedacitos en las variadas antologías existentes en el mercado.

Otro tanto sucede con piezas clave para la crónica de nuestra música urbana: Los Melódicos tiene cien discos grabados, pero nada comparable a la unidad sonora de aquellos «El veneno de los hombres» y «Compre la orquesta» de mediados de los años 60, presentando a Emilita Dago, Manolo Monterrey, Rafa Pérez y Rafa Galindo con arreglos para *big band* latino –elegantes, de perfecto conocimiento orquestal y bailables–, por parte de Stelio Bosch Cabrujas, una de las grandes plumas venezolanas en la materia. Estelita Del Llano anotó su nombre en las carteleras de las grandes boleristas con «Tú sabes», bolero brasileño versionado por Johnny Quiroz y orquestado por un joven Porfi Jiménez para un notable disco de estreno. También fueron notables los discos de Felipe Pirela, con Billo o con Porfi, por su consistencia temática y de repertorio escogido; su caso, por cierto, a veces produce las excepciones de ver reeditados ciertos LP originales. Héctor Cabrera, Héctor Murga –ojalá le reediten alguna vez «La voz de oro»–, Mario Suárez, Lila Morillo, Mirla, Mirtha, María Teresa y Rosa Virginia Chacín, Gualberto Ibarreto y el íntimo disco que lo dio a conocer con su cuatro y «María Antonia»; gente del rock y pop nacional como los Darts, los 007, Trino Mora, Rudy Márquez –«Amorosamente, boleros», con curiosidad marcó en 1982 el renacimiento del género entre nosotros, a través de «Escríbeme» y «Mi cariño»–, Nancy Ramos, Las Cuatro Monedas, Delia, Germán Freites, José Luis Rodríguez –«El pavorreal»–; los salseros con grabaciones de Los Dementes, Federico y su Combo («Llegó la salsa» es un disco emblemático»), Los Kenya, la Salsa Mayor, la Dimensión Latina y Oscar D'León son algunos otros artistas con propuestas de LP afectadas por la idea de sólo entregar su repertorio mediante compilaciones que, por las razones antes anotadas, pocas veces resultan afortunadas (en cuanto a las compilaciones de «Retrospectiva del Trabuco venezolano 1 y 2», mejor ni hablar por cuanto tenemos activa complicidad con el director musical del proyecto, maestro Alberto Naranjo).

3) Si se piensa en los temas venezolanos populares de mayor proyección internacional, quedaríamos satisfechos con nombrar tres composiciones y sus autores, dejando anotada alguna grabación clave de cada una de elllas:

–«Alma llanera», de Pedro Elías Gutierrez con letra de Rafael Bolívar Coronado. Puede ubicarse bien en alguna versión de fin de fiesta –Rafa Galindo con Billo's o Alfredo Sadel–, alguna instrumental –la Orquesta Sinfónica Municipal de Caracas–, o la de Xavier Cougat, Los Hispanos, si se prefiere la visión internacional del tema quc, con razón, identifican como segundo himno del país.

–«Moliendo café», de Hugo Blanco, lo cantan hasta los hinchas argentinos del fútbol que van a «La bombonera» las tardes de domingo. Es bueno recordar que Edith Salcedo lo sostuvo como éxito en Japón y que Mario Suárez lo ayudó a nacer en versión ritmo orquídea, acompañado por su propio autor.

–«Caballo viejo», de Simón Díaz, es otro candidato a música venezolana de tinte internacional. ¿Cuántas versiones van? Ni el mismo Simón puede precisarlas, aunque tal vez la preferimos en su voz acompañada con el clásico conjunto criollo, por encima de, digamos, un Gilberto Santa Rosa entregándola a la clave afrocaribeña.

Ahora, si llevamos este ejercicio a grabaciones de temas singulares, consustanciales con nuestro tropicalismo caraqueño, sin tomar cuenta de su difusión internacional, las menciones se multiplican a favor de intérpretes. Cinco casos al menos podemos agregar a manera de referencia obligatoria:

–«Ariel» por la Billo's Caracas Boys, bien en su grabación original de los años 40-50 en voz de Manolo Monterrey, bien en la versión de los años 60 con Cheo García como cantante. Los mambos de «Ariel», digamos sus partes instrumentales de comienzo y puente, constituyen un símbolo dentro de la música afrocaribeña nacional. Lo tocan todo tipo de conjuntos, hasta los de tono italianoide propios de tascas y piscinas hoteleras:... *io quero ser como Adriel... io quero aer comu el... que esdribe, canda e disena... hasta lo baila baled...*

–El «Cumpleaños feliz» de Luis Cruz, en voz de Emilio Arvelo, ya se dijo, proviene de la década de los 60 y produjo en su momento todo tipo de reacciones: dos «distinguidos» *discjockeys* caraqueños hacían la burrada de partir discos de Arvelo cada tantas llamadas telefónicas. ¿Qué pensarán hoy día cuando el tema es canto obligatorio de cuanta celebración nacional existe? Parte activa de nuestro acervo cultural, pues, gústele a quien le guste.

–«Libera tu mente» y «Sé tú mismo» de Trino Mora son dos himnos de reacción juvenil, propios de la juventud nacional, rebelde y popular de los años 60. En ellos estuvo la máxima expresión de pop-rock propio, popular y con mensaje liberatorio. Mora pegó eso de una forma tal, que algún pedazo de ética criolla del tiempo se instala en lo de «Sé tú mismo y libera tu mente, pana» (se dijo «pana» mucho antes de decir «chamo»).

–«Canto al Ávila» por Ilan Chester, significó a principios de los años 80 una curiosa reconciliación con un pedazo vital de cierto caraqueñismo. Era un tiempo donde lo nacional, los signos patrios, el paisaje mismo, eran considerados como cosa *out*, pavosa, para nada conciliable con el imperativo de pertenecer a la tierra mayamera... *Voy de Petare, rumbo a La Pastora...* no hubiese sido posible, *in*, sino a través de un talento superior que le diera fuerza de pregón juvenil.

–«Llorarás» de Oscar D'León con la Dimensión Latina, significa la máxima expresión del género salsero criollo. De alguna manera, el híbrido salsero muchas veces significa adopción de rítmica y composiciones extranjeras. Hay quien cree, por ejemplo, que cosas como... *Hay fuego en el veintitrés...* Arsenio Rodríguez puro, es cosa venezolana por origen; y lo cierto está en que es venezolano, ciertamente, pero por vía de la maravillosa fusión salsera que, a su vez, ha producido los muy particulares y vernáculos sonidos de la Dimensión Latina (suerte de fusión billera-mantancera-palmieriana) y nuestro máximo exponente del género, el Oscar D'León capaz de sonear para el mundo en venezolano puro... *Llorarás y llorarás, sin nadie quien te comprenda, así te darás de cuenta que...*

4) Ya se hizo alguna mención de «Dinner en Caracas» y su importancia capital dentro de la música nacional. Como cosa muy curiosa, está afortunadamente en formato compacto tal cual se grabó originalmente, en sus dos versiones dirigidas por el maestro Romero (una en Nueva York, la otra en Caracas). Es tan importante que bien cabe pensarlo un poquito más.

La música tiene cierto sentido de espectacularidad que aparece al momento de mencionar favoritos. Venezuela, se repite demasiado, es tierra de talentos natos, impresionantes, capaces de abordar lo que sea con las mejores facultades imaginables: Freddy Reyna enseñó a los europeos cómo el cuatro no se amilanaba ante la guitarra española. Alirio Díaz, guitarrista, compitió abiertamente con Narciso Yepes y Andrés Segovia. El «Pavo» Frank Hernández ha sido un virtuoso absoluto del timbal o la batería, al punto de calzar la suplencia a Tito Puente y modernizar el joropo venezolano en unión de Aldemaro Romero. Y al decir este último nombre, sencillamente Aldemaro, resulta importante al momento de ubicar en la condición de versatilidad al maestro de mayor virtuosismo en lo que toca a música venezolana del siglo XX.

Hay un Aldemaro pianista, arreglista y director de orquestas de baile y cantantes populares esenciales –Alfredo Sadel, por cierto– dentro de la época dorada del género afrocaribeño. Otro queda referido a fusiones jazzísticas con lo latino que, a mediados de los años 50, lanzó para competir abiertamente con el arte de Machito, Tito Puente, Chico O'Farrill o Dámaso Pérez Prado. Un tercer maestro paralelo viene a ser el renovador de la música venezolana con la *onda nueva*, quien también en la década de los 50 tradujo a orquestación sinfónica contemporánea joropos, valses, canciones y merengues, para preservarlos y transformarlos mediante el disco venezolano más importante de aquellos años: un «Dinner en Caracas» que no sólo se convirtió en el vendedor nacional número uno, sino que dio dimensión internacional a la música venezolana instrumental, mediante un concepto que luego la RCA Victor extendió a Colombia, Cuba y otros países americanos. Sencillamente, no se puede entender la evolución de nuestra música sin prestar atención a la propuesta de «Dinner en Caracas».

5) Soledad Bravo tiene el don de encontrar. Encuentra donde busca y esto, especialmente en arte, no es cosa fácil («yo no busco, yo encuentro», decía muy a propósito Picasso).

De ser icono de nuestra música de protesta en los años 60, dio Soledad un giro más que arriesgado. Fue a buscar donde menos se le podía haber perdido; en el mundo de la Salsa duradura. Porque decir Willie Colón a comienzos de los 80 era referir al socio de Lavoe, Héctor, a «El malo» de «La Murga»o «Cheche colé»; al hombre que significaba barrio y reciedumbre en el toque, para nada cercano a cantos universitarios, sofisticaciones sefarditas o experimentaciones venezolanas.

Pero Colón, Willie, tenía interés por lo brasileño y la Soledad contaba con el espíritu abierto de un productor-esposo, Antonio Sánchez, con quien siempre han resultado las cosas. Llegaron las letras de Chico Buarque traducidas por la propia artista; se incorporó algo de Silvio Rodríguez, algo de Milton Nascimento. Ocurrió la contratación de Willie Colón, codirector musical con una buena concepción del toque y sus músicos de siempre José Torres, Sal Cuevas, Milton Cardona, Lewis Kahn. El resultado puede apuntar al más importante disco de fusión con salsa que involucre a un artista nacional: «Caribe».

El disco no sólo propone experimentos bien logrados –fusiones que funcionan–, sino carga la fuerza de penetración popular propia de llegar a todos los estratos imaginables. «Déjala bailar» equivalía a cantar y bailar... *pero deja a esa negra bailar en paz...* Cual si fuera una de Billo's o D'León, tal cual. Y de la noche a la mañana, la Soledad elitesca, sólo para estudiantes o intelectuales, se convirtió en figura número uno de la radio y la televisión. «Son desangrado», «María, María», «Vagabundo» y «Carnaval» reforzaban la idea y hacían que el aplauso llevara el entusiasmo del triunfo de una artista que buscaba a fondo, con todo el ingenio de su arte, concediendo en el mejor sentido del concepto (el de no ignorar las señas del medio ambiente) para encontrar fondo, forma y aplauso cuasiunánime. (¡Qué cosa gregaria, absurda, la de ciertos salsómanos demasiado encajados en lo suyo! Quizás convendría recomendarles el disco de boleros noctámbulos de Soledad, o el esfuerzo de la artista para compartir grabaciones de franca vanguardia con jazzistas de la talla de Jorge Dalto, Paquito D'Rivera y Eddie Gómez.)

6) Estilizar el folclor no es cosa fácil. Ajustar las manifestaciones musicales tradicionales a patrones estéticos contemporáneos es asunto excepcional, siempre expuesto al riesgo del despojo de las esencias mismas del toque propio de la tradición. Tan extraño resulta, pues, conseguir alguna ajustada propuesta de expresión folclórica estilizada, que cuando ocurre mucho conviene compartir el hallazgo para bien de nuestra cofradía de melómanos y, por supuesto, de los artistas involucrados: una mítica «Noche del morrocoy azul» que en los años 80 vio nacer el núcleo de los artistas del Gurrufío y demás especies; vale de-

cir, Luis Julio y Alonso Toro, Cheo Hurtado, David Peña, Aquiles Báez, Taumanova Álvarez o Cristóbal Soto.

El disco, grabado «en vivo» con aire festivo en el estudio, bajo la sabia producción de Alejandro Rodríguez, ofrece variedad de géneros venezolanos mediante un grupo de artistas cultos en lo criollo (¿cabe decir académicamente venezolanos?), amparados en el quehacer conceptual de presentar música de cámara fundamentada en la preservación de nuestro folclor musical.

Otro caso similar, más reciente, está en Los Vasallos del Sol, quienes mediante un compacto titulado «Tibio calor», bien grabado y mejor presentado, ofrecen variedad de géneros venezolanos a través de voces populares propias de un grupo estable, con una decena de años de actividades continuas, siempre amparado en el quehacer conceptual de una Fundación Bigott dedicada a la preservación de nuestro folclor musical. Además, quien escribe las noticias introductorias del disco, Antonio López Ortega, deja saber motivos e intenciones que finalmente ayudan a degustar la música ofrecida por el grupo.

7) Así suene fastidioso, siempre vale repetir lo de «nadie es profeta en su tierra». Y no sólo repetirlo por puro disfrute de lengua, sino hasta para buscarle evidencias concretas que alumbren el dicho: la crítica europea, por ejemplo, refiere a Alfonso Montes e Irina Kirchner, guitarristas integrantes del dúo Montes-Kirchner, como artistas especialmente favorecidos por el público alemán, con 14 discos grabados y presentaciones en unos 37 países.

A pesar del reconocimiento internacional, la presencia del dúo Montes-Kirchner en Venezuela sigue siendo un secreto demasiado resguardado. Tal vez tanto como para recordar cual hallazgo melómano un CD del dueto titulado «Tañido vibrante», que bien puede demostrar la idea de profetizar con éxito en tierra ajena, mediante la colaboración de un ingeniero-productor-músico de altos quilates internacionales –John Taylor–, encargado de grabarles en Alemania un discurso guitarrístico venezolano fundamentado en compositores nacionales del más alto calibre: Antonio Lauro, Vicente Emilio Sojo, Aquiles Báez, Otilio Galíndez, Eduardo Marturet o el propio Alfonso Montes, quien también integró al mismo productor John Taylor, virtuoso de la guitarra, en el tema que da nombre al disco.

Son entonces merengues, joropos, canciones, danzas y valses de franco arraigo criollo, ofrecidos cual arte avalado por estudios y productores de la Europa primermundista ¿Qué más se puede pedir?

8) Un claro perfil de aventura demarca al jazz en este comienzo de siglo. Acaso se trate de dar la bienvenida conceptual a toda música sin límites precisos. Cosa de negar el estricto apogeo a reglas o academias, para amparar, sí, a cuanto músico apueste por las posibilidades irrestrictas de su propia individualidad.

En un sentido audiófilo, práctico, la presente aventura jazzística nos emparenta con alguna importante cantidad de música grabada de vertientes muy distintas, pero importante para la definición misma del jazz contemporáneo. Es así, entonces, como ciertas búsquedas jazzómanas pueden perfectamente abarcar propuestas en apariencia diferentes al género, especiales, tal vez irreverentes, encubiertas en las discotiendas bajo etiquetas de rock, latina, world o hasta música criolla, por sólo destacar cinco rubros y, de paso, ubicar en lo criollo el ejemplo concreto: «Cuatro arpas y un cuatro» lleva por título un disco presuntamente dedicado a la consabida fórmula de «arpa, cuatro y maracas» y lo que ella significa. Pero, ¡ay de quien prefigure esta vez! Tal es la potente individualidad de Cheo Hurtado –cuatrista responsable del producto– que toda prefiguración quedará afortunadamente transgredida por la aventura de un toque «criollo» con la fuerza del mejor *jam session* imaginable.

9) Andy Durán lleva años detrás del mismo objetivo: la música tropical de orquesta, apoyada en buenos solistas nacionales, que lo lleve al estrellato. El mismo Durán no tiene problema alguno al confesar una búsqueda empadronada por los sonidos de Tito Puente, Tito Rodríguez y Machito; vale decir, ofrecer una *big band* conformado por una sección rítmica de afinque latino, más saxos, trompetas y trombones al servicio de balancear oído y baile.

En términos melómanos, el sonido de Durán, sus arreglos y dirección orquestal, ha quedado preservado en cuatro discos compactos de calidad ascendente –cada vez suenan mejor–, producidos con el firme propósito de quien no quiere tregua en lo que hace: a su decir, un *Latin jazz light* –¿jazz latino ligero?– que, de paso, le sirve de título al más reciente disco contentivo de un premonitorio homenaje a Puente –«Oye como va»–, dos o tres clásicos del género –«Perdido», «Mambo Manila»–, la exploración del estándar jazzístico llevado a mambo –«Intermission Riff»–, el tema del Durán compositor –«El jazz y lo latino»– una versión de «Peter Gunn» y hasta el bolero «Sabor a mí», cargado de *feeling* con la intervención de Mary Olga Rodríguez.

10) La música instrumental toma un sentido muy particular cuando se dedica a la expresión popular urbana. Los instrumentos entonces evocan líneas melódicas que pertenecen al canto y muchas veces invitan al oyente a participar con la sola destreza de su propio tarareo... *satélite llamando a control, no responde...* Sea así como, encima de la voz del melómano oyente, quepa un solo de saxo de Rodolfo Reyes que algunos compases más tarde es contrapunteado por la orquesta de afinque jazzístico-latino.

¿Puro sueño y teoría melómana? Pues afortunadamente esta vez el asunto tiene tanto de certeza como la misma presencia del último CD de Saxomanía en nuestro mercado disquero. Un segundo producto discográfico de Rodolfo Reyes y William Nazareth, quienes capitanean esta orquesta venezolana de «puros estrellas» –arreglistas incluidos»–, con el claro rumbo de reubicar el sonido salsero duro dentro de los confines de la buena música instrumental y que, de paso, ofrecen justas excepciones dentro de su mensaje instrumental: el canto de Andy Montañez o Francisco Pacheco al evocar al mismísimo Ismael Rivera inspirador del disco.

11) Combinar estilos, géneros, adoptar música popular variada a un formato universalmente contemporáneo, acaso sean actividades esenciales de algunos artistas dedicados a perfilar venezolanidad con ciertas trazas jazzistas y que, por ello, hoy pueden presentar evidencias concretas para corroborarlo: un disco –«Venezuela Fiesta»– con oferta de repertorio diverso, totalmente ajustado a la atmósfera «pluricultural» de nuestros piano-bares (desde «De repente» hasta «Amapola», vía «New York-New York»); un cuarteto de maestros nacionales Frank «Pavo» Hernández, a la batería; Michael Berti, al bajo; Mario Zambrano, clarinete y saxo alto liderado por Virgilio Armas al piano, aquí en favor de preservar ese sonido pop salpicado por el jazz (cierto espacio para la improvisación o la libre expresión del solista), con más de veinticinco años de reconocida presencia y que ellos mismos ayudaron a perfilar.

Variedad, experiencia y destreza son tres claves fundamentales dentro de la propuesta de esta «Venezuela Fiesta», que Producciones León ofrece a todo melómano en busca de una amable interpretación instrumental de música popular internacional, del todo acorde con ese ambiente noctámbulo que a muchos nos resulta entrañable, conocido (¿el Juan Sebastián Bar caraqueño transportado a la intimidad de la propia casa?).

12) Curiosas pueden resultar las historias de los eventos artísticos. Novelería pura en muchos casos, pero novelería construida en el qué, cuándo, dónde y cómo de trascendencia tanto por el personaje central como por la misma obra que lo sostiene. Se habla así, según el caso, del hombre cantándole a la vaca de ordeño de un magnate norteamericano, para terminar siendo ídolo absoluto del *folk music*; del presidiario con la queja del más lastimoso blues de cárcel imaginable... *qué malo es estar, estar en la cárcel...* También se cuenta de la cocinera que entonaba los mejores boleros, a pura voz en cuello en La Habana de Cabrera Infante o, un poco más acá, del niño venezolano Guacarán convertido en éxito viviente –fugaz, eso sí– por su canto al peregrino de visita.

Cada caso, una historia. Cada historia, al menos la posibilidad de un cuento –como en «La vida de las canciones»– con final feliz y moraleja incluida. Hablemos entonces del caso reciente de Eugenia Méndez; la artista que se prepara y ofrece talento a través de piano, arreglos, dirección y voz en espectáculos especiales, que de cuando en cuando acepta nuestro ambiente. Llega hace algunos meses Eugenia con una noche de jazz en el café caraqueño de la Alianza Francesa. Una noche de embajadores, personalidades del mundo diplomático y público intelectual, atento al resultado del fructífero intercambio entre la artista y cierta diligente profesora francesa, Joelle Montech.

«Nada. Se ve que Eugenia es hermana de la catira francesa. Lo de Méndez le vendrá quién sabe de dónde». Así rumorea el público presente, que ve familiaridad entre el tipo de la profesora y el de la cantante. Y parecidas en verdad son. Parecidas no sólo en el físico sino al punto de inventarse una de integración cultural, talentos de por medio, mediante poéticas traducciones de Joelle (canciones en español o inglés llevadas al francés), que sirven a las interpretaciones de Eugenia, quien a su vez ha aprovechado las enseñanzas de las clases de francés de la Alianza, recibidas en intercambio tutelado... pues, por la propia Joelle.

La trama de la una que trabaja para la otra, y viceversa, se desenvuelve, sobrepasa la explicación de la historia de las canciones de Eugenia y Joelle, y suena. El público de la Alianza aplaude, acepta, quiere más. La curiosa liga de venezolana y francesa recrea temas de nuestra cultura conquistados para el jazz mediante el idioma francés: *Embrasse-moi* viene a ser el clásico bolero «Bésame mucho»; *A tou retour*, de Henry Martínez, es «A tu regreso»; *Inoubliable*, aquel... *En la vida hay amores que nunca, pueden olvidarse...* Hasta la muy improbable «Potranca zaina» de Juan Vicente Torrealba, acepta –y de qué manera– una natural transfiguración jazzística.

La historia continúa. El aplauso se convierte en proyecto discográfico para que un *Embrasse-moi* llegue al mercado con todo y su porqué del disco en francés hecho por una venezolana, etcétera. Pero hay algo más: la grabación se recubre del talento de Andrés Briceño –batería–, Carlos Rodríguez –contrabajo–, Engelhart Sánchez –percusión–, Rafael Brito –cuatro. De Rodolfo Reyes tocando saxo y dirigiendo su Saxomanía favorecida por los arreglos de Pedro M. González. La ingeniería y mezcla del disco resultan incuestionables. El empaque y diseño, a cargo de Alejandro Calzadilla, afortunadamente toma en cuenta que tanto Joelle como Eugenia son mujeres creativas, arriesgadas y parecidas. Y mire que muy bien parecidas.

13) Se supone que un buen jazzófilo esté pendiente de las cosas buenas del jazz y del no jazz. «Música buena y música del otro tipo», fue el credo de Duke Ellington, hoy nuestro, siempre en favor de abrir la mente a propuestas interesantes vengan de donde vengan: ¿El mismo Desorden Público de los chamos, ni tan chamos produciendo algo especial? Pues, sí, ese mismo grupo, que resulta no ser un desorden y mucho menos público, ofrece un reciente disco compacto titulado «Diablo», en el cual el discurso bailable propio de la banda se expande a fronteras musicales donde caben nuevas composiciones de Horacio Blanco con gancho para la oreja melómana, versiones de clásicos caribeños... *si tiras, la primera pieedra...*, arreglos ingeniosos, buenos solos de guitarra, trompeta, percusión, y ese sentido de ejecución firme, a ratos inspirada, que recalca lo de la música buena como única categoría auditiva francamente interesante (un secreto a los amigos disc-jockeys de las emisoras de radio

populares: si se animan, el tema «Amargo rencor» podría ser la primera revancha sería del género popular bailable venezolano en este milenio. Oído, mucho oído, por favor).

14) Bien vale la pena compartir ideas escritas, si las ideas compaginan con el modo de sentir y pensar estas cosas de arte. Van así a continuación dos críticas disqueras aparecidas en los diarios nacionales en 2004: la primera, «Colores y tempestades del piano venezolano», escrita a dos manos conjuntamente con la periodista y cantante Marina Bravo; la segunda, proveniente del talento de Jorge Sayegh quien, en la edición de *El Universal* del 26 de febrero de 2004, bien aprovechó su destreza como ensayista político para esta vez entregar un singular artículo acerca de los Amigos Invisibles y su más reciente producción disquera («Rico pa'gozá», como bien diría la voz bobota con que comienza el CD).

ACERCA DE PRISCA DÁVILA (COLORES Y TEMPESTADES DEL PIANO VENEZOLANO)

Llega un compacto cuya presentación sugiere música venezolana de cámara, mediante un piano salpicado de conceptos útiles para rebatir academicismos prefigurados: «Prisca, Piano jazz venezolano». Así la portada del compacto, así la artista Prisca Dávila, joven estudiante de Historia en la UCV y pianista, quien en su primera producción discográfica deja saber cómo la definición jazzística sugiere elementos innovadores, proyectados algo más allá de las acostumbradas interpretaciones que se hacen de valses o merengues venezolanos. Armonías, pulsación del instrumento, matices de improvisación moderna quedan aquí integrados a géneros nacionales o acaso nacionalizados (¿es el valse algo criollo-criollo?), para quizás dar a la interpretación un carácter más universal, evocatorio de los sonidos y colores de nombres como Chick Corea o Michele Camilo, indiscutidos maestros contemporáneos del piano-jazz.

Desde la primera audición del disco algo centra la idea de la juventud creativa cual momento de experimentos, osadías y sueños pero, sobre todo, de esperanzas y, en este caso, de esperanzas para quienes hacen música venezolana. Se trata, creemos, de la esperanza concretada en una pianista que revela conocimientos académicos combinados con cierta importante inclinación popular. Alumna del maestro Gerry Weil, distingui-

do nombre dentro del jazz nacional, Prisca interpreta, improvisa y recrea la temperamental gracia que este particular músico imprime a su creación, para así rendirle homenaje al incluir seis temas del maestro de los nueve que componen la producción. Un disco del Weil compositor, digamos, en manos de la alumna que asimismo aborda un par de temas propios, y termina dando espacio central a «Hoy quiero regalarte el mundo», valse de Eduardo Dávila, su padre, productor ejecutivo del disco.

«Piano jazz venezolano» resulta también la consecuencia natural del premio otorgado a Prisca en un concurso reciente organizado por la profesora Giomar Narváez. Un premio convertido aquí en grabación que ayuda a sembrar los nuevos colores del piano en nuestro país, por conducto del mejor ánimo de una generación de relevo con propuestas libres, auténticas y, mejor aún, llenas del alma que respeta las tradiciones al punto de atreverse a innovar con fundamento en ellas (¿será que hay al fin hay espacio para el espíritu que admira al maestro y reconoce su importancia no solo con palabras sino con trabajo propio?).

ACERCA DE LOS AMIGOS INVISIBLES

Desde pequeño me llamó la atención que el Maestro (así, con mayúscula, que el viejo se lo merece) Uslar se refiriera al público como «amigos invisibles». Para un niño, «invisible» es un superpoder que tienen los villanos de las comiquitas (en la mitología moderna no hay muchos héroes con la capacidad de desaparecer. Sólo la señora Sue Richards, de los Cuatro Fantásticos, que yo recuerde) y que es una cualidad propia y voluntaria del personaje. Pero ese señor tan serio lo usaba como la característica lógica de su público. Se dirigía amablemente a personas que, aunque no fueran para nada transparentes, no podía ver y, por lo tanto, para él eran invisibles. Irrefutable y muy pedagógico, pues me enseñó a entender pronto la amplitud que podían tener las palabras y los conceptos.

Hace algo más de diez años descubrí un grupo de carajitos del este caraqueño que componían e interpretaban una música curiosa, divertida y, sobre todo, auténtica. Y aquí llegamos al punto clave de todo esto. ¿Auténtica? Un buen amigo ucevista me dijo una vez que escuchar a Café Tacuba lo remitía a toda una cultura mexicana, mientras que los Amigos Invisibles le parecían unos sifrinitos wanabí. No le sonaban a nada venezolano. En el momento, no tuve mucho argumento. Los Amigos, quienes definen su música en todos sus discos con el adjetivo «venezuelan», así en inglés, en realidad no suenan muy vernáculos que digamos.

No hay mucho golpe tocuyano, gaita o estribillo y, cuando lo componen, el joropo suena a Onda Nueva. Tienen mucho más de bolero, funk, tecnomerengue, lounge, salsa, disco y, sobre todo, televisión venezolana. Sus referencias musicales autóctonas, más que las notas de un arpa a la sazón de un cruzado a orillas del Arauca vibrador, deben ser los conciertos de Desorden Público, los discos de Evio Di Marzo, los soneos de Oscar D'León y el veredicto del maestro Almenar Otero en «Cuánto vale el show». Pero creo que nadie podría decir que no se trata de referencias culturales venezolanas.

Quizás los Amigos Invisibles no suenen a Venezuela, porque no nos hemos dado cuenta de que hace mucho tiempo Venezuela se desarrolló como un mutante indescifrable donde retoña de todo. Esa Venezuela de escenografía de canal 8 hace tiempo que ya no existe. Los Amigos suenan a la Caracas y los grandes centros urbanos del país de los últimos 30 años, donde se concentra más de la mitad de la población. Suenan a muchacho encerrado en su casa tras las rejas que nos impone la inseguridad, suenan a automóvil ruletero porque en las ciudades de este país no se camina, suenan a pregón buhonero de bulevar tomado, suenan a nostalgia venezolana en tienda porno de Manhattan.

En lo que a mí concierne, son lo más auténtico que está sonando últimamente.

Jorge Sayegh

Dos conclusiones respecto a estas CDgrafías ayudan a finalizar el presente capítulo. Proceden de tiempos distintos y enfocan el colofón del asunto de forma tan diferente, que no pude aquí integrarlas sino haciendo con ellas exactamente lo contrario: presentarlas por separado según el año en que fueron redactadas.

UNA, 1996: A pesar de que faltan reimpresiones básicas en formato compacto, la discografía compacta venezolana selecta existe. Acaso muchas veces requiere del apoyo crítico para mejorar la orientación de un público comprador saturado por la excesiva oferta, pero jamás cabe la desilusión propia de quien busca y no encuentra; todo lo contrario: hay CD venezolanos de buena factura artística y tecnológica, están a la disposición, y muchas veces bien vale la pena el esfuerzo económico que supone adquirirlos. De resto, llamar a la queja colectiva por el alto costo, o por el poco apoyo de los medios de difusión, no tiene sentido; estamos en la fase de un submundo de compactos cual artefactos de lujo (*underground* criollo de público selectivo y pudiente), e inútil suena el discurso de lo imprescindible de la cultura masiva, precisando a la música como pedazo fundamental, para sólo dar variaciones, elaboradas y perdidosas, de los recalentados «No sólo de pan vive el hombre», «La música es el alimento del alma» o, peor aún, «Compre venezolano». Quizás en vez de reírnos, eso sí, debimos haber llorado el cursilón lema antes puesto a juro en la contraportada de los discos; aquel todo en serio, nada en broma, que anunciaba con tono oficialoide: EL DISCO ES CULTURA (por cierto, está impreso en el último y exitoso CD de los Amigos Invisibles; el de la «Venezuelan gozadera»... cien por ciento recomendable).

OTRA, 2004: Cuántos cambios de formato de la música grabada ofrecida al mercado han conservado tan sólo un principio básico: alrededor de quince dólares por unidad de estreno, costo firme al público, con carácter de regla severa. Igual siempre para el LP de estreno en los años 70, el audiocasete proveniente de la fábrica y también para los primeros o últimos compactos de ley, hoy con unos veinte años de historia comercial.

Quince dólares determinaron la llegada y salida de tecnologías; su triunfo, permanencia y sustitución en razón de que tal suma, supuestamente, podía soportarla todo semejante occidental con las necesidades básicas resueltas. Un «si puedes guardar algo, algo puedes gastarte»: cine, libro o disco, según cierto orden de costos «culturales» ascendentes –de más barato el ticket de cine, a más caro el disco con el libro en el basculante medio.

Así el inmutable «quince dólares» y sus alrededores, fue entre nosotros ese algo, supuestamente sobrancero, que cargó con sus años de conversiones cambiarias transmutadas en casos y cosas de la melomanía. Y qué historia de historias ésta, toda una gama de pequeñas sagas cargadas de las tristes carencias del bolsillo de cada quien; digamos: años 80. Vas por los aparatos que reproduzcan compactos. Te anotas con CD de quinientos y tantos bolívares, algo más costosos que los «vinyles» grandes, pero de inmaculado sonido. Por fin, dices, el crescendo del «Bolero» de Ravel o «Kind of Blue» de Miles Davis, llegan sin el fondo con huevos fritos de la aguja del tocadiscos. Puro, purísimo el sonido que despide a los discos grandes, así no falte quien jure que esta tecnología es pasajera, que a los veinte años los discos se borran para siempre («Toda grasa está consagrada al señor» recuerda cierto melómano pavoso, pero profético).

Pasan los años. Como puedes te defiendes de tus «viernes negro» y demás especies. La vida melómana continúa. El orgullo dice que casete pirata sólo da alternativas miserables. Muy pocos siquiera lo miran porque, pase lo que pase, la bajada económica tiene aguante. Lejos con él. Todo interesado con alguito de sobra parece haberse puesto en aparatos de compactos que armonizan con televisores y parabólicas. Signos de una era que defiende el derecho a los quince dólares de exceso. Pero siguen pasando los años, mientras la bajada se hace pendiente de barranco y...

Queda menos, mucho menos. Quedan, sí, las ganas y algunas vidrieras. El cambio no da, no llega, no alcanza. No sobra. La discotienda favorita toma apariencia de joyería arruinada; allí se escucha, pero de allí no se lleva a la casa. La calle forma un enorme mercado libre. Mercancía de remate-remate realza la corte de los milagros. El casete ahora sí como que trata de levantar cabeza, pero qué va; aparece el aparato quemador, reproductor exacto del compacto (¡arriba el ripio!). O casi exacto, si uno se hace la vista gorda. Tan gorda como para tragar un agrio remedio para discoconsumidores que no pueden con la regla de las reglas, la de los quince tú sabes qué.

Pero, abajo las reglas. Toda grasa termina consagrada a quien quiera y pueda. Sea entonces que el disco casero, quemadito, compita abiertamente con el blúmer, tarantín de por medio. Sean así también los especialistas de su mercadeo –del quemadito, digo–, gente que sella y garantiza, recordando con su práctica cómo los usos y costumbres económicas, guste o no, derogan leyes más o menos temibles.

¿Lamentable?, ¿muy lamentable? Cómo se le hace, no es asunto de preferencias (¿quién por ahí no quiere su cajita de fábrica, ah?). Cosa de lo puro obligado, de la casi única alternativa en este mientras tanto que dura, y dura. Y dura.

V
Voces de la peña

Primera voz de la peña

Aquí se habla de «peña» para identificar las reuniones de amigos melómanos que comparten libremente sus gustos e ideas musicales. Cónclaves periódicos, preferiblemente nocturnos, aderezados siempre por bastimentos suficientes para procurar la locuacidad de los presentes, a quienes tan sólo se les pide camaradería, música entrañable y, de cuando en cuando, especulaciones diletantes y hasta eruditas (¡salud!).

❑

¿Qué da más en Venezuela entre la pintura, escultura, literatura, danza, cine, teatro y música? ¿Qué vale más? ¿Quiénes son los estos y los otros? ¿Por qué un género en vez de aquel? ¿Y el hombre que prometía y prometía, y jamás cumplió? ¿Cómo se llamaba la mujer que cantaba mejor que la Guillot?, ¿la malograda Perla Negra, era? ¿Buñuel vio *La escalinata* de Henriquez antes de hacer *Los olvidados*? ¿Acaso Raúl Montenegro no se ganó el premio del mejor actor del mundo con *El prestamista* (pero Montenegro era chileno)? A ver, un poquito de resumen por puro ordenamiento del desmadre cuestionador.

Se habla de Soto, Jesús Rafael, como lo más grande que ha dado este país para el arte universal. Tú llegas al Museo Pompidou de París y allí, en la misma entrada, está guindada al techo aquella escultura enorme, redonda, cinética, aplaudida por los franceses y los no franceses. Soto es nombre obligatorio en cualquier lista de venezolanos francamente internacionales.

Pero antes de Soto, siempre Bolívar, por supuesto, Libertador de Libertadores, también poeta creador de lo de... *Yo venía envuelto con el manto de Iris...* Y su maestro Andrés Bello (la gramática, los poemas y las traducciones), tal vez Simón Rodríguez. Antes de ellos Francisco de Miranda: se contaba que su nombre estaba grabado en letras de oro en el mismísimo arco de triunfo de la Ciudad luz. Sumo y sigo: Reinaldo Hahn –entre francés y venezolano–, Teresa Carreño –triunfó allá y aquí–, Freddy Reyna con su cuatro en un festival parisién que lo aplaudió y premió. De otros pintores del pasado, mención honorífica para Martín Tovar y Tovar con los frescos del Capitolio producto del saber académico, Michelena o Rojas plenos de medallas europeas, a cual mejor. Luis Alfredo López Méndez, erudito, paisajista, gozón cultor de flores, mujeres lindas y artífice de la frase de arte más filosófica que le conozca a venezolano alguno: «Yo soy muy pacífico y lo que quiero es que me dejen tranquilo. No pretendo cambiar nada, ni estoy dando rutas nuevas, lo cual me parece muy difícil hacerlo. Yo pinto por el placer de pintar, lo cual es muy grande. Yo gozo pintando y lo que quiero es que me dejen tranquilo...».

Queda por fin Reverón. Reverón el pintor de la luz. ¡Grandísimo!, hasta mejor que Monet desde los tiempos cuando los valses de Pedro Elías Gutiérrez –el «Geranio»– competían con los de los hermanos Strauss, mientras las novelas de don Rómulo Gallegos le daban lo suyo al arte de Cervantes, Victor Hugo y los demás. Todo esto, por supuesto, en instancia anterior a la ida del sabio científico Fernández Morán, quien murió afuera melancólico, poético, de pura incomprensión, sin que aquí lo dejaran tranquilo, y haciendo la salvedad personal –mía, por supuesto– de que el toreo –Diamante Negro y los Girón– como la ciencia merece comentario y capítulo mixto entre el arte y el deporte (!).

Y ya que se menciona lo de don Rómulo Gallegos, también fundador del partido Acción Democrática, a Pedro Elías Gutiérrez, músico central en la época del Benemérito, cabe en forma plena el cuento de los mejores exponentes de dichos artistas. Dígase ahí de una vez por todas: «Alma llanera» y *Doña Bárbara*, música y literatura vernácula, magníficas, con resuello en todos los rincones del universo por obra y gracia de su calidad y, muy principalmente, por la alianza perfecta con el séptimo arte. ¿El cine? Sí, mi llave, el cine; porque cine del bueno es el de la película que enseñaba las piruetas de Esther Williams al momento de tirarse en una piscina en clavado perfecto, mientras Carlos Julio Ramírez (aquel cantante colombiano que ni por los pies le daba a Alfredo Sadel) le cantaba... *muñequita linda, de cabellos de oro...* «Escuela de sirenas», tal el título en español del *Bathing beauty*, 1944, donde además la propia versión del «Alma llanera» interpretada en fantasía visual con la orquesta de Xavier Cougat, el canto de la rumbera Lina Romay (nada que ver con la actriz porno, años 70) y tremendo cuerpo coreográfico (puro Bugsy Berkeley, pero dirigido por George Sydney) que bailaba joropo *marimbeao*, según el internacional estilo de la orquesta. Todo el mundo caraqueño tuvo que ver con aquello. Éxito total para los artistas involucrados y hasta incidentes medio desagradables producto de la presencia de Cougat en Caracas y Alfredo Alvarado, «El rey del joropo», esperándolo a la salida de Radio Continente para partirle la boca de un solo carajazo por haberlo llamado indio en una presentación del día anterior (Cougat luego lo sacó de la cárcel dándole un abrazo disque reconciliatorio, con periodistas y fotógrafos atestiguando una oferta para bailar el «Alma llanera» con la orquesta en el hotel Ávila, donde por cierto esa oferta jamás fue).

Nadie lo dice, mi vale, nadie, pero fue a partir de esa película que la música venezolana se dio a conocer internacionalmente. Bien sé lo del estreno del «Alma llanera» el 19 de septiembre de 1914 en el Teatro Caracas, que la canción era parte de una zarzuela de igual nombre; que en la puesta en escena de la Compañía Martínez Rueda aparecía una muchacha cantándola en una casita rural de los llanos de Apure, y allí la letra de Rafael Bolívar Coronado, también central para la canción del maestro Pedro Elías, se metió en el alma del público presente y aquello fue aplauso y aplauso. Bien. Pero por gracia del cine norteamericano de Hollywood, ya dije, fue como aquello lo vieron y oyeron hasta en la Conchichina y así aquí, de puro retruque, aprendimos a valorar el joropo o mejor, más específicamente, el joropo «Alma llanera» desde entonces popularísimo –fíjate como hace nada lo cantó nuestra *prima dona* Inés Salazar, con orquesta de niños virtuosos en el Teresa Carreño–, grabado cientos de veces por cuanto artista quiera hacer un tema venezolano –por allí, se ha tratado con «Moliendo café» y «Caballo viejo», pero qué va–, y tocado siempre para terminar las fiestas o venezolanizar las tenidas más encopetadas. Además, habría que buscar quien dé correlación de nuestro joropo fundamental, con el puro impulso nacionalista que uno gozó al oír la palabra «Venezuela», coreada por un público de puros norteamericanos, cuando Harry Belafonte, en los años 60, cantaba el calipso... *Matilda, Matilda... Matilda, she take' my money and run Venezuela...*

Pero «Alma llanera» no es lo único que el arte criollo adeuda al cine internacional. De ninguna manera. Consta el soberbio papel de María Félix en la *Doña Bárbara* del mejor cine mexicano: año 1943; Fernando De Fuentes, su director; Julián Soler un Santos Luzardo iluminado por Barquero en El Palmar de la Chusmita con aquello del problema de los venezolanos... *es el centauro que llevamos por dentro...* Una enorme versión pantalla de plata, siempre a la orden de quien quiera saber por qué a la Félix le dieron el apodo de «La Doña» («La dueña», eso sí, esa es Nancy Toro). Les digo, no sé qué hubiera sido de la novela de don Rómulo si María Félix no lo hace tan, pero tan bien. Eran colas y colas de gente queriendo verla en el Principal, el Junín, el Hollywood... Todo el mundo orgullosísimo, comprando la novela que, sí, circulaba premiada desde los años 30, pero cuya lectura popular, propia de liceos y gente ostinada en su casa, solo vino a partir de la verdadera «Doña», una mujerzota novia y señora de Negrete y del «Flaco de oro»; el Lara, Agustín, que hasta le compuso lo de «María Bonita».

El cine, mi querido amigo, es el medio que hizo saber al mundo y a nosotros mismos de nuestras cosas artísticas principales. Te pones a ver, ni siquiera la televisión luego ha logrado destacarnos los valores vernáculos de aquella manera, aunque bien sé de la transmisión inicial de la Televisora Nacional un primero de enero de 1953, cuando los alumnos de la Escuela de Formación Artística, anunciados por Henry Altuve, dieron versión premiada de... ¡«Alma llanera»¡ Y tiempo después, 1958, Adilia Castillo –otra doña– le presentó su versión televisiva a don Rómulo, con un Edmundo Valdemar que daba tono a Santos Luzardo. También se conoce cómo cuando Luis Herrera se hizo el esfuerzo de transmitir telenovelas a juro culturales en horario estelar –Marina Baura ya no de ricitos de oro–, pero qué va; no es ésa la causa de que nuestras misses estén centraditas al momento de recitar los iconos de la cultura nacional. El cine –desde Hollywoood y México–, repito y sospecho, no sólo nos consagró nuestros iconos principales en materia de música con el «Alma llanera», o de literatura con *Doña Bárbara* –después los mexicanos versionaron al Gallegos de *Canaima*, *Sobre la misma tierra*, etcétera–, sino quizás en las mismísimas artes plásticas con la película aquella de Reverón, realizada y dirigida por la misma Margot Benacerraf ganadora de un Festival de Cannes a través del documental *Araya*. Sí, la fama de Reverón, se debe en parte al cine: el hombre con su pumpá pintándose un autorretrato en El Castillete de Macuto; el cuarto lleno de espejitos y peroles que ayudan a la imagen del Gaugin tropical. Las escenas, totalmente complementarias a esa otra película anterior e inferior de Alfredo Anzola, donde también aparecía pintando, pero en guayuco, mientras Juanita y el mono le hacían comparsa.

El cine, mi llave, el cine... ¿Parece exagerado? ¿Que no es lo mismo una *Escuela de sirenas* que un documental culturoso? De acuerdo, no es lo mismo; pero no se me ocurre otra explicación lógica distinta a la siguiente: por cada cien espectadores de la *Escuela de sirenas* o de La Doña, digamos que uno iría al documental de Benacerraf; tan sólo uno de estos por cien de aquellos y la ecuación da un gentío en términos de espectadores culturosos interesados en verle genio al pintor de Macuto. Además, mi querido contertulio, ¿cómo te explicarías el cambio de opinión general para entender a Reverón cual genio en vez de loco?, ¿qué otro medio podía procurarle la popularidad necesaria para convertirlo, con el paso del tiempo, en único y exclusivo maestro exportable? Fíjate cuantas exposiciones, cuántas salidas a representar los valores del patio: Nueva York, París, Madrid, otra vez Nueva York («I like the guy, but I don't like his paintings», parece que en mala hora dijo un criticucho por ahí). ¿Quién más? ¿Cuál es el medio de comunicación natural no solo de Reverón, sino de nuestros esenciales talentos superiores? Pela ojo y oreja, sigue a los críticos, pero también al gusto común; pon cuidado una vez más: «Alma llanera», *Doña Bárbara* y Reverón, por gracia del cine. Casi veinte millones de venezolanos no pueden estar equivocados... o al menos, no pueden pero que tan equivocados (bueno, la verdad aquí también se dijo Soto, Jesús Rafael, quien, por cierto, además tocaba boleros de Lara en la guitarra y... ¡también tiene una película!).

Otra voz de la peña

Intervención de un veterano melómano, peñista complementario al de la primera intervención...

❑

Se pide y solicita palabra a los compañeros de la peña. Digo: no cabe tanto desperruje ni disiforia cuando se piensa y resume hasta dónde han llegado las cosas. Digo: no se sigue la recomendación griega de pelo corto, vestido sencillo y cero adornos para los varones serios; menos aún cuando se ve tercios que llevan melena pintada, lucen zarcillos y cintillos, visten de colores distintos al gris, negro o marrón; andan agitando bolsas de mercado por la calle, se quejan de los elementos naturales como muchachitas malcriadas... *¡Ay, hace frío!... tengo calor... hay como mucha humedad...* ¿Me van comprendiendo? ¡Ni hablar de las profesiones de ahora! Resulta que hoy día no deshonra ser aeromozo en aviones de Aeropostal, ni *stripteaser* que se desnuda en bares de puras mujeres. ¡Si es que hasta más de uno que conozco está quebrado al punto de andar con pollina y cortarse el pelo con peluqueras..!

Por todo esto y por mucho menos prefiero comprender viniéndome de atrás, ir a la costumbre sólida, universal, a lo clásico puro: el hombre reservado, sobrio, capaz de resolver dentro de los asuntos propios de su sexo y condición; el que sabía de compostura y la aplicaba a lo que hacía. ¿Hombre cantando?, si eso toca, pues, fuera las risitas y bailaderas; el canto será canto puro, sin chistes ni risotadas. Pararse, entonar, decir la letra con la pura inflexión de la voz. Ése era el caso de don Pedro Vargas, samurai mismo de la canción... *Mujer, mujer divina, tienes el veneno que fascina en tu mirar...* «¿Te das cuenta? Un canto serio, masculino, listo para el Aula Magna de la Universidad Central con un orquestón en favor de interpretar «Las Garzas» del poeta Andrés Eloy (Blanco), con música del maestro Serrano (Eduardo):

Es una nube
Es un punto vacío
En el azul
No amigo mío
Es un bando de garzas
Son las novias del río...

Es un bando de garzas
Son las novias del río

Sigo porque les gusta la cosa, pero hago pausa y preciso actividad seria en este asunto: nada de Pedrito Rico, Raphael o Sandro meneándose. Nada de Ivo batiendo records de pelo largo, ni de los mensajes del Trino Mora. Porque lo de «Sé tú mismo» y «Libera tu mente» tendrá su espacio común en el tiempo que hemos vivido, con gran valor como composiciones de cosecha propia, pero lo que es a mí me resbala y pierde –¿se acuerdan del «Palo encebao» del canal 8?–, aunque reconozco la necesidad de incluirlo en el recuerdo y, de paso, en el resumen. Voy.

La balada llegó y reformó. Creó salida nueva al bolero, lo sé. Hizo que el canto romántico diera una vuelta de tuerca a favor de la gente joven. Y llegara Delia con la propaganda de cigarrillos de... *un poquito más...* –tremenda cantante–, o Marlene, Patty Ross –la de las piernotas–, Las Cuatro Monedas –todos cuatro hijos del pianista Pat O' Brien–, los Tres Tristes Tigres; Mayra, Mirla y Mirtha; Nancy Ramos, reina de los temas navideños. Un poco antes había un loco llamado Germán Fernando que experimentaba con música latina tratando de meterle letras osadas e imagen de Elvis Presley combinado con Rolando LaSerie y Lucho Gatica (tremenda merengada, señores), rock y otras especies.

Este Germán Fernando, hombre de vanguardia y experimento que tiene años perdido del ambiente, hace que ahora el discurso asome por otro lado muy interesante. El lado experimental que tiene caminos insospechados y va desde lo que se comprende por música venezolana, hasta el recorrido de la música de protesta. ¿Cómo es la cosa?, fíjense.

¿Música venezolana, lo criollo folclórico, lo recio, el tambor y la fulía? Ay, mi vale, qué lejos están algunos de ver las cosas como son. Si es que todo es mezcla y remezcla. Desde los orígenes de los instrumentos «criollos» (el cuatro hijo de la guitarra, el arpa del instrumento europeo y los tambores y maracas, tan medio negros como medio indios), hasta las rítmicas, las melodías y las estructuras armónicas propias de nuestra música. Pero no me quiero meter mucho con eso. Prefiero recomendar a los musicólogos criollos; dejar a Juan Bautista Plaza, al profesor Calcaño, a Israel Peña, a Feo Calcaño, al profesor Peñín, a la gente de la Fundación Bigott para que sean ellos quienes nos cuenten, nos digan, nos respondan acerca de temas de sus especialidades. De nuestra parte, creo, debemos plantear las incógnitas y dejarlas allí, a ver cómo se responden.

¿La rítmica y los instrumentos folclóricos son los elementos que marcan la música venezolana?, ¿por qué...? ¿Acaso no ven que los compositores, los creadores intelectuales de la música, se sirven de los ritmos y los instrumentos a su leal saber y entender? ¿ No resulta qué una vez informados de esto y aquello se sirven de lo vernáculo y de lo extranjero con completa libertad y lo convierten en criollo...? Bueno, ¿y cómo fue pues que los valses europeos llegaron a ser venezolanos? No son composiciones criollas el mismo «Geranio» de Pedro Elías Gutierrez, o el «Conticino» de Laudelino Mejías que tanto se baila en fiestas de quinceañeras?

Quiero aquí hacer paréntesis para medio delinear con la evocación de nombres precisos, centrales y distintísimos, cierta evolución de nuestro «criollismo»: Lorenzo Herrera, Andrés Cisneros y Magdalena Sánchez fueron figuras de la primera parte del siglo. El dueto Espín Guanipa, Los Cantores del Trópico de Antonio Lauro y los conjuntos de Vicente Flores también afincaron criollismo más o menos típico, pero con aderezos del ingenio de cada cual mientras Héctor Monteverde –«El muñeco de la ciudad»–, María Teresa Acosta y Rafael Montaño daban alternativa de solistas a los conjuntos cañoneros de la ciudad: Los Antaños del Stádium, el Cuarteto Caraquita y las distintas bandas de retretas para domingos musicales en la Plaza Bolívar. Luego, en los años 50, fue el turno de Mario Suárez, Adilia Castillo, Aldemaro y Juan Vicente Torrealba. Hugo Blanco, Chelique Sarabia, Simón Díaz y de nuevo Aldemaro, quienes recomponen el sonido criollista de los años 60 mientras que Morella Muñóz, Jesús Sevillano –Quinteto Contrapunto– Olga Teresa Machado, Edith Salcedo, Lila Morillo, las hermanas Chacín y Cherry Navarro (en sus comienzos intérprete de Chelique), dan bienvenida a Raquel Castaños, Caridad Canelón y Violeta Alemán, niñas prodigio de la Bambilandia televisiva... También recuerdo, sin orden ni concierto pero con necesidad de nombrarlos para traer pasados más recientes: Los Cuñaos de Alí Agüero, Serenata Guayanesa, Un, Dos Tres y Fuera –tremenda banda de fusión–, José Luis Rodríguez discotequizando al «Pavorreal» –¿quién no lo bailó en su momento? El Cuarteto, Gurrufío, los trabajos de Huguette Contramaeste y Saúl Vera en Con Venezuela o fuera de ella, y mil personajes más que intentaron con lo nuestro y lograron hasta cantarle al mismo Papa Juan Pablo Segundo cuando, en su visita, recibió la venezolanísima canción «El peregrino», en voz del niño Guacarán...

Los nombres, para quienes los conozcan, suenan a que las cosas se van sofisticando. Se mezclan y modernizan aunque no lo parezca. ¿Cómo se explica, si no, la instrumentación de conjunto de cámara criollo favorecedora de la flauta? Antes fue el clarinete, pero llegó la renovación de El Cuarteto con los Naranjo y los Delgado Estévez; Omar Acosta, Huáscar Barradas y otro ejemplo central en Luis Julio Toro firme con el Gurrufío, para dar a la flauta preponderancia en lo criollo camerático. O de Saúl Vera, impregnando de jazz la música criolla de cámara.... El mismo maestro Antonio Lauro, por supuesto que trabajó la rítmica venezolana de valses y composiciones «criollas» para la guitarra, pero... pero ¡ay del que crea que para tocar «Natalia» tan sólo se necesita guataca popular! El hombre comenzó con lo básico de nuestras cosas, pasó por el afán serenatero de Los Cantores del Trópico y terminó componiendo cosas académicas obligatorias para los guitarristas «serios» de cualquier parte del mundo: «Amo el folklore; soy nacionalista, pero no creo que en la obra de arte se deba "copiar" el folklore... el folklore puede estar presente, o mejor, ser sugerido dentro de la música», alguna vez sentenció con tono de aclaratoria el maestro Lauro.

¿Y el cuatro? Del rasgado acompañante básico, al concepto de Jacinto Pérez o al instrumento solista que demostró Freddy Reyna con toda la fuerza artística aquí y en el resto del mundo (a ver si encuentro una cosa que copié del maestro Reyna en su *Método Alfa Beta Cuatro*, a ver...):

> La música, arte no representativo, como lo son otras artes, se sitúa en le límite de lo abstracto. No obstante, está en condiciones de expresar variados climas psicológicos. Puede comunicar la alegría o la tristeza, lo tenue o lo ensordecedor, lo insignificante, lo grandioso, lo épico, lo apasionado, lo sublime, como lo indican las palabras que expresan el carácter de las partituras musicales. Todo esto lo podemos crear con los recursos de nuestro instrumento nacional. Los cuatristas tienen en sus manos las voces resonantes de nuestro cuatro... para reconocerle el nivel académico que le corresponde como instrumento integral de amplio repertorio universal.

Ah, falta decir algo de algunas de las cantantes criollistas mencionadas. ¿Se quiere pensar en Magdalena Sánchez o Adilia Castillo como «criollistas puras»?, ¿no serían más bien seres capitalinos buscando ajuste a lo «nacional-folclórico» dentro de la onda urbana?... *Ahí viene el diablo, dale con la cruz...* claro que no es caraqueño, pero la imagen de Adilia en la televisión ataviada de botas, manta y «pelo 'e guama», sí. ¿Morella Muñoz y el Contrapunto es algo «clásico-criollo»? ¿Camerático lo de Jesús Sevillano?, ¿y cómo clasificar lo de Serenata Guayanesa o Los Cuñaos, conjuntos vocales «criollistas» importantes para nuestras ciudades en el último tercio del siglo pasado?

Quieren saber algo: los tres temas venezolanos más famosos internacionalmente tienen su cosa híbrida, capitalina. El joropo «Alma llanera», ya lo dijo el amigo de la otra semana, proviene de una zarzuela nacionalista y muy caraqueña-hollywwodense. «Moliendo Café» de Hugo Blanco le ha dado la vuelta al mundo desde principios de los años 60. En el Japón se le conoce por la versión de Edith Salcedo; también le inspira cantos a los aficionados del Boca Juniors en la famoso estádium argentino La Bombonera, y viene siendo una merengada musical llamada por su autor «ritmo orquídea» de arpa y conjunto criollo con son de clave cubana marcada a tres... Y si se dice «Caballo viejo», para completar la trilogía con algo de los últimos veinte años, pues se llega a la conclusión de ubicar a su autor Simón Díaz en el llano, sí, pero en el llano caraqueño donde catapulta sus tonadas para bien de una venezolanidad que afecta, digamos, a un Caetano Veloso brasileño al mometo de cantar en una película del celebrado director español Pedro Almodóvar (el cuento de la internacionalización del «Caballo viejo» como que se parece al del «Alma llanera» en lo de adeudarle al cine).

Cambiando el tercio, pero dentro de lo mismo: ¿Son los boleros o la misma salsa del barrio música extranjera, importada?, ¿híbridos cubano-puertorriqueño-norteamericanos que nos han penetrado malamente? ¿Cómo convencer de esta locura a los compatriotas bailadores?, ¿cómo decirles que eso que tocan en latas de leche y perolas haciendo de cencerro no es algo muy propio, que no es nuestra la salsa del Sexteto Juventud, lo de «La cárcel», «Mi calvario»; lo de Ray Pérez y Los Dementes, Federico y su Combo, el Trabuco de Naranjo?, ¿que hasta aquello de... *hay fuego en el veintitrés...* obra de Arsenio Rodríguez, cubano, si te pones nacionalista necio te resulta pura impostura?

¿No será más bien que lo de la rítmica, la instrumentación típica y demás elementos «criollistas» persiguen las pistas de lo folclórico como una vía venezolana, sí, pero jamás exclusiva? Los compositores, creo, valen al momento de tomar cuenta de lo de la venezolanidad y definir; fíjense: un hombre se dedica a transportar sus experiencias de habitante citadino al idioma de la música. Escoge para esto lo que tiene más a la mano. Va a la rumba, el guaguancó y la guaracha si lo suyo es el baile; al rocanrol y otras subespecies pop, si lo de él está dentro de los colegios privados clase media; a lo académico, si el paseo habitual es por el Teresa Carreño, o a lo folclórico si pasea mucho por el interior o le pega en el pecho el aire patriótico de estirpe pura. Todo está allí y vale. Todos esos aires hablan de un venezolano cultivando arte por intermedio de la música que le llega de su medio. Entonces, otra pregunta clave: ¿Lo que hace este venezolano debe deslegitimarse y titularse de foráneo, de clon, de farsa copiadora? ¿Por qué? ¿No llevan sus conclusiones algún pedazo de la verdad del medio ambiente? ¿No se trata de un hombre sometido a la información enorme del siglo? ¿No es su venezolanidad tanta como la del hombre que, aun y queriendo ser macho vernáculo, termina vistiendo y calzando con elementos de sofisticada manufactura europea, por no decir norteamericana?

Hay que atender a las soluciones de nuestros compositores, créanme. Ellos, cuando están en algo, nos representan y reflejan. En el bolerito de tono nacional, en el rock duro, en el *ska*, en el jazz, en la música académica, en lo que sea. Y esto me hace llegar al ejemplo de cuento cierto: ¿Creen en la música de protesta cual cosa cubana de los años 60? Qué va. Si nos vamos a la independencia, al himno nacional mismo, encontramos trazas potentes de lo que significa protestar... *y si el despotismo levanta su voz, seguid el ejemplo que Caracas dio...* Nuestro siglo XIX está lleno de guerras incitadoras de la queja colectiva del pueblo que quiere justica, por no decir revancha... *!Oligarcas temblad! ¡Viva la libertad!...* Por cierto, la versión del Himno Nacional que uno canta termina con... *el vil egoísmo que otra vez triunfó...* ¿Se habrá visto cosa más absurda que después de dos siglos de luchas y protestas haya que celebrar musicalmente el triunfo del vil egoísmo? ¿No sería más lógico, más natural, cantar la letra completa o terminar con alguna de las dos otras estrofas? Por que la una termina... *seguid el ejemplo que Caracas dio...* la otra habla del eximio, del supremo autor, de Dios mismo, pues, quien... *un sublime aliento al pueblo infundió...* Uno, sin duda, preferiría resaltar el rebuscado supremo aliento o hasta el ejemplo de la Caracas vieja, viejísima, en nada parecida a la actual. Cualquiera de las otras dos estrofas son preferibles para acabar con el absurdo de poner niñitos a buscar patriotismo en el triunfo del pecado capital central... *el vil egoísmo que otra vez triunfó...* Y sigo con lo mio.

Digo: en el siglo XX propiamente, la cosa cambió de la protesta guerrera, de los himnos y marchas acompañantes de tropas, para meterse de frente en la queja del pueblo. Los cantos cañoneros lamentando que el norte fuera una quimera, el merenguito de Juan José que da pena verlo, o las décimas de un padre Carlos Borges a quien esa clase de tremenduras le costaban largas reclusiones monacales.

Y aun, digo, en este ramo hay cosas más serias. «Trago largo» fue un poema compuesto por Andrés Eloy Blanco para protestar por los eventos iniciales del gobierno de López Contreras, que en 1936 reprimió una manifestación popular de pueblo y estudiantes, muertos incluidos:

El catorce de febrero,
se echó el cogollo de un lao
Cogió su guacharaquita
Y el porteño encabullao

Lo trajeron de la plaza
Con el pecho atravesao

Lo trajeron de la plaza
Con el pecho atravesao

Eso cantaba la gente con forma de sonsito aguarachado, de guasa pues, porque lo «criollo», duélale a quien le duela, ya había favorecido la música cubana de baile. «Chupa tu mamey» era otro tema cañonero y tan político como para denunciar la ley de vagos y maleantes de cuando López Contreras en el poder, con en el versito aquel que decía:

Juan déjate de parranda
ni te rasques de aguardiente
que si formas zaperoco
pa'l rastrillo vas caliente
Ya no valen las protestas
Con la flamante ley...

Escucha misa,
toma guarapo,
chupa tu mamey

Un poco después, entrados los años 40, aparecía el gran Manolo Monterrey haciendo el Cronista Pildorín, especie de cantante noticioso y contestatario, compositor guitarra en mano... *con las noticias pero en guasa, de to' lo que está pasando...* Una especie de versificación musical a partir de noticias propias de los pequeños trajines de la comunidad. Y ese Manolo hay que ver que debía más bien protestar por su vida de burro de carga: ensayo con Billo's a media mañana, Cronista Pildorín en la radio con audiencia presente; a media tarde, los ensayos de Billo's para nuevos números y de allí de vuelta a la radio en vespertina de «¡A gozar muchachos!» con la orquesta y un remate de baile nocturno de siete sets durante seis, por no decir siete, días a la semana (y después dicen que los músicos son unos vagos).

También estuvo Benito Quiroz quejándose por su carrito viejo y algunos otros con el norte bien claro en esta materia: la protesta puede abarcar desde el abandono amoroso hasta las circunstancias de incomodidad naturales del ciudadano, pasando por lo político o lo económico. Una guaracha que tocaba la orquesta de Luis Alfonzo preguntaba «¿Qué vamos a comé?», reclamo popular favorecido por la voz de Elio Rubio, mientras que el merengue «El morrocoy» hablaba de pura política vernácula:

Para que cojan pelota
Los viejos de este país
Al gobierno los muchachos
Lo arrancaron de raíz

Tan sólo en veinticuatro horas
La tortilla se volteó
Lo de abajo quedó arriba
Y lo de arriba bajó

Ahora, protesta-protesta, esa que sociológicamente puso a juventud contra padres (generación que no entiende a la otra, etcétera), ese tipo de protesta en música puede haber florecido entre nosotros a partir de 1960. Siempre hubo confrontación músico-generacional (el mambo en los años 50 puso a don Mario Briceño Iragorry frente a frente con don Alejo Carpentier), pero la década de los 60 con sus *Beatles*, sus guerrillas, pelo largo, pinta descuidada, sostenes fuera –¡rueda libre!–, *Hippy happy Cappy*, sin dudas acrecentó la cosa.

«Fueron *canciones de texto y de contexto*, caracterizadas por expresarse en contra del sistema establecido estimándolo injusto y autoritaro...» Tal la voz que recuerda «El perfume de una época»: Gloria Martín, hoy profesora; ayer muchacha universitaria en minifalda de cuero con botas negras, mirada encabritada, afín a la Soledad Bravo con su guitarra, voces que dieron plataforma a la aceptación universitaria de la entonces Nueva Trova cubana. Xulio Formoso estrenó en el Ateneo la pieza teatral «Tu país está feliz», con todo y una pelotera colectiva de pura potesta a lo *Hair* londinense. Los muchachos hacían también largas colas para ver una presentación de la clásica Celestina, de don Fernando de Rojas, por una necesidad imperiosa de verle las tetas a Haydée Balza. Los roqueros, por su parte, no ignoraron la onda aquella y un Trino Mora elvispreslesiano arriesgó popularidad con temas que pegaron con fuerza en el gusto melómano masivo: entre «Libera tu mente», «Sé tú mismo» –ya lo dije– y «Hombre formal» el Trino dejó colar ética y estética de liberación propia del tiempo. Y llegó el personaje Alí Primera.

... Qué triste se oye la lluvia, en los techos de cartón... La voz recia de este Alí oriental cogía el tono de protesta ya no sociológica-rockera del Trino, sino de conciencia política en canciones de izquierda resueltas hábilmente: «Cunaviche adentro», «Canción mansa para un pueblo bravo», temas dedicados a la muerte del profesor Alberto Lovera o al Che Guevara, como que hacían de contrapartida a la onda rock-salsa, de música tradicional bailable entregada en los ritmos colombianos, dominicanos... *ese barbarazo, acabó con tóooooo...* o de cubanos prefide-

listas reciclados por la propia Dimensión Latina... *Taboga, Taboga mía, ya no te puedo olvidar...* (¿Sabían ustedes que Taboga es una islita-playa panameña?)

Bien. Para los años 80, digamos, ya Billo no tocaba «El son se fue de Cuba», canción tildada de protesta contrarrevolucionaria por la izquierda universitaria de los 60, pero tan bien hecha que en la misma Cuba le acomodaron una letra «revolucionaria» para disfrute de la colectividad fidelista. Rubén Blades con Willie Colón ofreció especies bailadas y celebradas por clases sociales que, casi seguro, no comprendían bien lo de... *Si lo ves que viene, palo al tiburón...* Blades dio su punto de conciencia de cambio con composiciones como «Decisiones» o «El padre Antonio», que, si bien exitosas, tuvo que meterlas en formato de cámara afrocaribeño para que las letras se dejaran oír (¿será que la música de baile no acepta mucho más que el mensaje amoroso, y eso sólo si de boleros se trata?).

Aquí en Caracas, también la gaita maracucha dejó caer su porción nacional de queja importante. Esa misma gaita instalada en el ambiente desde pricipios de los años 60 para rezagar los géneros navideños de los aguinaldos y las parrandas. Una sustitución que daba oportunidad para desarrollar un nuevo género decembrino bailable, pero también jocosidad de protesta política y social –las gaitas de Joselo y Simón, por decir...

Total, a darle con la cruz, como al diablo, a toda etiqueta que encajone o aprisione lo artístico. Olvídense, no se puede; es más, a veces la etiqueta hasta puede condenar: onda nueva que algún día dejó de ser nueva para hacerse clásica en cuanto al ajuste del joropo a instrumentos tan contemporáneos como el bajo o la guitarra eléctrica, la batería o el piano Fender Rhodes. ¿»Ritmo orquídea», «clave cruzada»? ¿no será más confiable buscar la carga artística de temas de «Moliendo café» o «Agua fresca» y por allí centrar la maestría de su creador, Hugo Blanco? ¿De darle peso de máximo exponente al grupo Un, Dos, Tres, Fuera que de verdad actualizó las rítmicas criollas en los años 70?

Última pregunta, colegas peñistas: ¿Y ustedes al principio de verdad comieron con eso de que yo era un recalcitrante que no entendía, que estaba cerrado? ¿Y ahora resulta que le doy afinidad a Trino Mora, aunque haya dicho que me resbala y pierde? Pero, amigos presentes, qué de raro tiene todo esto, si es que las paradojas son las únicas verdades, según decía Bernard Shaw, y que yo confirmo sin problema alguno, no sólo por mi discurso, sino por lo que todos los días digo y hago.

Oscar Yanes

Intervención libre, improvisada y corroboratoria del hombre de la «silla caliente», nuestro mejor cronista urbanote comienzos de milenio.

❑

¿Que cómo fueron aquí las cosas de la música hace un montón de años, poetas? Pues, búsquense el paltó, la corbata y un sombrero, para que se chupen de un solo golpe esa mandarina que el diletante de la semana pasada nos dejó sembrada.

No sé cuántas veces se habrá dicho y repetido que la música refleja el estado de desarrollo social del sitio en que se da. Andrés Cisneros, ilustres, Andrés Cisneros, por ejemplo, está en el recuerdo de una Caracas provinciana que se fue hace ya bastante tiempo. La Caracas de las serenatas y del trovador (así se le decía a estos serenateros populares) que le cantaba a las muchachas cosas heredadas de nuestra más pura cursilería provincial... *Un cisne más blanco, que un copo de nieve...* Y aquello, a finales de los años 30 del siglo pasado, entraba en el sentimiento popular de gente que escuchaba y también lloraba al escuchar. Qué cosa tan triste, tan sentimental, el cuento del ave purísima que sufre: «El cisne blanco»,«Boda macabra» también conocida como «Boda negra» del poeta colombiano Julio Flórez... *La historia que contóme un día, el viejo enterrador de la comarca...* Lo de «El viajero», canción mexicana adoptada, para dar a entender el final de un amor que se va al golpe del remo de la barca.

Las abuelitas, señoras y señoritas en aquel entonces veían en Cisneros la imagen del cantor popular, con conocimiento de la parte sentimental de una sociedad con muy poca instrucción, sobre todo para las damas que si acaso alcanzaban a la preparación para labores del hogar y, una que otra, el cuarto grado de instrucción. Muchachas educadas en la buena cocina, el corte y costura acomodado al bordado, sacar el oficio necesario en el matrimonio. Jovencitas para quienes una frase de Dumas, algo del cine mexicano, las quejas cantadas de Cisneros, ya eran cosas más que suficientes para darles en lo alto de la torre.

Pero el canto del trovador tipo Cisneros o Lorenzo Herrera pasó, se terminó. El cine mexicano, que se entendía mucho mejor que las películas americanas con subtítulos, dio nuevas opciones musicales y la gente, el favor popular, dispuso otra cosa: canciones rancheras que todo el mundo conocía, música cubana transmitida por el radio y reproducida, principalmente, por Luis María «Billo» Frómeta.

También había que satisfacer al público más sofisticado; gente de sociedad educada en Curazao, Trinidad, quizás Estados Unidos o algunos que volvían de Europa. Gente que en el cine prefería los musicales norteamericanos, películas como «Escuela de sirenas» con Esther Williams y Xavier Cougat, mientras en el radio atendía a las ondas jazzísticas de la orquesta de Glenn Miller, por decir. Pero allí, en el estudio de radio que transmitía lo de Glenn Miller, allí entonces se ubicaban las estrellas locales de la música bailable en la orquesta de Luis Alfonzo Larrain y la «Billo's Caracas Boys», del dominicano-venezolano Luis María «Billo» Frómeta.

Con la Billo's Caracas Boys se rompe el esquema musical que sujetó a la música de México y a la cursilería criolla. Llega Billo Frómeta de Santo Domingo el 31 de diciembre de 1937, con algo que la gente añoraba cuando escuchaba las grabaciones de los discos de 78 revoluciones –así se les llamaba–: la Casino de la Playa, la orquesta más famosa del Caribe entero con Miguelito Valdés en plan de estrella cantando su «Dolor cobarde». Ya aquella música cubana, también interpretada por Luis Alfonzo Larrain, creaba un nuevo modo de gustar, de cantar y, sobre todo, de bailar. La rivalidad de los aficionados se centra en aquellas dos orquestas del patio. Casi un duelo a muerte musical: va a tocar Billo, va a tocar Luis Alfonzo. ¡Van a tocar los dos!... A veces en una fiesta aquello producía un verdadero escándalo. Tocaban de todo y, además, lo hacían bien: Billo y su orquesta –la Billo's Caracas Boys– con temas afincados en lo mejor de lo cubano popular y lo dominicano; Luis Alfonzo –así a secas– con música muy norteamericana del gusto de nuestros muchachos y muchachas educados afuera, ya se dijo, pero también con merengues caraqueños que explotó mucho, con una calidad distinta a la acostumbraba en las calles y los mabiles.

Luis Alfonzo fue un pionero en la modernización de nuestra música. Muchas cosas que después hizo Aldemaro Romero fueron consecuencia de estas experiencias bailables, que luego Aldemaro las consagró para, por decirlo así, vestir la música popular de «esmoquin». Los merengues «rucaneados», a principios del siglo XX, eran nada más que para las casas de prostitutas, para los bares malos. Es Luis Alfonzo el primero, en la época del general Medina, a quien invitan a la Casa Amarrilla a tocar en las recepciones de los presidentes y allí se atreve a llevar merengues rucaneaos. ¿Cómo es esto?, ¿cómo es posible que música de la calle se esté bailando en los mejores salones? Pues, sí, asimismo es; de la misma forma como Billo's está con el pueblo y ofrece música de la Casino de la Playa, de Rafael Muñoz. Billo, el mismo que cuando llega a Venezuela no era un músico profesional formado, sino un músico imitador del ritmo de la Casino, que no conocía al venezolano sino de lejos... Es ese Billo Frómeta quien termina cuajando composiciones propias que eran reflexiones de un estado social nuestro. A la larga termina Billo siendo el cronista musical de la ciudad, y quien realmente enseñó a bailar a todos los venezolanos del siglo pasado aparte de los del presente.

Luis Alfonzo, por su parte, era comunista de convicciones. Pero no ese comunista amargado, cargado de resentimiento; era un comunista de un origen social no multimillonario, pero sí un hombre distinguido que sabía llevar un frac. Su forma de dirigir era como si trataba de un clásico de la música selecta y hacía así gran música de cada pieza bailable. Estaba siempre en todas las manifestaciones del Partido Comunista, pero nunca mezcló su comunismo con su música. Tal cual el caso de Rafael Minaya, otro líder musical de fuerte compromiso político, a quien yo llamo el gran taquígrafo musical por su capacidad de ir a ver las grandes películas de estreno que nos venían de Hollywood, y poder transcribir su música, de una, a la primera sentada. Ese hombre, dominicano radicado en Venezuela, que fusilaba la música de las películas de una manera extraordinaria, era profundamente antiimperialista y se la jugó como pocos contra Rafael Leonidas Trujillo. Billo, por su parte, también se metió de frente contra Trujillo, en una onda que cuadraba con la realidad nacional. El pueblo venezolano era profundamente antitrujillista y Billo colaboró, financió y estuvo a punto de participar en una de las expediciones que se hicieron en contra de Trujillo.

A mí me gusta escuchar música que sonó en un momento importante de la política nacional. El «Trago largo», poema de Andrés Eloy Eloy Blanco convertido en son, se populariza después de la muerte de Gómez, cuando el 14 de febrero de 1936 aquí en Caracas se reprime una masiva manifestación. Es el mismo tiempo en que Lorenzo Herrera se hace famoso con «El norte es una quimera», canción del embustero que va para Nueva York en busca de plata y después dice aquí que era platero.

Cuando uno quiere reconstruir una época muy próspera o muy difícil en Venezuela, una de la cosas que uno debe observar es la música que escuchaba la gente. Lo que se escuchaba cuando el general Medina no es lo mismo que se va escuchando después de octubre de 1945, o de los acontecimientos de 1948... *Coronel Marcos Pérez Jiménez, presidente constitucional, elegido por el pueblo, por mandato popular...* fue un porrito colombiano, bastante popular en su momento. Pero con el 23 de enero de 1958 esa música, muy curiosa, deja de gustar. Cae dentro de la crítica general que no le concede a la dictadura nada bueno, ni el pan ni el agua. En aquellos tiempos había en el periódico *La Esfera* una sección llamada «Crisol de caliche». Allí se criticaban todas las cosas que había dejado la dictadura. Un día un «Crisol», que a mí me dio mucha risa, salió con esta mancheta: «Se busca al autor de "Coronel Marcos Pérez Jiménez" para darle su premio». La parodia musical era... *coronel Marcos Pérez Jiménez, presidente constitucional, elegido por el pueblo y por la Guardia Nacional...* Años más tarde, cuando Luis Herrera competía por la presidencia con Luis Piñerúa, la parodia cambió: un brujo prometía adivinar el ganador de las elecciones. Aquello, incursión musical de Billo, fue muy bueno. Víctor Morillo, el propio brujo en la canción, hacía algo muy inteligente al no dar el apellido, pero sí decir que el presidente, como fuera, iba a llamarse Luis... aunque fueran muy feos los dos.

La música venezolana no está exclusivamente en el arpa, el cuatro y la maraca. No señor. Quien hoy así lo crea está equivocado, porque Venezuela hace décadas dejo de ser rural. El arpa y la maraca es de la Venezuela rural de Rómulo Gallegos, la de un campesino que ya no está.

La Venezuela urbana de hoy tiene otra música. Música del Caribe, nuestra, representada por muy buenos compositores e intérpretes; por ejemplo, Oscar D'León, un venezolano que sin dudas interpreta nuestro sentir. Aquel grupo Madera original, cuyos integrantes murieron en una tragedia, también interpretaba música venezolana urbana, cantándole al trabajo y a la tierra. Reynaldo Armas logró imponer el joropo en Miami (y mire que el joropo es un ritmo difícil de bailar). Aldemaro Romero tiene piezas muy bien hechas de música sinfónica venezolana. «La margariteña» de Inocente Carreño es, sin dudas, música venezolana basada en los cantos populares.

Creo que debemos tener un criterio muy abierto al momento de hablar del tema. La música venezolana es la que expresa el sentimiento venezolano, y los venezolanos tenemos un sentimiento mucho más amplio que el arpa, el cuatro y la maracas. Así, poeta, son estas cosas.

Aquilino José Mata

Nuestras páginas de farándula refieren con cierto orgullo la saga de Aquilino José Mata, periodista, y su combate con el peso. Aquilino cuenta sus esfuerzos, vence las tentaciones, domina los restaurantes, se pesa y dice cuánto es que pesa, sube a las máquinas de ejercicio y, en fin, vive y reporta toda una historia muy común al venezolano contemporáneo. Pero, afortunadamente, Aquilino de cuando en cuando se sale del régimen. Acepta invitaciones, brinda a la amistad y recuenta historias que mucho tienen que ver con otro tema que domina a fondo: crónicas de pop que ni tanto que ver con gimnasios, dietas y otras especies.

❑

Me piden que cambie el tono de los contertulios anteriores y hable del *pop*, de sus principales artistas y tendencias. De recuerdos y referencias que hacen pensar en cómo el movimiento pop tiene mucho que ver con los cantantes que surgieron a partir de 1960 y estuvieron muy ligados con la gran época de la canción italiana que influyó en todo el mundo. Eso me piden y, con la ayuda de la memoria animada por un buen almuerzo, pues a eso precisamente voy.

Aquí en Venezuela, verdaderamente, sucedió algo asombroso: comenzaron a debutar una serie de cantantes con talento e inspiración suficiente para llamar la atención de propios y extraños. La primera de ellas fue Mirla Castellanos, simplemente

Mirla, quien se estrenó en 1960 como figura del trío Los Naipes. Luego fue solista con el apoyo inicial de la disquera Velvet y también por fuerza del apoyo del número uno de nuestra televisión, Renny Ottolina.

El lanzamiento de Mirla ofrecía una solista venezolana de posibilidades internacionales. Tal vez por esto es que ella interpretaba todo tipo de canciones, versionando géneros italianos propios de San Remo, baladas de inspiración local y hasta imágenes estilísticas tales como la de Mina, la gran estrella italiana de la época, quien la inspiraba en la forma de vestirse, de interpretar, y hasta en la manera de moverse o de gesticular.

A partir de 1966 comenzó el tiempo de las canciones festivaleras. Se trataba de varios festivales musicales al año, celebrados en todas partes del mundo, con temas premiados, arreglos e interpretaciones que marcaban el gusto colectivo. Terminaba el festival equis hoy, por ejemplo, y ya pasado mañana estaba un disco con las versiones de las canciones de éxito del certamen, tanto de la ganadora como de las finalistas o de las consentidas del público presente. Aquí se montaron en esa onda un grupo de cantantes masculinos consagrados y en ascenso, y otro de cantantes femeninas jóvenes dentro del cual se ubicaban Rosa Virginia y María Teresa Chacín, firmadas para el sello disquero el Palacio de la Música y con producción del compositor Chelique Sarabia. Hay que recordar el comienzo de María Teresa Chacín, quizás influenciada por la tendencia de internacionalidad del momento y también por Rosa Virginia, su hermana mayor, quien ya hacía la música venezolana de tono romántico, tendencia que por demás cubriría siempre María Teresa con mucha destreza.

Debo hablar algo más de los festivales, de los cantantes y las canciones, porque nuestra música popular, *pop* si prefieren, en las décadas de los 60 y 70 estuvo muy marcada por el destino de esos eventos. Festival internacional al cual asistían venezolanos, festival que seguíamos con atención porque nuestra gente siempre salía bien parada. Mirla ganó festivales, José Luis Rodríguez estuvo en competencia para cambiar su imagen de *crooner* de orquesta bailable. Mirtha Pérez tuvo su «Nave del olvido» y consiguientes éxitos festivaleros. En Buenos Aires Héctor Cabrera ganó en los años 67 y 68. Mayra Martí, voz reina en estos eventos, hacía que las cantantes en competencia comentaran que no tenían nada que buscar cuando ella aparecía, porque era imposible cantar cosas como «Elevación», justamente con aquella elevación de la Martí... Las Cuatro Monedas fueron a España y ganaron un festival en Barcelona; Rosa Virginia Chacín fue a las islas Canarias con una canción de Chelique y también ganó...

Mirla desde aquel entonces siempre ha tenido una presencia escénica que conmueve mucho. José Luis Rodríguez fue bueno desde sus inicios con Billo y llegó a su estatus de «Puma» internacional. Alfredo Sadel y Héctor Cabrera –quien comenzó con música venezolana y luego siguió como baladista– tenían las voces más logradas; se mantenían en dura competencia dentro de los festivales y fuera de ellos (Sadel le ganó Cabrera en el favor del público presente en una de esas competencias, pero el jurado no lo reconoció sino al año siguiente). Nombres sólidos surgieron y se desarrollaron, pero desde un comienzo fue Lila Morillo la gran estrella popular de nuestro ambiente. Aquella chinita maracucha, linda, que comenzó profesionalmente allá por 1960, pegó temas de tono arrabalero, criollos, baladas, rancheras, bailables, y pare de contar. Lila es mucho más que una intérprete: toda una personalidad que, además, canta muy bien.

El suma y sigue da nombres femeninos con carreras brillantes iniciadas en los años 60. Uno hasta puede pensar que se trató de una etapa favorecedora para las mujeres dedicadas al canto. Pero el ambiente fue tan productivo que también dio oportunidad a músicos nacionales de todas las tendencias. Esto coincidía, ya se dijo, con la época de los festivales, generadora del movimiento pop inspirador de algunos compositores nacionales, y también de quienes sencillamente oían lo que venía de fuera, traducían, versionaban y, pues, «fusilaban» todas aquellas cosas italianas, norteamericanas, inglesas, francesas, brasileñas, en favor de los y las cantantes locales. Todo esto fue bueno, porque se generaron cantantes con conciencia de internacionalidad, mientras el público se volvía más cosmopolita y accedía a géneros que significan cultura de otras partes del mundo.

Indudablemente eran otros tiempos. Cada cual quería comenzar a gran escala. Los empresarios disqueros creían en el disco producido en Venezuela, con nuestros artistas, cual producto comercial y apostaban a lo seguro: a esas canciones que habían sido éxitos en todo el mundo y, por tanto, debían «pegar» aquí. Así «pegó» Mirla, Mirtha, María Teresa, Estelita, Mirna, Nancy Ramos... Germán Freites, Luis D'Ubaldo... Mayra Martí impuso «Elevación» en el «Hit parade» y Héctor Cabrera «No pienses en mí», una canción festivalera; Mirtha versionó «Cuando digo que te amo» y Cherry Navarro ofreció «Aleluya» casi como legado (murió algo después de grabarla). Velvet, Palacio y Discomoda fueron los sellos disqueros de mayor importancia. Dos grandes productores musicales, compositores de prestigio, a cargo de proyectos concretos para los sellos disqueros eran José Enrique «Chelique» Sarabia y Hugo Blanco. Chelique producía a Rosa Virginia Chacín y a Cherry Navarro; Hugo Blanco también se encargaba de gente dedicada al género criollo. De los artistas de onda pop que tuvieron más éxito, hay que mencionar a un grupo vocal llamado Las Cuatro Monedas, grupo bastante vanguardista en su momento, en una onda ligeramente jazzófila utilizada para versionar muchos éxitos pop de Estados Unidos, pero también abiertos a cantar composiciones que les proponía Hugo Blanco o cosas hechas por ellos mismos mediante arreglos de lo más interesantes.

A comienzos de los años 60 el panorama se abrió aún más. Las disqueras vendían discos de los grupos pop-rock –los Zeppi, los Impala, los Darts, 007, etcétera–, también eran rentables las cosas de Estelita Del Llano, José Luis Rodríguez o Felipe Pirela en el género romántico caribeño. El Trío Venezuela o Los Naipes con sus solistas de lujo, por su parte, tenían su espacio bien ganado. El sello Velvet versionaba mucho, mientras que Palacio, con Chelique y Hugo Blanco, trataba de alejarse de los «fusiles» de temas foráneos, dándoles oportunidad a compositores y arreglistas nacionales con canciones hoy día inolvidables.

Aquí se puso de moda el rock angloamericano, pero también el rock en español, el rock mexicano. Por esto se comenzaron a hacer canciones propias y muchas versiones de los Beatles y de los no-Beatles. Los Impala impulsan y son impulsados por Rudy Márquez; los Supersónicos era un grupo que versionaba todo lo rockero imaginable, pero también intentaba con lo suyo propio. Enrique Guzmán, mexicano, marcaba pautas, pero otro tanto sucedía con los grupos fuertes del género que rebotaban los aprendizajes de afuera en pura creatividad local, a veces de cierta relevancia internacional. De aquella misma época, sale tal vez el primer disco venezolano que logró pegar en España: Henry Stephen con... *Mi limón mi limonero*... Tan fuerte fue el éxito que de él vivió Stephen muchos años en España, y hasta tuvo cierta notoriedad mundial en parajes que iban de Francia a Hong Kong. A Mirla, por su parte, la apoyó el compositor español Manuel Alejandro con su canción «Ese día llegará», ganadora de festivales, y así pudo ir a España e Italia, donde le aceptaron la canción... *Maravilloso...*

La radio contribuyó de verdad con la difusión disquera de nuestros artistas; la televisión era como una especie de vitrina, porque había mucho lanzamiento de discos a través del medio. Nadie puede negar que la televisión nacional del tiempo creyó y apoyó a los artistas locales. Renny Ottolina era el número uno del talento en vivo. Radio Caracas Televisión, por ejemplo, tenía programas musicales donde impulsaban alguna figura local; por decir, aquel Germán Fernando emblemático y rarísimo para la época: un tipo extravagante que componía la mayoría de sus temas y salía a escena cigarrillo en mano, mientras se contorsionaba, se arrodillaba y hacía de todo en el «performance» de sus interpretaciones. A mí me parecía como compositor un tipo interesante, además con algo distinto a lo que los otros hacían.

Entrada la década de los 70, la onda pop continuó favoreciendo a las noveles artistas. A Delia, Mirna, Marlene, perteneciente al grupo Los Tres Tristes Tigres, quien tuvo su momento de gloria con su primer disco como intérprete de primer orden que cantó, pegó y se retiró; más nunca volvió, pero hubiese podido hacer una carrera de verdad bien interesante... Aquel fue el tiempo de cantidad de gente de talento que de pronto apareció y siguió adelante. Un tiempo de música venezolana concebida como música interpretada por artistas nacionales proyectados por fuerza de la radio, la televisión, los festivales, y de ellos falta mencionar el más importante para nosotros: el Festival de Onda Nueva creado por Aldemaro Romero. Allí estuvo todo el mundo artístico imaginable, dándole a Caracas sabor de verdadera internacionalización: Paul Mauriat con su «Amor es azul», Chico O'Farrill, Nancy Wilson, Caterina Valente, Iván Lins, Armando Manzanero, Tito Puente... músicos de todas partes del mundo, de todas las generaciones habidas y por haber, haciendo un esfuerzo en torno a la onda nueva de Aldemaro.

Antes del *boom* de la onda nueva hubo festivales venezolanos de la canción que se dedicaban a compositores e intérpretes venezolanos, y se transmitían en cadena por todos los canales de la televisión: «Voz de oro», «Voz de diamante», voz de lo que fuera. Quizá demasiados eventos ayudaron a terminar con la fiebre de los festivales y todo fue como muriendo. La década de los 70 fue diciendo adiós para dar paso a otra cosa (¿sería que apareció con fuerza popular la salsa de Federico y su Combo, de los Dementes, de la Dimensión Latina y Oscar D'León?).

La onda pop no desapareció en los años 80, sino que ubicó artistas de otra generación ya sin la catapulta de los festivales. Llegó Antonietta con sus boleros y algo de mala suerte en su proyección –es bella y tiene muy buena voz–, fue el momento inicial de Luz Marina y su disco brasileño, de María Rivas con su «Motorizado» y Biella con sus experimentos de jazz. De Evio y su Adrenalina Caribe, aunque Daiquirí fue primero con popularidad y mucha gente los criticó por no ser salsa-salsa, sino una una música que tenía un proceso diferente, ligado a la experiencia pop, muy válido por demás... Frank Quintero entonces se hizo presente, también Franco De Vita... pero yo creo que de todo el movimiento pop venezolano es el Ilan Chester, surgido en los años 80, y muy vigente hoy día, el artista más completo: tremendo cantante, gran compositor, con un sentido musical que rebasa categorías y deja saber cómo todo este movimiento de sentido popular-internacional, iniciado en Venezuela a principios de los años 60, tenía y continúa teniendo todo el sentido del mundo.

Gregorio Montiel

Aquilino y sus cosas del pop dejan sabores que pueden ser complementados. Gregorio Montiel, periodista, crítico musical, conductor de espacios radiales y peñista por derecho propio, acepta el reto de abordar asuntos que van desde aclarar lo del world music, hasta dar vueltas por nuestro mundo criollo del rock y pop propio de las décadas de los 70, 80 y 90 (un suave y distinguido dejo maracucho deja colar las ideas con acento de puro Montiel...).

❑

El *world music* empieza como una categoría primero algo ligada al jazz. Quizás hasta pueda referírsele un origen atado a esa serie de compositores académicos europeos que empezaron a involucrarse con la música de Indonesia y del Lejano Oriente, de los pueblos alejados de la periferia europea, para crear música partiendo de esas danzas y formas folclóricas básicas. En esa onda se ve cómo el jazz, en la medida en que va desarrollándose a partir de las décadas de los 40 y 50, también comienza a experimentar con música más allá del contexto de Estados Unidos; con expresiones africanas, asiáticas, con música del Medio Oriente.

En esto del comienzo del *world music* también entra la música de Brasil, la de Cuba y el mismo el rock de los años 70 que tuviera una intención o base de fusión. Se trataba de músicas de fusión, de mezcla listas a integrar nuevos elementos. En una onda rock estaba el blues de Estados Unidos, el *country*, el *funk*, pero ahí también cabían cosas de la India, ciertos grupos de San Francisco con el jazz-rock; los Beatles tomando influencias del Medio Oriente, Peter Gabriel con cosas africanas, Bryan Enno y compañía... Entonces, por integración de dos vías, tipos como Ravi Shankar también pasan a ser parte de la cultura rockera, y ello empieza a abrir el mercado, el interés del comprador de discos, a otras culturas. El mercado discográfico a su vez va dando sus respuestas.

África, América Latina, Asia han venido desarrollando su industria musical, su mundo del espectáculo. Hay exponentes de nuestros continentes que son interesantes, inteligentes, originales, que tienen algo que aportar, algo que decir. Ellos de alguna forma reciben y abren oportunidades al mercado internacional, un mercado internacional que trata de diversificarse e interconectarse con todos los rincones del mundo. Hoy día fácilmente se puede hablar de una Cesaria Évora de Cabo Verde, de alguien de Japón, la India o Senegal. El resto de los mercados latinoamericanos ya no son un secreto para uno, los discos se consiguen aquí. El mundo del disco trata de crecer, la música de diferentes latitudes necesita una etiqueta, algo que englobe. Y así como tiene una etiqueta el jazz, el tango, el joropo o el rock, surge la etiqueta más polémica de *world music* internacional.

La etiqueta es, ciertamente, demasiado genérica. Dentro del *world music* entra desde El Carrao de Palmarito, pasando por Mercedes Sosa hasta Cesaria Évora, cualquier cosa. Va formando parte del mismo segmento Susana Baca del Perú, Virginia Rodrigues de Brasil, Gloria Roque de Mali, mucha gente que en verdad obedece a realidades musicales muy diferentes. Cada uno de los artistas tiene perfiles muy definidos, muy particulares. Entonces mucha gente con razón protesta respecto al término *world music*, pero es algo que te facilita a nivel internacional el entendimiento y la aceptación hacia lo que viene del Caribe, de África, de Asia, de acá...

Es positivo cómo el *world music* ha generado un interés hacia música de otras partes del mundo. Se han ido derribando barreras. El nuevo disco de María Fernanda Márquez, el de Neiffe Peña, por ejemplo, ¿en cual categoría los vas a mercadear? Los pones bajo jazz en la tienda de discos europea y no les va bien, no es justo ni para el posible comprador, ni para las artistas. Allí entra la categoría facilitadora de *world music*, una solución de mercadeo que evolucionará e irá especificándose a partir de los discos ofrecidos y la respuesta del público melómano.

Venezuela tiene mucho que decir y cuenta con poca presencia en el mercado discográfico internacional. De un tiempo para acá, quizás gracias al *world music*, uno empieza a ver que los nombres de Aquiles Báez, de María Fernanda Márquez se abren paso, la gente afuera empieza a conocerlos. Porque lo que se conoce de Venezuela, a nivel internacional, es Franco de Vita, José Luis Rodríguez, Oscar D'León; los guitarristas Alirio Díaz, Rodrigo Riera... pero hay músicos en el jazz, en el rock, que tienen mucho que decir y cuyos discos se quedan aquí, no trascienden.

Al grupo Guaco lo conoce Santana, lo conoce Rubén Blades. Tú oyes nuevos discos del flamenco español, «La barbería del sur» y otros parecidos, y sientes en ellos las influencias de Guaco. ¿Qué pasa con ellos internacionalmente? Creo que Guaco ha entrado en el gusto de un público muy exquisito; un público melómano, intelectual, investigador a escala internacional, pero bien puede con el gusto masivo... Será que nuestra música no es fácil de bailar, como pueden serlo la música brasileña o la música cubana; la nuestra es más compleja y eso ha dificultado su ingreso al mercado internacional.

Hay cosas que en la esfera internacional se respetan y, coincidencialmente, me gustan. Entonces las tomo como parámetro. Pero también creo que es el mismo gusto propio el que te sirve para catalogar una cosa como interesante, de calidad particular. Hay música que te gusta, que me gusta, pero no termina de insertarse dentro de una aceptación en el mercado internacional. ¿Por qué? A lo mejor estamos equivocados en el gusto, pero también es posible que haya una falta de proyección en el mercadeo, una deuda con el artista y su producto.

Debería ser más común encontrarnos con artistas venezolanos en esos compilados de música internacional. Cualquiera de los discos del cuarteto Gurrufío podría interesar al público de diferentes partes del mundo hacia nuestra música. No sé por qué los productos musicales venezolanos no tienen tanta presencia internacional como tienen otros productos de países similares. Tal vez es un problema de mercadeo, de cómo llevar el disco o el artista fuera de las fronteras. Recuerdo una vez en otra peña (una de las que hacíamos en el Celarg) donde se hablaba del porqué la música cubana, la música brasileña se conocían más que la venezolana, y una de las respuestas fue que los músicos cubanos, los argentinos, los brasileños comenzaron a emigrar a Estados Unidos y a Europa llevando allá su música. Y eso, en el caso de los venezolanos, recién empieza a ocurrir; es un proceso más reciente. Bueno, al menos es una respuesta.

Cuando vino el gerente para América Latina del sello disquero Putumayo, un venezolano por cierto, me dijo: «Tenemos a Oscar de León en un compilado de música caribeña; es nuestro único venezolano». ¿Será entonces –digo yo– que tenemos que llegar a la estatura de «monstruo» de Oscar D'León, para poder estar en el mercado internacional?, ¿que todo lo demás está por debajo de eso y no merece oportunidad? No lo creo.

Voy a aprovechar la disertación del *world music* y las oportunidades internacionales de nuestros productos disqueros, para contar algo de mi camino como melómano.

❑

Sonaba el rock y la música pop en mi Maracaibo natal; a partir de allí me vino todo. Empecé de adolescente a escuchar los Beatles, los Rolling Stones, Led Zeppelin, Queen, todas esas cosas. También la música académica, la llamada música clásica, el rock sinfónico; oía discos de Yes, de King Crimson, de Emerson, Lake y Palmer, pero también escuchaba Brahms e iba a los conciertos de la Orquesta Sinfónica de Maracaibo, en el Teatro de Bellas Artes. Allí me encontraba con esas piezas de Brahms, que ya se las había escuchado a Yes en algún interludio. Sentía un punto de identificación, algo para engancharme en la audición de una y otra cosa.

En cuanto a la música afrocaribeña, me introduzco en la medida en que iba a los bailes y escuchaba a la Billo's. Era una música que, así no te gustara, si querías sacar a la niña a bailar terminabas oyéndola y entendiéndote con ella –digo, con la Billo's... Pero fue Santana mi puerta para entrarle a la salsa, a las Estrellas de Fania, para descubrir todo ese mundo sonoro. Vytas Brenner y su Ofrenda, por su parte, fue el puente hacia nuestras cosas; pero no solamente de Vytas, sino de la Banda Municipal de Gerry Weil, otra música que en la década de los 70-80 a uno empezaba a interesarle.

Gerry Weil era conocido entre la gente joven que oía música con seriedad en la Maracaibo de principios de los 70. Él nos visitó, lo aplaudimos y también discutimos su música en las reuniones que organizábamos para a escuchar a los Beatles, sí, pero igual a Miles Davis o a Guaco. Éramos un grupo de Maracaibo muy abierto, interesado en el fenómeno de la música popular contemporánea, cualquiera que fuera la tendencia.

Vuelvo a Gerry Weil por un momento: Había grabado el disco «The message» y ya había visitado Maracaibo alguna vez con su quinteto de *free jazz*, o algo así que tuvo Gerry a mediados de los 60. Vino entonces con su Banda Municipal para dos conciertos en el Teatro de Bellas Artes. Aquello nos pareció superinteresante; estábamos oyendo lo nuevo, el jazz dentro de los merengues caraqueños, las fulías, las guasas, valses... A pesar del éxito nunca grabaron un disco; allí el gran vacío, porque todo el mundo hablaba de la Banda Municipal, pero no hubo un disco, algo que te cuente la historia de lo que fue ese grupo, de su intento por rescatar y modernizar la música que hubo en Venezuela a comienzos del siglo XX.

Si a mí me preguntan cuál es el mejor grupo de rock de todos los tiempos del Zulia, yo de inmediato diría Guaco por su espíritu de modernizar la gaita, de presentar un lenguaje musical contemporáneo, ceñido a nuestro tiempo, mientras los grupos de rock de Maracaibo, La Gran Fogata, eran un banco de lo que llegaba de Estados Unidos e Inglaterra: blues mal cantados y mal tocados. A veces un inglés guachi-guachi con un español que no terminaba de cuadrar. Guaco, en cambio, primero impone un estilo que cambió la manera de hacer gaitas a todos los grupos. Después de Guaco la gaita cambió para siempre y el grupo, a su vez, se mantuvo e hizo un cambio evolutivo en su música que le dio gran originalidad sonora.

Hacer en otra latitud, en otro contexto, lo que los ingleses y los gringos estaban haciendo con su música. Renovar, tal cual los ingleses y la música barroca o medieval, con su tradición académica, modernizando eso... ¿Quiénes hacían cosas como esas en Venezuela? Pues Guaco en el Zulia, Vytas Brenner, la Banda Municipal de Gerry... Fíjate lo que es la evolución de la música pop en Venezuela: comenzamos por los Supersónicos, los Impala, los 007, que seguían el modelo mexicano. Y ellos a su vez le ponían las letras en español a las canciones de Elvis Presley, Chuck Berry, para abordar el mundo melómano latinoamericano, inclusive para hacerlo en España. Yo he visto gente que ha escuchado las canciones originales hoy día, y creen que la copia la están haciendo allá en el norte, porque esa canción es de aquí.

Hasta Miguel Ríos, el gran rockero español, cita dentro de sus influencias básicas a los grupos mexicanos, porque ellos en

España pensaban que el rock no se podía cantar en español hasta oír a los mexicanos. Charlie García, los primeros argentinos, también entre sus influencias te citan a los mexicanos y lo mismo pasa aquí. César Costa, con sus camisas negras, el trabajo de los Impala, los 007; el techo de lo que se podía hacer aquí con el rock estaba en traducir al español las letras de las canciones norteamericanas e inglesas. Al menos al comienzo así fue.

Si los mexicanos hubiesen tenido la iniciativa de componer originalmente, a lo mejor la historia en el resto de América Latina hubiera sido distinta. Pero siempre se apostaba a traducir el tema ya comprobado: el gran éxito de los Impala en sus primeros tiempos fue aquello de... *Quiero decirte una cosa... Uhhh... la vi parada allí...* una versión de la pieza de los Beatles. Cinco años después de formados, cinco años después de su llegada a Caracas, cuando se van a ir a España en 1968, hacen un tema que se llama «Taxi» que también es un éxito y significa un gran logro del pop venezolano. Es la canción en la onda Beatles, pop-rock, cantada en español pero propia. Los Impala la pegan en España y aprovechan el impulso para agregar a su grupo metales, tumbadoras. Allá giraron, se presentaban, formaban parte de la vida española, sacaban discos, vendían, eran ídolos de la juventud madrileña que los selecciona como uno de los diez mejores grupos. Pasa el furor, el momento; son venezolanos que viven allá en el segundo lustro de los 60 para luego regresar a Venezuela.

En esa primera etapa del pop venezolano, en todos estos grupos que hemos estado mencionando (los Impala, los Supersónicos, los Clanners, los 007), la onda consistía en ponerle letra en español a los éxitos internacionales. Luego viene una segunda etapa, a finales de los años 60 y comienzos de los 70. Aparecen los talentos de Frank Quintero, Ilan Chester, el grupo Pan en donde estaba «Nené» Quintero, Guillermo Carrasco, gente con sus propias composiciones, pero con trazas estilísticas fuertes de los grupos internacionales de moda y muchas veces cantados en un inglés guachi-guachi (oye esto es de ellos, pero copiado de Led Zeppelin...). Se da entonces el gran paso de la composición propia, pero muy influenciada, a veces calcada y copiada. Hasta que se llega a la etapa de Gerry Weil con la Banda Municipal –en 1973, 1974–, que involucra toda una evolución del lenguaje pop, del rock, cuando al fin se compone con un estilo propio, además de incorporar lo venezolano dentro de esa música moderna de guitarras eléctricas dentro de la estética del pelo largo, blue jeans, del motivo *hippie* que muestra una evolución. ¡Por fin!, dijimos, un lenguaje contemporáneo que es más cercano a nosotros.

Trino Mora en los años 60 era un seguidor de Elvis Presley, pero era un Trino baladista pop, con temas de su inspiración como «Libera tu mente», «Mi tristeza»; eso tiene su valor. Henry Stephens, el cantante original de los Impala, recibe entonces el consejo de Renny Otolina quien lo convence para que siga carrera como solista. Lo apoya, lo entusiasma, entra Rudy Márquez para sustituirlo en los Impala y Stephens se queda viviendo cuatro años en España. Edgar Alexander –Azúcar, Cacao y Leche– fue otro compositor y solista de popularidad e importancia.

En los años 70 ya Aldemaro Romero había hecho su onda nueva. Una onda que no estaba dentro del pop, ubicable dentro de un contexto más universal, donde en el plano musical estaban pasando muchas cosas en el mundo. No solamente era el rock inglés, europeo o estadounidense; estaba tambien el jaz de Miles Davis proponiendo nuevas fusiones, de Ornette Coleman *free* al extremo. Piazzola cambiaba el tango y la música brasileña había tenido dos revoluciones: una en los 60, la *bossa nova*, y otra, algo después, el tropicalismo de Caetano Veloso o Gal Costa. En fin, eran cambios de la música en todas partes y Venezuela tampoco podía ser la excepción.

En el caso de la música venezolana tradicional o de raíces folclóricas, es de un corto tiempo para acá que nos hemos propuesto conocerla en su amplitud. Fue cuando Rómulo Gallegos asume la Presidencia, a finales de los años 40, que se hace una fiesta en el Nuevo Circo de Caracas –Juan Liscano de por medio– para presentar expresiones folclóricas musicales del país que en la capital no se conocían. Pero allí no se resuelve el asunto. Pasan las décadas y, producto de esa falta de conocimiento de la música venezolana, también surge en los años 70 una serie de grupos interesados en rescatar, explorar e investigar: Con Venezuela, Un Solo Pueblo, todo un movimiento de música en donde hay incluso expresiones de protesta como las de Alí Primera, Los Guaraguao, mano a mano con las exploraciones de repertorio de exponentes nuevos del talento de Cecilia Todd, Lilia Vera o Roberto Todd –entre otros–, quienes con sus actividades musicales procuraban rescatar el folclor venezolano.

En los años 80 surge la nueva canción venezolana; un movimiento que tiene el mérito de renovar la balada de aquí al incorporar elementos del pop, del rock, de la trova cubana, la brasileña, salsa, además de la incorporación de instrumentos, lo último en tecnología, sintetizadores, guitarras eléctricas bien grabadas en estudios de alta calidad, ejecutadas por instrumentistas provenientes del jazz y que ahora se prestaban a esto. Aquello, por el talento involucrado, tenía que sonar bien y efectivamente se crea un movimiento respaldado por dos compañías que tenían televisión, radio, recursos fiancieros, y estaban aprovechando un buen momento para lanzar músicos y cantantes en el país. Ahora, ¿cuánto tenían de venezolanos en el sentido de la música que hacían?, ¿qué ingredientes meramente venezolanos había en sus propuestas?

Hay un elemento lírico en las letras, en la temática, o cuando hay un tema como en «Lucha por la economía» de Ilan Chester, que ataca la realidad social del país. Yo desearía equiparar mucho de eso que pasó en Venezuela con Ilan, Yordano, Franco de Vita, a lo que vino en Brasil después del «tropicalismo», donde hay baladas modernas con elementos del rock, del jazz, cosas de boleros, pero de tinte brasileño. La Nueva Trova cubana también se nutre aquí y allá, pero siempre con tinte cubano.

Lo que hizo Aldemaro con su onda debió haber pasado como por cinco fases más. En 2004, pleno siglo XXI, muchas propuestas pudieron partir de lo que hizo Aldemaro en los años 70. Pero no sucedió así; sucedió tal y como observa Inocente Carreño: desde los años 20, al venezolano siempre le ha gustado más la música de otras partes que la nuestra. Y así pasamos a encontrarnos más con la música de Cuba, con el jazz de Estados Unidos, con el rock, con la música brasileña, la salsa... cuanta cosa sea hecha afuera, aquí conseguía su equivalente.

Los brasileños dicen que son una cultura caníbal, una cultura de antropofagia; es decir, que comen de todo, deglutan todo, lo digieren y lo transforman. Consumen todo lo que hay musicalmente posible en el universo internacional y lo devuelven con cierta personalidad, con un estilo de ellos que en donde lo oyes dices: esto es brasileño. Yo extraño eso en nuestras cosas. Es buenísimo ir a un concierto de jazz aquí, superbien tocado, bien hecho, en la mejor sintonía con lo que se hace en Estados Unidos... *hip hop, hard hop, jazz rock, acid jazz...* a uno le gusta, a uno le gusta la música, pero le siente lo imitativo puro.

❑

Me encanta ir una noche a un bar o a un concierto y escuchar jazz bien tocado, blues bien tocado, rock bien tocado. Está bien, pero creo que además de eso deberían existir formas del lenguaje más originales, propias, como el trabajo que han hecho los brasileños, el mismo Astor Piazzola con su tango, Juan Luis Guerra con el merengue dominicano o, aquí, Aldemaro y su onda. Los gringos inventaron su jazz, su música. Luego le fueron agregando cosas, lo evolucionaron y hoy puedes hablar de incontables categorías y subcategorías, ramificaciones que se tienen del jazz.

De la Banda Municipal de Gerry, ¿qué consecuencias hay? ¿Maroa? Ciertamente un buen ejemplo. Vytas hizo lo suyo al igual que Gerry y Aldemaro. María Fernanda Márquez retomó el «Canto del pilón», «Campesina». Siempre un intento se hace de cuando en cuando. Y ha quedado una semilla que poco a poco se va desarrollando. Hoy día, otro ejemplo, la gran mayoría de los grupos de jazz en Venezuela tienden a buscar temas venezolanos... un arreglo de «El diablo suelto», una tonada arreglada, un merengue caraqueño, algo que se inspire en la onda nueva o algo donde se utilicen tambores afro-venezolanos, golpes de Patanemo... Van quedando propuestas que no terminan de ser un disco, un concierto completo; quizás un tema o dos, un saludo o una inquietud que está dentro del abanico de intereses del artista, dentro de su imaginario.

También hay que hablar algo de la salsa. La salsa en Venezuela caló tan hondo que pasó a ser el folclor urbano. El ciudadano caraqueño se identifica con un lenguaje más urbano y contemporáneo que el joropo, que siempre nos vendieron como la música popular folclórica venezolana por excelencia, cuando en Venezuela hay tantos estilos musicales: calipso, tambores de la costa, gaita, golpes de Tamunangue... El joropo al caraqueño le decía poco, porque hablaba de una realidad campesina, rural, de otro tiempo, muy alejada. La salsa en cambio dijo cosas más puntuales, modernas y contemporáneas; tuvo un lenguaje más atractivo, bailable, proveniente de una tradición que desde hace tiempo había echado raíces en Venezuela por intermedio de la música cubana de los años 30, 40 y 50. De allí que el percusionista afro-latino se haya impuesto dentro de los grupos de rock, y que muchos grupos de este tipo, no contentos con las tumbadoras, el bongó, la campana, los timbales, comiencen a integrar instrumentación venezolana –quitiplás, culo 'e pulla– para incluirlas dentro de su música.

El Cuarteto marca una nueva vertiente dentro de cierta música venezolana que sí ha tenido seguidores. A El Cuarteto le siguió Gurrufío; a Gurrufío le han seguido otra serie de grupos que están en esa onda de la música de cámara venezolana: Omar Acosta, Huáscar Barradas, Caracas Sincrónica, todos ellos marcan un movimiento musical urbano muy interesante. Se trata de música venezolana urbana que incorpora elementos de la música académica y conceptos del jazz en cuanto a la improvisación, como es el caso de Saúl Vera y sus ensambles. Es este un movimiento que te lleva gente al Teresa Carreño, que te vende algunos discos, pero que continúa siendo algo elitesco. Poco a poco, creo, hemos armado un rompecabezas de las cosas que pasan dentro de la música venezolana. También se da el advenimiento de grupos en el interior del país bajo el modelo de El Cuarteto o Gurrufío, grupos que tratan de abrir nuevas tendencias en la música venezolana, que no va a sonar igualito a los grupos del siglo XX.

Soy ecléctico en mis gustos. Creo en artistas que busquen nueva avenida, un nuevo camino, sea cual fuere su tendencia: el último disco de los Amigos Invisibles; el de María Fernanda Márquez –«Princesa de la naturaleza»– o el de Leo Blanco, los tres con lenguajes musicales diferentes entre sí. Me interesa cualquier música que tenga algo llamativo, inteligente, algo nuevo que decir; por esto puedes verme en una tenida de jazz, en un festival de rock o en presentaciones de música venezolana. Puedo ir a un concierto de Gerry Weil, a uno de Alberto Naranjo como ir a ver a Gurrufío o el regreso de Mango. Puedo estar pendiente de Caracas Sincrónica, o de ir a ver a Aldemaro Romero con María Rivas. La música interesante, digo, siempre me mantiene despierto y pendiente.

Voz que habla de cómo oír

Un peñista que habla lírico o liricoso, elogia las rocolas, cita y deja caer data y datos.

❑

Venga y vea, le digo que me lo sé de memoria: «Es la voz del tiempo que habla», tal cual decía el locutor del radio en medio de una música sebosa, llena de violines y arabescos, armonizada con el silencio de bien entrada la noche. Y uno adormitado, como animal distanciado, confundía por momentos la audición para darle con el pensamiento propio: ¿El tiempo que habla? No será que más bien toca y canta; que insufla momentos ligados al baile, a la muchacha, a la canción aquella.

La misma oferta de ese cajón eléctrico del bar tan parecido al radio, fino latón de vidrio y tecla, siempre alumbrando la esquina central del botiquín favorito. Vea: un aspecto de *Pinball* sonoro *–juke-box* le dicen los americanos–, cercano a una radio grandota, parada sobre sus propios pies, hecha de pura música sin anuncio hablado, acoplada al ambiente del trago y la humareda.

Y la mira de uno fija en las pequeñas vitrinas de letreros que prometen toque de discos a cambio de centavos: el Daniel Santos de la «Virgen de Medianoche», D-12, seguido por Pirela con Billo, D-13... *Te vas a casar, queriéndome a mí...* luego Bienvenido y la Sonora, número premiado de cuyo código no puedo acordarme... *Luna, ruégale que vuelva...* De puro remate la dueña y señora de todos los benditos aparatos, la Carmen Delia Dipiní de... *No debiste alegrarte, cuando te dijeron... que me vieron llorando en silencio, en la mesa de un bar...* Todo un arsenal de canciones escogidas para recrear la porción pasional, sentimental, de la vida de cada cual. Sea entonces que el mecanismo pesque el disco y suene alto, potente, más allá de lo radiofónico (estereofónico, si es nueva la grabación), acompasado al sitio, para centrarse bien en quien quiere pareja dulcita... *cariñito azucarado que sabe a bombón...* o en quien toma palos recostado de Agustín Lara, voz, cigarro, piano y violín favoreciendo algún lamento hecho canción... *arráncame la vida, con el último beso de amor...* Venga además el sonido de los discos viejos de Gardel –«Volver», «El día que me quieras»–, Negrete, José Alfredo o Pedro Infante... *Me cansé de rogarle...* De la misma Sonora Matancera, ya se dijo, reina y señora del aparato, con Pinedo, Granda o Argentino en aquello de... *En el mar, la vida es más sabrosa...* Todos demostrando, cuantas veces se quiera, que por ellos es la voz del tiempo quien en verdad canta.

Cosa del tal ayer, hoy y siempre, distinguidos contertulios, también ofrecido por la radio, nadie dijo no, pero nunca desde el mismísimo lugar de los acontecimientos y por tan sólo cuatro reales. Jamás desde la media luz de una pista propicia al baile en el ladrillito –compañera de farra incluida–, al canto de una Virginia López rítmica, afincando la íntima cercanía –el pulimento de la hebilla, pues–, mientras de cuando en cuando caen regados los números movidos –Billo, el Víctor Piñero, los Corraleros, uno que otro rocanrol cincuentoso–, que seguro animan, sí, pero sin romper con la cómplice condición del bar y sus consecuentes.

Es la voz del tiempo que habla, ni lo duden y como puedan síganle el rastro a lo que resuena aquí y allá, en el receptor de la casa, acompañante de los ratos solitarios, en el gusto de esa memoria personal ya casi dormida por la hora de la noche. Es cosa de estar siempre allí, donde algún *Mazzinger* resonante procure como aquí ambiente, recuerdos, compañía, música para un rato de vida distinta a cambio de muy poco: el sueño dentro del sueño, dentro del sueño. Me perdonan pero ya ni sé, la cabeza no me da más para lo lírico. Como que mejor dejo el elogio a las rocolas, mientras paso al consejo de audición dirigido a menores presentes interesados en oír con todo, sobre todo siguiendo la experiencia del más rocolero de los melómanos (¡salud!). Vean.

Primero que nada, sugiero dejar de lado la opinión de un maestro humanista como Mariano Picón Salas, quien escribió una «Teoría de las sinfonolas» con frases para nada elogiosas respecto a nuestra adorable rocola (leo):

> Los manchones rojos y amarillos de que la caja está revestida son ya el estrepitoso indicio de la música que puede ofrecer. Se piensa en el viernes borracho, en la mujerzuela embotada por el trasnocho, la mala vida y la propia debilidad mental, en tanta gente sin cabeza, sin vida interior ni rumbo, que hacen lo que vieron hacer a otros seres iguales. ¿Habría que atribuir al capricho y la ordinariez de alma de los inventores la fealdad y desarmonía de tales cajas, o más bien –confirmando la teoría de Ortega– ellas expresan la «rebelión de las masas», el deseo de vulgarizarlo todo, de hacer de Beethoven o de Bach un contemporáneo del hombre estúpido que con ritmo de *juke-boxes* emprende su danza regresiva de orangután?

Allí, en la voz del maestro Picón Salas, advierto de la opinión contraria, contrariadora de nuestro gusto, pero que empuja al examen, a la reafirmación del gusto propio (el maldito *juke-box* según Picón, a mí, en lo particular, me produce poética pura: *«Las rocolas que oí están selladas en una habitación/ desconocida tenían más verdades que el Tao Te Ching»*, William Osuna, poeta, *dixit*) y, también, a la compra del *Curso de apreciación musical* del profesor José Antonio Calcaño. Sé que lo venden en una cajita en versión de casetes –la cosa es para oírla, no para leerla–, y aunque el profesor sólo habla allí acerca de lo académico, de lo clásico, los conceptos y consejos están claritos; además el profe los ilustra con música. Es una buena forma de informarse acerca de la melodía, la armonía, el ritmo, la forma, los géneros, estilos, instrumentos, composición, dirección, etcétera, etcétera. Oír a Calcaño con atención, créanme, ayuda tanto, casi más, que tener un buen aparato de sonido –caso una rocola casera–, cosa también indispensable para que la música suene formal, como debe sonar, o al menos con las cualidades particulares de la grabación (hace unos años también hubiera recomendado una buena aguja de tocadiscos para escuchar con el menor fondo de huevos fritos posible, pero hoy con los discos compactos tan sólo me queda la duda de si los «discos» quemados en verdad dañan el aparato).

Recomiendo escuchar con atención el curso del profesor

Calcaño y casi se me pasa por alto remarcar lo fundamental que resulta ese «escuchar con atención». La música es fenómeno para las orejas, de allí que su centro esté en la atención concentrada; nada de oírla como quien está en un centro comercial, un automercado o un ascensor. Lo menos que aspira un melómano decente es poner un cuidado auditivo tal, que se pueda eliminar todo otro ruido circundante; «ver cómo se descompone el set». Hay quienes se concentran al punto de no poder ni mascar chicle, ni echarse palos al momento del disfrute melómano. También hay quienes pueden jugar dominó o leer a la vez que escuchan una grabación. Algún sabio habla del cerebro en red de las mujeres, capaz de atender «superficialmente» a varias cosas a la vez, contrapuesto al cerebro masculino que profundiza una cosa primero y otra después. Existe igualmente la atención curiosa de los niños, la eufórica de los adolescentes y la pasiva de los viejos («quítenme ese ruido o al menos pónganlo bien bajito») quienes, por razón de la edad, como que buscan melodías quietas, suavecitas, casi inexistentes, del todo afines con la existencia cansada en busca de reposo.

Se trata, en fin, de este prestar atención según la condición de cada cual para apuntalar a un segundo consejo de audición. Oído al tambor: la música es arte del «qué», pero también del «cómo». Un curso del profesor José Antonio Calcaño ayuda mucho a saber fundamentos mínimos acerca de las complicaciones del ritmo –al principio fue el ritmo, se dice–, la melodía –esa parte que se canta–, armonía –acompañamiento, más bien–, la fuga, el contrapunto, la orquestación, los instrumentos, las formas de las composiciones, etcétera. Bien. Pero el cómo se ejecuta, los juegos del intérprete, su valor y aceptación depende en mucho de nuestra capacidad de ubicar las intenciones creativas dentro de nuestros intereses y facultades. Y esta capacidad de precisar nuestros intereses, dentro de las intenciones creativas de la música, puede traducirse en eso que llaman «cultura musical». Valga entonces lo de ubicarse en el sentido de saber a lo que se atiende para degustarlo y juzgarlo tal cual es. Un ejemplo sencillo: si va al juego de pelota preinfantil, de seguro conseguirá espectáculo viendo al niño que llora por el ponche, al que corre hacia la mamá en vez de hacerlo hacia las bases. Al entender aquello como cosa de niños, de seguro que usted gozará de lo lindo con el desbarajuste. Ahora, si usted empieza a pensar en aquello como calidad de juego, si compara con la destreza de Grandes Ligas... ¿Ve lo que le digo?

Cultura musical adquirida y desarrollada, lista a graduar la audición, no necesariamente significa oído y gusto para la música «clásica». La cultura aquí está, creo, en aplicar lo que se ha oído para atender a lo nuevo, y decidir. «Comprender es igualar», reza una conseja aplicable al momento de buscarse ubicación en el canto del barcito con el músico que toca «Madrigal» para los habituales, en la pista de baile del club social con la Billo's o Los Melódicos solicitando oído bullanguero para el baile, o en el Teresa Carreño apreciando en silencio la «Cantata Criolla» de Antonio Estévez, en voces de William Alvarado e Idwler Álvarez. Sopese la posibilidad de belleza en el concierto infantil, en el borrachito con su cuatro pidiendo ayuda en el boulevard de Sabana Grande o en el concierto de Pavarotti del Carnagie Hall niuyorquino. No compare peras con papas. Deguste, ubique y decida según el caso («el auditor –decía Stravinsky– está llamado a convertirse, en cierto modo, en el copartícipe del compositor...»). De nada sirve pensar en el «Réquiem» de Mozart escuchado en una catedral de Praga, mientras atiende a una ceremonia en la iglesia de El Sombrero con cantos inventados por el cura párroco de turno. «Oír es haber oído», y además haber oído con atención «selectiva». Créale a los Amigos Invisibles cuando en la discoteca cantan con tono de credo... *esto es lo que hay...* Ubíquese. El todo está en tratar de discernir la categoría de lo que ofrece y pretende el artista, para así no sufrir unos problemas de apreciación por falta de ajuste... Porque no hay duda de que hay músicas todas muy distintas, procedentes de diferentes niveles de creatividad y destreza, cada una solicitando juicios diferentes por parte de los oyentes. ¿Algo más preciso? ¿Qué tal una cita del profesor Emil Friedman, maestro venezolano en esto de impartir educación y cultura?

> La sociedad y el pueblo en general deben conocer sus valores artísticos y juzgarlos en forma equitativa, y a pesar del cariño paternal debe saber su nivel verdadero comparándolos con lo mejor en su género en el mundo. «Fernandito» no es un gran violinista por tocar mejor que su primo «José»; sin embargo esto cambia, si lo admiten como solista en una sinfónica, porque esto le da, por lo menos, un «standing» nacional; pero con todo eso no hay que confundirlo con Háifetz hasta que no se establezca una comparación palpable entre nuestro «Fernandito» y Háifetz en un ambiente inernacional que «ipso facto» elimina intereses personales que favorezcan al uno o al otro.

Lo tercero va ligadito a lo segundo; otro aspecto de la tal «cultura musical» del oyente. Ya habiendo uno ubicado al artista en la liga de atención adecuada, toca precisar su expresión. Para quien ejecuta esto significa una cosa técnica complicadísima, pero para el oyente equivale a responder cómo la música alcanza o no sus intenciones; fíjense: Juan Calcaño, ensayista criollo, creó un diálogo imaginario con un tal José Antonio, «El músico» (¿sería pariente del profesor?), que dice así:

> En realidad no es Strauss, sino Mozart. Uno de sus primeros minuetos... Comprendo que te equivoques cuando quieras distinguirlos con tu apreciación, debes tomar en cuenta algunos detalles, y no te equivocarás jamás. Principalmente se diferencian por el estilo, la técnica y más que nada el propósito... La mayor parte suele admirar lo que no puede explicar. La otra parte es tan sabia que no opina...

O a lo mejor resulta tan sabia que opina de frente, con cosas parecidas a las de un italiano pianista que a principios de siglo tocaba veladas en cierta ilustre casa de familia caraqueña. El italiano daba acompañamiento a *melopeas* –recitativos con piano de fondo– y canciones de amor europeas, como la romanza italiana *Il bacio* («El beso»), que años después causaba suspiros en el maestro cuando recordaba a la señora de la casa quien «no sólo lo cantaba... e lo daba... lo daba».

Como sea, a dejar de lado al pianista italiano e irse mejor por lo de Juan Calcaño. Nada de explicar, ni de jurungar recuerdos chisposos, sino de precisar estilos, técnicas y propósitos. Dijo Calcaño la palabra propósito y me pregunto, o les pregunto, ¿qué viene a ser en música el propósito de esto o de lo otro? Y digo yo: escuche con toda atención la música de su interés, después piense. Piense simple y acertará el propósito del artista. Mientras más simple mejor: lo instrumental es instrumental; no hay voces humanas, ni se deben buscar. Eso es lo que hay, mis amigos invisibles, y punto final. Por el contrario, el tema cantado precisa justamente de canto, pronunciación, dicción, seguridad al momento de ponerle voz a la melodía. Allí está la clave de su expresión, aunque alguna vez oí decir al maestro Federico Ruiz que la expresión musical, en su esencia, siempre termina siendo una variación rítmica. Y variación rítmica, por cierto, es una cualidad propia de toda buena música, en especial de la bailable. Pero no sólo uno piensa simple, insisto, en buenas variaciones rítmicas al servicio de los bailadores que las necesiten a la hora de echar un pie, sino también en algún conocimiento complementario. Por algo, en este caso de la música bailable, el requisito auditivo puede tomar calibre de norma de ética y estética social según, digamos, un Manual de Carreño que en su capítulo quinto, título IV, sección B, artículo 4, dice:

> Las personas que sin poseer la disposición y los conocimientos necesarios toman parte en el baile no hacen otra cosa que servir de embarazo y de incomodidad a los bailadores realmente hábiles, desordenar y deslucir los bailes, y deslucirse completamente ellas mismas. En esto se cometen a un mismo tiempo varias faltas graves: se molesta a los bailadores, estorbándoles y embrollándoles sus mudanzas, y poniéndolos en el caso de dar lecciones de baile en ocasión en que sólo quieren divertirse: se ofende a los dueños de la casa tomando por un entretenimiento frívolo y propio para aprender y ensayarse, lo que ellos han querido sin duda revestir de seriedad y elegancia; y se manifiesta poco respeto y aun desprecio a la concurrencia entera, pues de otro modo no se concibe que una persona pueda resolverse a presentarse a bailar ante ella, sin haber tomado las necesarias e indispensables lecciones, sin conocer las reglas del baile, sin saber, en suma, lo que va a hacer.

El concierto de audición exigente, puro silencio y formalidad, es cosa diferente al acto de la música de baile. Una canción religiosa irá en favor del recogimiento, una marcha tratará de procurar aliento patriótico, la sinfonía dará idea de solemnidad y el ballet apostará a la danza como espectáculo visual. Cada caso puede reducirse a precisar propósitos e intenciones; allí el punto central del oyente: si se quiere el canto salsero, no se extrañen del aplauso para quien encarne al malandro infame; la gente quiere escuchar las observaciones del fondo del barrio no en una voz intelectual, sino en una que destile trasnocho, abuso, rumba sentida y profunda (¿qué otra cosa significaban los timbres de Héctor Lavoe, Ismael Rivera o nuestro Nano Grand?). Si se tratara de bolerito de bar, si de eso se tratara, dentro de la porción de dolor y trago a lo mejor cabe hasta un buen pedazo de recuerdos amorosos: «Es impresionante la capacidad evocatoria de la música y la oscuridad», dice el poeta Alejandro Oliveros para aleccionarnos con un caso concreto de su *Diario literario*:

Oigo un bolero y recuerdo una amiga que tuve hace más de veinticinco años. Una trigueña alta y sensual que vivía en las afueras de la ciudad y trabajaba en una especie de ferretería. Generosa de cuerpo y cariño. Solía cantarme esta canción que, entre otras cosas, dice... *que ya no soy ni mi sombra/ que me ven y no me conocen/ que mi amor no tiene remedio/ que yo ya me perdí*... ¡Ah, que maravilla!

Cuarto, cuarto luce como que se me van acabando los consejos. Cultura musical, como que es lo que resume todo... Pero, siempre antes de terminar, hay que hablar de la sensibilidad del escucha; de la apropiación emocional, que una persona es capaz de abordar la música con la sola ayuda de sus sentimientos. El tema ni es abstracto, ni tan cursilón como parece. Y, por cierto, nadie mejor que un poeta de poetas, Wallace Stevens, para revelar con sendas palabras sentidas algo de este principal asunto:

Así como mis dedos sobre estas teclas
Hacen música, así también los mismísimos sonidos,
En mi espíritu hacen música también.

La música es sentimiento, pues, y no sonido;
Y así sucede lo que siento,
Aquí en este cuarto deseándote.

Pensando en que tu seda sombreada de azul,
Es música. Es como el acorde
Despertado por Susana en los ancianos.

En un verde ocaso, claro y tibio,
Ella se baña en su quieto jardín, mientras
Los ancianos de ojos rojizos observando, sintieron

Las violas de sus seres vibrar
Los fascinantes acordes y su sangre débil
Pulsar el pizzicati de Hosanna.

«Meter quince al clavicordio», se llama este poema musical de Stevens que es muy útil para dar cima a cualquier explicación de posibilidades sensibles de melomanía activa. Se deja al poema muy dentro de uno y se cata la esencia... pero mejor vamos a los aspectos varios de puro remate: en cuanto a oír música con la sapiencia de las formalidades del arte, insisto en recomendar sin reservas el curso de apreciación del profesor Calcaño y luego a parar la oreja. A parar, sí, la oreja con alguna que otra precisión parecida al problema de la afinación.

La afinación es cosa de músicos, pero algo nos concierne. Ellos, los músicos, escuchan de acuerdo con su parámetro que les dice de la exactitud del sonido acoplado a la nota tal o cual, según se desprende de la convención pitagórica, etcétera. Uno con la pura oreja trata de entender acerca de afinación de acuerdo con la comodidad de la línea melódica respecto a su acompañamiento, o del sonido de unos instrumentos respecto a otros. Afinación, les digo, es cosa relativa. Si se tratara de una puntuación para medir facultades del oído, y esa puntuación contemplara veinte puntos para quien percibe la afinación absoluta –es decir, veinte para el que sabe cómo el sonido de las notas coincide con su codificación ideal, diríamos que un mélómano avisado pudiera alcanzar dieceiséis o diecisiete puntos, en el mejor de los casos. En cambio el músico profesional está obligado a calificar de un dieciocho hacia arriba, pero... pero qué cosa esta de los cogedores de goteras, siempre a la vista de lo que hacen los demás. Los músicos, insignes cogedores de goteras, cuentan del caso del saxofonista hermano de Renato Salani, quien mortificado por tener que afinar el instrumento noche a noche, en una oportunidad resolvió hacerlo de manera definitiva, final, y luego de hacerlo soldó la boquilla al instrumento (¡ni se le ocurra tomar el ejemplo de Salani, por favor!). Otra fue la descarga a Miguel Aceves Mejía, cantante mexicano especialista en el falsete aplicado a las rancheras, quien con el paso de los años fue perdiendo facultades al punto de que sus colegas acompañantes, le aplicaban sin compasión alguna el ácido nombre de «Miguel Aveces Afina».

El profesional bueno, insisto, tiene que sacar su dieciocho en la materia. Al mejor aficionado no se le da ni pide más de un dieciséis y cuidado. Sin embargo, me atrevo a poner este asunto en el mundo del «más o menos» porque nadie, nadie, puede dar palabra final en la materia. O al menos no puede darla en cuanto a los géneros populares. La Lupe, pongamos por caso, graba «Qué te pedí» en estado de completa desafinación y termina siendo un clásico bolerístico universal. Felipe Pirela, por su parte, afina con quejidos y eso, me lo han confesado músicos informados, eso atenta contra la precisión afinatoria.

Ahora, ¿es que Tito Puente o Billo Frómeta, maestros de La Lupe y Pirela, no estaban al tanto de la gracia de la afinación? Por supuesto que lo estaban. Sucede, para bendición de los aficionados, que ellos también sabían cómo la música popular pide y acepta violaciones a la afinación en beneficio de algo mucho más importante: la expresión (¿pero hace poquito no se habló de la expresión cual variación de la rítmica según el profesor Ruiz?). Que se diga con la canción, o, mejor dicho, sea la letra de la canción el foco del cantante. Allí está el detalle. La Lupe con sus quejidos expresivos, Pirela y su lamento pueblerino aplicado como se debe, no necesitan de otra cosa distinta a un buen tema para hacerle lo suyo. A lo sumo, el poema aquel de Heberto Padilla llamado «La voz», que ilumina, me sigue dando aliento liricoso y, además, lo dice todo:

No es la guitarra lo que alegra
o ahuyenta el miedo en la medianoche
No es su bordón redondo y manso
como el ojo de un buey
No es la mano que roza o se aferra a las cuerdas
buscando los sonidos
sino la voz humana cuando canta
y propaga los ensueños del hombre

Por cierto, ¡qué cosa esta de terminar siempre con asuntos ligados al bolero! Con razón el maestro Rodrigo Riera decía que toda fiesta pasaba por lo criollo, pero al final terminaba siempre al compás de los boleros. No sé, pero por algo el maestro Robert Shumann, nombre muy mayor de la música académica romántica universal, aconsejaba a los jóvenes artistas de su época interesarse en la canción popular como fuente importante de melodías insuperables... Respetar la música antigua, pero interesarse también por la moderna («La música que está de moda tiene poca vida; si persistes en cultivarla, serás considerado un necio»); jamás juzgar una composición después de la primera audición, consultar con personas de mayor saber al momento de seleccionar la música y, aunque mucho se puede aprender de los cantantes, no creerles todo lo que dicen... Eso de parte del maestro Shumann; yo por mi modesta parte termino no la peña de hoy, pero sí esta perorata de recomendaciones donde todo cabe, con la lectura de la opinión de verdaderos artistas del bolero a quienes uno tal vez no deba creerles todo, pero sí aquello en beneficio de quienes cierran reuniones con canto y, principalmente, de quienes tengamos que soportarlos:

Oír, oír y oír, para poder cantarlo más con el temple que con la voz.

Elisa Soteldo.

Cuatro cosas importantísimas:
1) Estudie la letra de lo que va a cantar, para que así no diga disparates.
2) Cuide la dicción –¿Qué cosa es esa de «te fuistes y me dejastes...»?
3) No busque que le enseñen la expresión, eso se lo pone uno; no se aprende en una academia.
4) No se ponga a usar cosas extrañas.

Graciela Naranjo.

Use su propia voz para expresar lo que siente, sin miedo o vergüenza.

Gustavo Carucí

Cerrar los ojos y contactar lo más sublime del alma latina; eso que es lo más romántico y pasional de nuestro ser colectivo.

Juan José Capella.

Cantar boleros es actuar con música. Piense que todo lo que está diciendo ya lo ha vivido: actúe la canción.

Estelita Del Llano.

Haber sufrido mucho, mucho, mucho... Haberse despechado tanto y tanto...

Gisela Guédez

Letra: cada intérprete debe aprendérsela muy bien hasta que se sienta como si él la hubiese escrito.
Expresión: el aspecto fundamental, más que un buen tono de voz (feeling).

Alberto Naranjo.

Cantar un bolero es hablar bonito.

Carlos Espósito «Kutimba»

Un consejo y una advertencia:
Hay que poner las vivencias en el canto; atarlas a la canción, a la experiencia propia; de lo contrario estarías simplemente ejecutando sin comunicar nada de los amores y desamores que inspiran al bolero.

Esperanza Márquez

Esperanza Márquez

«Una canción popular conmueve mi alma con mayor intensidad que el poema de un genio».

Ángel Canivet

Se violan las reglas de la peña: aparece un músico, cantante, en la escena de la reunión semanal. Es la misma Esperanza que una semana atrás fue citada, al menos en el contexto de ciertas apreciaciones que alguna vez dio, y que ahora quiere precisar por escrito con su especial gusto de siempre.

Consígnese y léase, pues, lo que alrededor del canto cavila quien sí sabe de eso:

❑

Nunca supe si aquello fue una revelación, porque no creo en esas cosas. Pero esa tarde todo dentro del cuarto se transformó, la luz bajó de tono y adquirió una consistencia tenue y extraña. Al verme en el espejo sentí que no era yo quien me miraba. La claridad en mi expresión, su brillo, me hizo pensar que mi rostro se había transformado. Comencé a cantar una canción. En ese preciso instante, al verme en el espejo gesticulando e imitando a cualquiera de las estrellas que había visto por la televisión cantando como Alfredo Sadel, el ídolo de mi infancia, supe que algún día sería cantante.

Esa imagen ha estado siempre conmigo. A veces recreo las mismas sensaciones que sentí en aquel misterioso y bello momento de mi infancia, cuando alguien desde fuera, pero atado a mi interior por un hilo invisible, me dijo: «vas a ser cantante». Tendría nueve o diez años. Mi padre había decidido irse a ese mundo sin habernos disfrutado como hubiéramos querido. Se fue sin dejarme cantarle una canción.

El deseo de cantar fue siempre mi gran secreto de niña. La timidez no dejaba que nadie lo descubriera hasta esa tarde cuando viví aquel misterio. Fue en ese momento, ahora me doy cuenta, que sentí que por fin en mi vida había una verdad, la única que aún tengo empeñada y que llevo muy apretada de mi mano para que no se me escape.

Luego comenzó mi adolescencia en mi querido colegio de Hermanas Franciscanas. Las monjas tampoco sabían mi secreto, ni mis compañeras, ni mis amigas, ni siquiera mis más allegados. Aunque a pesar de mi timidez, trataba de participar en actividades que de alguna manera me revelaban a los ojos de los otros como una futura cantante.

Lo que nunca fue un secreto fue mi gusto por la música. Tuve muñecas de aquellas que si las recostabas un poco sobre la cama, o sobre el aire, lloraban, decían mamá y cerraban y abrían los ojos; tuve los juguetes que quise porque mi papá antes de irse me los había regalado todos. Cuando mi papá se marchó, mi mamá y mi hermana hicieron todos los sacrificios para que «Esperanza» siempre estuviera contenta. De los juguetes que tuve, el que atesoro con verdadero amor en mi memoria es un «picocito» que funcionaba de verdad-verdad y donde escuchaba mis discos de 45 revoluciones, tanto de música infantil como una colección, seguramente de mi hermana, de discos de música clásica de los que recuerdo especialmente el del ballet La Sílfide. Esos discos tenían para mí una belleza y un encanto especial: eran rojos transparentes y venían metidos dentro de unas fundas de papel de «estrás» de donde yo los sacaba con gran cuidado para escucharlos o simplemente, niña al fin, para jugar a La Semana, poniéndolos en el suelo para saltar sobre ellos. En la espontaneidad de la niñez no había aprendido a ser sensata y a saber que «los discos no se pisan».

¿Adónde habrá ido a parar mi «picocito», esa maletica que guardaba como un tesoro y que me enseñó tantas cosas y a la que, en la soledad de mi cuarto, le confié tantas más? Quizá corrió la misma suerte de aquel barco de papel de la canción de Serrat que luego de llevar al cantautor de país en país, como me llevó mi «picocito» a mí, de escenario en escenario, fue con el tiempo olvidado. Cómo es de importante la infancia, cómo se nos quedan grabadas frases que oímos y nos hirieron o nos hicieron felices, o nos siguen hiriendo o nos siguen haciendo feli-

ces. Pienso en el hecho de que no tuve hijos, y en mi sueño de niña, esa única verdad que poseo, y que algún día, cuando ya no tenga fuerzas, la soltaré de mi mano para que vuele junto conmigo, como mi mayor felicidad. Pienso en el hecho de que mi padre se fuera sin que le pudiera cantar una canción y de que me iré sin cantarle ninguna al hijo que no tuve.

❑

Cantar es un placer que deriva de un esfuerzo casi sobrehumano. Si cantamos de verdad-verdad, en cada canción dejaremos que se nos escape por el aliento una parte de nosotros mismos. En la canción, al cantar, volcamos nuestras emociones sin ningún pudor, honestamente; y si somos tímidos o temerosos, como es mi caso, el acto de cantar es un milagro. Lo que queremos al cantar es arrancar de adentro de nuestro ser todo lo que queremos compartir con los otros. En ese proceso se nos desatan los ángeles y los demonios. El acto de desdoblamiento creativo termina cuando el aplauso anónimo nos saca de nuestra «pequeña locura» habiendo antes sido testigo de la más descarnada confesión. Agradecemos, entonces, la aprobación hasta que volvemos a ensimismarnos al sentir que acabamos de traicionar nuestra intimidad.

Para mí cantar es un acto de infinita seriedad. No puedo entender a los que cantan cada vez que se lo piden –ese es otro cantar–; ni siquiera en los ensayos siento el compromiso que significa expresarse descarnadamente frente a un público que siempre quiere más, y que te pide que le sigas cantando cómo eres, cómo sientes, a quién estás queriendo a través de las canciones. Para que ese milagro del desdoblamiento se suceda, esa «pequeña locura» que decía, tengo que estar preparada. Pareciera una paradoja, pero para mí cantar es locura, desdoblamiento, junto con reflexión y seriedad. En el canto el alma se desnuda y se entrega al final, yo también me sorprendo de mí misma, quedando luego con una sensación física de vacío al ofrecer mi intimidad sin recato, en ese momento mágico que sólo se da en un escenario.

Mi maestro Eduardo Lanz decía que cantar es «hablar correctamente sobre un giro melódico», pero sin engaños o disimulo, real y sinceramente. Entregarse a los otros para que me reciban como soy.

Ana María Raga y la voz de Ludovico

El interés de los peñistas en el canto es tal, que de nuevo se violan las reglas de la peña –tan sólo para «melómanos»– con la participación de la profesora Raga –pianista, docente, directora de cantantes, coros y corales–, quien nos da un discurso a favor del movimiento coral, que puede dar interesantes oportunidades de expansión artística a ciertos interesados.

❑

Una coral, les digo, es algo tan distinto a una orquesta que en realidad se trata de dos cosas totalmente diferentes. La orquesta supone músicos que solfean y tienen entrenamiento académico en el manejo de su instrumento; en el coro no necesariamente sucede lo mismo. En el mundo abundan los coros vocacionales, con integrantes que no solfean, cuya razón de ser está en dar participación al talento de la persona común, y eso ya sienta una diferencia enorme de trato y enfoque al momento de abordar la música.

En teoría parece más fácil enseñar una pieza musical a la orquesta. Allí los músicos, por su preparación especial previa, están supuestos a responderle al director de una manera rápida y eficiente, casi como respuesta a su gesto seco, preciso. El director del coro, por su parte, necesita de una quiromancia más comprensiva, generosa; su gente muchas veces está formada musicalmente por su entendimiento y el arte puede estar en el juego con el sonido, dirigiéndolo, moviéndolo de una manera muy fraternal. Hasta vocalizando con tu gente puedes lograr un sonido especial, novedoso, distinto.... Abres la boca, sugieres el canto y sabes qué quieres, los gestos tuyos van en busca de respuesta... La música es más directa al haber texto y comunicación gestual muy directa, digamos.

¿Qué se necesita para meterse en un coro?, pregunta alguien...

Bueno, algunas veces el músico de orquesta ve al coralista y piensa: «o sea, no tienes nada más que hacer y vienes a cantar, ¿no?». Hace décadas no le faltaba razón, pero por fortuna esto últimamente ha cambiado. Ya hemos participado en suficientes montajes sinfónico-corales como para que ambos mundos se sientan orgullosos del avance logrado en el país, aunque todavía falte mucho para aumentar el número de moralistas formados en un par de sencillas reglas.

Primero, tener voluntad; se trata de un arte de vocación intensa, con dos y más ensayos semanales que exigen atenta dedicación. Segundo, querer mucho la actividad, porque es la única cosa que te hará regresar al ensayo siguiente. Allí las bases fundamentales para crear una buena combinación de dar y aprender.

Independientemente de que los coralistas lean o no música, yo les entrego las partituras. Los empiezo a bombardear y ellos van descubriendo. Trato de mantener la armonía del grupo en función de la interpretación, de la versatilidad del repertorio. Me gusta mucho empezar con un canto gregoriano y terminar con un canto popular, por ejemplo. Llega al fin el momento del taller musical para que se den cuenta de que sí saben lo que creen que no saben. Hago dictados sin enseñarles solfeos, les digo que dibujen lo que escuchen. Para mí es fundamental visualizar el sonido, ver con el oído, escuchar con la vista.

¿Y qué les pasa a los desafinados?

Fíjense: en la afinación está la tarjeta de presentación del coro. La afinación está íntimamente ligada a la memoria y consiste en la capacidad de repetir un sonido igual. Esto, estoy segura, es algo que la persona más «sorda» puede adquirir. Ahora, hay que lograr la afinación del desafinado para que la cosa funcione.

Yo tuve un caso en cierta coral infantil de un niñito sin la más mínima habilidad musical. Llegaban momentos en que le decía: «¿no será mejor que toques la pandereta y nos acompañes?». Pero era el tipo de niño al que tú no le podías decir que no, porque estaba como un clavel en todos los ensayos. Era un apasionado por la música, entusiasta y encantado de estar allí. Terminó siendo puntal de la coral, mientras me convencía de que unos tardan más y otros tardan menos, pero de seguro todo el mundo puede.

... Aunque, Ana María, algo vale lo del loro viejo que nunca aprende a hablar, a meterse de lleno en esto; ¿entonces para qué el esfuerzo?

Estoy segurísima de que al hacer la música, según tu mucho o poco talento, logras un despertar en tu percepción del mundo: lo haces cerebralmente, internamente y, además, te sensibilizas más que como mero oyente. Es la disciplina idónea para complementar una formación integral; de hecho hoy día existen muchas universidades que incentivan a sus estudiantes para que participen en actividades musicales.

La labor en equipo que enseña el canto coral también produce buenos resultados curriculares. Tengo una compañera a quien, luego de un tiempo trabajando en una empresa, el jefe le confesó: «¿Tú sabes que una de las cosas que más te ayudaron a conseguir el puesto fue el hecho de que cantaras en una coral?». Quien canta en un coro sabe exactamente cuál es su lugar, está dispuesto a que le digan cuánto más o cuánto menos tiene que cantar; sabe conducirse y se deja conducir. O sea, se va a acoplar a trabajar en el equipo del jefe de la amiga o en cualquier otro, porque sabe compartir con gente tan distinta: el familiar del presidente de la compañía, de un lado, y del otro el hijo del que cuida los carros del estacionamiento. Se acostumbra a un sentido totalmente... bueno, iba a decir democrático, aunque eso no es del todo cierto ¡Porque en mi coro se hace lo que yo diga! (risas y chao de Ana María).

❑

Aquí otro peñista retoma cien mensajes de difuntos...4

De forma y manera que aquí se ha citado a Calcaño y se ha recopilado la sabiduría boleróloga de reconocidos cantantes. Sus poéticas declaraciones escritas. Esperanza Márquez –¡qué bien escribe!– y la profesora Ana María Raga aportaron lo suyo, tal vez en el mismo tenor de un libro del puño y letra de Frank Sinatra que decía:

> Mucha gente joven tiene la errónea impresión de que, para ser un cantante competente, necesitan años de entrenamiento vo-

cal. La verdad es que el vocalista popular con entrenamiento académico, es más la excepción que la regla (...) Les sugiero a los estudiantes e interesados oír discos de cuantos artistas diferentes se les ocurra (...) que tomen algunos de sus manierismos de fraseos y dicción, para con ellos inventar un estilo individual de interpretación y expresión, siempre tomando cuidado de emplear la inteligencia y el buen gusto.

Bien, dejo en Sinatra las palabras finales acerca del canto, aunque mucho me resulta eso de tener la oportunidad de dar rienda suelta al recurso de la cita para defender un solo punto, denominador común de todos los que aquí hablan: se necesita preparación, mis amigos. Oír con atención y acceder no sólo a boleritos, cumbias, salsa, jazz y no sé qué más. Esfuerzo, mucha preparación artística e intelectual. Formación moral, cívica y, eso sí, cultural por y para sacudir superficialidad e inconstancia. Oír la Radio Nacional de Venezuela, la Emisora Cultural de Caracas para evitar aquello de que la música selecta, clásica, es sólo música de cuando murió Betancourt. ¡Nada de eso! Aquí mismo integro a la peña al difunto Ludovico Silva, reflexivo poeta nacional, peñista por derecho propio, y lo hago presente por una iluminadora carta que le escribiera al maestro José Antonio Abreu, rector de esa universidad de músicos que se llama el Sistema Nacional de Orquestas con la Sinfónica Simón Bolívar en la cabeza visible. Voy entonces con la voz de Ludovico (¡salud!):

Querido maestro Abreu: me ha puesto usted ante un severo compromiso al sugerirme hablar en una nota sobre el tema de la música y la juventud, a propósito de la Orquesta Nacional Juvenil que Ud. tan maravillosamente dirige. Digo que fue una sugerencia, no un pedido formal; pero yo tomo cualquier sugerencia como si fuera una orden. De la misma forma que si fuera integrante de la orquesta, y usted me estuviera dirigiendo. Yo no soy músico (aunque sí un irremediable melómano), pero me imagino que para que una orquesta funcione hay que obedecer ciegamente al director de la misma. Sus jóvenes a Ud. le obedecen con una fe y un entusiasmo que producen en mí una verdadera y legítima envidia, pues yo siempre quise tener un maestro de música a quien pudiera obedecer y del cual aprender. Yo soy, querido maestro, un músico frustrado. En mí despertó el hambre de música antes que el hambre de la poesía y la literatura.

Tendría yo unos ocho años o nueve años cuando tuve mi primer encuentro con la música que convencionalmente llamamos «clásica», que se llama así, me imagino, porque tiene clase. (El origen de la palabra clásico es sociológico, pero podemos transfigurarlo en algo puramente estético.)

Mi único homenaje a su Orquesta Juvenil no puede consistir en otra cosa que en ciertos recuerdos autobiográficos, y en ciertas apreciaciones que he sentido a lo largo de mi vida con respecto a la música selecta. Cuando yo era muchacho, vivía en un campo petrolero llamado El Chaure, entre Puerto La Cruz y Guanta, en Anzoátegui. Primero estaba la refinería de petróleo, que a mi parecer era algo detestable, y que estaba manejada íntegramente por norteamericanos que tenían ciertas costumbres abusivas y desmoralizantes para uno. Pero después, junto al mar, estaban las casitas donde vivíamos los venezolanos. Junto al mar. Era, y sigue siendo, una bellísima bahía, donde vi los más bellos atardeceres que he visto en mi vida. Entre los contratados de la compañía había un señor sueco de unos treinta y cinco años; un tipo sensible, muy buena gente, que se encariñó conmigo. Siempre me hablaba de música, y me hablaba también de su lejano y, para mí, mítico país. Un día lo transfirieron a otro país, y yo me quedé muy solo. Tenía como diez años. Pero, antes de marcharse, el sueco amigo fue a visitarme y me hizo un espléndido regalo: toda su colección de discos de música clásica. Aquello era un auténtico tesoro, y era todo mío. Yo ya tenía ciertas vagas nociones de música, por mi padre, que era un gran bandolinista y acordeonista, y del cual heredé el oído musical que me permite, de vez en cuando, tocar esos instrumentos (aunque lo hago muy mal). Pero con aquella colección de discos se me abrió, como unas puertas de oro, todo el universo musical. Imagínese usted a un niño de diez años acostado en una hamaca, oyendo, frente al mar del atardecer, las grandes tormentas de Beethoven, los inmensos ruidos de Wagner, la delicia de Chopin, los arabescos de Debussy, la magnificencia de Mozart, el patetismo de Chaikovsky, la simplísima complicación de Vivaldi, la gravedad de Palestrina, y hasta la dulzura de algunas canciones de cuna del Renacimiento español. Cito estos nombres porque son los que más recuerdo de aquella época memorable de mi vida. Aquella fue mi verdadera época vital, de ventura y aventuras; y, si exceptuamos algunos años de mi juventud posterior, todo lo demás ha sido una pura amargura teñida de vino y apenas endulzada por la sempiterna música selecta, que desde ahora siempre oigo todos los días y a toda hora, sin cansarme. Es cierto que ha habido en mi vida otras cosas dulces, como mis novias y amantes, o mis lecturas, o el placer de escribir libros de poesía y de filosofía. Pero lo único que realmente me puede sacar de cualquier marasmo espiritual, de esos en los que suelo caer repentinamente, es la música. Yo soy músico en esencia. Si no fui un músico profesional, la culpa la tiene la poca tradición que hay en nuestro país de enseñarles música a los niños, tengan o no tengan vocación. Cuando yo viví en Alemania, me producía una sincera envidia ver cómo en los hogares todos los muchachos sabían tocar el piano o el órgano o el violín. Se les enseñaba cultura musical. Mi poca cultura musical me la debo exclusivamente a mí mismo, y a aquel señor sueco de que le hablé antes. También debo reconocer que los tangos que mi padre tocaba en el acordeón, o ese divino «Carnaval de Venecia» que interpretaba en la mandolina, influyeron mucho en mí. A esa mandolina, fabricada por Raúl Borges, y que conservo como una reliquia, porque suena maravillosamente, le he dedicado un poema, que no quiero citar aquí porque es demasiado triste, como toda mi poesía. El único poema exultante, alegre, que he escrito en toda mi vida es una cantata que titulé «La soledad de Orfeo», todo un libro escrito en tercetos dantescos y que nadie, salvo el maestro Antonio Estévez, se ha dignado comentar. Sin duda que es una poesía que no está hecha para nuestro tiempo, y ni siquiera para nuestro país. Es como un homenaje a la Europa que yo tanto y tan intensamente viví en mi juventud, y a la cual quisiera regresar algún día, aunque sólo fuera para agradecerle el tesoro cultural que depositó en mi cerebro. Yo era un europeo porque me fui demasiado joven para esas tierras. Ahora soy por completo americano, un venezolano.

Pero le decía, querido maestro Abreu, que yo soy un músico frustrado, aunque a veces me hagan sentir la ilusión de salir de ese lamentable estado de cosas como los conciertos de la Orquesta que usted dirige. Esa Orquesta Juvenil tiene tanta dignidad musical como las mejores orquestas que yo pude oír en Europa, sobre todo en Alemania. No hace mucho le dediqué a usted un artículo sobre la interpretación que hicieron de la Novena Sinfonía de Beethoven, artículo que a usted le gustó mucho. Esa sinfonía de Beethoven es como el himno de toda la humanidad. Ahora, cuando le estoy escribiendo esta modesta nota, estoy escuchando una pieza de Beethoven que se llama

«Fantasía Coral». La he escuchado muchas veces por la Emisora Cultural FM, y siempre me ha asaltado el mismo pensamiento. Es decir, que esa pieza o es el antecedente de la Novena o es su consecuencia. Sin ser yo músico, creo advertir un paralelismo impresionante en el tema principal. Lo mismo me acontece con las «Vibraciones sobre un tema de Haydn», de Brahms. El tema es el mismo. Otro tema que me persigue incansablemente, y que he tratado de reproducir en mis versos, es el fúnebre de la Sinfonía número tres «Heroica». Ese tema de la muerte es obsesionante en mi poesía, como ya lo había dicho algún crítico fino y sensible. A mí me gustaría oír algún día un concierto de su Orquesta Nacional Juvenil donde se reunieran esas dos piezas, acompañadas del cuarto movimiento de la novena. Sería un concierto maravilloso. Es una sugerencia que le hago, pero, al igual que las sugerencias suyas, esto es una orden.

Yo tengo un hijo cuya máxima afición es la música rock. Yo no se la critico –aunque sus ruidos no me dejan en paz–, pero siempre le digo, y le insisto, en que también debe oír y practicar la música selecta. Yo no creo que pueda haber un buen rockero si no conoce de algún modo la música de Beethoven o de Vivaldi. De la misma forma, no creo en ningún poeta moderno que rompa los modelos clásicos, si no es capaz de escribir un buen soneto, o una seguidilla, o una canción tipo andaluz, o un corrido venezolano. Afortunadamente, mi hijo creo que me está prestando atención, y ya no protesta tanto cuando yo sintonizo mis programas de música selecta. Mi familia, los que me rodean, suelen protestar porque «¿cómo es posible que todo el día tengas puesta música clásica?». Pero yo también protesto. Hay que educar el oído. Nuestros oídos están sometidos en esta ciudad a una polución auditiva que ya está llegando a sus extremos más peligrosos. Poco a poco nos vamos a ir quedando sordos. Afortunadamente, yo vivo al pie del Ávila, el Ávila azul de mis amaneceres, y como casi nunca salgo de mi casa estoy protegido contra esa polución. Pero usted, por ejemplo, que tiene que salir diariamente para ocuparse de los asuntos de su Orquesta, tiene que soportar el ruido de nuestras calles, las insolentes bocinas, los gritos destemplados y lacerantes de los automovilistas, los taladros, el humo tóxico, la podredumbre que nos invade en el subdesarrollo y la macrocefalia ciudadana en que vivimos. Verdaderamente, maestro Abreu, usted es un héroe musical, lo mismo que sus jóvenes acompañantes, pues superan esa miseria que semanalmente nos ofrece unos conciertos que parecen dictados por la más pura sensibilidad, la menos contaminada, la más delicada y perfecta.

Para decir lo que representa para mí la música no puedo hacer otra cosa que recurrir a las imágenes, a la poesía. La música es como un sueño matemático que alguna vez tuvo Pitágoras, y cuyos acordes descienden desde las esferas celestes hasta los oídos de quienes escuchamos conciertos como los que usted dirige y alienta. La música es energía vital. Es objetiva, porque los instrumentos están sonando allí delante de uno y uno los oye desde afuera hacia adentro. Pero también la música es subjetiva, no sólo porque cada director o intérprete la visualizan o la ejecutan a su modo y según su sensibilidad, sino porque realmente la música es algo que ocurre en nuestro interior. La prueba máxima es Beethoven cuando se quedó sordo. Yo imagino el cerebro de Beethoven como una prodigiosa caja de resonancia sin ningún contacto con el mundo exterior. Oír la propia música que se compone sin poseer el sentido del oído es una pura cosa de la imaginación musical. La música está en nuestro cerebro casi lo mismo que en un pentagrama o en el violín de Salvatore Accardo, o en el de Paganini. Así me pasa a mí por las noches, en mis largos y dolorosos insomnios. Imagino un tema musical y lo desarrollo, y así consigo dormirme por un rato. Si no puedo hacerlo, pongo la radio o el tocadiscos. Estas cosas pueden ocurrir en las más diversas circunstancias. Recuerdo que una vez, cuando viajaba en tren de Madrid hacia París, el monótono ruido del ferrocarril se me convirtió, por obra y magia de la imaginación creadora, en una ópera de Wagner, ese «genio de los grandes ruidos», como lo llamó Baudelaire. Fue un hecho prodigioso que yo nunca olvidaré. Durante horas me quedé como adormilado escuchando «Los maestros cantores» en las bielas del ferrocarril. ¿No ha tenido usted, maestro, alguna vez una experiencia semejante?

En todas partes donde he estado (y han sido muchas), siempre me he acompañado de la música, con algún modesto tocadiscos o algún conjunto musical compuesto por amigos míos. Donde más disfruté de este placer fue en Alemania. Alemania es un país de gente muy buena y muy sensible. Pero ellos son como niños (era lo mismo que decía Platón de los griegos) y a veces se dejan pervertir. Pero es un pueblo esencialmente bueno, al que, a pesar de todo, no hay que condenar históricamente. Beethoven no tiene la culpa de que los oficiales nazis lo eligieran (a él y Wagner) como los representantes culturales del nazismo. Beethoven era nazi como yo chino. Alemania, sobre todo en la prodigiosa universalidad de Friburgo de Brisgovia, donde pasé un año, ofrece una perspectiva al amante de la música que es realmente excepcional. Hay numerosísimos conjuntos de conciertos. Hay numerosas orquestas juveniles. Hay conciertos todos los días. En Francfort viví durante tres meses en casa de una familia de músicos, que me acogieron muy dulcemente, como si yo fuera el representante de un mundo desconocido. Yo les dije que no sabía tocar piano ni nada, y ellos se encargaron de que yo todos los días oyera un concierto de piano, bien en la propia casa, interpretado por mi amigo Otmar Früauf (¿dónde estará ahora?), o bien en alguna sala de concierto. Y eso que se trataba de un pueblito aldeano llamado Offenbach. Por cierto que este nombre me recuerda a Bach, de quien se están cumpliendo ahora trescientos años. Cuando le dije lo del «sueño matemático» pensaba en Bach. Espero que la orquesta que usted dirige se ocupe abundantemente de Bach este año. Se ha dicho de Bach que era un genio en su música. Lo que no se ha dicho es que esa matemática era pura poesía. Porque la poesía, querido maestro, está en todo, y más que nunca en los números. Los números no son una cosa abstracta: están impresos en nuestro cerebro como huellas digitales. El número 8 es algo concreto y sensible.

Cuando yo supe verdaderamente lo que era un número celeste fue cuando me adentré en la catedral de Friburgo de Brisgovia. Esa catedral, que afortunadamente fue respetada por la guerra, está en una plaza enorme, donde por los domingos venden unas salchichas también enormes, y cerveza. Me gustaba tomarme esa cerveza antes de entrar a la catedral. Una vez dentro de ese recinto gótico, mi ser se desentrañaba. Un sacerdote que después se hizo amigo mío tocaba en el inmenso órgano de tubos las melodías de Bach, oratorios, y toda esa cosa de cantos gregorianos que fueron los que dieron origen a nuestra música de la época moderna. Fue la secuencia musical lo que dio origen a nuestra poesía. Parece mentira, pero la palabra «prosa» fue el inicio de la poesía. «Prosa» se llamaba el aleluya final de la misa, que era rimado y ritmado. Yo entré en esa catedral como quien hollara suelo sagrado. Y lo era. Una estructura hecha durante siglos, por toda clase de artesanos y artistas, estaba ahí para brindarme el inmenso regocijo de una música celestial. El órgano de las catedrales tiene, como decía Kierkegaard, la ventaja de ponernos a pensar todas las cosas *desde el punto de vista eterno. La eternidad del instante, como decía ese terrible cristiano que era Miguel de Unamuno, quien no en vano le escribió al cristo de Velásquez un memorable poema. Yo sentí en esa catedral, escuchando el órgano con la música de Bach, un vértigo. Dicen las sagradas escrituras de David que «el abismo llama al abismo». Yo, un abismo, estaba abismado ante aquel abismo de musicalidad. El abismo habla al abismo. En esa catedral, que nunca olvidaré, viví el momento más bello e inteligente de mi vida.*

Voy a terminar, querido maestro, esta pequeña carta medio loca y destartalada. No sé si habré dicho barbaridades sobre la música y mi juventud. En todo caso, es un mensaje lleno de amor y respeto, tanto hacia usted personalmente como a los integrantes de la Orquesta Nacional Juvenil. Y terminaré con una misteriosa cita de alguien inesperado: Charles Darwin. El autor de El origen de las especies, *que era un hombre muy culto, escribió una vez estas inconmovibles palabras: «Ni el goce de la música, ni la capacidad de producir notas musicales, son facultades que tengan la mínima aplicación para el hombre, con referencia a sus hábitos cotidianos de vida: deben ser clasificados por ello, entre las más* MISTERIOSAS *actividades a que se entrega».*

¿No es cierto que eso hace pensar? Pues, bien, lo dejo por ahora con este misterioso pensamiento, y espero verlo algún día personalmente para abrazarle. Suyo, afectísimo,

Ludovico Silva

Dos contertulios hablan de ancestros

Dos peñistas interesados en ancestros históricos y significados caribeños, citan, especulan y complementan ideas acerca de la música venezolana y afrolatina.

❑

Amigos peñistas: a contestar al notable Ludovico con algo del poeta Arnaldo Acosta, contertulio de la antigua República del Este: *Bach, sí, Bach me trastorna... pero quiero una corneta de cobre sin sordina: tu boca.* El ánimo en las últimas reuniones apresta a leer cartas y citas. Pone de lado la audición y deja que la palabra del cerebro impere. Si uno se pone a pensar en esto, a discernirlo en verdad, inmediatamente cae en cuenta de que la peña se reúne para el intercambio, para animar tertulias donde la exposición de impresiones puede hasta preterir la audición de los discos... Bien, tomo así ventaja del ánimo presente y digo entonces: ¿cuál es el problema de compartir aquí, en apretada lectura, las ideas de otro difunto sabio iluminador del peso cultural en nuestra historia patria? ¿A quién anuncio o a quién invoco? ¿De quién quiero tomar ventaja en cuerpo ausente, pero por palabra escrita muy presente? Pues es don Ramón Díaz Sánchez, maestro humanista del siglo pasado, escritor del formidable libro *Guzmán, elipse de una ambición al poder*, quien también se atrevió a condensar, resumir y dar juicio de valor acerca de nuestros pasos históricos-musicales, en algunas páginas esclarecidas de un ensayo luminoso («Paisaje histórico de la cultura venezolana», 1964), que paso a citar textualmente en par de partes pertinentes:

> Para fines del siglo XVIII la literatura, la pintura y algunas artes menores habían ya alcanzado en Caracas y otras provincias venezolanas un cierto grado de desarrollo, aunque sin lograr el esplendor y la madurez que caracterizaba a los virreinatos de México, el Perú y a la culterana Presidencia de Quito. Mecánicamente fiel a la tradición española, los contados pintores de Venezuela cultivaban un arte mediocre dedicado a la exaltación religiosa, mientras que los literatos y los poetas, no más numerosos que los pintores, seguían con la misma facilidad las normas de la literatura española. En lo que atañe a la arquitectura, se había realizado un cambio apreciable debido a la influencia francesa y al incremento de la construcción de edificios, parques y vías de comunicación, ocurrido a lo largo de aquella centuria, pero sin llegar, como queda dicho, al nivel de las colonias más ricas. Sólo la música descolló entonces como un elevado florón, sobre todo en Caracas.
>
> Producto de una larga correlación de factores, en los que hemos de señalar, en lo externo, el estímulo de la Iglesia, con este florecimiento se debe relacionar la sensibilidad musical del negro. El pueblo llano por su lado y la clase superior por el suyo habitarán universos distintos en todas las otras manifestaciones artísticas, mas en la música marcharán esencialmente unidas, identificadas en un sentimiento común que no hará diferencias sino de grado entre la simplicidad del folklore y la complejidad de lo culto... fue, desde luego, la música la que desde un principio ocupó la vanguardia en aquel movimiento artístico en el que se daba evasión a la devoción religiosa que absorbía la conciencia del pueblo y más tarde al fervor literario cuando se puso en marcha la revolución liberal. Ya hacía notar Humboldt cómo la música aglutinaba a las distintas clases sociales de Venezuela en un unánime sentimiento de la belleza y en un común ideal de superación de los individuos.
>
> Después del cruento período de las guerras de independencia, en el que los músicos caraqueños pagaron tributo a la libertad, el movimiento musical continuó evolucionando y el país pudo conocer las más elevadas formas de este arte por excelencia, tanto religiosas como profanas. En un libro nutrido de informaciones sobre esta materia, don Ramón de la Plaza nos habla de las vicisitudes de la música en Venezuela, y otro tan-

to hace José Antonio Calcaño en su deliciosa obra La ciudad y su música.

Bien mirado el fenómeno histórico-cultural, la verdad es que la música no se ha diferenciado en su trayectoria de las otras artes ni de la literatura. Ha sido sucesivamente barroca, neoclásica, romántica, modernista, nativista y finalmente cosmopolita y abstraccionista. De consiguiente ha traducido las concepciones y sentimientos del hombre venezolano en sus distintas etapas históricas. Pero ha hecho algo más: ha plasmado mejor que cualquiera otra expresión artística la substancia del alma venezolana. Ha sido solemne con la liturgia eclesiástica, clásica con los compositores de los siglos XVI y XVII, romántica con los del XVIII, sentimental con el vals, vernácula con las formas populares del joropo, el corrío, las gaitas, los pasodobles, y finalmente atonal y mecánica, conforme –o conformada– a la época actual. Desde los tiempos del padre Sojo hasta los de Antonio Estévez, Juan Bautista Plaza y Carlos Figueredo, ha corrido mucha agua mezclada con sangre por las vertientes de Venezuela. Entre aquel nerista del siglo XVIII y los músicos de nuestros días se extienden hitos de señera importancia en cuyos topes ondean los nombres de los Carreños, los Olivares, los Landaetas, los Monteros y muchos más. Los hitos de la cultura venezolana.

Más drástico aún que en la literatura ha sido el efecto deformador de las influencias extrañas en la música y en la danza venezolanas en lo que hemos vivido del siglo XX. Difundida por la radio y la televisión, por el cine y otros medios de penetración comercial, músicas y danzas de otros países –y principalmente de Norteamérica– han venido a relegar a un segundo plano, a convertir en desviados documentos folclóricos, a nuestros típicos cantos y bailes, a nuestros regionales joropos, corríos y melancólicos valses. Entre otras cosas, esto demuestra la desnaturalización cultural que van operando en las naciones de Hispanoamérica los instrumentos mecánicos que sirven de armas a los nuevos colonialismos.

Ya sentenciado por don Ramón Díaz Sánchez este punto de interés histórico respecto a alcances e importancia del tema musical criollo que tanto nos entretiene, cejo en el uso del derecho de palabra peñista y doy así paso a un contertulio –se conoce que hoy día podría ser algo equívoco decirle *compañero* a otro–, a su vez interesado en hurgar en nuestras raíces musicales como pueblo caribeño.

(¡Salud! y el turno a la voz preocupada en el Caribe, por cierto de un peñista que habla de cuando en cuando, y ahora se viene con el desarrollo sesudo de algo que venía macerando por semanas.)

❑

Mucha lectura y mucho ilustrado aquí presente; la propia craneoteca de los genios, pues. Gracias por los servicios de instrucción cultural del anterior amigo y vamos a ver si los profesores me ayudan con esto: llevo años tratando de buscar cierta conexión entre lo afroamericano, lo afrolatino y lo caribeño nuestro. Algo que marque un significado apelmazador entre los afros musicales de los cubanos, puertorriqueños, colombianos, panameños, de los habitantes de las islas del mar Caribe y, por fin, de nosotros, los venezolanos.

¿Afro-caribeño lo afro-venezolano? Demasiado recurrente me resulta señalar la consabida mezcla de ancestros europeos, indígenas y negros para alcanzar comprensión de ese especial sabor cultural en lo referente a la música. Nada ayudan los calificativos que apuestan a generalizar el ancestro africano cada vez que aparece un tambor, suena una maraca o repica un ritmo atrapado en el *swing* de la cadera ¿Afro qué? ¿Afro de dónde?

Difícil la respuesta. Más difícil todavía traducirla a la frialdad de un concepto, cuando la idea musical toda está centrada en los resabios de sabor de un toque práctico; en cierta cadencia quizás inatrapable para el poder descriptivo propio de las palabras: música, música pegada a la «africanidad» de un ritmo polirrítmico de tambores, palos y maracas traducidas a claves secretas... Pero, mejor vengan antropólogos, musicólogos y poetas a tratar de descifrar la cosa mientras uno hace lo que puede: observar, escoger un criterio; detallar, ir a los casos concretos que se le presentan a ver si discierne y agrupa para mejor comprender, aunque las etiquetas del arte, se ha dicho cien mil veces, siempre son imperfectas. A ver hasta dónde he podido llegar.

Digo afro –¿africano?– y afro en etimología pura es prefijo para lo africano; pero afro también puede ser un corte de pelo de los años 70, por ir a otro significado. En el medio de esos extremos significantes cabe de todo, desde razas humanas a grupos políticos, pasando por el curioso etcétera de ciertos adjetivos inventados para denotar orgullo, belleza o complejo. En música, lo que nos ocupa, no hace falta recurrir a un diccionario para saber que el prefijo afro siempre quiere vincular un género o un estilo con lo africano, que eso africano, además, esté íntimamente ligado al ritmo y a la percusión de tambores. Que los ritmos afros (también el prefijo funciona solo), queden ligados a la tradición musical de los esclavos africanos que llegan a toda América durante la colonia y cómo, cinco siglos después, esta tradición todavía impresiona sensibilidades extremas (la de Pablo Neruda al visitar Djitubi):

> Danzan sin música, pisando en el gran silencio de África, como en una alfombra. Su movimiento es lento, precavido, no se las oiría aunque bailaran entre campanas. Son de sombra. De una parecida sombra ardiente y dura, ya para siempre pegada al metal recto de los pechos, a la fuerza de piedra de todos los miembros. Alimentan la danza con voces internas, y estratégicas, y el ritmo se hace ligero, de frenesí. Los talones golpean el suelo con pesado fulgor: una gravitación sin sentido, un dictado irascible las impulsa. Sus negros cuerpos brillan de sudor, como muebles mojados; sus manos, levantándose, sacuden el sonido de los brazaletes, y de un salto brusco, en una última tensión giratoria, quedan inmóviles, terminada la danza, pegadas al suelo como peleles aplastados, ya pasada la hora de fuego, como frailes derribados por la presencia de lo que suscitaron.

Atender a las impresiones, conocer la historia de cómo, cuándo y por qué el ancestro africano penetra nuestros ancestros de cultura musical venezolana, también puede ser asunto de ubicar buenos estudios musicológicos (Luis Felipe Ramón y Rivera, Isabel Aretz, Alejo Carpentier), tal cual lo recomendó el sabio rocolero respecto al profesor Calcaño, o de textos que sin tener especialización de estas cosas, bien nos ayudan a profundizar en nuestros rasgos de pura sensibilidad social, como la «Fábrica de ciudadanos» del profesor Rafael Cartay. En todo caso, asumir la presencia de lo afro entre nosotros resulta cosa muy natural, ligada al interés de la sensibilidad normal de cada cual, que sin ser la de un Neruda también percibe, escucha, se interesa y sabe cómo afro viene de África, de la África de razas, culturas, cadencias y rítmica compleja fusionada hoy día a las más distintas ofertas musicales.

El término «afroamericano» de inmediato trae la curiosa costumbre de llamar americanos a todos los habitantes de Estados Unidos de Norteamérica. Este uso, de origen estadounidense por demás, lleva a los habitantes de ese país a tomar para sí el término América y dejarnos al resto dentro de los confines bien de Canadá, México, el Caribe o Suramérica, según se refiera. Del nombre *United States of America*, dicen algunos, se utiliza la abreviatura de su denominación fundamental «America», y así como sucede en todas partes –Confederación de Estados del Canadá, alias Canadá; Venezuela, alias República Bolivariana de Venezuela–, pues asimismo se consigue alguna justificación para la apropiación de tan genérico e importante nombre. ¿Qué tiene que ver esto con la musicalidad del asunto afro de nuestro interés? Algo, tan sólo agréguele lo de americano y observe la tamaña desproporción del concepto: ¿Afroamericano para únicamente denominar la expresión proveniente de una cultura negra norteamericana? ¿Y lo demás qué?

Decir «afroamericano» ha servido para encauzar los cantos espirituales de los negros norteamericanos de principios del siglo XX; para enmarcar en un mismo género los *blues*, el *ragtime* ligado a cierto toque hispano –*spanish tinge*– que aparece en la Nueva Orleáns cuando el jazz comienza a expandirse; para referir dentro de la corriente geográfica-racial los intercambios musicales de los años 30: la dupleta de Juan Tizol con Duke Ellington haciendo trabajos pioneros de cariz latino (Tizol era un trombonista puertorriqueño que trabajaba en la orquesta del Duke); la explosión del *be-bop* de los años 40 al son de Dizzy Gillespie afincado en mano del conguero cubano Chano Pozo, ambos ayudando a definir el jazz «afrolatino» o «afrocubano» propio de Machito, Bauzá, O'Farrill, Tito Puente y compañía. También debe citarse la llegada de la década de los 60 con las huestes migratorias salseras de Charlie y Eddie Palmieri, Ray Barreto, Richie Ray, Willie Colón, norteamericanos de nacimiento pero latinoamericanos de sangre e intención creativa, y otros artistas de experiencias similares útiles para expandir el alcance del término afroamericano, y a la vez darle cierto límite al momento de abarcar las expresiones provenientes de una América del Caribe o del Sur.

Hay quien encuentra definición contraria a lo afroamericano en lo de afrolatino, palabra sagaz para designar ya no de acuerdo con geografía –decir afroamérica lo implica– sino al ancestro cultural en sí mismo. Como afrolatino también se agrupó el producto musical de los norteamericanos de ancestro cubano, a los puertorriqueños y cubanos que dieron cuerpo a la movida salsera en la Nueva York de los años 60. Su expresión musical, proveniente del jazz y de los ritmos afrocubanos –afrocaribeño es otro término del mezclote–, bien podía abarcar gente de allá o de acá con el nexo no ya geográfico sino ancestral, consagrado en expresiones musicales propias de la América Latina.

Pero lo de afrolatinoamericano, afrolatino o afrocaribeño, puesto al servicio de la música, no es tan puro y sencillo. Aquí, paradójicamente, la geografía traiciona un poco el concepto: uno coge el mapa y ve cómo lo afrolatino, lo afrocaribeño, quiere ir por todas partes; incluir idiomas como el portugués (brasileño o brasileiro, según prefiera), el inglés de las antillas, el francés «patuá», el papiamento curazoleño, etcétera... Un horizonte enorme en cuanto al idioma y a las rítmicas. Cabe de todo con tal de que la geografía ampare un ancestro de conquista español, portugués, y hasta holandés o francés; todo, repito, menos el inglés radicado en norte de América, porque hasta el inglés-pirata caribeño resulta bienvenido.

Yendo a lo concreto, a lo actual, un ejemplo discográfico que quiere poner en evidencia lo latinoamericano musical pudiera ser un disco compacto del sello Latin World llamado «Tocando tierra». Un disco compacto doble en este país, donde todo el mundo sabe que los discos compactos dobles nunca han batido récord de ventas. Mejor ni hablar de los discos triples o las cajitas compilatorias, especie casi proscrita de la oferta de nuestras discotiendas. ¿A qué se debe, entonces, que la producción Latin World Entertaiment Group presente su mejor proyecto en un formato tan arriesgado desde el punto de vista económico? La razón más potente se me ocurre está en dar adecuado formato a la magnitud misma del proyecto. Me explico: el cráneo ejecutivo de Latin World, encabezado por Samuel Quirós y Frank Quintero, resolvió dar asiento contemporáneo a clásicos de la música popular latinoamericana de diversos países y la lista, evidentemente, quiso ser de lo más completa... Puerto Rico con su «Lamento boricano», Brasil y su «Acuarela», el «Bilongo» de Cuba, «La pollera colorá» colombiana; «Guadalajara» desde México, el argentinísimo tango del «Choclo» o una nutrida representación de temas venezolanos encabezados por «Barlovento», «El negro José» y hasta el «Arroz con leche»... Treinta y siete temas en total suman los surcos que, además, son interpretados por artistas tales como Aldemaro Romero, Armando Manzanero, Paquito D'Rivera, Soledad Bravo, Oscar Castro-Neves, Luis Enrique, Ilan Chester, Joyce, Gurrufío, Alfredo Naranjo, Andrés Briceño y un largo e importante etcétera.

«Durante varios meses un representativo grupo de las más destacadas luminarias continentales de la música, estuvo trabajando en un proyecto discográfico de envergadura mundial, con el objetivo de crear un documento histórico y cultural sobre las diversas expresiones musicales latinoamericanas, interpretadas con elementos contemporáneos.» Leo textualmente del librito del disco las palabras del buen amigo y contertulio Aquilino José Mata para ayudarnos a entender que, por esta vez, bien vale la pena arriesgar el formato y hasta los posibles beneficios económicos (la empresa los compromete a favor de Unicef, Organización de las Naciones Unidas de Ayuda a la Infancia), y así apuntalar el quehacer artístico latinoamericano referido a la música popular del siglo XX. Música unida toda por el vínculo «latinoamericano». Bien.

Ahora, ¿no fue Jorge Luis Borges quien dijo lo de «ser latinoamericano es verdaderamente un acto de fe»?... ¿Pero acto de fe en qué? ¿En los poderes indefinidos de alguna cosa mágica tropical latinoamericana que, según algunos, caracteriza nuestros pueblos? ¿Y de haber la cosa mágica, cuáles serían sus esencias supuestamente creativas y poderosas? Cuidado con la respuestas y, sobre todo, con quién responde: tres características advirtió el poeta Reinaldo Arenas en la cubanidad contemporánea: Inconstancia, superficialidad y pereza; su combinación, decía Arenas, resulta increíblemente alienante... Mejor ir a dos aspectos musicales puros incursos en este discurso.

Uno: el idioma español como mecanismo de identidad. Gustar de todo en el idioma que sea es un indudable beneficio de la era de las comunicaciones; de una globalización musical que vía radio, televisión, cine y discos transmite música en francés, inglés, portugués, chino, italiano, maorí: *world music*, según los entendidos de un «primer mundo» que clasifican lo de los otros en una categoría global y alternativa (¿está tan cerca lo maorí de nuestra música venezolana, ambas dentro de la tal *world music*?). Se impulsa a gustar de todo, sí, pero también a saber precisar a la hora de la creatividad: todo ritmo vale, toda moda vale, toda estructura vale, ¿todo idioma vale? Pues mira que es bien difícil no entender las palabras, difícil igualmente acceder a la poesía en el idioma propio... *¡Tradutore, traditore!*, dice la conseja italiana que centra a esos quienes tratan de buscar la creatividad a través de la traducción; del «fusil» para ponerlo en términos de música popular que lleva a nuestro idioma los grandes éxitos de la música internacional. Ahora, ¿qué decir de las imitaciones?, ¿del canto en idioma que no se domina sino superficialmente? La ópera, dirá alguno, supone destreza del cantante en el italiano, alemán o francés del autor. Puede y debe disfrutarse atendiendo a la traducción del librito y a la potencia de palabras sonoras. La ópera, puede responderse, es un género de excepción. Pero en tu idioma puedes hacer de todo; crear poemas, recrearte en el castellano a profundidad, llegar a increíbles puntos de convertir palíndromos en poética musical, qué digo yo, tomando las experiencias de un Dario Lancini –*Oiradarío*, libro superior– en esto de frases y palabras que significan lo mismo al derecho, que al revés: *Arepera... Yo corro, morrocoy... Dábale amor a Roma el abad... Abad, ud. sin anís dudaba... Oirás la fatal plata, falsario... Leí, puta, tu piel.... No te comas la salsa, mocetón... Somos Adán y Eva, Yavé, ¿y nada somos?...* Preferible no complicarse la vida: atender a todo idioma con buena forma musical, pero no jamás renegar de las cosas en tu idioma al momento de aplicar las condiciones naturales que como melómano dios te dio, o le dio a nuestro poeta nacional Lancini, al momento de componer poemas palíndromos:

Saeta.
Al no reírnos oh,
Camacho oirá en
la boda devorar
a su amada..
Droga le dieron.
No reí de la gorda
dama; usa raro
vedado de balneario.
¡Oh, Camacho!
Sonrieron las ateas.

El otro aspecto musical puro que quiero mencionar está en el sentido del humor latinoamericano traducido a la música. Aquí sí es verdad que no hay lo de *tradutore, traditore.* Para nada. El goce sonoro, el doble sentido, lo vulgar, la carcajada son recursos muy nuestros, casi implícitos en toda la música bailable «afrolatina»: ¿Qué es eso de... *El palo tiene curujey...?*, ¿qué palo y cuál el curujey...? El verso real de «El limpiabotas» dice: *Si tú quieres que el calzado... quede limpio y coja brillo... hay que darle duro al trapo... y meter bien el cepillo...* ¿Cuál trapo y qué cepillo? ¿Acaso el de las esencias de rosas y limón para sacar *Jalajala, No me olvides* y *Reténme...*? El mismo de... *Camina como Chencha, la gamba...* según la puertorriqueña Myrta Silva que prometía que por ahí podía pasar un tranvía, o de José Rosario viejito riéndose al decir que no es cómo se siente, sino cómo se para... del amigo que jamás olvidaba que... *Las mujeres son como las avispas, si las tocan vuelan, si las aprietas pican...* Y en contrario... *El hombre es como el auto, y hay que saberlo manejar, guiar con mucho cuidado para saberlo gozar...* según Emilita Dago y su ladronzuelo. Monterrey, Manolo, cantándole... *el veneno, el veneno de los hombres, son toditas las mujeres...* Mujeres de tranco –pasitos– corto mejores que de tranco largo, para que Benito Quiroz inspirara el corrío del carrito viejo e hiciera recontra al «Pierrot» de Magdalena Sánchez, el de... *el dinero es lo mejor...* William Osuna, poeta oyente, que distingue lírico y liricoso –lírico a juro–, melódico versus melodioso o, mejor, « melodás»: «No seré perfecta, pero soy tuya», tal y como dice el *graffitti...* «La cultura mariquea», otro graffitti medio afín con el vulgarísimo «Baile del perrito», picante como cualquiera de «Las décimas» del padre Borges, coral «Hermócrates Castillo» de por medio, dichas tras el conocimiento de una de esas melopeas jodedoras de principio de siglo pasado:

En mi tierra hay un marrajo
Vestido de sacerdote
Más birriondo que un padrote
Y arrecho como el carajo
De este solemne vergajo
No quiero dar descripción
Pero sí una relación
De sus fechorías pésimas
En estas benditas décimas
Que van a continuación:

Fue primero parrandero,
Bailador, músico, arpista
Fue guerrero, «alcantarista»,
De muestra, dejó el pelero
Cambió bonete en sombrero
Fue ministro del señor
Y hoy por perforador
De una verija jojota

Medio pueblo se alborota
Y lo acusa con rigor

Aunque griten y den coces
Es fácil que se me ocurra
Ir a cogerme una burra
Con riesgo de un par de coces
La cuca tiene feroces
Tentaciones de mandinga
Y en el mundo el que no singa
No tiene merienda sabrosa
Conmigo harán cualquier cosa,
Pero requesón, ¡no!, la pinga

Y ese hermoso prendedor
De tan arriesgadas crines
Sólo para echar orines
No nos lo brindó el señor
Tiene un fin superior
Que en todo macho impera
Que cuando el palo se altera
Y no se mete enseguida
Están las bolas perdidas
Con una gran cojonera

Termino con todo esto recomendando atención al cancionero popular de Venezuela, 950 AM Radio, con lo de... *¡Entérate dónde es que están jugando los vivos!* (suena la música de «Gaita con Billo» y Memo Morales canta)... *Llegó el machetazo... y yo estoy contento... hallaca y billete... en las navidades...* Nada, filosofía de bonche, ironía y goce resumidos en una frase afrofilosófica, que alguna vez le dijera Carlos González Vegas al peñista más reconocido de Caracas, Caupolicán Ovalles: «Ser negro, en sí, no es malo; pero sí perjudica» (Chao y que venga el que sigue).

Sahú Castrillón

«Los taxis de Caracas derraman loros por todos sus costados».

Lorenzo Oliván

La peña cambia el tono: conviene una voz hermana que nos hable de quehaceres y gustos de la calle; entre ellos, el gusto –¿colombovenezolafrolatinocaribeñista?– por la música colombiana y sus posibilidades de fusión con lo nuestro. Toca el turno así al Sahú, medellinense –paisa, pues–, ya con tres décadas en la Caracas que da cabida al pequeño artesano, melómano y director de Palenque Son Karibe.«Los taxis de Caracas derraman loros por todos sus costados».

❏

Yo tengo la cultura del autobús y desde ella oigo con atención. Musicalmente los pasajeros y todos los chóferes tienen gustos muy similares, aunque también, de cuando en cuando te encuentres con chóferes que tienen oídos muy exclusivos. Aquí en Caracas, recuerdo uno de la buseta donde yo me montaba a las seis de la mañana, que ponía música clásica y jazz; eso, además de muy raro, era una exquisitez que los pasajeros compartíamos encantados. Pero no es lo común, ni aquí en Caracas, ni en mi Medellín natal.

Actualmente, sobre todo en Medellín, la gente está oyendo música de los años 40 y 50. Parece que el tiempo se hubiese detenido musicalmente. «Hacia el calvario» y «El cisne blanco», lo que Andrés Cisneros cantaba, por ejemplo, son parte de culturas compartidas, que tienen mucho que ver, en el caso de estas músicas, con esas identidades latinoamericanas marcadas por el machismo de los tipos y el sufrimiento amoroso. Siempre he creído que el machismo tiene mucha sensibilidad; un tipo que se ve machista, tiene tras de sí una sensibilidad que no muestra; fíjense: para mi época de niño –los años 50– yo veía a los tipos más bravos bebiendo y llorando al pie de una rocola. Llorando, sí, por el despecho o por la muerte de su mamá... Es la imagen del colombiano, o también del caraqueño urbano, quienes como latinoamericanos comparten musicalmente toda esa sensibilidad popular que les es común.

La aceptación masiva de la música colombiana, ahorita aquí en Caracas, es evidente. Pero es que antes uno iba a una ciudad del interior y se oía más vallenato de lo que se escuchaba en Colombia... No sé, será que la música colombiana es muy binaria y tiene algo de pegajoso: música vallenata en Caracas detectada por Los Diablitos, por El Santo Cachón, por Carlos Vives, por quien a usted se le ocurra. Creo que antes, en los años 40, aquí no se aceptaba el vallenato, por el rechazo que había hacia los colombianos. Eso definitivamente cambió. En las décadas de los 50, 60 y 70 entramos como imigrantes y con nosotros vinieron los porros de Lucho Bermúdez, de Pacho Galán... y desde aquí hubo respuesta –¡claro que hubo respuesta!– de Billo's, de Los Melódicos, de Chucho Sanoja, de Porfi... Recuerdo con claridad la influencia de Billo's en Colombia; allá no había fiesta sin un disco de Billo's y, ¿saben qué?, lo que más se le escuchaba era sus mosaicos, a pesar de la cantidad de temas colombianos que tocaba.

Llegué a Caracas en los años 70. Me sentí bien. De inmediato comencé a tener trato con gente que aceptó mi modo de ser, y yo, por mi parte, empecé a detectar muchos rasgos y costumbres comunes. En la música, por ejemplo, al escuchar una gaita de tambora encontraba que se parecía mucho a la cumbia. Si se mide el tiempo y la forma, la similitud es muy cercana entre estos tipos de música; es decir, están emparentadas, como emparentados estamos nosotros, ¿me explico? La puya colombiana va con el tambor de Guatire, el seresese, género musical colombiano, tiene respuesta en el tambor de San Millán. Valses, danzas, contradanzas, pasillos de ambos países tiene la misma métrica, no se diferencian en nada. La fulía de Barlovento se emparenta con el sanjuanero colombiano, siendo tan sólo que se celebran como fiestas de Cruz Mayo y de San Juan, el 24 de junio.

Del joropo, un llanero colombiano te dice: «Desde los valles de Apure hasta los valles de Casanare, un solo sol rojo». El llanero venezolano, por su parte, te contrapuntea en el acto con algo propio. Llega así un momento en que nosotros no vamos a decir de dónde son lo géneros, para ver que reacción tiene el público cuando con mi conjunto –Palenque Son Karibe– los toque, y la gente diga que esa pieza es de Aragua y resulta que era colombiana. Es un trabajo fusionador de culturas el que desarrollamos con Palenque Son Karibe y creo que en los toques logramos una aceptación auditiva sin que se ponga de por medio etiquetas, quizá porque la ciudad es cosmopolita, porque somos pueblos comunes, hermanos, listos a compartir las calles de autobuses y carritos que escuchan porros, vallenatos, cumbias, joropos, salsa, música cubana y caribeña... entre muchas otras cosas (¿turno para que alguien hable de eso?).

Alejandro Calzadilla

Tiene la palabra el antropólogo universitario, diseñador gráfico y melómano con acentuado gusto por la salsa y el flamenco, Alejandro Calzadilla, quien ofrece el chat de internet y luego se explaya con ideas referidas a su libro *La salsa en Venezuela.*

Calzadilla carga un disquete con preguntas y respuestas de uno de esos programas internáuticos, donde le pidieron opiniones sobre su libro de la salsa. Alguien abre su computadora portátil y entrega a Calzadilla, moderado por el contertulio José Carvajal, en la ronda con sus interesados o interesadas.

❑

Aracely Valero M.: ¿Cree usted que la música cubana actual que no se exporta tiene mayor relevancia dentro de la isla que la exportable (me refiero a la de la nueva trova)?

Alejandro Calzadilla (en adelante A.C.): Muy buenas tardes a todos para comenzar esta lluviosa tarde caraqueña. Comencemos con las respuestas. En primer lugar creo que la nueva trova ya no existe. Quizá debamos hablar de la vieja o la madura trova. Existe, sin embargo, una tendencia que continúa el estilo de aquella nueva trova que conocimos en los años 70 y 80, no sólo dentro sino también fuera de Cuba, cuya característica fundamental podría ser que por un lado tiene una mayor apertura frente a la situación política y económica de la isla y por otra se ha enriquecido musicalmente de otros géneros distintos a la canción tradicional cubana. En segundo lugar, creo que hoy en día no hay música cubana que no se exporte. Incluso, como decía antes, mucha de la mejor música cubana se hace desde afuera y no desde adentro de la isla.

Eleonora Bruzual: ¿Puede un ritmo prodigioso, y una esencia músical especial como la del cubano, haber contribuido a hacer más llevadero el horror de una dictadura como la de Castro?

A.C.: Eleonora, toda la música del Caribe (cumbia, vallenato, plena, son, gaita, etc.) hace más soportables los horribles regímenes políticos que padecemos en nuestros países. Yo bailé mucho durante el gobierno de Carlos Andrés, y no te imaginas lo que me la vacilé cuando Lusinchi. Te invitamos cordialmente a las sesiones de rumba–terapia que vamos a organizar a partir del año entrante.

Frank Laverda: ¿A qué se debe el resurgimiento del son en países de Europa y en Estados Unidos?

A.C.: A una razón muy sencilla. En Europa, específicamente, el son nunca había tenido éxito. Ni siquiera había «sonado». De hecho, antes de esta avalancha de salsa y son que llega a esas latitudes desde los 80, se recuerdan cosas tan puntuales como la participación del Septeto Nacional, creo, en la Feria de Sevilla de 1928, si no me equivoco, así como la figura de Antonio Machín en España, porque vivió ahí muchos años. Recuerda también que la llegada de ritmos como el son o el vallenato a Europa no ocurre aisladamente y va de la mano del fenómeno de la *world music* que ha abierto las puertas también a la música africana, por ejemplo. El caso de EEUU es distinto y tiene de por medio razones económicas y políticas. No se puede decir que el son esté resurgiendo en EEUU porque nunca tuvo verdadera presencia, a pesar de que ahí se hicieron las primeras grabaciones. En EEUU géneros como el mambo sí contaron con éxito en los años 40 y 50, pero hablar de un resurgimiento del son no me parece pertinente. Más bien hablaría de que están descubriendo el son en esas tierras.

Roberto Fernández: Cuando dice que «lo mejor de la música cubana se hace desde afuera» no entiendo a qué se refiere, ¿será a que los no cubanos hacen mejor música que los cubanos? No sé, no me parece.

A.C.: No es un misterio para nadie que muchos de los

mejores músicos cubanos actualmente no viven dentro sino fuera de la isla, lo que no siginifica que no sean cubanos y no hagan música cubana. Te pongo por ejemplo a Nil Lara o a Albita en Miami o a Gema y Pavel o a Bebo Valdés en Europa. Por otro lado, incluso los que viven en la isla pasan larguísimas temporadas fuera de ella por razones económicas. Ahora yo no estoy diciendo que «lo mejor de la música...», como planteas, sino que es «mucha de la mejor...».

Juan Fernández: ¿Cómo podemos identificar una buena música cubana? Por ejemplo, uno que no sabe de música y quiere comprar un disco y no quiere perder su inversión, ¿cómo se hace para identificar a ese disco bueno, sabroso...?

A.C.: En primer lugar, la música cubana es, digamos, un continente aparte, por lo extensa. Estamos hablando de por lo menos setenta u ochenta años de producción discográfica con muy poco desperdicio. Además, cada artista y cada época representan un estilo y un momento. Ahora bien, para alguien que no conoce del tema, creo que lo mejor es comenzar comprando discos de los iconos. Si habláramos de jazz deberías comprar a Louis Armstrong, por ejemplo. En el caso de la música cubana, creo que personajes que te pueden acercar a la música de la isla son Benny Moré y Arsenio Rodríguez (son), la Sonora Matancera (guaracha), La Lupe (guaracha y boleros), Bola de Nieve (boleros), la Orquesta Aragón (chachachá y charanga), los Van Van (songo), etcétera.

Roberto Fernández: Bien buena la aclaratoria, puesto que recientemente ganaron el grammy Buena VIsta Social Club, aunque llevados de la mano de Ray Cooder. Pero todos ellos cubanos que viven en Cuba. Ahora Win Wenders acaba de estrenar un documental con estos excelentes músicos que, ademas de vivir en Cuba, tienen entre setenta y noventa años de edad.

A.C.: Es bueno tu comentario sobre Buena Vista y eso da pistas de por dónde anda el asunto de la música cubana hoy en día. Ese disco, como tantos otros, entra en la onda de reediciones y reactualizaciones de la vieja música de la isla. Sólo te doy otro ejemplo, el selllo Tumbao Records (por cierto, esta también va para Juan Fernández) tiene actualmente un numeroso catálogo de verdaderas joyas sonoras cubanas.

Rosamelia Díaz: Siempre he tenido la duda de si dentro de la salsa está el son, si la salsa es música cubana o viceversa.

A.C.: Rosamelia, LA SALSA NO ES MÚSICA CUBANA. Sin embargo, musicalmente hablando, la matriz fundamental de la que se nutre la salsa es el son, mas no es lo único. En cualquier caso, este es un asunto muy complicado en el que prácticamente nadie se pone de acuerdo. Y la cosa se complica porque la salsa como tal no tiene una nomenclatura precisa para su escritura. Por esta razón, muchos músicos y sobre todo todos los cubanos se niegan a reconocer la existencia de la salsa. Lo que puede explicarnos o no la existencia de la salsa es más un asunto, si se quiere, cultural o sociológico que un punto meramente técnico o musical. Por otro lado, pienso que cuando hablamos de salsa es necesario precisar el tiempo y el momento del que estamos hablando. Es decir, no es lo mismo hablar de salsa en los años 70 que hablar de salsa hoy en día. En mi opinión, la salsa es un hecho histórico innegable.

Carlos Ortiz: Tengo entendido que la salsa empieza a revolucionar el mercado discográfico desde Venezuela. No entiendo por qué no surgieron más grupos y cantantes de la talla de Oscar D'León, Dimensión Latina, ¿acaso la Fania los apabullaba? ¿Por qué grupos como el Trabuco Venezolano no pudieron mantenerse si éste era el mercado de la salsa?

A.C.: No sé si llamarlo revolución, pero lo que sí es cierto es que Venezuela, y especialmente Caracas durante los años 70, se convirtió en una de las plazas más importantes de los artistas salseros y la consecuente venta de sus discos. Puede que haya muchas razones, pero sin lugar a dudas las más importante era el poder adquisitivo que para aquel entonces tenían los venezolanos. Nivel económico y poder adquisitivo con el que no contaban Colombia, Panamá o República Dominicana. Cantantes venezolanos hay muchísimos. Ahora, por qué no hay otros de la talla de Oscar D'León es un misterio que nadie puede resolver, ya veremos qué pasa en los próximos años.

Ahora con esta ola de adolescentes y niños cantantes de salsa quizá se esté formando una nueva e interesante generación. Como lo ha dicho muchas veces el propio Alberto Naranjo, fundador y director de ese proyecto que él considera casi personal, el Trabuco Venezolano no era ni es un grupo. En años más recientes Alberto ha reunido nuevamente a un gran número de músicos venezolanos de donde ha salido algún concierto específico e incluso alguna nueva grabación. Lo que sucede es que al Trabuco siempre se le compara, por aquello del All Star, con las estrellas de Fania o «ventetús» similares.

José Carvajal (moderador): El director nos hace la seña. Se acaban los compases. La clave va a descansar. Así que, agradeciendo la presencia de Alejandro y de todos ustedes, nos vamos despidiendo, no sin antes aprovechar para hacer una última pregunta, esta vez revisando la faceta de editor de nuestro invitado: tengo entendido que estás a punto de presentar una nueva edición del libro de Juan Carlos Báez, El vínculo es la salsa. *¿Cuándo podremos tenerlo en nuestras manos? ¿Corregido y aumentado?*

A.C: El libro de Juan Carlos Báez, *El vínculo es la salsa. Historia y desarrollo de la salsa en Venezuela*, estará listo para mediados de noviembre, fecha de realización de la Feria del Libro de Caracas, bajo el sello editorial AlterLibris. En efecto, el libro ha sido corregido, ampliado y, lo más importante de esta nueva edición, ilustrado. Creo que va a ser una gran sorpresa para todos cuando revisen el libro y descubran la gran cantidad de grupos de salsa que han existido en este país (de hecho, el primer sorprendido fui yo mismo).

❑

Aquí vuelve a hablar el peñista del turno orginal, quien reorienta la voz de la peña hacia Calzadilla mismo:

–Peñista: hasta donde se sepa A.C. significa «Antes de Cristo», siglas sagradas que dan idea del cuándo a eventos mundiales de la mayor importancia. ¿Acaso tú, Alejandro Calzadilla, de iniciales A.C., buscas trascendencia con lo de tu libro de la salsa? Habla A.C., di algo....

A.C: La razón por la que hice el libro *La salsa en Venezuela* fue porque la Fundación Bigott me lo encargó. La Fundación, les digo, está difundiendo los temas de su colección de brevarios para darle respuesta muy sencilla a temas clave de la cultura venezolana. En las discusiones sobre los posibles temas, surgió el tema de la salsa que pareció tan importante como el boxeo, como la hallaca, el fútbol, el béisbol... Una colección toda donde se pueda establecer la columna vertebral de lo que es la cultura venezolana a través de una pequeña biblioteca temática de libros breves, buscando, pues, darle respuesta sobre sus cosas a nuestra gente.

Tú no eres un especialista en boxeo, pero te llama la atención el tema y de repente te consigues un librito muy pequeño que en un paseo te da toda la información sobre el boxeo. Otro tanto con el béisbol o las hallacas. El caso del libro sobre la salsa es lo mismo. La pretensión está en hacer un libro muy breve para el público en general; una suerte de manual de comprensión de un tema, que no un libro exactamente para los especialistas en la materia, aunque los especialistas también se lo pueden leer.

El tema, estoy seguro, es del interés general. Aquí todo el mundo ha bailado salsa, ha escuchado salsa, ha tenido algún vínculo con la salsa, a juro, por radio, en una fiesta o en un concierto, pero poca gente ha leído algo sobre eso. No es un tema del que se lea. Casi nadie lee sobre salsa, aunque ya haya pasado mucho tiempo del boom de los años 70, y ya cabe, creo, en un tono más pausado, más reflexivo, un poco más estudioso dado a recoger un poco la historia de las anécdotas, su historia formal, los cuentos, la discografía, la bibliografía... Vale la pena ordenar y sistematizar todas esas cosas y ofrecerlas, siempre digo, como una épica venezolana, propia (de hecho, toda la colección se llama «En Venezuela» y los títulos siempre refieren a nuestro país).

La invitación a escribir vino por el tema de la salsa, un fenómeno bastante contemporáneo, masivo, muy comercial, que todo el mundo identifica muy rápido y asocia a ciertas cosas. Pero, en lo personal, confieso que mi interés al investigar y escribir va mucho más allá de la salsa. Tengo grandes pasiones, una es la música que, en términos generales, es una adicción no solo a la salsa. Con esta música abordo el Caribe, que me parece una cosa apasionante desde el punto de vista cultural, histórico, geográfico, antropológico, como lo quieran ver. Luego, Caracas como ciudad importante del Caribe en todo sentido; luego la música de la ciudad y, dentro de ella, la salsa. Así intento, de alguna manera, llegarle a la salsa desde esas perspectivas. Es decir, el Caribe, su música, la música caraqueña; cómo la salsa se muestra en plan de expresión urbana de la música de Caracas.

Yo le echo un cuento escrito a la gente, sosteniendo que a la salsa no se le llega en un día, en un momento; que no fue que se prendió una cosa llamada salsa, sin antecedentes, y la cosa inventada por alguien pegó y ya. Trato de decir cómo la salsa no es más que el desarrollo evolutivo o progresivo de lo que venía siendo desde principios de siglo la música del Caribe. Desde los viejos sones, las guarachas, hasta llegar al sonido reconocible como salsa. Digamos, no hubiéramos llegado a esto sino hubiéramos tenido lo anterior; no sólo desde el punto de vista musical sino también desde el punto de vista del gusto del público.

Se parte de un público de los años 60 y 70, que siendo adolescente y joven ya había escuchado «La múcura», había escuchado «Échale salsita», el «Mambo #5» de Pérez Prado, el porro, el merengue. Por la radio, en las fiestas, había bailado con Billo's, con Porfi, con Los Melódicos... Había una especie de preparación psicológica, estructural, de la gente hacia un tipo de música bailable afrocaribeña. Y todo eso servía como sustrato, como plataforma sobre la cual luego se incorpora la salsa, porque la gente joven de los años 60 de repente atiende este boom que viene de Nueva York. Lo que llega entonces a Venezuela es una cosa musicalmente más ruda, más urbana, más agria. Y el público juvenil, el adolescente de los barrios, inmediatamente se engancha, con esta música y se deja un poco de lado la oferta de Los Melódicos, de Billo's, de Porfi, por algo que sentían como más propio a su realidad, a su contexto.

Nada de lo ocurrido, insisto, hubiera sido posible si no hubiese existido la plataforma anterior. Por eso es que es muy importante en el libro contarle a la gente cómo se va evolucionando. Ir al cómo aparece el merengue caraqueño en los bailes de salón, de la mano de Luis Alfonzo Larrain; contar cómo evoluciona un género despreciado por marginal, por arrabalero; asociado a la prostitución, a los mabiles... Partir de allí, por ejemplo, para poco a poco llegar al año 66 cuando aparece el disco «Llegó la salsa», que salta como el nombre comercial de este asunto. Hablar de Phidias Danilo Escalona con Floro Manco y sus programas en pro de masificar la nueva música.

Hay una necesidad, digamos, de articular cierta historia; de que se entienda el fenómeno como alguna forma de costura de crónicas. Es decir, el mambo, por ejemplo, no está desarticulado del danzón y éste, a su vez, se liga a la danza, a la contradanza. De la misma forma, la salsa no está desarticulada del mambo, ni desarticulada del son. Si tú logras armar ese gran rompecabezas, lo entiendes mucho más fácil. Por eso, mi libro se divide en dos etapas: lo que pasó fuera de Venezuela, como para que la gente entienda el contexto, los alrededores, la música del tiempo en el Caribe, en Nueva York, Cuba, Puerto Rico,

Colombia, y la etapa de lo sucedido propiamente en Venezuela. Si cruzas esas historias paralelas, vas entendiendo que lo que pasó en Venezuela fue más o menos un espejo o reflejo de lo que ocurría en el resto del Caribe. Lo que se hacía en Puerto Rico se entendía aquí, lo que triunfaba en Santo Domingo aquí también triunfaba, lo del Nueva York latino perfectamente se aplicaba en Venezuela. Siempre fue así.

Amigos: la salsa tiene varias caras. Una es la cara conocida, que es la que reflejan los discos, la farándula, etcétera. Otra es la cara desconocida, la de músicos que viven escondidos y hacen música desde los barrios y pueblos. A esos personajes, muy anónimos, es muy difícil conocerlos, a menos que de verdad te metas en un trabajo casi de campo; aun así, a ellos es muy difícil destacarlos como nombres específicos. La otra cara es la comercial, la de los famosos que graban discos y se incorporan a la farándula. Y en esta música venezolana, articulada como música caraqueña, no sólo de la salsa sino de sus pioneros un tiempo atrás, hay varios nombres clave: Luis Alfonzo Larrain es importante porque le da a ese formato orquestal, aquí en Venezuela, un estatus distinto. Alguien preocupado por la cuestión de los arreglos y la cultura musical de sus propios músicos, que generó escuelas y creó formación dentro de sus intereses musicales; esto permitió que sus músicos después se multiplicaran, salieran a otras orquestas e hicieran un trabajo reflejado en subir la calidad musical del ambiente. En Billo también es innegable la labor hecha desde su llegada a finales de los años 30, principios de los 40, hasta hoy en día; de su orquesta salieron muchos músicos y mucha música que nos ayuda a definirnos. Aldemaro, creo, es un personaje clave porque cubre un espectro muy amplio; va desde la música bailable, pasando por la música venezolana y el jazz, hasta ese particular género creado por él, la onda nueva.

En cuanto a la salsa-salsa, creo que hay personajes muy importantes según el punto de enfoque. Un grupo como el Sexteto Juventud, musicalmente, es un grupo limitado, muy limitado; pero desde el punto de vista sociológico es importante por lo que representó para una época y una generación: son los primeros tipos que comienzan a identificar el sonido que venía de aquí con un sonido que venía de Nueva York y, bueno, con las limitaciones, con las herramientas que tenían buscaron hacerlo. También se trata de los primeros que se plantean unas letras distintas, con otro perfil que ya no era «La burrita de Petare», no más esa cosa guarachera que venía de Cuba, bastante rural en muchos casos. Tratan de presentar esos nuevos escenarios que se están consolidando en Caracas, tratan con sus canciones la cuestión de los barrios humildes, los barrios marginales de la ciudad. Hay con ellos un cambio de temática.

De los tres grandes grupos salseros nacionales de los 60 (Federico y su Combo, Los Dementes y Sexteto Juventud), el Sexteto es el musicalmente más flojo. Federico y Los Dementes son bastantes más solventes, aunque tampoco fueron una cosa tan importante a nivel de sonido. Sí creo en un grupo fundamental para el cambio de percepción de lo que fue la salsa en Venezuela: la Dimensión Latina. Independientemente de todas las críticas musicales, la Dimensión Latina le cambió inclusive la relación al mercado del disco aquí en Venezuela, que hasta entonces vendía mucho Los Melódicos, Billo's y compañía. Gana La Dimensión: unos tipos que vienen de tocar en una tasca o en una cervecería, de repente se convierten en disco de oro y venden miles de copias aquí y afuera. Es difícil de explicar cómo ocurrió aquello; cómo se dotó a un sector de la sociedad venezolana de héroes propios. Que competían con los ídolos que venían de afuera. Héctor Lavoe, Richie Ray, Eddie Palmieri, balanceados con héroes propios.

Siempre hay una necesidad fundamental de tener identificación con héroes propios. Por una cosa espiritual, afectiva, tú puedes ser rockero y seguir a Jimmy Hendrix, pero si tú encuentras dentro de tu propio contexto, dentro de tu propia nacionalidad, una figura de tu nacionalidad, un héroe, personaje, ídolo con el que te identifiques, inmediatamente te enganchas y sobre él depositas muchísima energía. Eso ocurrió con la Dimensión Latina y Oscar D'León. Ellos son un antes y un después. Su mayor valor, más allá de lo musical, es quizás desde el punto de vista sociológico. A partir de la Dimensión Latina, en el año 1974 más o menos, el ambiente empezó a cambiar; los músicos comenzaron a tener un interés mayor por la formación, el público quiso oír cosas mejores. Ya para principios de los 80, la formación académica de los músicos era algo necesario. Casi todos los músicos del inicio de la salsa venían de la calle; eran tipos de tocar de oído, tipos de guataca, salvo algún trompetista o trombonista que podía haber tenido algún tipo de formación. Pero en su mayoría nuestros intérpretes salseros del comienzo venían de la calle, del oído, de la cultura oral. No tenían una formación formal; sin embargo, por exigencias del bailador oyente, los músicos necesitan mejorar su nivel, tener herramientas de formación académica útiles no sólo para los pianistas o los bajistas, sino incluso para los percusionistas. Aparecen en Caracas escuelas callejeras, populares, de barrio, pero igual escuelas donde maestros forman percusionistas; los conservatorios también son requeridos por músicos de baile. En fin, las cosas toman otro nivel como consecuencia del nivel de las propuestas salseras comandadas por la Dimensión Latina.

Otro hito lo hacen el Sonero Clásico y el Trabuco Venezolano. El Trabuco, sobre todo, da contrapartida a la música de tipos informales, de poca formación, callejeros, con arreglos muy flacos y con mucho descuido en el aspecto musical. El Trabuco es la otra cara de la moneda: una formación sólida, con arreglos cuidados, cuidadosos de la ejecución, con un jalado para el jazz muy grande, grandes solos no sólo en interpretación, sino en su tiempo de duración. Intérpretes capaces de hacer el clásico solo de quince segundos, pero también de un minuto donde tiene que saber apretar. Y no sólo eso. No es lo mismo tocar en las fiestas patronales de Tacarigua de Mamporal, a meterte en un estudio de grabación a sonar una trompeta que suene bien y quede perfectamente grabada, acorde con las pautas de un complicado arreglo. Son cosas muy diferentes. Y allí, digamos, la responsabilidad del hombre que estuvo al frente del Trabuco: Alberto Naranjo, un tipo sumamente preocupado por el buen resultado sonoro. Con la aparición del Trabuco se fortalece el interés de los músicos por la formación musical; creo que en ese momento, más de un músico debe haberse dado cuenta de que hacía falta estar formado, que no podía ser solamente la guataca, que había que tener una mínima noción del pentagrama para seguir adelante.

El hombre que corona todo este cuento, por lo menos desde el punto de vista de la popularidad, es Oscar D'León. D'León es un fenómeno por muchas razones; primero porque es un hito de lo que es la salsa en Venezuela. Un hito que en sus comienzos va dentro de otro, la Dimensión, que a su vez depende de él. Quizás si la Dimensión Latina no hubiera tenido a Oscar D'León, sencillamente no habría llegado a ningún lado. A otro grupo, por ejempl, Federico y su Combo, le quitabas la voz y le ponías otra, y a lo mejor igual resultaba lo mismo. Pero la Dimensión Latina estaba anclada sobre la voz de Oscar D'León. Luego se separan y van por caminos distintos. La Dimensión queda con sus características sonoras como grupo y sobrevive; D'León marca otra pautas. De todos los músicos del género ha sido el más disciplinado, el que más se ha mantenido en el ambiente, ha logrado proyectarse nacional e internacionalmente. Ha hecho de su trabajo una empresa rentable. Es el personaje venezolano más conocido en el mundo entero. Así de sencillo. Tú en Japón preguntas por Oscar D'León y saben quién es. Tú vas para Alemania, para Toulouse en Francia, hablas de Oscar D'León y saben quién es. A lo mejor no tienen un disco o nunca lo han escuchado en vivo, pero saben quién es el personaje. En Japón o en África sucede lo mismo.

Hablo de salsa en Venezuela y alguno podría preguntarse, ¿sería igual decir salsa en Caracas? Sí y no. Por una parte la cosa se limita al efecto caraqueño, pero habría que entender a Caracas como esa ciudad más amplia, más allá de Petare y de Catia. Es decir, esa ciudad que llega, por ejemplo, hasta Guatire o Guarenas; que va hasta La Guaira, hasta Los Teques. Puedes hacer una delimitación geográfica de ese espacio de energía y conseguir cómo Caracas va más allá de Caracas. En Maracaibo no hay un movimiento salsero. Guaco es salsa, pero en tiempos posteriores. Guaco efectivamente comienza siendo un grupo de gaitas, pero va transformándose y de alguna forma se inscribe en el tal espacio de energía salsera caraqueña. Por eso cuando Guaco se convierte en caraqueño se convierte en salsa, cuando llega a la ciudad agarra un matiz distinto, en algo similar al matiz del primer disco de Evio DiMarzo con su Adrenalina Caribe y lo más lógico que ocurriera musicalmente en una ciudad como Caracas, donde había mezcla de todo: de rock, de jazz, mucho de salsa, las mejores letras de ese momento.

De universitario, hace años, hice mi tesis sobre la salsa dentro del contexto del Caribe. Tú analizas, por ejemplo, el jazz norteamericano, y te das cuenta que está disperso dentro de una geografía muy grande, reunida geopolíticamente bajo un mismo nombre, Estados Unidos de América. Pero si tú reparas en la distancia que hay entre Chicago, Nueva Orleáns, Nueva York, San Francisco o Los Ángeles, te das cuenta de que el germen jazzístico está absolutamente disperso; sin embargo, las relaciones geopolíticas del país permitieron que el traslado o la difusión fuera firme dentro de ese territorio.

Hay un territorio caribeño que culturalmente tiene las mismas características, lo que pasa es que los países están separados en este caso, básicamente por el mar Caribe. Pero tú podrías eliminar el mar y tendrías un pueblo con muchísimas similitudes. Quiero decir que no en vano el puertorriqueño, el dominicano o el caraqueño o el cubano hablan muy parecido. Todos hablamos muy parecido. Esto tiene muchas aristas: la parte formal, la parte histórica, la antropológica, la sonora propiamente, la documental, fotografía, documentos, recortes de prensa... hemos seguido un trabajo de reconstrucción de esta historia, de armarla, sistematizarla; proyectarla en una exposición –«Llegó la salsa»– tratando también de explicar, pero en ese caso visualmente dentro de un contexto museográfico: el Caribe, la música, la evolución, los antecedentes; llegó la salsa, quiénes fueron los personajes, los instrumentos, los músicos, los discos, las canciones, la fotografía... Tratar en la medida de lo posible de darle al tema una mirada más allá de lo melancólico porque, bueno, hay una parte vital que todavía existe, que todavía sigue viva y sigue produciendo, sigue grabando, que sigue escribiendo temas, haciendo música nueva de la cual nos olvidamos la mayoría de las veces.

Los músicos deben hacer música; los fotógrafos, fotografía. Hay también gente que tiene que dedicarse a articular la historia, a preocuparse por ella, a concretar las crónicas y sus registros. Si no tenemos eso, estamos desprovistos de una armadura cultural que nos permita tener algún tipo de identidad y defensa. Eso es lo que hacen los americanos con su jazz. Y el jazz, desde el punto de vista de su origen, es la cosa más humilde y más marginal que puede haber. Sin embargo, el día que los norteamericanos entienden que ese es un valor cultural para ellos, entonces arrancan, escriben libros, hacen investigaciones, registros, documentación; tienen todo preparado al punto de que tú te metes en la biblioteca del Congreso de Estados Unidos, y encuentras cualquier cosa respecto al jazz. Hay allí un registro musical, tal como si fuera el primer viaje a la luna, de un Jelly Roll Morton. Nosotros, por el contrario, tomamos nuestros asuntos musicales como un hecho cotidiano efímero, algo que suena, se muere y pasa. No nos damos cuenta de la importancia de un registro de esas cosas, de tener una estructura que te permita sostenerte culturalmente dentro de tu contexto.

Alguna gente dice que ya se escribió un libro sobre la salsa, ¿para qué más? Y uno se pregunta: ¿Pero qué importa que haya diez o veinte libros? Lo verdaderamente importante está en que cada cual haga un aporte y tenga una mirada distinta. No se ha escrito mucho sobre la salsa en Venezuela, pero sí se suma todo lo que se ha escrito en Venezuela, Colombia, Cuba, Puerto Rico, España, Estados Unidos, un poco de todo, la sumatoria te da más o menos un volumen interesante sobre el tema. Pero aquí en Venezuela hay tres o cuatro libros publicados y, en orden de importancia, dentro y fuera del país, el libro más importante que se ha escrito sobre la salsa es el de César Miguel Rondón. *El libro de la salsa*, aparte de estar bien escrito y ser denso, tiene además la gran virtud de que está hecho en caliente; es decir, fue escrito en el mismo momento en que mucha música importante sucedía, durante los años 70, años del *boom* salsero, con entrevistas a Ismael Rivera, Johnny Pacheco, Eddie Palmieri. A diferencia de otros libros, quizás como el mío, escrito a partir de la información recopilada y de una que otra entrevista, al libro de Rondón tú le sientes la energía de tener a los personajes en su mejor momento, tú sientes cómo las reseñas están ocurriendo en ese mismo instante en que fueron escritas. Se trata de un libro clave no sólo para los venezolanos, sino para cualquier estudioso del Caribe y su música. Después va el libro de Ángel Méndez *Swing latino*, que reúne algunas entrevistas de la revista del mismo nombre, en especial las realizadas a personajes venezolanos. También está el de Juan Carlos Báez –*El vínculo es la salsa*–, que desde el punto de vista histórico o formal es lo más denso que hay, porque se ocupa de nuestra crónica venezolana y va mucho al detalle: el dato histórico, el día de la presentación, la hora, cuándo ocurrió, cuándo salió registrado. Luego está el libro de Lil Rodríguez llamado *Bailando en la salsa del trompo*, que no es exactamente un libro sobre la salsa, pero sí tiene entrevistas y algunos elementos de importancia para el tema.

¿Qué es la salsa? Esa es la pregunta que todo el mundo se hace y nadie contesta. Yo creo que al final la salsa es una cosa que hace ruido para unir, para darle coherencia a un fenómeno regional; así de sencillo. A finales de los años 60 fue un fenómeno social, ya no lo es. Ahora es una marca musical, porque hoy en día, incluso a uno lo ofende un poquito, tú puedes encontrarte un español en Colombia que tilde de salsa a un vallenato o tilde de salsa a un merengue, cuando para uno eso es como un golpe en el estómago. ¡Pero, si un merengue no es salsa! Uno lo tiene aparentemente muy claro pero, quiéralo o no, en el mundo la salsa ha extendido sus fronteras. Creo entonces que la salsa se ha terminado convirtiendo en una marca unificadora de un producto musical que es el Caribe. Y hasta aquí llego.

Domingo Álvarez

Turno para el hombre alto de porte profesoral. «El flaco» llega con su hidalga estampa ligada a un extraño pasado que jamás luce melancólico. Nada le huele a naftalina. Opiniones ideas y verbo conjugan perfectamente en el arquitecto, artista, crítico y melómano activo que tiene años focalizando discursos musicales en lo que le interesa y sabe: el son cubano con todos los vericuetos imaginables e inimaginables, mediante conversas que no dan cuartel ni tregua.

❑

Caracas no forma parte del Caribe. Caracas es más bien andina. Todas esas expresiones musicales con el rumor de las olas, el arrullo de palmas, ciertos intelectuales tratan de asimilarlas a está ciudad pero no le van. De ninguna manera cuadran. ¿Tú crees que Zapata, Adriano González León, o cualquier escritor de esos que andan por allí, saben lo que es hacerse una cita bajo un flamboyán florido? No lo digo por mal, pero eso es algo completamente playero. Una vez fui a Haití y la impresión de la vegetación que hay en la vía del aeropuerto a Puerto Príncipe era tal cual andar bajo una catedral en llamas. Puro trópico incendiado que nada tiene que ver con Caracas, ¿me explico?

Nací en Santo Domingo, me trajeron de cuatro años a Venezuela, pero me hubiera encantado ser cubano. Me ubico en Caracas porque vivo aquí. Yo creo que en esencia toda esta gente nuestra es caribeña no por el paisaje, sino por la música. Ahora, hablo de la esencia, de la sangre del que baila, pero no la del que lo hace en El Picoteo o lo hacía en el Club Paraíso. Hablo del personaje del barrio, de la gente que he aprendido a conocer en mi curioso trajinar por las cosas de la música.

Siendo un niño, mi familia, con papá que era médico a la cabeza, por problemas políticos con el régimen dominicano resuelve mudarse a Margarita. Allá yo termino la primaria en los años 40. Entonces llegaba a la isla la emisión radial de «A gozar muchachos» con Billo's y de la «Media jarra musical» con Luis Alfonzo Larrain. Música latina, tropical, elaborada para las grandes salas de baile. También empezaba Aldemaro con la orquesta y sus experimentos de avanzada.

Los primeros indicios del interés por este asunto de la música se me dieron en las tardes, a las cinco, en una plaza de La Asunción, cuando un grupo de muchachos discutíamos: que si a unos les gusta más Billo's, a otros Luis Alfonzo. Era la época del Lustroil para peinarse. Las mujeres terminaban el oficio o salían del trabajo, y se iban para la plaza. Allí estaba todo el mundo, listo a prender el radio; primero iba Billo, después Luis Alfonzo. Aldemaro Romero era el que musicalmente tenía más pretensiones, estaba más cerca de las novedades que hacía con el mambo Pérez Prado, mientras que las otras orquestas locales venían más de la Casino de la Playa y de las grandes bandas americanas del jazz.

Yo tenía un abuelo materno que era diplomático y estuvo de embajador en Cuba por la República Dominicana. Mi madre y mi tío Enrique hicieron el bachillerato en La Habana; tal vez allí esté el germen del gusto familiar por el son latino. Quién sabe. Lo cierto es que cuando tenía catorce años muere mi padre y nos venimos a Caracas donde sigo perfilando el gusto por estas cosas. Por esa época en casa de Jaime Itriago, donde la mamá tocaba el piano, con otros muchachos en Chacao hicimos un conjuntico. Ya tenía unos diecisiete años. El padre de Jaime era propietario de un cine en Santo Domingo y siempre estuvo metido en la farándula; era como una especie de agente con los artistas dominicanos y algo nos sembraba: el gusto por ir al cine de Chacao; allí antes de la película se escuchaba la música de artistas como Daniel Santos con «Virgen de medianoche» y todo lo que traían de Puerto Rico.

En Campo Alegre, vecindario nuestro, había las pandillas: los Lugo, los Becerra... las reuniones en la calle Guaicaipuro, en el callejón Mariquita. Mata de Coco entonces era una hacienda... a esos sitios iban Henry Altuve, Renny Ottolina, gente que comenzaba a figurar en la farándula de los años 40 y 50. En la esquina donde está la panadería Pepín –el cruce con la actual avenida Francisco de Miranda–, había un ring de boxeo del que salieron boxeadores como los dos morochos Petkoff, Luben y Teodoro.

Era una época muy particular; también venían a Caracas los primeros equipos dominicanos a jugar pelota y a enseñar a los venezolanos la pelota caribe. Otro personaje muy cercano a mi casa fue Billo, quien, por lo demás, no fue devoción para ninguno de nosotros. Un dominicano más que se había radicado aquí, músico al igual que Rafael Minaya, con su orquesta de baile, programa de radio, etcétera. Entiendo, sí, que pasó el tiempo, llegó al siglo XXI y ya se han interesado en sacarlo a la luz como músico importante... De todos esos ambientes, digo yo, apareció el perfil de uno como joven que estudiaría arquitectura, se interesaría en ejercer como artista plástico y desarrollaría sus gustos principales; entre ellos, por supuesto, el caribe musical.

Ya en los años 60 iba a Nueva York con lo de las exposiciones y allá aprovechaba para ubicar música, discos. Era un tiempo cuando el jazz de Dave Brubeck y Stan Kenton me interesaba, pero no al punto de olvidar las raíces cubanas sembradas desde la infancia. Un disquero amigo, en Nueva York, poco a poco me fue consiguiendo toda una colección de discos viejos curiosísimos. Cuando visitaba Santo Domingo también compraba discos regrabados de Ignacio Piñeiro, del Sexteto Habanero. Luego conocí a René López, un muchacho puertorriqueño, productor, que tuvo mucho que ver con todo lo que fue el desarrollo de la música cubana en la Nueva York de la década de los 70.

Algo después, aquí en Caracas, ubico a Carlos «Pan con queso» Landaeta, ilustre percusionista y luthier venezolano, quien me relata su historia. Dice que allí donde está la esquina de Capuchinos había dos bares; en un momento dado, el uno llegó a presentar al Cuarteto Caney y el otro, ni más ni menos, al Sexteto Habanero. Ya a mediados de los años 30 había venido a Caracas Matamoros y más atrás el Jorobado Boloña. Coincido con Pan con queso. Gente del más puro y legítimo son cubano, que vino y sembró su música en las clases más populares, no me cabe duda.

Total, las historias de «Pan con Queso» encajan perfecto en mis búsquedas melómanas y en aquellos años 70 empiezan a venir grupitos de son a mi casa. «Pan con Queso» me presenta a los Pacheco con quienes había formado un grupo de guaguancó.

Hilario tocaba el tres y Ramón la guitarra; ambos se venían a la casa a las descargas improvisadas. Poco a poco se estaba estructurando un sexteto de mucho afinque. Hilario me decía: «Tienes que oír a José Rosario. No sé si viene, porque, tú sabes, es albañil, se metió a adeco y el partido le consiguió un contrato para hacer una escuela en Paraguaná. Pero un día viene porque todo el sueño de su vida ha sido cantar el son, como se pueda y cuando se pueda». Tenían razón.

Muchas veces nos reunimos en la casa y a tocar el son. Por un lado, a interpretar las cosas del Sexteto Habanero, del Sexteto Nacional, del Cuartero Caney; pura Cuba. Por otro lado, a darle también pie a la influencia que recibe Puerto Rico de Cuba a través del Sexteto Puerto Rico de Mario Hernández. Un poco dejar de lado a los que aquí habían recibido la música bailable de Cuba copiando a la Casino de la Playa, e ir a las fuentes de lo que venía de abajo, del barrio.

En el momento de los años 70 oía salsa. Pero también sabía que en el barrio se bailaba el son cubano y todos los boleros, con las desviaciones y también los desarrollos de la música cubana en México, en Puerto Rico, Santo Domingo, aquí mismo. El son nació en el oriente cubano y todo lo que tiene y vale, lo dice un verso (porque eso es lo maravilloso, todo estaba escrito), viene de la historia que se escribe cantando y bailando. Tal como en el guaguancó donde la historia se escribe de noche.

Tuve una suerte de un aprendizaje melómano haciendo y completando. Las «Cartas de un ciudadano del Caribe», que publicaba César Miguel todas las semanas en *Meridiano*, relatan el imaginario diálogo epistolar entre un puertorriqueño, un boxeador cubano retirado, Ciro Versalles, y un venezolano de La Pastora. Esas cartas son crónica pura de lo que estaba pasando en Nueva York y en todo el Caribe. El gusto por leerlas me acerca a César Miguel, a Orlando Montiel –productor disquero– a Alberto Naranjo, músico. Ponemos las cabezas a trabajar: Sello disquero, conferencias con música, toques y conciertos... César movía las cosas en la radio, Orlando se ocupaba de los discos, Alberto arreglaba y dirigía su Trabuco Venezolano, yo iba con mis cosas históricas conferenciadas y proyectadas en el Sonero Clásico del Caribe con aquellos tres discos iniciales. Así era. Quería dejar evidencias grabadas de lo que «Pan con Queso» y su gente me habían dado: son con José Rosario Soto, José Quintero, Carlos Guerra –compositor, trompetista, sonero extraordinario–, con esa Canelita formada al calor del mejor soneo... todos ellos parte misma de los afortunados tropiezos de estas cosas que a uno de verdad le interesan, y por las cuales busca, hurga, investiga, habla... y habla...

La voz de X

Es la voz de Xariell, de Xariell Sarabia: risa, presencia y tamaño acompañan al hombre de letras y promoción cultural que sabe convocar, comentar, complementar y combinar la pasión por la música con la vida misma. Salsa Xariel, salsa de resumen y recuerdo para Alejandro Calzadilla, Domingo Álvarez y demás panas. Vaya, pues.

❑

Cada vez que empiezo a hablar de la salsa, de la música más caraqueña del mundo, siento en principio que uno va a lo básico, al ABC de las raíces propias: el gran tiempo de la infancia en la casa, con un radio clavado en el oído que sintonizaba no sólo música, sino todo un sabroso ambiente familiar de la zona de El Cementerio, por allá por los años 60. Y vuelvo a recordar a los amigos de mis hermanos mayores, unos tipos pelúos que llegaban de visita con discos que llamaban mucho la atención: salsa, salsa dura lista para el baile, con un sonido diferente a lo que escuchaban y bailaban los viejos. Aquello sonaba diferente y llegaba por la vía de la radio a todas partes, arriba y abajo; a los barrios, sin duda, de aquel primer momento para mí cuando sólo sabía que la cosa era popular, fuerte y, sobre todo, sabrosa.

Mucho, mucho después –ahora, cuando vine a tomar como más conciencia de la importancia de esos recuerdos–, por razones de trabajo de producción de eventos musicales, me consigo con un sonidista para un espectáculo. Aquel sonidista no era otro que era Federico Betancourt, el mismo de Federico y su Combo. Y yo dije, bueno, Federico Betancourt, déjame echarte el cuento de los pensamientos así y asao... Que si con él se marca el comienzo entre nosotros de una cosa musical más agria, mas agresiva que lo anterior de Billo's, Melódicos, Sanoja, Porfi, etcétera; que si lo suyo coincide con Ray Pérez y los Dementes, cuando la salsa norteamericana está un poquito mas madurada y se han digerido los discos de Eddie Palmieri, de Ray Barretto, de Richie Ray, y algo entonces se puede tomar de ahí; que Federico –tal cual tú, Pacanins– no tocaba ningún instrumento, si acaso charrasca, y sin embargo montaba unas orquestas tal cual el caso de Renato Capriles, ambos músicos, sí, pero no en el sentido normal, sino músicos desde el trampolín del publicista que logra muchísima aceptación e influencia poderosa en nuestra sociedad por intermedio de eso que había ayudado a popularizar... ¿Con tanta fuerza de calle, tanto arrastre popular, por qué aquello no funcionó más, Federico –Betancourt, digo–? ¿Por qué? Entonces el hombre del combo, que había paralizado por un momento lo de los cables y el sonido, elementalmente me dijo: «Bueno llegaron los Beatles, llegaron los pelúos, los Rolling Stones, y esa vaina se acabó».

No sé, tendrá razón Federico. No hubo continuidad, se le cedió el puesto a los rockeros. El mismo Federico hasta pegó después –¿recuerdan los «Besos brujos» con Canelita–, pero ya no era lo mismo que antes. También me contó cómo fue que hace nada lo habían invitado junto con Ray Pérez a México y además a Colombia; que la cosa no estaba tan requetemuerta, que mucha gente recordaba y pedía pero... pero que no se había dado todavía en Venezuela un gran concierto, de envergadura internacional, para confirmar de una vez por todas cómo le paran tanto a Federico afuera y aquí dentro también. Esto no está tan muerto, qué va; nada muerto, panas míos, y ahora sí mejor voy a otro poquito de recuento.

A partir de los años 70 había como ciento cincuenta y cuatro mil grupos de salsa. Por el trabajo hecho por los artistas y los medios de difusión una década atrás, en los 60, el género había tomado fuerza creativa en cuanto barrio pudiera uno imaginarse. Programas de televisión masivos, como Sábado Sensacional y La Feria de Alegría, catapultaban un bombardeo impresionante de salsa: la estrella de Ismael Rivera en un canal, pero antes, en el otro canal, Ismael Miranda; los dos en un mismo día, en vivo, compitiendo en números, en *rating* masivos. Además, yo les digo, cuatro grupos más de salsa, venezolanos, haciendo el telón... Entonces, obviamente la pregunta del investigador de «¿qué es lo que tengo que investigar de este fenómeno salsero aquí en Venezuela?», se concreta en el cómo se hicieron los grupos musicales, cómo empezaron a tocar, cuándo ocurrieron esos primeros toques. Con la respuesta de las preguntas, insisto, se concretan las cosas, cogen buen sentido y se da pie a que aparezcan las historias de los muchachos jóvenes del tiempo, músicos nacionales que trabajaban la cosa en esa época primera de Federico y Ray Pérez, la onda coincidente con una ciudad más pequeña impregnada por las cosas de Billo; un «latin jazz» también por ahí de Chucho Sanoja, el «Pavo» Frank Hernández y Aldemaro Romero en una Caracas donde los carnavales eran una cosa impresionante, porque venían y vinieron todos, absolutamente todos los nombres estelares y las orquestas tanto de lo que todavía no era salsa, como de lo que ya comenzaba a serlo.

Hace un tiempo Ibsen Martínez dijo algo importante respecto a este asunto. Dijo que siempre, siempre, va a haber un tipo que va a bajar de un cerro, de un barrio equis, con un radio encima tocando Joe Quijano. No recuerdo si esas fueron las palabras textuales, pero sí el sentido de atribuirle al género el arraigo más profundo dentro de nuestra gente caraqueña. Hoy día, ahorita mismo en el año 2003, las dos emisoras que se escuchan más en el país, son unas radios con pura salsa, salsa brava de los 60 y 70 como sus ofertas musicales básicas. Es impresionante oír así cómo la música ha perdurado, cómo una radio de audiencia masiva ponga temas que son de hace treinta o veintiséis años atrás en un país donde la mayoría de la gente ni a esa edad llega. Oye, eso quiere decir que hay un arraigo demasiado fuerte. Un sentido de tradición que abarca las entrañas y el intelecto de los cuatro tipos que asisten a una conferencia de salsa, y al final seguramente van a saber más que el mismo tipo que está dando la conferencia. Y saben de anécdotas, de mitología –que hay mucha–, conocen todos los discos; tienen un culto parecido al fanatismo nacional por el béisbol y crean submundos para no olvidar a gente como Ray Pérez y los Dementes, Federico –Betancourt, ya dije–, para saber quiénes fueron los Calvos, los Kenya, la Dimensión Latina y el Sexteto Juventud, por supuesto. Hay una cantidad de tipos que saben o escucharon las canciones, rumbearon fuerte con ellas y con los responsables de ellas, que convirtieron todo esto en la parte cultural de sus vidas y quieren seguir cultivando eso. Inclusive enseñan a generaciones nuevas para que todavía sientan la salsa como su ancestro cultural básico.

Esta música entre nosotros muchas veces tiene un evidente roce con lo caraqueño de antaño o, mejor, con lo de mediados del pasado siglo XX. Esto se comprueba cuando la acepta un tipo cincuentón de Antímano, por ejemplo, uno de esos que escuchaba a la Billo's con Cheo García, a Manolo Monterrey soneando o a Víctor Piñero guarachando con Los Melódicos. Alguno que centraba en esos nombres a sus ídolos y de repente, cuarenta o cincuenta años después, los continúa oyendo en una buseta, constantemente, pero ahora con los ídolos asimilados, tema de por medio, a ese sonido de los trombones típico del estilo salsero, al sonido de la Dimensión Latina, al Oscar D'León cantando el «Te caigo a tiros» que Manolo cantaba, o la misma «Taboga» del Rafa Galindo con la Billo's de toda la vida. Entonces el tipo siente el roce de frente; sabe que esto tiene que ver con aquello, que hay tradiciones de su baile afrocaribeño dando fundamento y rítmica –hasta cumbia hay allí–; quizás un afán de mezcla para ver si sale algo completamente novedoso, pero un afán afincado en lo que de verdad fue. No sé si me explico, pero cuando tú escuchas a Oscar D'León estás, sin duda, oyendo cantar a un caraqueño, a alguien tuyo. Eso suena de uno por acento y afinque. Eso resuena cuando tocan los trombones, la percusión, las cosas del ambiente y sale algo diferente; un sonido característico de la Dimensión Latina que, además, de alguna u otra manera pertenece al sitio y conserva su sabor a tradición. Tú agarras, por ejemplo, una pieza: el... *param, pan, pan...* y viene a ser como un híbrido que viene de afuera, pero que se caraqueñiza a través del toque, de las peculiaridades de la Dimensión Latina, y de la misma... *De los negros de Caracas, yo soy el negro más guapetón...* Además es impresionante cómo se le siente un Billo atrás, pero a la vez deja de ser Billo porque comienza a ser un toque agresivo, distinto, perteneciente no a la ciudad parroquiana de los años 40, sino a la urbe caótica actual. Me sigo explicando: el «Llorarás» de la Dimensión es salsa brava pura, pero muy de aquí, muy diferente a lo de Palmieri y la gente de Nueva York, por decir. Cantidad de grupos nacieron y se desarrollaron en la misma onda de la Dimensión, cantidad... pero lo cierto es que hay un gigante, una estrella-prototipo en Oscar D'León tan contundente, que al hacer juicios y resúmenes siempre llegas a él y su Dimensión, o su Crítica, o su Salsa Mayor, y el propio D'León, sin querer, deja que se olvide un poco de la fuerza y calidad de esos y otros grupos. De la Salsa Mayor o de la Crítica cuando no estaba él; del Wladimir Lozano de «Taboga» o «Dolor cobarde», de mucha importancia en la onda bolerística bailable que a veces enlaza en una manera de cantar parecida a la de Rafa Galindo y, por supuesto, a la de Rafael Muñoz o José Luis Moneró.

En estos días veía en un viejo programa televisivo, un video de los años 70 donde cantaban Wladimir y Oscar D'León. Me hicieron recordar al gordo y el flaco del antiguo Hollywood: Un pareja con el principal y un segundo muy bueno. El caso del principal quien siempre necesita a alguien al lado para reposo, complemento, porque la música bailable pide y pide. Años después Oscar tuvo a su hijo en la tarima, y hacía un show con él; años antes, necesitaba el balance a las salsa brava con la cosa de la inclusión de boleros sones a cargo de Wladimir, inclusive piezas que fueran éxitos en vivo. Además había en este acto el tipo complemento, otra figura de aquella Dimensión Latina de los comienzos: César Monge, «Albóndiga», según muchos el trombonista que le mete al concepto para que suene salsa brava y, a la vez, se ligue al sonido colombiano. También estaban Joseíto Rodríguez –timbalero–, Rodrigo Barboza al trombón, uno de los Pacheco en la percusión y en el centro de la banda, por supuesto, el hombre alto del bajo que cantaba al lado del bajito de las maracas.

Oscar D'León es nuestro hombre clave en esta materia salsosa. El que trae el son de ida y vuelta. Pero no se trata sólo de Oscar el cantante, ni siquiera del director o compositor, sino del músico montado encima de un espectáculo, en el Madison Square Garden niuyorquino de tú a tú con cualquier estrella. Vas a cualquier lado del mundo, ya lo dijo Calzadilla, y ves un disco de Oscar D'León; en Italia, en Francia, en Dinamarca, dondequiera que sea es conocido. El hombre es tan fuerte, tan bueno, que fue capaz de ir a Cuba, una verdadera cueva de lobo en esto de la música afrocaribeña, y presentar un concierto memorable en La Habana, en un stádium repleto donde los cubanos al salir dijeron: «Mi hermano… resucitó el Benny [Moré] en un diablo danzante que toca bajo, baila y canta al mismo tiempo, y todo lo hace bien… como si fuera de aquí, tú». Y de aquí es, pero de aquí de Santiago de León de Caracas; Oscar lleno de clones, de tipos que lo imitan por ser, con toda justicia, símbolo popular y uno de los venezolanos contemporáneos más reconocidos en el mundo de las artes conjuntamente con Jesús Rafael Soto.

¿Otros nombres?, ¿otra gente interesante que haya tratado desde aquí? Hablemos entonces de sonidos de que se mezclan en todo este cuento; los de la Sonora Caracas, inspirada en la Sonora Matancera que a su vez dio a Johnny Pacheco su «Tumbao añejo». Se copia bien un sonido, un sonido bueno como el de la Sonora Matancera; la orquesta sonando durísimo, fuerte la base rítmica y firme con canciones producidas que encajan en una nueva onda, tal vez con base en la charanga... Vienen éxitos, cosas pegajosas que la gente baila y así se sigue adelante con una nueva cosa a partir de la Sonora Matancera.

Y hablando de Sonora Caracas o de voces interesantes, dejo caer dos nombres: por un lado está Carlos «Tabaco» Quintana y por el otro Canelita Medina, artistas que jamás alcanzaron un estrellato como el de Oscar D'León, pero son voces soneras del patio dignas y totalmente distinguibles. A Tabaco, quien no es uno de mis favoritos, le reconozco un puente musical demasiado directo con el sector del barrio. Su cantar fue tan sincero, tan de abajo, que subió cerro de verdad para popularizar cosas como «La cárcel» o «Mi calvario», con un Sexteto Juventud más que representativo de la cultura cerro arriba. Hubo en él una voz emblemática que la gente inclusive utilizó como signo, lo cual no quiere decir que la suya sea la obra mejor lograda musicalmente. Fue además líder de otras agrupaciones importantes cuando, en los años 80, después del Sexteto Juventud, incorpora metales y monta conciertos en los barrios, en las plazas, en templetes... lástima que murió, porque era un tipo bueno, positivo y en todos lados lo querían mucho.

Ahora, el caso de Canelita es diferente, totalmente distinto: ella estuvo como oculta por mucho tiempo, porque la verdad su presencia artística en los años 60 no la catapultaba. Entonces llegó el movimiento de los años 70 con Alberto Naranjo y el Trabuco Venezolano, Orlando Montiel... Domingo Álvarez y el Sonero Clásico del Caribe, un grupo que hace son como el sexteto cubano de Ignacio Piñero. Tal cual como si no hubieran pasado cincuenta años y estuviera presenten el sonido sonero de los años 30 o 40 en Cuba. Eso es demasiado. Además, el grupo presenta una voz tan, tan dulce y tan pegajosa como la de José Rosario Soto, que era un artista totalmente escondido, y es en ese preciso momento de vuelta del son clásico cuando Canelita entrega sus primeros discos de solista; inclusive lo hace con el Sonero Clásico del Caribe. Antes había estado con la Sonora Caracas, con los Caribes de Víctor Piñero, pero es en la onda sonera y con Federico Betancourt que al fin surge como primera voz femenina venezolana ubicada en la cosa salsera que, tal cual Celia Cruz, pasó de la guaracha de los años 50 a la salsa sin ningún tipo de problema. Y Canelita en Venezuela, no solamente agarró el swing de la salsa caliente con Federico y su Combo, sino que mantuvo una extraordinaria voz que todavía tú la escuchas y es de tremenda precisión, de un soneo impresionante, tan profesional y tan bueno, que hay que tomarla muy en cuenta al momento de señalar calidad y talento venezolanos de aliento internacional dentro de este tema.

Hablando de esfuerzos venezolanos de aliento internacional en los años 70, hay que recordar que, obviamente, la industria disquera fuerte estaba en Nueva York y en Puerto Rico, y hacia allá justamente se apuntaban los esfuerzos. Dos o tres venezolanos pudieron concretar y meterse en las ligas exteriores: Orlando «Watusi», por ejemplo, un cantante muy educado, elegante, afinado, que da un buen soneo y le sirvió a Bobby Rodríguez y sus orquestas niuyorquinas. Carlos Espósito, otro bien educado también, inteligente, elegante, listo para la gente de París que hoy día aplaude a Orlando Poleo, maestro percusionista, o para la gente de Holanda que sabe de Javier Plaza, sonero venezolano de fuerza y alta cotización, y de Gerardo Rosales convertido en líder a través de sus destrezas como ejecutante de percusión y capitán de conjuntos orquestales. Ahora, hay aquí en Caracas un cantante que está sonando y se llama Edgar «Dolor» Quijada. Ojalá y sobreviva a la maldición de uno o dos discos muy buenos, pero.... pero más allá no. También estuvo el negrito Kalaven, que venía de esa voz tipo Fellove y una onda completamente extraña, rara, que por su extrañeza encajaba en el tono novedoso propio de la Caracas de los 60 que interesaba a un Ray Pérez y sus Hukeleles. Con ellos, entre otros según se dijo, comienza a generarse ese sonido tipo *boogaloo*, pero hecho aquí, con un sonido más criollo, más caribeño, proveniente de los tipos pilares del género como Ray Barretto, los Palmieri, Richie Ray.

Es la Venezuela de la década de los 70 uno de los sitios del mundo en donde más se venden discos de salsa. Aquí se hace la primera revista de salsa que dura como cuatro años, de nombre *Soy latino*. Caracas es el sitio, con la excepción de Nueva York, donde vienen más figuras internacionales del género y se hacen más conciertos; incluso más que en Puerto Rico. Aquí hubo muchos sitios bailables de música en vivo; aquí también se escribe un libro sobre la salsa muy especial, tanto que hasta ahora nadie ha escrito tan bien acerca del tema como lo hizo César Miguel Rondón en su libro. Aquí se comienza a experimentar. En Venezuela nace algo importante con el Trabuco Venezolano, dirigido por Alberto Naranjo, una orquesta de instrumentistas estrellas, que tiene que ver con una sonoridad ligada a buenos arreglos, al jazz y que suena diferente, sofisticada, porque es una especie de orquesta experimental que de alguna manera compite o enrumba hacia la excelencia en el toque a una generación de músicos de Venezuela dedicados al toque salsero, muchas veces de forma descuidada o elemental. Este Trabuco era una orquesta para conciertos, tal cual lo hacía la Fania con sus estrellas, y logra hacer algo muy serio, de calidad; un sonido nuevo, un sonido grande, producido por músicos venezolanos dedicados al jazz o a las mejores tradiciones de nuestros toques bailables y a los bailadores, personajes que en todo este tema son jueces de primera importancia.

Un par de consideraciones medio históricas y abandono por ahora lo de la salsa en el país: el sonido de la Nueva York de los años 60 ciertamente pegó aquí. Allí están los nombres de los Tito (Rodríguez y Puente), Palmieri, Richie Ray, Barreto, Joe Cuba, Willie Colón, Héctor Lavoe o Rubén Blades para corroborarlo. También estuvo presente el sonido de Puerto Rico con Ismael Rivera, el Gran Combo, la Típica 73 o la Sonora Ponceña que de alguna manera también fueron a Nueva York para mezclarse e intercambiar con gente como el Grupo Experimental o el Grupo Libre. No hubo mayores distinciones entre unos y otros. Funcionó la mezcla al punto de que el sonido de la salsa producido en estos sitios, para ese momento tenía una influencia fundamental en los bailadores y los músicos que hacían esa música bailable. Porque antes, cuando no existía el género, obviamente la cosa venía de Cuba en directo. Y es con esta gente que se olvida el viejo toque cubano y sus parientes; aquí en Venezuela, se deja de lado el toque billero, que había sido algo tan, pero tan importante.

La observación final, la de cierre, tiene que ver con un momento en que el jazz es picoteado por la «psicodelia»; es decir, muchos de los músicos latinos dedicados al jazz necesitan en algún momento de los años 60 tomar la onda de protesta del momento, del sonido rudo, psicodélico, medio *hippie*, en que están ciertos jóvenes. Eso sucede en Nueva York y también sucede aquí, de una manera confusa porque las influencias no están muy claras. Pero allí está la merengada y hay que asumirla. Y se asume como lo que es, como un híbrido para ciertos públicos que termina convertido en un momento muy importante para el nacimiento del sonido de la salsa. Un momento que tiene mucho con el soneo mezclado con un pop jazzístico gringo que obviamente nace en Estados Unidos y hace que sea esta la música preferida por nuestros públicos. Y son discos, radio, conciertos repletos de gente joven que todavía, no tan jóvenes, siguen escuchando con mucha pasión.

A partir de la década de los 80 el discurso salsero, afortunadamente, tomó otras vías experimentales, siempre sanas para el arte musical. Los cubanos con Irakere al frente volvieron otra vez a surgir. En Venezuela se vieron casos como el de Evio Di Marzo y su Adrenalina Caribe, o más recientemente Bacalao Men, con un sonido caribeño también, pero joven, ajustado a nuestro espacio y tiempo. Porque de los jóvenes pueden surgir estas cosas en cuanto no han dejado de ser parte del Caribe, del caos creativo que esto nos implica a nosotros: ese siempre tener que bailar, siempre estar listo para darle tiempo y gusto a cualquier cantidad de salsa dura, merengue, salsa erótica, etcétera, que muchas veces no nos gusta, pero la baila todo el mundo de por estos lados.

Y mejor a poner música y buscar pareja porque el discurso, por hoy, se acabó... ¡Chao panas!

Impromptu de Caupolicán

«Yo, madre, un ruiseñor, nunca vi...».
Ovalles

Hace un quinquenio de años la República del Este, la peña de las peñas, estableció en El Maní es Así su penúltima sede conocida. Fue entonces cuando el salsoso sitio de la avenida Solano López caraqueña abrió sus puertas los mediodías del domingo para que republicanos centrales nos diesen demostración cierta de un poder resurrector animado por todos los aditamentos necesarios: Perla Castillo –dueña del negocio– procuró tarimas, micrófonos, tragos y buena mesa; Gisela Guédez y Nancy Toro ofrecieron sus mejores boleros vespertinos. Rubén Osorio Canales fungió de maestro de ceremonias que impulsaba no sólo la ponencia leída por algún contertulio programado, sino también la intervención improvisada –el impromptu tropical– del hermano poeta con la inspiración suficiente para practicar un sabroso automatismo verbal que, por fortuna y conducto de un buen grabador, pudimos recoger textualmente: (Habla Rubén después de una intervención de Adriano González León). «Hemos dicho que ésta también es la tarde de los espontáneos, porque aquí estamos sencillamente para eso, para conversar, para discursear, y más si tenemos un espontáneo de excepción como es Caupolicán Ovalles» [aplausos y discurseó Caupolicán con su musicalidad de siempre].

❑

Bueno, en realidad yo soy un espontáneo tan espontáneo como Carlos Segundo El Hechizado, que no se sabe por qué cambió de familia y embombonó la historia de España. Así yo me oriento por la gente que veo, y por eso le pedí los lentes que tengo a mi hijo Manuel para ver de frente a todas las personalidades augustas que están aquí, en este domingo, y recordar que cuando era niño había un poeta greco-guariqueño quien en un francés mal traducido escribió un poema que decía así: *Aujourd'hui dimanche, mon amour... ce sa un jour de fête, les arbres ce sont de fête...* Ese poeta está vivo todavía y este día domingo, *mon amour* –mi amor–, los árboles están de fiesta, y los árboles de la República del Este seguirán de fiesta en los próximos olvidos. También recuerdo a Orlando Araujo, quien tenía un soneto, quizás lo mejor que escribió, sobre lo terrible que era el domingo; yo recuerdo que nunca en domingo, pero es mentira; sí, siempre en domingo. Entonces organizo mi discurso sobre la presencia de este señor que está con una suerte de Juan Sebastian Bach femenina y por allí oriento, y me oriento el discurso. Quizás también los negros siempre están presentes a pesar de que, en la filología del entendimiento, el negro siempre arrebata y siempre considera que está de más interiormente... –*risas*–. Es una contradicción estrafalaria, los negros siempre, a pesar de lo pobres que puedan ser, tienen una vega extraordinaria donde consumen y cultivan todas las posibilidades de la tierra; por eso es que Carlos González Vegas es un hombre extraordinariamente rico entre nosotros (tienes el dinero absoluto y total que te da tu inteligencia, y no tienes más dinero sobre tu cuerpo, porque la sangre tuya es dulce, como el papelón del desierto), sobre todo los sábados que con la pupila de Teodoro Petkoff se te permite informar a todo el mundo de lo que ocurre... Nunca en domingo, pero retomando lo que Adriano González León dijo, ahora todo va a ser en domingo. Yo conocí a Adriano un domingo del cual ya tengo el recuerdo y también sé que lo que no diga hoy, domingo, lo diré otro día y que esta es fiesta de la República del Este, de Rubén Osorio Canales, «Canaleto», ¿no?, con su estupenda mujer y con esta chica que debe ser nieta de Fermín Toro, ¿no?, quien pone los sitios en su debido momento... Tanto es así que yo me siento confundido, porque me leí hoy la entrevista del escritor cubano de los *Tres tristes tigres*, y ahora me parece que estuviera en La Habana, en una Habana sin interferencias, en una Habana más que posible. Yo siempre he dicho que moriré fidelista, pero no sé qué significa eso, morir fidelista significa, ¿qué?... Ehhh, andar en estos entuertos de la política latinoamericana, andar en un día como hoy del centenario del laudo, y yo propongo en honor a nuestro país, que la capital de la República del Este se llame Ciudad Esequibo... [*Carlos González Vegas le grita: «¡Farsante!»*]... Podemos perder todos los ríos, pero no los que van a la mar, que es el morir. Podemos perder todas las aguas, y entonces yo esta mañana, perplejético por la comida y los tragos que me indujo ayer el doctor Mathieú, presidente encargado de esta República, pensaba, después de leer a Olavarría que fue una gloria que Harrison, el expresidente de Estados Unidos, y todos los abogados que se unieron para condenarnos, nos hubiesen salvado las bocas agrestes del delta del Orinoco. Llegar allí significa un poco así como una compensación sin sentido. Y que no debería tener sentido... Yo no quiero montar frente al embajador Puente Leyva, un Puente Chiapas allá en el Esequibo; pero, claro, a mí me gustaría ir allí como un hombre un poco perplejo a pelear por una causa perdida... Somos los hijos de Lenin, dijo una vez John Moscú; ahora creo que ni siquiera sobrino soy, pero sí pienso que nosotros estamos cerca de este ahijado de Lenin, que se murió de cincuenta y cuatro años, enamorado de una mujer perfecta, desconocida, que todavía nadie conoce, pero que la descubrió García Ponce, Antonio... Bien, yo pienso que esta invención de Rubén Osorio «Canaleto», y lo digo con cierto temor porque a un canaleta lo mataron en España, abre las puertas del tercer milenio... *Le troisième millénaire*... yo pienso personalmente, y les anuncio que no voy a seguir hablando porque aspiro en el tercer milenario, por durante muchos años, hablar consecutivamente aquí, que también las burras de Vallejo me encantan, como dijo un muchacho singular llamado Freddy Muñoz, un día antes de ir a almorzar con el presidente Caldera, que en su pueblo de Tucupido existían dos cosas fundamentales para el honor de un adolescente: primero, saber nadar y, segundo, saber burrear, y que él había cumplido con los dos requerimientos... Yo no me imagino a qué le supo al doctor Caldéurrrr esa apreciación, esos amores contradictorios de Freddy Muñoz, pero como también antier escribió un artículo en el periódico de Petkofffff, sobre cómo el tono moderado del presidente de la república Chavézzz era falso, yo también puedo pensar que las burras de Freddy Muñoz son falsas y no existen... (*Risas y aplausos*)... Pienso que en el tercer milenario, nosotros, con esta nieta de Fermín Toro, que sí va a ir al congreso, y es mentira que Fermín Toro haya dicho que podrán llevar mi cadáver, sino que fue que su mujer, una alocata fantástica, hermosa y bella de Caracas, le dijo «Si tú vas yo te mato»... y entonces Fermín Toro dijo, ni modo pues; y no fue al congreso y no le pasó nada el 24 de enero del 48, día en el cual nosotros, los Pancho Villa de Venezuela fundamos el partido liberal amarillo, blanco y de otros colores... Para terminar esta intervención, digo que nosotros en el tercer milenario vamos a echar muchas cosas importantes: primero, Rubén Osorio Canales, hace varios años, cuando era el joven novio de su mujer, reinventó la República de Este en la casa de Simón Alberto Consalvi, cuyo artículo hoy me llenó de perplejidades, sobre todo por lo de las aguas del Esequibo. No quiero decir por Esequibo lo que me cuestan esas aguas, ni quiero decir en esquivo amor frente al inglés, si un león es tan berraco, que me quite tierra y aguas, y embadurnándome el nombre entre unas tierras y otro, vaya yo al Orinoco a rescatar unas auras –azucenas, dijo Adriano–... De forma tal que estoy tan organizado frente a ustedes, que podría seguir hablando hasta el 3000 o 4010, lo único que por ahora les puedo decir es que en la mesa del doctor Arroyo, hay un arroyo de belleza, de incontenible dominio ancestral... [*Gonzalez Vegas grita: «¡Me encanta tu falta de claridad!»*]... Dudo si es hija de Arroyo, si es sobrina de Arroyo, si es nieta de Arroyo, o si es el arroyo Esequibo que todos nosotros necesitamos... ¡Hasta la próxima!

VI
Primera Persona

La trama cultural de un país está formada por la obra de pequeños y grandes nombres. El calibre y la dimensión de esos nombres, qué duda cabe, pertenece más al juicio de la colectividad que al de los creadores mismos, quienes acaso actúan bajo la muda promesa social de difusión y preservación de su obra por los años de los años.

Curiosa resulta la paradoja de la relación del individualista social por excelencia, el artista, bien con quienes le rodean cargados de interés o, quizás peor, hacia los absolutamente indiferentes. «Denme un punto de apoyo y moveré al mundo», pudiera haberle parafraseado en la antigüedad algún artista al mismísimo Arquímedes. Un punto de apoyo solicitado con el ánimo de que entiendan sus asuntos, le soporten, y de paso, le dejen en paz. Aplauso incondicional querido y requerido, sí, pero bien distante del acto creativo; mucha aceptación de sus compatriotas, mas siempre una aceptación respetuosa de lo que tiene en la inteligencia, las manos y el corazón. Respeto puro aderezado con el mensaje muy terrenal de que el artista, por más elevado o superior que luzca, pues también comparte con todos nosotros los avatares del día a día en cuanto a lo social, político, económico o comercial. Y comercial a la hora de la verdad, es algo como que demasiado ligado a la superior acción del verbo subsistir, o mejor del verbo comer.

Un punto de apoyo. De eso puede tratarse la labor de quienes no siendo artistas, pues, queremos entrometernos sin mucho meternos; un asunto de distinguir los creadores «serios», según el consejo calificado de Ezra Pound, y aprestarnos en su aventura mediante la preservación del genio y la obra. Quizás procurar tribuna expositiva a los tales y cuales favoritos. Verlos útiles, respetados, listos a la acción digna propia de una presencia que, bien sabemos, resulta parte importante dentro del eslabón cultural de nuestro espacio y tiempo: Caracas contemporánea. Digamos Venezuela misma proyectada musicalmente en una capital que hace nada dio bienvenida al siglo XXI, y sirve de punto de apoyo a la obra de diecinueve artistas que, a través de la música, bien pueden representar los distintos caminos culturales de una urbe con el signo de la apertura hacia todo tipo de tendencias, aquí representadas en artistas con un devenir muy específico.

❑

Aldemaro Romero, en primer término, continúa dando cuenta exacta de la labor de un compositor, arreglista, director e intérprete con el rango de acción más amplio imaginable. Música venezolana, internacional, jazz, onda nueva, música académica en su caso son simples etiquetas que quién sabe si ayuden a clasificar lo inclasificable: al creador de larga carrera que no se cansa de ejercer su oficio mediante una plena libertad de acción absuelta de cánones precisos. Una libertad de creación tan contemporánea, como profundamente observadora de la potencialidad artística de nuestros ancestros populares.

Elisa Soteldo, por su parte, refleja cierta carrera larga, versátil y edificante a más no poder: cantante pionera del jazz, los géneros criollos de baile de salón y la música brasileña en nuestro país; participante estelar de *big bands*, conjuntos o tríos propios del *feeling* caraqueño. Compañera musical y de vida de Luis Alfonzo Larrain, Chucho Sanoja, Aldemaro Romero y Mario Fernández. Líder activa de un clan conformado por hermanos e hijos, cuya misión educadora continúa a través de las Voces Blancas y constituye el natural colofón de una vida conducida por y para la música.

Rafa Galindo remonta sus inicios a 1936, tiempo en que comienza un ejercicio profesional incesante que abarca tanto el canto en las orquestas de baile, como la carrera de solista. Suyo fue un programa radial y en muchísimas oportunidades prestó figura para estrenos vocales de la mayor importancia dentro de nuestra música popular. Billo Frómeta, Aldemaro Romero, Jesús Sanoja y Renato Capriles son apenas algunos nombres centrales que le atestiguan cierta abultada hoja de servicios como intérprete; pero es, sin embargo, en el medio siglo de compañía intermitente con la Billo's Caracas Boys –años de estar, irse y volver–, donde queda mejor representado su quehacer de «crooner bolerista» con puesto de vanguardia al frente de nuestros contemporáneos dedicados al canto romántico.

El caso de Renato Capriles puede traducirse en la historia del hombre de talento para los negocios, quien toma su propio camino aun contrariando los buenos augurios de un futuro distinto en el mundo de la publicidad, y termina siendo, según la enseñanza de Duke Ellington –¿o de Billo Frómeta?–, número uno de sí mismo en lugar de número dos de otro. Tal el camino de vida del líder por cuarenta y cinco años de Los Melódicos, ejemplo de un caraqueño dedicado a su verdadera vocación de dirigir música bailable, sin nunca renunciar al consabido goce creador por los muy sabrosos vericuetos que esto supone.

Alberto Naranjo combina las destrezas del ejecutante, el arreglista y el hombre de concepto en la música popular. El tiempo de dedicación, estudio y esfuerzo, en su caso, necesariamente abarca una intensa actividad intelectual. Los resultados se hacen sentir con fuerza de crónica importante: Naranjo para algunos significa un momento culminante dentro del jazz y la salsa nacional (a la prueba del Trabuco Venezolano siempre se le remite); pero también su nombre deja saber la continua búsqueda y fusión de géneros de muy diversa estirpe, donde la excelencia en los resultados debe ser la norma. Y en esto Alberto siempre ha sido inflexible.

Rosa Virginia Chacín es iniciadora de una tradición nacional de canto femenino suave, afín con la búsqueda de belleza estética que tanto nos seduce. Cecilia Todd, Esperanza Márquez, Nancy Toro, Deborah Sasha o María Teresa Chacín, su hermana menor, son algunas trovadoras urbanas cuyas carreras obran en favor de lo dicho y, de paso, dan pie para apuntalar a la pionera más reconocible dentro del estilo: aquella linda muchacha que en los años 60 cantó a Chelique Sarabia y abrió caminos a ese coloquialismo musical sensible, sobrio, íntimo, propio de «La voz más dulce de Venezuela».

Juan Carlos Núñez, al igual que el maestro Aldemaro Romero, encarna al músico popular que asume a cabalidad el ámbito académico. El arte de la composición y dirección en plan de totalidad, sin linderos estrictos, le sirve a Núñez para entregar creatividad en géneros y estilos de variada especie: desde aquel disco inicial de Lila Vera con canciones de Otilo Galíndez, pasando por música de películas *–Se necesita muchacha de buena presencia y motorizado con moto propia–*, de teatro *–Rooms–*, de operas *–Chúo Gil, El tambor de Damasco–*, hasta la propuesta de oratorios, suites, canciones y experimentaciones justificadoras de una bien ganada fama de maestro vanguardista.

Alfredo Del Mónaco encarna al compositor nacional «culto», contemporáneo, enteramente dedicado a lo suyo. Cuatro décadas de trabajo solitario, silente, ven frutos en el internacional mundo de la música electroacústica que Del Mónaco puede abordar desde una Caracas en apariencia tercermundista y totalmente desinteresada. Pero, por fortuna, en la obra del compositor –premiada internacionalmente– va el positivo reflejo de cómo nuestras apariencias a veces engañan.

Violeta Alemán da un punto de balance en el que el canto urbano se encuentra satisfactoriamente con las manifestaciones artísticas «cultas». Recordarla en el papel de Violeta, pero en «La Traviatta», es tan válido y convincente como oírla versionando una «Dama antañona» de nuestra tradición urbana. Se trata, sin lugar a dudas, de una cantante popular educada en función de transitar por el canto lírico, procediendo de acuerdo con o a pesar de las circunstancias de un ambiente nacional que da y, sí, muchas veces quita.

Andy Durán tiene años montado en un sueño: revivir la prestancia de las mejores orquestas de jazz latino del pasado; alentar nueva vida al director responsable de un sonido concreto, reconocible por los aficionados. En el tránsito de su sueño, los logros concretos de Durán se han visto evidenciados por discos y conciertos apoyados por un público entusiasta que le reconoce liderazgo de bandas con buenos músicos e indiscutible «duende» al momento de interpretar. ¿Cuánto del oficio del arreglo y la orquestación? ¿Cuánto de la mano flexible de dirección musical amable y organizada...? Tal vez Andy solo tenga respuesta al compartir con su música la pasión melómana que desde un comienzo lo movió y continúa moviendo.

Ilan Chester encuadra en la imagen del cantautor de muy reconocida obra. Cantautor, se le dice, por cuanto es alguien que fundamentalmente canta las canciones que compone: «Marea de la mar», «Para siempre», «Es verdad», «Ojos verdes», «Eres una en un millón», van de favoritas personales dentro de un arsenal compositivo lleno de alternativas para el gusto de cada cual. Decir que Ilan significa un nombre clave dentro de los avatares de nuestro «pop-rock» de fin del siglo XX no es, en modo alguno, exagerar su dimensión y calibre creativo (¿habrá en su generación un compositor popular venezolano con más éxitos?).

En María Rivas el ejercicio musical puede comprender las más diversas experiencias de vida. Familia, amistades, pintura, dibujo, danza, religión, gimnasia, motocicletas (!), pueden ser circunstancias esenciales, insustituibles, para asumir la música como componente de la vida misma. «Sigo dibujando con la voz y los pinceles. Cierro los ojos, trazo colores sobre la base musical y continúo improvisando, como siempre he hecho.» Tal el credo, «ars poética», de una María siempre lista a poner sus recursos vocales al servicio de las más atrevidas aventuras artísticas.

Biella Da Costa, la de la bella pinta, canta jazz desde hace más de una década, con la misma soltura que siempre le impuso al rock de los 70, 80 y 90. Biella, por no decir Ella, bien queda con una sinfónica, un coro, algún gigante del jazz o con el mismísimo Alirio Díaz, si tal el caso. La voz de timbre, afinación y rítmica privilegiada para géneros que pueden ir del *blues* a las parrandas de su disco navideño, lleva en sí la mejor imagen de sofisticación y solvencia en el canto «pop» venezolano.

María Fernanda Márquez, simplemente María para el público norteamericano, sigue siendo un secreto resguardado por nuestros mejores melómanos. Aquella muchacha caraqueña, que en los años 70 ofrecía un experimental «Canto de pilón», de la mano de Vytas Brenner, es hoy una distinguida «cantante para cantantes», con carrera profesional de veinte años en la costa oeste de Estados Unidos y ciertas visitas productivas a los espacios culturales venezolanos. Los nombres de Alberto o Alfredo Naranjo, Gustavo Carucí, Aquiles Báez, Gonzalo Micó, John Santos, Frank Harris, Ann Dyer, Omar Sosa u Otmaro Ruiz avalan los cuidados trabajos musicales de María Fernanda y, de paso, dan pie a la importancia de las impresiones vitales de esta compatriota quien, ciertamente, puede referir tanto los aciertos como las penas de su voluntario exilio.

María Eugenia Atilano puede, como nadie en las recientes generaciones, ostentar el título de maestra. La profesora Atilano nació y creció para aclarar a otros los vericuetos de un oficio tan complicado, como la buena ejecución que del oficio algunos pocos pueden producir. Preguntar por la opinión que merece la profesora Atilano y su escuela Ars Nova, puede conducir a una respuesta concreta del tambien maestro Rodolfo Saglimbeni: «Si tuviera dos horas semanales para el estudio académico –que ya no las tengo–, al menos una dedicaría al estudio con María Eugenia. ¿Responde esto su pregunta?» (la pregunta, por cierto, también podría responderla algún selecto grupo de ex alumnos, que incluyera algunos de nuestros artistas contemporáneos en plena efervescencia: Euro Zambrano, Raúl Abzueta, Pedro Marín, María Eugenia Méndez, Carlos Sanoja, Biella Da Costa, Gustavo Carucí, Horacio Blanco, Víctor Mestas,Trino Jiménez, Alex Rodríguez, Gregory Antonetti, María Elena Contreras, Pablo Gil y un importante etcétera).

Saúl Vera es un caraqueño de pura cepa con lugar privilegiado en la tendencia actual de remozamiento de nuestras formas folclóricas urbanas. Suyo ha sido el discurso de abrir horizontes a la música «típica» venezolana mediante un ensamble propio, intérprete de arreglos y composiciones conscientes de las innovaciones formales de la música contemporánea. Suya también se ha hecho la bandola, instrumento venezolano llanero, que la curiosidad y virtuosismo interpretativo de Saúl han dimensionado en beneficio de nuestro acervo musical.

Rodolfo Saglimbeni, da perfil a un significativo director de orquestas sinfónicas, cuyo oficio se origina en la valiosa experiencia educativa-musical de nuestro país en las últimas tres décadas. El Sistema Nacional de Orquestas del maestro José Antonio Abreu, la Orquesta Filarmónica del maestro Aldemaro Romero o la figura ductora del maestro Eduardo Marturet, se combinan con el perfeccionamiento en las escuelas europeas para preparar la destreza y el criterio de un director tan abierto a los géneros populares, en todas sus acepciones, como a los académicos de la más rancia estirpe.

Alfredo Naranjo, que no Alberto Naranjo, así quehacer y obra de ambos músicos coincidan en más de un punto; Alfredo, el más joven, ejecutante de percusión pero dedicado al vibráfono; compositor, arreglista y director de bandas de jazz latino y salsa dura. Cultor de la música compleja, llena de intenciones de elevar la expresión hasta el punto donde mejor se pueda; tal cual el más reputado de los creadores académicos puros.

Gabriela Montero, décimo noveno personaje tan sólo por un caprichoso orden cronológico no del todo observado, destaca las condiciones del pianista virtuoso por derecho propio. No en vano refiere una apretada agenda de compromisos internacionales que la requieren cual consumada intérprete de Beethoven, Chopin o Rachmaninoff. Pero no todo resulta estricto repertorio académico en Gabriela; en ella va también la facultad de improvisar en el mejor sentido del término, quizás la de vivir procurando sobre la marcha ventaja al caótico pero magnífico desenfreno del país mismo.

❑

Música tradicional e internacional; jazz, rock u onda nueva; pop, boleros o baladas; música de baile o académica, ópera o expresión criollista de cámara... Compositores, arreglistas, directores, músicos ejecutantes femeninas o masculinos... Generos, tendencias, estilos y oficios diferentes quedan representados por la imagen y voz de diecinueve músicos provenientes de distintos sitios del país, cuyas carreras coinciden en la Caracas del siglo XX –y XXI– de una forma tal que no es de extrañar el ocasional entrecruce de sus actividades: Rafa Galindo ha trabajado con Renato Capriles, Alberto Naranjo, Elisa Soteldo, Rodolfo Saglimbeni y Aldemaro Romero; Aldemaro, a su vez, ha ejercido liderazgo sobre Rodolfo Saglimbeni o Elisa Soteldo. María Rivas ha requerido de los arreglos de Naranjo y de la dirección de Saglimbeni, quien podría pedir opinión a María Eugenia Atilano para conducir a Gabriela Montero, Alfredo Naranjo (o acaso a la música de Alfredo Del Mónaco) y también coincidir con Biella e Ilan en proyectos de música navideña, o con Saúl Vera, o –de nuevo– Aldemaro, para el estreno de obras ni tan distantes del sueño de ver a Violeta Alemán cual distinguida «crooner bolerística» de Andy Durán y su banda.

Diecinueve son pues los artistas que con sus historias narradas en primera persona dan tema a este segmento. El número ha podido ser mayor y, ciertamente, la selección es susceptible de variar de acuerdo con otro criterio de agrupación. Sin embargo, insistimos, se trata de músicos venezolanos, muy caraqueños (aunque no todos nacidos en Caracas), de distintas generaciones en plena actividad, cuyas tendencias y logros tienen especial significado al momento de comprobar la magnífica diversidad de nuestra creatividad musical contemporánea. De allí, un motivo suficiente para inducir perfiles autobiográficos que procuren un mayor reconocimiento de cada cual y obren en favor de enriquecer la trama cultural que, sin duda, ellos han ayudado a conformar.

¿Quién eres?, ¿qué has hecho?, ¿a quién le debes?, ¿hacia dónde va tu trabajo? Tal fue el cuestionario que nos respondieron los artistas en distintas fechas de los años 2001, 2002, 2003 y 2004. Las respuestas de cada uno quedan aquí consignadas mediante memorias individuales, afectivas, del todo útiles como carta de presentación vital, según sus propias y libres versiones.

❑

Antes de entrar de lleno con el capítulo de las primeras personas, tres menciones ineludibles:

Una, a los amigos Aquilino José Mata, Kico Bautista y Simón Villamizar quienes a través de su labor editorial en el vespertino *El Mundo*, durante los años 2001, 2002, 2003 y 2004, alentaron la publicación de mucho de este material.

Otra, relativa al agradecimiento por el apoyo del Banco Industrial de Venezuela y su Fundación (señores Leonardo González Dellán, Mirian LaBarca, Norma González y William Maldonado). Gracias a ellos la exposición «Perfiles de música caraqueña en el siglo XX», ofrecida en sus espacios durante los meses de octubre, noviembre y diciembre de 2003, y la consiguiente publicación del libro *Primera Persona: Perfiles de música caraqueña en el siglo XX*, con mucho del material que a continuación se ofrece.

La final e indispensable mención está referida a esos otros artistas, no presentados de forma directa, pero a quienes de alguna manera sentimos representados en los perfiles ofrecidos. Sus nombres, creemos, pueden ser relacionados por quien quiera adentrase en los artistas seleccionados, bien con la intención de precisar afinidades personales, o tal vez para centrar algunas exclusiones no tan de su agrado. Como quiera, en todos los casos damos bienvenida a esa lectura crítica que siempre, de una u otra forma, procura un punto de apoyo en favor de preservar legados importantes para nuestra crónica musical urbana. De eso precisamente se trata.

Aldemaro Romero
(Valencia, 1928)

Yo soy Aldemaro Romero, músico venezolano de extracción popular, hijo de otro músico que ganaba su vida tocando bailes y dirigiendo bandas teatrales en mi Valencia natal. A mi padre, Rafael Romero, quien por cierto no quería verme convertido en músico profesional, debo los conocimientos primarios y la inspiración inicial para dedicarme al oficio. Oír «Las tenazas», aquel vals de papá transformado en famoso tema publicitario de una marca de jabón en la radio de los años 30, supongo que me reforzó la confianza para seguir un camino iniciado a los nueve años, cuando tocaba guitarra y cantaba en el programa de la hora infantil. De allí, empiezo a cultivarme solo, sin profesores; también a desarrollar destrezas como pianista y esperar los catorce años cumplidos para, en compañía de mi hermano Rafael, guitarrista, darme a conocer en Caracas.

Es entonces, en la Caracas de los años 40, cuando comienzo una carrera profesional marcada por el cómo y dónde se pueda: del dueto con mi hermano (Tecla y Capodastro, según anunciaba Tirso Pérez León por la Voz de la Patria), paso a tocar el piano de orquestas de radio, conjuntos cabareteros y hasta de alguna sala de cine. Me convierto así en personaje de la esquina de La Torre (allí se organizaban los «ventetú» del tiempo); acompañante de cantantes (La Perla Negra, Graciela Naranjo, quien me estrenó el bolero «Como yo quiera»), de conjuntos populares –la Sonora Caracas– y también de nuestras grandes bandas de baile. Con la orquesta de Luis Alfonzo Larrain trabajo por nueve meses; allí recibo la oportunidad de experimentar el oficio de arreglista (aquello de «No volveré a encontrarte» de Carlos José Maytín) y profundizar en los secretos del *big band* latino, para después procurarme arte y parte en la banda de Rafa Galindo y Víctor Pérez y, por supuesto, en mi propia orquesta presentando a Elisa Soteldo. Son tiempos cuando el aprendizaje está en el trabajo y el desarrollo musical, encuadrado por las necesidades. Un día escribo el mambo «Radar», tema de mi orquesta –tan vanguardista que nadie lo entendía–, al otro día arreglo para una visita de Pedro Vargas o para Alfredo Sadel, quien graba mi bolero «Me queda el consuelo» y luego me invita a juntar esfuerzos en una Nueva York que entonces trae otro giro en el camino.

Llega 1950, tengo veintidós años y la RCA Victor me ofrece un contrato como arreglista. Por supuesto que lo firmo y aprovecho para, un año después, grabar «Dinner en Caracas». El disco bate records de venta en América y ayuda a desarrollar el enfoque de mucha música venezolana tradicional, hasta entonces desentendida de las innovaciones orquestales contemporáneas, a pesar de los esfuerzos de gente como Lionel Belasco –pionero en la modernización de los valses criollos–, y también muy a pesar de las recalcitrantes posiciones de nuestros músicos académicos del tiempo. Ese Dinner venezolano se proyecta en varios discos con otros Dinner latinoamericanos –Buenos Aires, México, Colombia–, me abre las puertas del liderazgo internacional y la posibilidad de continuar arreglando o dirigiendo en la Nueva York de mambos, afro-jazz, música de salón latinoamericana o, sencillamente, de música calibrada por la compañía de Stan Kenton, Ray McKinley, Dean Martin, Jerry Lewis, Machito, Chico O'Farrill o Tito Puente.

Seguir el recuento significaría reescribir unos sesenta años ejerciendo el acto creativo. En este sentido es mejor leer el currículum y decir que he abordado la creación musical en casi todos sus aspectos: empresario, productor –los discos del Círculo Musical–, director, arreglista (cuento en centenares los buenos músicos con quien he trabajado), compositor –popular y académico–, pianista, cantautor, «showman» (los años 60 atestiguaron la sofisticación de cabarets caraqueños animados por mi trio), hombre de cine –la música de «La epopeya de Bolívar»–, de radio, de televisión –«El show de Aldemaro Romero»–, de organización gremial, de periodismo y/o literatura.

La música también me ha permitido enfocar las habilidades propias de un humanista contemporáneo para quien la política, la historia, las letras –me apasionan los vericuetos de la lengua castellana– o las artes en todas sus vertientes son materias vitales. Sin embargo, es en la composición musical donde hoy día veo proyectado lo mejor de mi evolución creativa pasada, presente y futura: desde las formas renovadoras del «Dinner en Caracas», por decir, hasta ese otro esfuerzo de renovación llamado onda nueva, consistente en combinar los fundamentos rítmicos del joropo, con armonías, contrapuntos e instrumentación aprendidas del jazz y géneros afines. Aquella misma Onda de los años 70, reforzada cual movimiento cultural por festivales realmente internacionales, que también representó un punto culminante en mi labor de compositor popular («De repente», «Poco a poco», «El Catire», «Toma lo que ofrecí» y un abundante etcétera, encuentran ancestros en mis boleros y canciones anteriores); además, a partir de allí profundizo el ciclo creativo de música académica iniciado con la Sinfónica de Londres –el «Oratorio a Simón Bolívar»– y el cual continúo viviendo: se trata de mi compromiso respecto a la composición de conciertos, oratorios o «suites»; de utilizar el mismo foco e interés personal que en los años 80 procuró origen y dirección a la magnífica Orquesta Filarmónica de Caracas, lamentablemente desaparecida, y hoy me impulsa a seguir trabajando todas las tardes en obras que resuman el conocimiento acumulado (creo en la ventaja de conocer a fondo tanto las formas populares como las académicas), dando así continuidad a la evolución creativa... «Suite para cello y piano», «Saxofonía», «Toccata bachiana y pajarillo aldemaroso», «Apertura mexicana» (¿por qué utilizar el neologismo «Obertura», cuando en castellano vale decir «Apertura»?), «Concierto para Paquito», son creaciones recientes que me hacen pensar en un premio afianzado en la publicación internacional de todo cuanto escribo y que, por vía de una prestigiosa firma italiana, veo día a día encima del inseparable piano de trabajo.

Elisa Soteldo

(Barquisimeto, 1922)

¿Quién es Elisa para ustedes? Así les pregunté a los niños de Las Voces Blancas cuando hace un par de meses comenzamos con la celebración de mis ochenta años. «Ella usa bastón y es muy elegante», dijeron unos; «a veces nos regaña, pero también nos quiere mucho», dijeron otros; «a ella hay que conocerla bien», los más avispados. Hubo como cien opiniones que después Jesús Sanoja –Chuchito–, mi hijo, tradujo en una canción que interpretamos en público: «Para Elisa, versión dos»; para Elisa que al fin está grabando su primer disco, para Elisa que regaña y también llora cuando veo una niña de siete años haciendo un tema de «Anita, la huerfanita», le descubro el don del arte –porque el arte es un don– y entonces me veo obligada con la niña, con lo que ella representa; me siento como un proyecto de alivio para dar felicidad a los niños, para que ellos puedan cantar. Yo creo que vivo de esas emociones y, por cierto, vivo muy feliz.

«Nací para amar, vivir, enseñar; con tremendas ganas de cantar...» así dice la letra de la canción cumpleañera de Chuchito, antes de rematar con otra verdad más trivial pero muy sabrosa: Nada como el jazz y un «Manhattan» en Nueva York... Por allí ha ido y va mi vida; no tengo problemas, ni tampoco sede para Las Voces Blancas (a lo mejor termino dando clases en la Plaza Bolívar, les digo a las señoras cuando me llevan sus niños). Digo mi edad desde hace quince años al menos; es más, hoy día hasta confieso una historia personal que comienza mucho más allá de la fundación de la escuela; comienza en

Barquisimeto, a principios de los años 30, con un recorte de periódico que aún conservo.

«El maestro Rafael Soteldo y sus discípulos se presentarán hoy en la catedral para ejecutar una Misa dedicada por el maestro compositor a la Divina Pastora.» Así anuncia la prensa de aquel tiempo el estreno de un Ave María floral de mi papá, interpretada por el coro de mis hermanos –Rafael, Antonio, Salvador, Carmen–, acompañados por la señora Ángela de Soteldo, mi madre, con intervención solista de la niña Elisa, de tan sólo doce años y trajeada cual ángel de los cielos...

Desde entonces vengo cantando en público impulsada al principio por un padre tenor, compositor de música sacra, director de orquesta, docente, afinador; una madre maestra de piano; un tío –Virgilio– quien me enseñó la existencia del jazz cuando, durante la clase de piano en la casa, se sentó y tocó la música de la película «Roberta». También mi papá, sin quererlo mucho, nos ayudó a descubrir lo popular cuando compró un radio y escuchamos a Graciela Naranjo cantando «Frenesí». ¡Por allí voy yo! Les dije a mis hermanos ya iniciados en la música y hasta famosos –Rafael Horacio tocó »El muchachito» en el contrabajo, en la Plaza Bolívar de Barquisimeto, montado en un cajón para que lo vieran y fue paseado en hombros por la multitud que lo consideraba un prodigio.

Total, la familia se vino a Caracas y yo, con mis sueños, pues detrás de mi papá a ver cómo hago. Son tiempos –años 1936 o 1937– en que recuerdo una presentación de Tito Coral en el Teatro Nacional donde me atreví con la conocidísima conga «Panamá». Voy a cierto programa de Radio Caracas, veo a la orquesta acompañando una niñita que canta canciones de Agustín Lara muy bien. Yo también puedo, me digo. Pido cita y Abelardo Raidi, padre, me pregunta por «Frenesí» y por el nombre artístico. Canto lo que me pide y le digo que me gusta llamarme Elisa Soteldo; porque jamás quise tener otro nombre, el mismo de mi abuela que de pequeña leía en su placa del cementerio, mientras hacía con mis hermanos homenajes musicales póstumos en Barquisimeto.

Una semana después el director de la orquesta de Radio Caracas Radio, un señor delgadito llamado Luis Alfonzo Larrain, también me da cita pero, cuando voy, dice que no hay acompañamiento disponible para la audición. «Es que yo puedo acompañarme a mí misma», le digo; Luis Alfonzo se ríe. Comienzo a tocar, el hombre se emociona y me invita al ensayo del día siguiente. Allí surge una relación musical con este maestro muy disciplinado, inteligente, talentoso y educado. Con él voy a la radio y canto temas norteamericanos, brasileños, música venezolana; hago cosas musicales pioneras para el tiempo, temas en inglés y portugués que ninguna otra venezolana hacía.

Larrain inicia su orquesta de baile en 1939 con Manolo Monterrey, Trino Finol y la cantante cubana Hilda Salazar quien, a los pocos meses, tiene un problema dental gravísimo. Entonces estoy en un ensayo con la orquesta del radio; Luis se me acerca y me propone hablar con mi papá, comprarme vestidos nocturnos de «vedette» y, por fin, convertirme en la estrella de la orquesta. Para mí era el sueño de La Cenicienta, para mi papá el tremendo susto de verme convertida en cantante de tabernas; pero Luis Alfonzo fue convincente con todos y debuté cantando un foxtrot, el bolero «Quisiera» del propio Larrain y lo de... *Dime adiós, que me voy, para no volver*... es decir un merengue criollo muy de vanguardia en los salones de sociedad que oían el estilo orquestado así por primera vez.

La gente de la sociedad caraqueña de finales de los años 30 y principios de los 40 se confundía un poco al ver una jovencita venezolana cantando en la tarima. Eso estaba bien para una «vedette» cubana, pero ¿para una señorita de aquí?... Luis Alfonzo, siempre despierto e inteligente, habló con Lola Fuenmayor, directora del encumbrado Colegio Santa María y le dijo: «Te traigo esta niña que necesita muchos modales porque ella va a cantar con una orquesta de distinción y clase. Voy a imponer como cantante a una niña como las niñas de sociedad, de su misma edad y, para complemento, de su mismo colegio...». La cosa resultó: mientras estudiaba en el colegio, íbamos al recreo, comenzábamos a cantar –Elisa esto, Elisa aquello de Carmen Miranda– y, en la noche, las compañeras de clase iban a los sitios donde tocaba la orquesta para ver a su compañera. Y vinieron los contratos para las fiestas de quince años en El Paraíso, el Country Club, el Club Florida, mientras Luis Alfonzo hasta me ponía una maestra inglesa de pronunciación.

Luis Alfonzo Larrain era un hombre exigente. Fue precursor no sólo en lo musical –ofrecía una orquesta de primera–, sino también en exigir que a los músicos de orquestas de baile los tratasen bien, les sirvieran la comida en la mesa; también ellos debían comportarse correctamente, vestir el uniforme impecable, la corbata que combinara con el frac... Conmigo era totalmente severo, yo lo admiraba pero no estaba enamorada de él; me llevaba 11 años, era mi maestro y su conducción no sólo tocaba lo musical sino el modo como vestía, como comía –me prohibía tomar agua durante la cena–, como debía tratarme a mí misma y a la gente que me rodeaba... ¿Un ejemplo?, a mí me encantaban los chocolates; en el Teatro del Club Venezuela un muchacho me regala una caja. En ese momento viene Luis, muy disimuladamente pide permiso, me lleva a una silla y dice: «El artista tiene que estar distante del público. Tienes que mirarlo de lejos dirigirte a un solo punto; nada de bajarte de la tarima a conversar. Te queda prohibido». Yo acepté enseguida, era parte de la disciplina que te indicaba hasta cómo debías ir vestida, cómo arreglarte; por decir: llegaba al Club Paraíso en carro con chofer especialmente contratado. Llevaba un sombrero fucsia, todo el mundo tenía que ver conmigo. De repente viene él, Luis, y me devuelve a la casa porque el vestido no es adecuado porque, dice, es un vestido de tarde y no de mañana, como corresponde... Por mi parte lo acepto; me repito, es parte de la disciplina de todo quien quiere ser artista. Y sigo adelante.

Un día cualquiera, vi que Luis se había enamorado de mí. Era como un segundo padre, había hecho mucho... «tienes que terminar tu bachillerato en este colegio, con estas niñas.... Debes vestirte así, no puedes reírte de tal manera ni juntarte con los músicos a oír sus chistes, porque ya los estás diciendo...». Él terminó de educarme, de formarme como artista; de inculcarme tenacidad, disciplina y constancia: yo salí del regazo de mi papá al regazo de Luis.

En 1941 me casé con él; luego salí en estado de Keyla Ermecheo (hoy distinguida bailarina, mi hija mayor), me retiré de la orquesta, fui a vivir la vida de crianza de niños. En 1943 nació mi hijo mayor Federico, pero el matrimonio comenzó a derrumbarse. Había salido del mundo artístico para convertirme en ama de una casa bellísima pero desprovista de futuro. Me encerré en esa casa con mis dos hijos –una niña de un año y un niño de once meses– a vivir el duro proceso que significa un divorcio, especialmente en aquella Caracas de los años 40. Afortunadamente la vida del artista siempre trae algo nuevo en el horizonte y un buen día llegó de visita mi querido tío Virgilio –pianista y músico tutor personal desde la temprana infancia– con la pregunta que yo estaba esperando para superar los problemas personales: ¿Elisa, y tú no piensas volver a cantar?

Mi tio Virgilio, con casi cien años de edad, siempre fue un hombre comprometido con la música. Pianista, precursor del jazz en Venezuela –hasta compadre de Vernon Duke, el compositor de «April in Paris»–, continuó activo hasta su muerte y nunca estuvo lejos de mi carrera. En aquel año1943, cuando me divorcié, el tío vino con el mensaje preciso: «El señor Vicente Amengual te manda a decir que si quieres cantar tiene ya hechos los avisos en el Rainbow Room de Los Caobos». Para entonces era todavía una niñita divorciada de Luis Alfonzo Larrain con dos hijos pequeños. Como me había retirado de la orquesta de Luis y dedicado al hogar, tenía problemas de toda clase para volver a la escena: el repertorio, el director, los posibles acompañantes, hasta el vestuario. Entonces el señor Amengual, tal vez consciente de esa parte de coquetería tan importante para nosotras, me mandó a Selemar y allí me vistió como una reina. Tomé la decisión, me rebelé, me convertí en catira a lo Verónica Lake y comencé a trabajar de nuevo.

Tuve presentaciones acompañada por conjuntos pequeños, añadí canciones francesas al repertorio. Vinieron actuaciones en los más selectos salones nocturnos de la época y momentos muy especiales; noches de aplausos y jazz íntimo, noches alternando con un conjunto en el que destacaba el pianista por su toque, por sus ideas –nadie más romántico al momento de componer–, por una hermosa cabeza de cabellera negra que me lo identificaba entre set y set; era Jesús Sanoja, Chucho. Y allí, en el ambiente del club nocturno de mediados de los 40, comienza una relación de ir compartiendo, de buscar comunicación musical, personal. Sucede lo inevitable: el enamoramiento, un segundo matrimonio que me trae el tercer hijo, Jesús, Chuchito, y, desafortunadamente, un nuevo divorcio.

También es el tiempo de un restaurant del diplomático Ramón Alberto Delgado –el Maxim's– que me hizo sentir realizada y fue importante por muchas causas: trabajaba con mi hermano Rafael, tuve magníficos admiradores y acompañantes musicales del calibre de César Rodríguez o Lorenzo Rubalcaba; además, allí conocí a Aldemaro Romero.

Para 1947 tenía la condición de estrella. El Maxim's me había asignado una mesa y todas las noches llegaba una orquídea que, de semana en semana, se acompañaba con un perfume (hay que guardar los secretos de los enamorados, ¿no?). Cantaba allí de lo mejor. De pronto me dice el pianista y compadre César Rodríguez: «Mire, comadrita, ese muchacho que viene allí vestido de blanco va a ser un gran pianista». A lo mejor, le contesto, pero así no; y es que el muchacho se viene derechito a la mesa y me hace saber de cierto despecho por una cantante cubana... *señor, me queda el consuelo, de saber que nunca, la querrán lo mucho, que la quise yo...* hasta allí llegan las cosas de momento. Pero empieza a ir al Maxim's, a dejarse ver en la mesa, hasta que una noche se atreve a tocar piano en lugar de Lorenzo Rubalcaba –gran músico–, a quien le parece gracioso y lo acepta. Las visitas se hacen más frecuentes; escucha, pregunta, trabaja en un cuadernito, anota arreglos para cantantes, nos los enseña; frecuenta mi casa. Se convierte en gran amigo de Sanoja –hermano se puede decir–, tanto que arreglan música juntos, componen, cambian ideas. Así fui viendo un desbordante talento que me llevaba a protegerlo como si fuese su hada madrina. De pronto me enamoré totalmente de él, a pesar de llevarle cinco o seis años.

En 1948 me contrataron para cantar en La Habana, y a él también. Buscaban en mí a una cantante de música popular latinoamericana y brasileña, a lo Lina Romay; en Aldemaro, al distinguido director joven, arreglista de una figura tan reconocida como Alfredo Sadel. En 1950, conjuntamente con Rafa Galindo y Víctor Pérez, estrenamos la orquesta de baile de Aldemaro; también en ese año nació nuestra hija Elaiza Romero, toda musicalidad, toda talento. El nacimiento de la niña, una vez más, me hizo separarme de la orquesta y más tarde del mismo Romero a quien di el manto protector que, en su oportunidad, recibí de Larrain y Sanoja.

Cada uno de mis hijos es un ser amado. Cada uno, confieso, ha sido el amor más grande de mi vida; por ellos nada de raro tiene que varias veces haya dejado de ser figura pública. En su momento de niñez me dediqué enteramente a Elaiza; precisamente en aquellos principios de los años 50 que me consiguen de madre lactante y espectadora de una noticia en boca de mi hermana menor: «Elisa, tienes que conocer al trompetista de la orquesta de Radio Continente; un músico dominicano que toca como los dioses». ¿Otro músico más?, me digo; ¡claro que sí! Voy al radio y escucho una pieza tocada por Mario Fernández; «linda trompeta toca este hombre», le comento a mi hermana quien quiere ir al Club Casablanca en carnavales para conocerlo.

Llegan los carnavales, voy al Casablanca; es el propio Aldemaro Romero quien le dice a Mario: «Te presento a una gran cantante venezolana». Fernández, con su personalidad tan única, dice: «A mí no me van a presentar a alguien que no se quita la careta». Nada que me la quito. Pero pasa el tiempo y con una nueva decisión de volver a cantar, ahora en le Club 51 en compañía de Anibal Abreu y mi hermano Salvador, pues me presentan formalmente a Mario quien reconoce a la señora de la careta, comienza a frecuentarme y a tocar trompeta no sólo en las orquestas del tiempo, sino en mi propia casa.

Mario era músico de la orquesta de Aldemaro; luego dirigió su propia banda en la Televisa de los años 50. Yo por mi parte también aparecía en la pantalla haciendo de chica Pepsi-Cola, dirigida musicalmente por Chucho Sanoja (fui la primera venezolana que se atrevió a aparecer en «shorts» en la televisión nacional). Esa coincidencia trajo la propuesta de cantar en la orquesta de Mario y de allí a los grandes amores, un solo paso. En 1955 me casé con él; un año después sucede un nuevo retiro por el nacimiento de mi hija Liz Fernández, bailarina, cantante y subdirectora de Las Voces Blancas.

Mi casa siempre ha estado abierta a la música. Eso me enseñaron mis padres y eso mismo sucedió en aquellos años 50 y 60, cuando fue un espacio de encuentros musicales, de bohemia sana, de jazz –la «Julliard» de Caracas, la llamaban–; de un ambiente familiar rodeado del talento de Chucho Sanoja, Aldemaro Romero, Aníbal Abreu, Frank Hernández, Jacques Braunstein, de mis hijos; en fin, un sitio de arte y de familia que desde entonces encontró estabilidad con Mario Fernández. Porque, debo decirlo, cuando él llegó mis hijos tuvieron padre y yo esposo. Me sentí querida, respetada, rodeada de cosas hogareñas sencillas pero lindas: un protector capaz de mantenernos unidos en Caracas o de llevarnos a Nueva York (un contrato como trompeta de la orquesta de Tito Rodríguez, para él; para mí el complemento en mi formación como docente); un compañero quien luego, a nuestra vuelta a Venezuela en los años 70, me acompañó a tiempo completo en la fundación de Las Voces Blancas, este proyecto educativo de los últimos treinta y cinco años, por el cual sigo adelante culminando una vida marcada por y para la música, según dice en entrelíneas la canción conmemorativa que hoy tanto divierte a los niños de la escuela («¿Y de verdad tú tienes ochenta años, Elisa?», hace nada me preguntó asombrado el más pequeñito de nuestros niños).

Rafa Galindo

(La Victoria, 1921)

Un buen cantante, eso es lo que siempre he querido ser. Rafael Ernesto «Rafá» Galindo, un buen cantante en el sentido que respetaban mis llaves de toda la vida: Manolo Monterrey, Víctor Pérez, Kiko Mendive, artistas afinados, de magnífica rítmica, con bonito tono de voz y, sobre todo, seguros al momento de frasear y decir la canción. Ahí está el detalle, digo, en la seguridad al momento de ponerle la voz a la canción; ésa es la diferencia entre los del montón y los buenos de siempre.

También hay mucho qué decir en lo de cuidarse, tratar de no abusar en la medida de lo posible. El doctor Alfonso Ortiz Tirado, por ejemplo, aconsejaba que no era conveniente estar con mujeres antes de cantar. Eso lo he comprobado, uno lo siente; cuando se tiene que llegar a los tonos altos, la voz se desvanece, no se sostiene en su sitio... Hay que oír consejos buenos y cuidarse, por ahí van los tiros; también en lo de prepararse, hacer los ejercicios adecuados, estar sano y firme porque la carrera es larga y exigente.

Nací en La Victoria, pero me levantaron en Maracay y me terminaron de hacer en Caracas. Mi abuelo Desiderio Galindo fue mi maestro. Era el ayudante y subdirector de la Orquesta de Cámara de Maracay, la orquesta deJuan Vicente Gómez, un presidente de la República que tuvo orquesta personal en Venezuela. Mi abuelo tocó ahí por muchos años, hasta que murió Gómez y ahí se acabó la orquesta. Fue un hombre extraordinario, murió de noventa y seis años, derechito; vivió su vida, fue feliz internamente. Mientras yo viva lo recordaré por sus enseñanzas y también por lo de durar, durar y durar.

Como era ebanista, el abuelo hizo un cuatro chiquitico y le dio por enseñármelo a tocar cuando yo todavía era un niño. Un cuatrico para acompañarle los valses que él me enseñaba con su guitarra en las tardes maracayeras. Y aquello era darle con la afinación de la guitarra, con la afinación del cuatro. Eso te va educando sin darte cuenta. Y lo hace rápido; vas con canciones antiguas como aquella de... *Qué bellas son las flores nacidas por la brisa... mujer encantadora que linda es tu sonrisa...* Ya está. Allí está mi base, en aquella época infantil de los años 30, toda una lección de afinar, armonizar y darle a la rítmica cuando el abuelo decía: «Ven acá, mira eso se hace así... dilo así, hazlo asao... ahora vete a dormir que son ya las nueve de la noche y te vas a trasnochar».

¿Trasnochar?, si es que yo esperaba mi turno para empezar a cantar profesionalmente y trasnocharme de verdad-verdad. Esperaba y nunca se daba. Esperaba hasta que un día el abuelo dijo: «Usted está listo. Usted va a cantar con orquesta. Búsquese unos pantalones y prepárese porque mañana me lo llevo para que debute». Entonces, año 1936, tuve que conseguir unos pantalones de un amiguito de apellido Sandoval, a quien le habían bajado –mejor dicho, alargado– los pantalones; y yo por mi parte «nada, mi vale, es que me van a llevar para una fiesta, pero tengo que ir de pantalones largos...». El debut era en un cabaret que quedaba en Los Jardines del Valle, entonces puro monte y un caminito de tierra donde estaba el negocio con los faroles clásicos de bombillitas de carretera. «Aquí está el muchacho del que te hablé», le dijo mi abuelo a Bocarde un italiano que era el maestro del cabaret, mientras yo quedaba deslumbrado por las primeras medias luces de aquel moderno local que hasta entonces no conocía. «¿El muchacho?» dijo Bocarde, «Ah sí... que cante, que cante para ver». Y, bueno, canté... *Lo mucho que yo sufrí por esa ingrata mujer, ella no lo debe saber, yo me prefiero morir...*

Debuté y la cosa comenzó bien. El abuelo puso condiciones a Bocarde: «Ya vio que sirve. Ahora usted se lleva mi muchacho; él va a trabajar, va a cantar, pero me lo llevan y me lo traen de la casa al cabaret, le mandan a hacer unos pantalones, una ropa y, por supuesto, le pagan lo justo». Tuve desde el principio el aplauso que ya antes había recibido en programas de radio para aficionados, donde se ganaba desde cucuruchos de papelón hasta platica de la buena. Los «paperrulos», le decíamos a los papelones, que venían en dos formas, unos que eran medio azucarados «blanquiñan», otros oscuritos acompañantes de premios de bolsas de café, caraoticas negras y hasta del primer premio de cien bolívares.

Era un billete, un billete de cien bolívares, el mejor premio por cantar. Cien «bolos» y una beca. Aquella beca la estudié cerca de un año cuando estuve en una especie de liceo comercial, único en Caracas. Fui al colegio, estudié comercio en la clase que daba clase el doctor Hipólito Sotero, gente buena de la que bastante hay en el mundo. Un día le dije al doctor Hipólito: Fíjese, doctor Hipólito, yo no voy a poder seguir estudiando aquí porque yo estoy es con la música. Y el doctor me contestó: «Bueno, no importa. Usted puede estar con la música, yo le voy a dar clases en mi casa». Lo intenté, traté de seguir con las dos cosas a la vez, pero qué va: ¡La música, el cabaret, los tríos!... Una orquesta de baile en plena formación de la que me habla el músico Ángel Briceño: la Billo's Caracas Boys de Luis María «Billo» Frómeta Pereira.

La relación con Billo, no puedo negarlo, es de primera importancia en mi carrera; pero, como todas las amistades provechosas de la vida, tuvo sus altos y sus bajos. El Billo maestro, compadre, amigo, no era ninguna perita en dulce. Y yo menos. Sin embargo fueron muchos los años de compartir tarima y vida en las buenas y en las malas. Primero a principios de los 40 cuando, casi al comienzo de la orquesta, llego a ser su bolerista principal. Luego viene un receso para probar fortuna en Centroamérica y, de nuevo, Billo's en los años 50, la etapa de oro, con Manolo Monterrey, Antonio María Soteldo, Cecilio Comprés –primer trompeta como ninguno–, Pat O'Brien al piano. También Antonio Mací Rubí, Buzo Nelson y Carlos «Pan con Queso» Landaeta en una percusión que ayudé en formar; porque aquellas tumbadoras hechas con barriles y aros caseros, el güiro rasgadito, los sartenes pegados a la tabla para arrollar en las congas haciendo trencito con la gente que bailaba, todos esos instrumentos pasaron por las manos de este bolerista (la rítmica, mi llave, la rítmica que uno lleva en la sangre).

Con Billo aprendí lo duro del oficio: ir a ensayos, fiestas, programas de radio y de lo que fuera; llegar a la hora perfectamente uniformado, comportarse como es; cantar con ganas y sin ganas también, de todo y para todos los gustos: merengues (todavía por ahí me preguntan, «¿Quién fue que mató a Consuelo, Rafa?»), canción moruna, pasodobles, chachachá, sones suavecitos (me tocó estrenar «El manicero» que después Manolo pegó). Me cansé de darle al joropo.. *Por si acaso yo no vuelvo, me despido a la llanera*... y, por supuesto, al «Alma llanera» para despedir los bailes. Pero lo fuerte, lo mío, siempre fue y ha sido el bolero: Ese canto romántico cadencioso que se dice afinado, suave, flotando por encima de la armonía. Algo melódico, bonito, listo para conquistar muchachas y ni tan muchachas.

«Noche de mar», «El ruiseñor», «Ven», «La cita», «Un sueño», «Enamórame», «Página de amor», «Caracas vieja» forman parte del repertorio personal que desarrollé con Billo. Números del gusto del público que traigo en la garganta desde aquellos principios de los años 40 hasta hoy día, cuando todavía puedo decir que soy el único cantante de la primera orquesta que cantó en los años 60, a finales, cuando ya Felipe Pirela y José Luis Rodríguez me habían heredado el puesto.

El canto en orquestas apuntó no sólo a mil y una noches con Billo's, sino también a las mejores orquestas de baile del país: Jesús «Chucho» Sanoja, Los Melódicos de Renato Capriles con Emilita Dago en la escena y aquellos magníficos arreglos de Stelio Bosch Cabrujas, un maestro a quien todavía no se le ha reconocido como es. Aldemaro Romero, jovencito, a quien contratamos con Víctor Pérez para que tomara la dirección musical de la Rafa-Víctor; por cierto, tuve el gusto de estrenarle a Aldemaro boleros como «No necesito de ti» o «Me queda el consuelo», así como también de inaugurar su orquesta de baile en compañía de Elisa Soteldo y, de nuevo, Víctor Pérez.

La radio, por su parte, me dio la oportunidad de solista. Un programa personal y muchísimas invitaciones ofrecieron trabajo con los mejores arreglistas y compositores de la talla de Guillermo Castillo Bustamante, José Pérez Figuera, Aldemaro y Chucho Sanoja, entre los venezolanos, o de Gonzalo Curiel, Agustín Lara, Alberto Domínguez o René Touzet, entre los internacionales. Compartí escena con Pedro Vargas, Lucho Gatica o el doctor Alfonso Ortiz Tirado y, también, di la mano a quienes venían comenzando: Alfredo Sadel, Mario Suárez o Felipe Pirela.

El recuento de todo este tiempo es demasiado largo y, como en toda vida larga, hay mucho vaivén. Hace unos pocos años, recuerdo, hacíamos nuestro show con Víctor Pérez y Manolo Monterrey. Manolo se enfermó y me dijo: «Rafa, ya está. Llegó el final». Qué va mi vale, le contesté, el año que viene seguimos. Al año siguiente estaba sin Manolo y después sin Víctor. No conseguí quienes me sustituyeran las llaves de tantos años (ni creo que los vaya a conseguir). Nadie pudo. Pero apareció Alberto Naranjo y Graciela, apareció Chuchito Sanoja y Elisa Soteldo; vinieron proyectos con Andy Durán, Rodolfo Saglimbeni, Federico Pacanins, todos toques artísticos de calibre que, muy importante, el público siguió aplaudiendo con el cariño de siempre. Así la cosa tomó otro gusto, pero siguió adelante.

Hoy, afortunadamente, con más de ochenta años encima puedo seguir haciendo lo que siempre he hecho: cantar mis boleros y mis cosas con músicos de primera línea. Voy confiado y firme con los hermanos Frómeta, con Charlie, con la Billo's de siempre; pero también con Alberto Naranjo, Andy Durán, Chuchito Sanoja o el maestro Rodolfo Saglimbeni, dirigiendo la magnífica orquesta Sinfónica Municipal que me honra con sus invitaciones. Voy según mi método de no abusar, hacer gárgaras de sal diariamente, fijar la melodía con la letra (si tengo la letra y alguna vez canté el tema, ya no se me va) y pedir a los arreglistas acompañamientos que dejen quieto lo lindo de la melodía.

De resto, sólo pido seguir siendo el roble que fue mi abuelo y, de ser posible, una orquesta acompañante con uno o dos cornitos franceses (¿o no, maestro Saglimbeni?).

Renato Capriles
(Caracas, 1930)

Era el año 1958. Una mañana me llama a su oficina el jefe de la Cadena Capriles, mi hermano mayor, Miguel Ángel, a quien encuentro revisando los periódicos... «¡Viste la página 7 de *La Esfera*! Otra vez Los Melódicos; hasta cuándo Renato, hasta cuándo...», esto me dice Miguel mientras trato de explicarle que desde mi puesto de director de Relaciones Públicas, departamento que organicé, sí, informo acerca de Los Melódicos, mi orquesta recién estrenada, pero también lo hago respecto a Belisario, a Chucho Sanoja, a gente dedicada a la música bailable cuyas actividades convienen a nuestras relaciones públicas. «Tienes que tomar una decisión, Renato, o la orquesta o los periódicos. Te doy oportunidad para que lo pienses y respondas: tienes hasta mañana en la mañana.» Quedo frío. Salgo de la oficina; pienso en la esposa y las hijas, en los compromisos económicos de la familia: ¿quién soy?, ¿hacia dónde voy?, ¿qué quiero? De verdad me toca el turno de responder, y además de hacerlo ya. Entonces aparece mi hermano Marcos con un consejo clave: «Yo no quiero influir en ti, pero te digo, hermano, los periódicos son de Miguel Ángel, Los Melódicos tuyos. Decide por ti mismo».

Los resultados del consejo fraterno se ven hoy día, cuarenta y cuatro años después de la mañana en que, bien apoyado por esposa y madre, resolví quedarme con la orquesta mientras Miguel Ángel gesticulaba y me decía: «¿Música?, ¿cómo se atrapa, cómo se paga con eso, Renato?». Los dedos en el aire del preocupado hermano mayor, hombre con su punto de vista práctico, me hacen recordar que entonces no pensé en el dinero, pero sí sentí la posibilidad del éxito porque aquello de tener una orquesta propia y dedicarle la vida era algo que llevaba adentro desde siempre. De muchacho, en los años 40, a través de conjuntos formados en el colegio para tocar en picoteos de Chacao y La Castellana; siempre alternando con «picós» en los liceos, buscándole la vuelta a la música tropical bailable de mi ídolo juvenil, Billo Frómeta, el mismo a quien seguía a través de los programas radiales de «A gozar muchachos», en contrapartida a la «Media jarra musical» de la otra orquesta fundamental del tiempo, la de Luis Alfonzo Larrain.

Billo y su música me marcan desde niño; también de joven ya hombre, que no quiere estudiar y consigue puesto a los dieciocho años como agente viajero de la casa comercial de Gustavo Zingg. Con siete maletas en el carro, vendiendo mercancías durante el día para luego, en la tarde y noche, oír a Billo y Luis Alfonzo donde fuera, como fuera. Así llegan los mediados de los 50, una época donde mi hermano Miguel Ángel me da la oportunidad de formarle el departamento de Relaciones Públicas y Publicidad –al principio él no creía mucho en este departamento–, y desarrollar así un talento innato: la facilidad de relacionarme, de conocer gente, que me ha llevado a pensar en que más allá de un músico, he sido un relacionista, principalmente. Pero también digo lo de músico por cuanto –esto no lo sabe mucha gente– hasta estudié saxofón siete meses para empaparme, para asentar un conocimiento natural que me viene de la cuna, el mismo conocimiento que da sentido de liderazgo, de dirección, de respeto por parte de quienes me rodean (por cierto, como mis músicos se reían del sonido de mi saxofón, terminé regalándoselo a Pedro Carrizales para que así no siguieran mamándome gallo).

De vuelta al tiempo del comienzo, finales de los años 50, llega la coincidencia de ver cómo a Billo le hacen la vida imposible (hasta lo vetaron como músico y le prohibieron dirigir su orquesta), con las ganas propias de hacer algo significativo en mi vida. Así nos hacemos amigos en un negocio ubicado en Sabana Grande, aquí en Caracas, llamado El Rincón de Billo; allí mismo empiezo a planear lo de la orquesta y le ofrezco realizar los arreglos porque, ya se dijo, su situación le impedía dirigir. Un choque de manos da comienzo a una sociedad a partes iguales, nunca documentada, en la que debo administrar, conseguir músicos, bailes, etcétera, y Billo debe aportar los arreglos y composiciones: treinta y siete números para comenzar, entre ellos el tema de la orquesta, algo medio testimonial de su problema para la época («Me dicen que lo viejo es malo, y yo le digo a usted que no, por eso he de seguir tocando, sabroso ritmo de uno y dos»). También llega un nombre según cierta inspiración que le venía a Billo por un antiguo conjunto vocal dominicano llamado Las Melódicas: «Mira negro, vamos a buscarle el masculino y le ponemos Los Melódicos...». Y así lo hicimos.

Estreno Los Melódicos en Radio Caracas Televisión el día 13 de julio de 1958. El éxito es inmediato. Eduardo «Kíkaro» Díaz ayuda a ubicar los músicos; Pepe Molina se encarga de la sección de saxos, mientras Germán Vergara le hace compañía a la estrella vocal de Víctor Piñero. Billo no tarda en separarse; va a Cuba para recuperar su liderazgo mediante una grabación, y se lleva al cantante clave, se lleva a Víctor Piñero. Pero afortunadamente Piñero regresa y grabó para Discomoda «Estos son Los Melódicos», según el repertorio inicial. Pegó «Mensaje a Juan Vicente», «Por qué será», «Por un dedo», «Mi novia de Naiguatá». La orquesta está en primer lugar y quiero mantenerla con ideas musicales concretas: una, escoger personalmente los números y los arreglistas (no permito que me influyan en esto); otra, mantener la formación de *big band* completa. Nada de combos grandes u orquestas recortadas; voy con cinco saxos, cuatro trombones, cuatro trompetas y sección de ritmo según el sonido de las grandes bandas de siempre, Glenn Miller, Tommy Dorsey, Tito Puente y compañía. Un elemento fundamental, característico, está en la inclusión de ritmos de moda (¿se recordará que fuimos de los primeros en pegar *twist* en Venezuela a través de Teresita Martí, *pop* con Cherry Navarro, o aquellos tecnomerengues tipo «Papachongo» de Diveana?), de allí el lema de «La orquesta que impone el ritmo en Venezuela».

Otra característica que nos distingue está en la cantante femenina: ¿Quién no se acuerda de Emilita Dago? A Emilita la traje por pura equivocación. Contraté una cantante cubana de cuplés creyendo que era otra, cierta mulata buenísima, tal y como me la había ofrecido por fotos el empresario Guillermo Arenas para un Carnaval en el Club Las Fuentes de 1960. Total, aparece Emilita con pinta de señora pero con una picardía única; montamos el show con sus cuplés y, de inmediato, yo me digo: ésta es una estrella, pero hay que modificarle la pinta y el estilo. Le pregunto si quiere probar con lo tropical bailable, me dice que no sabe, pero que tratemos con un número de zarzuela de su repertorio. Emilio Cartagena, arreglista de la orquesta, adapta tipo guaracha «Así soy yo». Emilita se entusiasma –«¡esto sí es sabroso, chico!»–, firmamos por seis meses, tiempo suficiente para desarrollar un estilo picante pero fino, con el cual canta, escenifica como una estrella y dura cuatro años llegando a ser la mujer show número uno de Venezuela (el recuerdo televisivo de «Compre la orquesta» con el «Musiú» Lacavalerie, habla por sí mismo). Luego han pasado cuarenta y tres años y todavía la gente pregunta por ella mientras, por mi parte, acostumbro a tener jóvenes vocalistas bajo un plan de tres años de desarrollo profesional: Teresita Martí, Lee Palmer; Verónica Rey, voz lindísima y exitosa en Centroamérica, Colombia, Estados Unidos; Diveana, quien entró conmigo a los dieciséis años y hoy día tiene dimensión de estrella; Doris Salas, Iona Capriles (mi hija música, distinta a Ileana, mi hija animadora), Liz, Yamileth, una nueva muchacha que tengo ahora y es (!).

Billo decía que los hombres con bigote o barba tenían algún complejo, igual que los negros con lentes. «Renato, ¿por qué pones al Kíkaro, bigotúo, con su güiro al frente de la orquesta? ¿Qué hace «Bigote de escobillón», Muñoz, en ese primer plano tocando saxofón barítono?» Le contestaba que ellos eran estrellas de la orquesta, tanto como los cantantes, gente toda a quien quería destacar para dar la sensación de una banda completa. Kíkaro, «Bigote», Stelio Bosh Cabrujas, Alberto Naranjo y... *Ella baila el pompo*... el número tocado veintitantas veces seguidas en un baile de la feria de San Cristóbal para vencer en el mano a mano a Billo... Manolo Monterrey, el más grande guarachero de todos, cantando aquello y, todavía conmigo en 1975, cuando le daba el ejemplo a los cantantes jóvenes al interpretar su repertorio ¡sin tener que bajar su tono de más de cuarenta años! También he tenido la fortuna de contar con Rafa Galindo –decano de nuestros boleristas–, Rafa Pérez, Chico Salas, Cheo García –voz guarachera recia–, Oscar Santana, Cherry Navarro, Perucho Navarro, Argenis Carruyo, Daniel Alvarado –«El pastorcillo»–, Gustavo Farrera –«Amparito»–, Roberto Antonio, Víctor Piñero –otro ídolo popular ligado a la orquesta desde el comienzo hasta su día final, el 2 de diciembre de 1975, cuando dijo hasta siempre en la tarima cantando «Las pilanderas»–, y mejor paro de contar los innumerables talentos que me han acompañado, para confirmar un par de ideas finales.

Lucho Bermúdez, Pacho Galán –grandes directores colombianos–, Rogelio Martínez –fenomenal director de la Sonora Matancera–, alguna vez coincidieron en reconocerme éxito por no ser músico para músicos, sino para el público. En este sentido digo que no hay música mala, sino mal tocada; la cuestión del gusto es otra cosa. Saber los tiempos sabrosos de los temas, adaptarse al estilo de moda –merengues, guarachas, mis vainas viejas, pero también lo de Shakira, Ricky Martin, Cristina Aguilera–; estudiar al público antes del baile para formar los «sets» –esto lo hago con mucha atención–, alargarlos según el ambiente de los bailadores; en fin, darle vida a la orquesta de acuerdo con las experiencias propias y según te dice el instinto.

Yo nací para esto. Todavía, a los setenta y tantos años, gozo en los bailes; allí dirijo y he dirigido hasta cuando tuve el terrible accidente de hace pocos años (a los cuatro meses, medio recuperado, iba a sentarme con los músicos a conversar, a estudiar a la gente; no me gusta faltar a los compromisos). He tomado este oficio con tal pasión que lo he seguido en las buenas y en las malas; hasta mis hijas de una u otra forma se han conectado con la vida de Los Melódicos... Digo: de haber continuado en la Cadena con mi hermano, tal vez hubiese llegado a ser su presidente, pero, estoy seguro, ni habría disfrutado lo que he disfrutado, ni sería lo feliz que he sido.

[illegible] algunas veces [illegible] en [illegible] que [illegible] perfecto
[illegible] para [illegible] otro para [illegible]
[illegible] que no hay [illegible] en cuestión de
amores [illegible]. Saber [illegible] de las letras
[illegible] el [illegible] muchas veces
[illegible]
[illegible] estudiar el [illegible] del ballet [illegible] los
[illegible] lo hace con [illegible]
[illegible] de los [illegible] de la vida [illegible]
[illegible]
[illegible] antes [illegible]
[illegible] y he [illegible] hasta cuando fue el
[illegible] pocos años [illegible] cuatro meses [illegible]
[illegible] con los [illegible]
[illegible]
[illegible] que [illegible]
[illegible]
[illegible] con la [illegible]. Bien [illegible]
[illegible] en [illegible]
[illegible]
[illegible] feliz que he sido.

Rosa Virginia Chacín
(Caracas, 1940)

Soy una mujer venezolana, de mediana edad, quien descubrió desde muy chiquitica el gusto por el canto y ha tenido muy buenas oportunidades para con ello expresar su sentimiento. En cuanto al arte, eso soy.

En mi casa siempre hubo buena influencia musical. Mi papá, Mario Chacín, era un serenatero que tocaba cantidad de instrumentos musicales de una forma natural, de puro oído. Mi mamá, América Riera de Chacín, desde siempre nos ha acompañado con esto del amor a la música (tengo un hermano que canta muy bien y una hermana menor cuyo nombre es María Teresa Chacín, ni más ni menos).

Mi papá decía que yo canté antes de hablar; me llamaba el jilguero porque desde chiquita cantaba todo el día en la casa. Y quizás sería que ese jilguero se coló en la escuela primaria para recibir un regalo muy especial del destino: quedé fascinada con mi primer profesor de canto, el maestro Antonio Lauro, quien enseñaba a los niños integrantes del coro del Colegio Santa María. Era el maestro Lauro una persona sumamente grata, un maravilloso educador dedicado a inculcarnos el amor por nuestra música. De hecho, su trato me marcó desde aquella edad infantil en que uno es tan sensible para ciertas cosas.

Pasaron los años y ya pava entré en la Facultad de Economía de la Universidad Central de Venezuela. Inmediatamente me inscribí en el Orfeón Universitario. Un día hubo cierta reunión en el Auditorio de Humanidades para escoger el representantes de los estudiantes. Allí invitaron a José Enrique «Chelique» Sarabia, quien con su conjunto animó musicalmente el acto, acompañó a Iván González y procuró un momento clave en mi carrera: Chelique pidió que alguna muchacha del público subiera a cantar. Las compañeras empezaron a gritar mi nombre por echar broma... y yo escondida en mi asiento, muerta de la pena. Pero Chelique me buscó; subí al escenario canté dos temas de Juan Vicente Torrealba y tuve calurosa respuesta. Cuando terminamos me propuso grabar un disco, le contesté que eso dependía de mi papá, porque mi familia es muy conservadora. En aquella época, 1958, grabar un disco no estaba muy bien visto; sin embargo mi papá nos oyó y contestó: «Te lo voy a permitir pero, eso sí, tú te comprometes a un promedio de 16 puntos en la universidad». Realmente le cumplí; tuve un promedio de 17,6 y me gradué de economista mientras también comenzaba como cantante profesional.

Poco a poco fui definiendo una manera de cantar. Chelique, por su parte, me ayudaba en esa tarea y además componía canciones para mi voz: «Cuando no sé de ti», «Mi propio yo», «Ayúdame», «No te muerdas los labios», «Necesito pensar» y muchas más. Realmente se produjo una fusión entre compositor y cantante que resultó exitosa, aunque nuestro disco inicial –«Alma juvenil»– no haya tenido ninguna relevancia. Hubo que esperar un segundo disco, grabado en 1959, para conseguir la aceptación definitiva: «José Enrique Sarabia, su música y su nuevo estilo» se llamaba el disco, pero todo el mundo lo conocía como «Cuando no sé de ti». A una primera edición siguió otra, y otra... después fue la grabación de «Ansiedad» –ya existía una versión de Rafael Montaño– y un muy satisfactorio etcétera de veinte «long plays».

«La voz más dulce de Venezuela» fue el bello mote con que me distinguieron una cantidad de locutores de lo más chévere, en una época en que se difundían las canciones de forma absolutamente silvestre, como le provocaba a cada cual y de acuerdo con el gusto de la gente. Fui así conociendo a Phidias Danilo Escalona, Clemente Vargas jr., a Renny Ottolina, personas a quienes por fin también debo mi carrera, porque, si ellos no hubieran apoyado mis canciones, de seguro no habría llegado a ninguna parte.

El éxito de «Cuando no sé de ti», por ejemplo, fue tan grande que la gente quiso verme en televisión. Vino un programa de debut dirigido por René Estévez –«Sin pie ni cabeza»–; al lunes siguiente el Espacio Nivada, donde actuaban figuras internacionales... Llegó el turno del disco de boleros con Los Naipes y de la canción «Tristeza» de Manuel Briceño, con la cual gano el Segundo Festival de la Canción Venezolana en 1966, en competencia televisada que comprometía a los mejores cantantes del momento.

Ya casada me fui a Estados Unidos en 1960. Entonces Chelique buscó a María Teresa, mi hermana, quien iniciaba su carrera. A mi regreso de Estados Unidos, continué grabando e hice un tema a dúo con María Teresa que tuvo bastante difusión: «Bossanova en preludio», acompañadas por los Impala allá por 1968, justo antes de un retiro de la escena ocurrido por razones familiares a principios de los 70.

Acabo de ver un programa de televisión que hizo María Teresa con el maestro Juan Vicente Torrealba; allí oí una respuesta que ella le daba a un comentario del maestro: «Al principio no te conocía a ti –dice el maestro–, conocía a tu hermana Rosa Virginia que era muy famosa». Y ella le dice: «Bueno, maestro, lo que pasa es que Rosa Virginia nació famosa y a mí me ha costado mucho trabajo...». Eso yo creo que es cierto. Me he tomado la profesión así como con mucha tranquilidad. O sea, las cosas me han llegado; yo nunca he luchado por las cosas artísticas. En cambio María Teresa sí lucha... yo como que no tengo ese tipo de personalidad. Soy más tranquila. He tenido suerte (y alguito de talento...).

Volví a la escena en 1980 gracias a que María Teresa, la luchadora, produjo el disco «A mi regreso» con arreglos de Carlos Moreán (curiosamente una canción barquisimetana, «Ensoñación», es a la fecha el único otro dueto que he grabado con mi hermana). Sería también que cuando uno nace cantante no puede vivir sin cantar; además, gracias a Dios siempre he tenido muy buena respuesta del público, amén de los magníficos compositores venezolanos que me han ofrecido su música: Chelique Sarabia, Luis Cruz, Hugo Blanco, Aldemaro Romero, Manuel Briceño; Mario Menéndez, quien me dio «No tiene importancia».

Hablando de canciones, hay algunas que uno estrena y agradece; también se pueden versionar aquellas que se llevan en lo más hondo del corazón (jamás grabaría algo que no me guste). Luego existen otras muy chéveres e interesantes, pero que ya tienen una voz comprometida: yo oigo «Desesperanza» en la voz de cualquier persona y lo que estoy oyendo es la versión de Alfredo Sadel; allí hay una cosa indeleble diciéndome que esa canción es Alfredo Sadel... tal vez a alguien le suceda algo parecido cuando escucha «Mi propio yo», «Ansiedad» o «Cuando no sé de ti»; lo digo porque son temas guardados por la memoria de la gente... lo sé, lo palpo cuando hago mis conciertos.

Desde 1982, en compañía del maestro Luis Cruz ofrezco conciertos por toda Venezuela patrocinados por el Conac. A veces vamos a pueblitos muy pequeños, donde ni siquiera hay un cine para presentarnos, y nuestro auditorio resulta ser la propia Plaza Bolívar. El público oye, agradece y pide; uno se da cuenta de cuán comprometida está con la inmortalidad de las canciones que interpreta.

He cantado en decenas de iglesias, de plazas, de sitios bellos del país. Mis presentaciones siempre han sido en lugares selectos y, no me cabe duda, una plaza en un pueblito es para mi un lugar selecto, tanto como cualquier distinguido teatro del mundo. En la Plaza Bolívar de Boconó, por ejemplo, realizan unas presentaciones llamadas «Noches Boconenses». La gente queda encantada por la música venezolana, estilizada, fina; guarda silencio casi con reverencia y responde con entusiasmo. Qué más puedo pedir.

Digo algo para terminar: un artista debe ser auténtico, andar siempre en lo que le gusta y no dejarse influenciar por modas ajenas. El arte del canto es en mi caso un regalo de Dios que agradezco y quiero seguir compartiendo.

Alberto Naranjo

(Caracas, 1941)

Yo soy Jorge Alberto Naranjo Del Pino, mejor conocido como Alberto Naranjo, músico venezolano nacido en Caracas un 14 de septiembre de 1941, ya inesperado en el club de los sexy –que no sexa– genarios. Mi madre es Graciela Naranjo, notable cantante caraqueña de boleros recientemente fallecida, de quien, estoy seguro, heredé el talento para el arte que me ha ayudado a subsistir; vale decir, la música en sus principales vertientes de mi interés: la percusión, los arreglos, la dirección y la composición.

Dejando a un lado los reconocimientos familiares (hijos, hija y nietos queridos cargan mis afectos centrales), hablo en primer término de la percusión, porque debo decir que aun cuando algunos melómanos jóvenes me visualicen detrás del vibráfono de Alfredo Naranjo, dilecto alumno, soy desde hace cuarenta años ejecutante profesional de la batería y el timbal.

También me entiendo con la tumbadora, el bongó u otros instrumentos de percusión miscelánea o sinfónica, pero lo cierto es que mis inicios profesionales apuntan a la batería y timbaleta de cantidad de formaciones de aquellos años 50, 60 y 70 –a ver si me acuerdo–: Leonardo Pedroza, Chucho Sanoja, Porfi Jiménez, Los Melódicos y... *Ella baila el pompo*... Tulio Enrique León, el Trío Venezuela... *Magia blanca tú tienes*... el Show de Oscar Martínez, Raúl Fortunato, con quien por cierto estrené una batería en la grabación de «Limón, limonero» de Henry Stephens, el mismo instrumento que suena de entrada en la hoy vetusta marcha de Radio Capital (hasta es mío el abanico de timbal del clásico «Cumpleaños feliz», de Luis Cruz, grabado por Emilio Arvelo).

Desarrollar destrezas como baterista me procuró no sólo trabajo en orquestas de baile, sino también en estudios de radio, televisión y comerciales. Allí, vía curiosidad natural, pues consigo acercarme al arte de los arreglos: «¿Qué acorde es este?», me preguntaba el pianista de turno, y yo nada de nada. Pero el juego era interesante; no en vano la cantidad y calidad de música escuchada en casa por conducto de mamá: jazz «un poco loco» de Bud Powell, de las primeras cosas disfrutadas, expresiones académicas (Debussy, Ravel, Bartok, Wagner), folclóricas y, por supuesto, música popular, pero selecta. Buenas orquestas, excelentes intérpretes... Pedro Vargas, Benny Moré; también Billo, Larrain, Sanoja, Galindo, Monterrey, Sadel; Elisa Soteldo, de nuevo mamá (no es por nada, pero nunca oí expresión semejante para el bolero)... Machito, Tito Rodríguez, O'Farrill con sus bandas; Mel Lewis, Alfonso Contramaestre, el «Pavo» Frank Hernández y George Lister desde sus influyentes baterías; Tito Puente, tal vez mi ídolo debido a ese múltiple papel de ejecutante, arreglista, director y compositor que tanto me inspiraba al momento de tratar de descubrirle al pianista sus trucos de armonía.

Intercambio y responsabilidad terminaron siendo las palabras clave dentro de mi formación musical (recuérdese que soy autodidacta en el más amplio sentido de la palabra): «Cabrera, maestro, aquí listo para el toque, pero dime... ¿cómo orquestas para el cantante sin interrumpirlo?, ¿me dejas ver tu arreglo?». Y el maestro Eduardo Cabrera, lo reconozco, me daba una mano mientras yo le servía lo mejor posible. Otro tanto sucedía con Aníbal Abreu, con el amigo Raúl Renau, a quien debo lecciones aprendidas de organización y cumplimiento; todos ellos profesores con quienes, para mi satisfacción, intercambié hasta adquirir, sí, la destreza del arreglista (ajustar la música compuesta al formato orquestal requerido) pero, sobre todo, una personalidad musical muy bien definida.

Luego llegó el tiempo de la composición y la dirección. Primero se aprende a sumar y restar, y después a multiplicar, ¿cierto? Pues ejecución percusiva y arreglos se convirtieron en mi escuela, para posteriormente comandar mediante un aditamento central en todo esto: responsabilidad a la hora de cumplir.

Así, el Trabuco Venezolano fue un proyecto de comando responsable de finales de los años 70, compartido con Domingo

Álvarez, Orlando Montiel y César Miguel Rondón. Una banda de ocasión, reunida fundamentalmente para grabar, con oferta de calidad en los arreglos y en una ejecución más cercana al jazz, a las orquestaciones de las mejores bandas de baile, que a la salsa típica de nuestro ambiente... Allí está «El hijo del sonero», por ejemplo, con un solo de José «Cholo» Ortiz (QEPD), comparable al mejor Eddie Palmieri o a Papo Lucca.

El Trabuco, digo, es quizás mi logro musical más conocido pero, de seguro, de los menos comprendidos en cuanto a su intención y alcance: ¿Alberto Naranjo un músico venezolano comprometido con la salsa?, ¿un jazzista disfrazado de salsero? No, nada que ver. Siempre he querido servir buena música sin condición de etiquetas: el mejor piropo está en que te reconozcan por tu sonido, trabajar cerca de las magníficas composiciones u orquestaciones de un Puente, O'Farrill, Thad Jones; de un Billo, Eduardo Cabrera, Aníbal Abreu... también cerca de esas otras fuentes de arte con posibilidades sublimes para la expresión popular urbana; las mismas cosas que hemos grabado o editado con Obeso&Pacanins: «Oblación», «Cosas del alma», las compilaciones del Trabuco; «Swing con son», dedicado a Billo, mi disco favorito; «Dulce y picante», en homenaje a Larrain; «Los cantos del corazón» y «El legado», con participación de Graciela, Estelita y Rafa; los programas en Jazz 95.5 FM, los ciclos creativos de Corp Group; los «Arranca en fa» en los desaparecidos Espacios Unión de Vilma Ramia y María de Jesús Sánchez.

He trabajado y trabajo bajo la firme creencia de encontrar casi todo adentro de uno mismo; digo, dentro de este caraqueño sesentón –¿sexygenario?– afín con su ciudad y sus ambientes. Libre para hoy día investigar, escribir, reportar, conducir programas de radio, cantantes, músicos u orquestas.

Siempre abierto, insisto, al intercambio responsable en procura de crecimiento, de verdadera creación: por ello doy apoyo, dirijo, enseño; pero también pido mano franca, la sensibilidad hermana, el afecto total y, quizás, hasta un pedacito del otro cachete de cada cual (¿no me vieron en el Teresa Carreño dirigiendo la Orquesta Sinfónica Gran Mariscal de Ayacucho en favor de Oscar D'León y su celebración de 30 años de vida artística?).

Juan Carlos Núñez
(Caracas, 1947)

¿Quién soy?, ¿en quién me asumo?, ¿quién quiero ser realmente? Un artista del pueblo venezolano. Eso desde niño quise ser; con ello he querido experimentar despejando la interrogante de cuál es mi pueblo, cuál su arte, para aprender así la reflexión enseñada por la historia de la música occidental que fundamenta su gran arte, sus grandes obras, en la evolución de las formas populares hacia otras formas.

Me decidí por la música a la edad de seis años y, afortunadamente, desde entonces nunca se dio la oportunidad de dudar en mi vocación, ni de generar con esto un conflicto. Desde el comienzo fue decisiva la influencia familiar de mi madre y mi padre, guitarrista y compositor popular, en esto de definir una idea correcta de lo que desde entonces soy; mis usos, costumbres, los reflejos musicales primarios. También tuve la fortuna de dar mis pasos iniciales en la música con la tutoría de Sergio Moreira, quien había profundizado en muchas disciplinas artísticas y creía en el arte como camino de muchas vías; después vino Evencio Castellanos, Inocente Carreño, quien en su obra, al igual que Aldemaro Romero, pintaba la realidad de un país –una especie de isla «Ítaca»– que mostraba un gran camino, largo, difícil, pero de enorme posibilidades, como esas olas de Mishima –cinco millones de escalones– o el simple calvario de Jesús...

Con esas ideas asumí el compromiso de la música y hoy, al pasar de los años, luego de haber escrito el *Chúo Gil*, basado en el texto de Arturo Uslar Pietri, después de un *via crucis* también escrito y a lo mejor vivido, creo en ese sueño de niño organizado de la manera siguiente: no me considero un PHd en música y composición, ni un doctor en la materia. Si hubiese escogido esas opciones las hubiese logrado, pero no me sentiría contento con verme encerrado en una universidad con cuatro paredes, simplemente mirando como una cacatúa, como una guacamaya, lo que hacen los demás, lo que se hace en la vida real. Por el contrario he afrontado, he asumido mi realidad. Me he planteado tender un puente entre nuestra cultura y la locura europea de mediados y finales del siglo pasado. Esa propuesta de ser vanguardia, experimentadores de la música, oficiantes de una brujería contemporánea europea, años 60, que en el fondo es un proceso endógeno, incopiable, y que gracias a personas como José Ignacio Cabrujas desde el comienzo pudimos advertir cómo copiar era de mentecatos, de lacayos...

Ser un artista del pueblo venezolano es una respuesta al dilema de ser habitantes de un trópico especialista en inventar problemas sin solución. Ser un artista que podría proponer ideas para que el ineludible camino de su pueblo continúe. En ese sentido creo que el artista latinoamericano tiene un compromiso con la creación musical: Estévez, Revuelta, Chávez, Ginastera son ejemplos latinoamericanos que respaldan otros muchos nombres dedicados a esa visión musical de la sociedad a través del pueblo siempre determinado por sus tradiciones y sus buenas costumbres. Simplemente, no creo en otra posibilidad distinta para un creador musical que inscribirse dentro de las costumbres de su pueblo –puedo copiar a John Cage, ponerme unas chancletas copiando los creadores de los años 60, pareciéndome a Stockhausen, pero más allá de atender a una deformación cultural, a una curiosidad artística, no le veo mayor utilidad.

La separación entre música culta y música cultural, tan del gusto de los suramericanos, es una discusión irreal que va desde México hasta Chile. Una cosa es la música del pueblo, decimos, y otra la música popular: la Cantata Criolla es música del pueblo, basada en sus tradiciones; un canto de un pescador, un bolero, un vals cantado en una plaza, es música popular. Ambas expresiones son válidas, pero es sumamente complejo dar con una obra que sea traducción de los ancestros que producen esas distintas expresiones musicales; porque al final el término ancestral y la expresión del pueblo terminan por unirse en una sola cultura de la cual uno quiere ser parte.

El artista es el producto de la tensión entre la sociedad y sus componentes; la obra es la traducción de esa tensión, el resultante de esa tensión. En modo alguno, conceptuaría un artista como alguien plegado a ilustrar a la sociedad; creo que un artista es como la bujía que hace explotar el pistón. El artista no puede ser marginal nunca. Una actitud absolutamente tropical llorona (el trópico tiene una parte totalmente surrealista donde una anaconda está llorando porque mataron a Simón Bolívar) no nos ayuda en nada. Es terrible. La visión del trópico vía telenovela, la visión de un hombre chocado, enajenado, que en nada tiene que con ese hombre que soñara Miller, como destinado a revelar el alma del universo. Tenemos el estigma de la marginalidad demasiado presente; por eso la educación, la política, la concepción del artista respecto a su sociedad. Un artista es en definitiva un ser real.

En la escuela de música José Ángel Lamas era muy importante el curso de historia de la música que daba Eduardo Plaza; después, en la reforma musical que dio origen al fenómeno de José Antonio Abreu (a quien agradezco el haber escuchado a toda una generación), nosotros, en vista de la catástrofe que eran los conservatorios, hicimos nuestra propia institución pedagógica y en ese proyecto, llamado la Reforma Musical de finales de los años 60, centramos nuestras expectativas. En ese mismo tiempo estudié Historia en la UCV. Allí aprendí que el método científico de concebir la historia es esencial, y en lo que respecta a la historia de la música allí aparece el gran problema de muchos creadores, quienes adolecen del desconocimiento de ella, de cómo pasamos de la monofonía –la conspiración de San Gregorio– a la polifonía, por decir, y todo ese proceso hay que conocerlo, conocer las obras, para crear algo con sentido. Por mi parte, creo que invertí mi juventud en esa investigación. Además, he tenido la fortuna de ser hijo de un hombre conocedor de la música popular, compositor, vendedor de discos; esto fue una gran ventaja para conocer la otra cara de la moneda, ciertas zonas de la música como el jazz, los géneros latinos y criollos, etcétera... hasta los treinta años, se puede decir que invertí mi vida en estudiar y la sigo invirtiendo.

Mi profesor de piano en el conservatorio fue Moisés Moleiro padre, pero en un momento dado, debido a la influencia del maestro Vicente Emilio Sojo, sus palabras, su preferencia por mí, su tremenda exigencia, se me apareció la composición como un mundo fabuloso; un mundo de dominio de las ideas al cual yo era muy sensible. Ideas para manejarlas, resolverlas; eso me atrajo más que tocar piano, luego puse el pianismo al servicio de la composición y esto me sirvió de mucho. Lo digo porque hay muchos compositores que no tocan ningún instrumento, muchos directores de orquesta que no tocan ni un piano básico, ¿bueno, y cómo es que dirigen? La música es de los que tocan, de los que cantan; pasar de allí a una mera intelectualidad no tiene mayor sentido.

La orquestación muchas veces crea el problema de definir qué significa y cómo se enseña. La orquestación es la resultante de un profundo conocimiento de la forma; es absurdo leerse un tratado y aprestarse a una fórmula.

La dirección la aprendí en Polonia, Varsovia; allí pasé del contrapunto de la escuela José Ángel Lamas a enfrentarme con las sinfonías de Brahms. Fueron cuatro años de aprendizaje definitivo a través del profesor Stanislao Wislocki («Núñez, tiene tres meses para entender y dirigir la Primera Sinfonía de Brahms o usted se va de aquí», así me dijo). ¿Un monstruo para nuestra mentalidad tropical? Pero es que la música no es un juego de niños y así se lo transmito a mis alumnos, a los músicos a quienes dirijo, así sea al costo de una fama de monstruo terrible que con alguna gente tengo. Insisto, esto no es un juego de niños. La dirección de la música es dominio de la interpretación; no existe manual, ni tratado al respecto; es la resultante de un proceso de visión y análisis sumamente complejo convertido en fase superior de la ejecución. No se trata de un señor marcando los tiempos y dando entradas; eso lo puede hacer cualquiera: Otorgar a la forma una interpretación; de eso se trata dirigir.

El peor método para dirigir es escuchar una grabación, porque la grabación en sí es un absoluto euclídeo, es decir, no hay espacio: entonces cuando el director que se aprende la cosa en el disco va al espacio donde está la orquesta, escucha otro viaje del sonido, otra sintonía que es lo que él resolvió sin honestidad. Una cosa es el espacio y el tempo del director, y otra, muy distinta, las circunstancias interpretativas de la grabación.

El momento máximo de la música es estrenar una obra. Ningún momento es más importante; tan sólo imaginar que monumentos musicales como las sinfonías de Beethoven cumplieron ese instante de nacimiento público, y ya se puede tener una idea de lo que digo.

Aaron Copland y Shostakovich opinaban que el compositor no debía dirigir sus obras; otros como Leonard Bernstein creyeron que la versión del autor es el referente principal. Yo procuro entregar al menos la primera versión para dar ese referente; sin embargo, me encanta que existan otras versiones, incluso alternativas de lo establecido en el estreno. Tal fue el caso de Eduardo Marturet con el «Tango Cortazar»; de gente que ha dirigido obras mías para coro alterando el «tempo» indicado.

La imagen de uno puede ser fraudulenta. No creo mucho en ella; a veces impide cercanías creativas. Casi no tengo músicos amigos para discutir fructíferamente. Es lastimoso, un tema chocante, pero uno debe alejarse si no encuentra sensibilidad ambiental respecto a lo que hace. Nuestro mundo musical no se fue especialmente sensible con la obra de Antonio Estévez; ¿qué hubiera sido de su obra si el maestro no se hubiese desentendido de la imagen que el ambiente tenía de él?

Creo que la nación es un tema. La patria es un tema tan musical como puede serlo político. Nuestros artistas de mediados del siglo XX (poetas, narradores, pintores, dramaturgos, cineastas) comprendieron una visión de Venezuela y diseñaron una respuesta. Hubo un movimiento nacionalista musical y también un bache entre ese movimiento y una modernidad en la que aparecen muy pocos nombres: Rhazés Hernández, un gran autor, desafortunadamente excluido, no valorado adecuadamente... otros compositores que estuvimos pergeñando una transición fuimos Alfredo Del Mónaco, Federico Ruiz, Luis Morales Bance, Juan Carlos Núñez...

Jamás excluyo las posibilidades creativas del ambiente. De hecho, la relación con importantes dramaturgos venezolanos me ha convertido en un hombre de teatro, del cine venezolano desde la década de los 70; en compositor de óperas, oratorios, canciones... El tema del compositor termina siendo la musicalidad propia o ajena; en la medida en que puedas conocer esa musicalidad ajena puedes conocer más acerca de tu capacidad para aportar. Se debe evitar, insisto, el flagelo venezolano de la facilidad; ese cómo hago para saltarme los procesos, para no seguir las reglas. Así el arte es imposible. Estudiar la historia, sus procesos; así se puede acometer cualquier forma (un arreglo de gaita moderna), pero no como un simple hacedor de música, sino como un ordenador con un plan culto, preciso.

El arte contiene una gran oportunidad de recibir y también de dar. La gran pregunta que cada cual debe resolver está en ese qué dar. En mi caso tengo dos caminos para hoy día resolver este dilema vital: irme de Venezuela a buscar otros rumbos o quedarme aquí y terminar una obra que tengo ya algún tiempo de haber comenzado. ¿Mi respuesta concreta? Cuando regresé a Venezuela en 1977 había un país por hacer, que uno creía podía hacer con las propias manos; hoy no sé si alguien se atreve a decir esto. Pero también hay lineamientos perpetuos, ancestrales, en la cultura nacional, en la música popular, que no solamente no se van a terminar, sino que durarán diez mil años: en cada obra creada vive la posibilidad de participar en algo de las obras del pasado y en algo de las obras que vienen. Siempre quise vivir una experiencia creativa importante; en este sentido, nunca esperé a que me contaran cómo era la vida de un compositor en Venezuela y muchísimo menos lo haré ahora. En el caos, creo, se deberían encontrar las oportunidades.

Alfredo Del Mónaco

(Caracas,1938)

El camino de la creación musical para mí ha sido muy solitario, pero me gusta así. Yo nací en una época equivocada, en un país equivocado, en el seno de una familia muy buena pero que no es apropiada para lo que hago. Eso me dio la ventaja de tener que trabajar solo toda la vida, para lo cual hay que organizarse muy bien.

Hago una música organizada, pero muy libre. No busco sistemas, aprecio lo que haya disponible, lo que sea en ese momento necesario. Los motivos te dicen el tipo de material que vas a usar, el tipo de color que requieres. El mismo trabajo va dictando su naturaleza.

Me correspondió recibir el Premio Nacional de Música en 1999. El premio, muy satisfactorio, lo siento como la respuesta colectiva a una trayectoria que comienza en los años 1967 y 1968, cuando me inicié como pionero de la música electroacústica en nuestro país.

Para aquel entonces, había recibido del maestro Primo Casale, hombre ilustrado y excelente docente, una muy buena formación inicial con los recursos generales necesarios para abordar la composición; después estudie piano con el maestro Moisés Moleiro. De resto, nunca fui alumno de las escuelas oficiales de música del país, pero sí de la universidad donde me gradué de abogado en 1961, para ejercer el Derecho hasta 1969. Sin embargo, siempre mantuve el trabajo con la música, hasta que me pude separar del ejercicio del Derecho con medios suficientes para subsistir.

El paso por la abogacía, debo decirlo, fue un paso mercantil, útil para ganarme la vida y ya. En cuanto pude me fui con la música a la Universidad de Columbia, en Nueva York, donde estuve por diez años. Un doctorado en música en 1974 y trabajo activo como productor independiente en el centro de música electrónica de Columbia, dieron paso a la estadía en Berlín, donde estuve por un año muy cerca del grupo «Nueva música» con el que definí conceptos centrales para la labor compositiva.

Formé parte de las primeras programaciones de música electroacústica en la Radio Nacional. Hasta los años 60 en nuestro país no se había hecho nada en materia de conciertos de música electrónica y, por la radio, nosotros fuimos los primeros en proponerlos. Mis primeras obras las realicé bajo la influencia de Bela Bartok, de Martino; obras ya olvidadas propias del trabajo de estudiante. Después la música electroacústica me abrió un mundo inmenso, al comienzo inspirado en la audición de varias obras de este tipo a través de discos y grabaciones; luego, con motivo del Tercer Festival de Música de Caracas en 1966, llegaron aquí autores de todas partes del mundo y, naturalmente, tuve la oportunidad de percibir lo que en este campo pasaba en otras partes. De los jóvenes compositores de entonces fui el único que asistió a todo el festival, incluyendo las conferencias. Así conocí a Mario Davidosky, a Vladimir Ussachevsky, a Pendereski. Tuve la oportunidad de enseñarles algunas de mis composiciones y recibí la invitación a trabajar en la Universidad de Columbia-Princeton que, como ya dije, marcó el trabajo creativo de una década completa.

En Columbia experimenté y conseguí. Ví nacer las posibilidades musicales del computador, del sintetizador, sus limitaciones y alcances. Utilizaba unidades del sintetizador como elemento de ataque, el envolvente de las ideas creativas. Cuando comencé a hacer música electrónica, mucha de ella me parecía un poco amorfa, pues los sonidos que producía el computador no tenían un ataque preciso. Quería darle a los sonidos definición, y casi todo se escuchaba como masas indefinidas. Trabajé mucho para producir una música electroacústica articulada, con cierto control sobre los resultados que entregaba el computador. Hacía los sonidos a mano, tratando de dominar la sonoridad del instrumento-computador en función de mis necesidades.

Me parece un error hacer música electroacústica para suplir a la música instrumental. Otro error está en convertir al sintetizador en un imitador barato; es preferible utilizar los instrumentos reales y no ir a clones de ellos. La música electroacústica debe tener su propia naturaleza, como la tiene la guitarra, el violín, o hasta un verdadero sintetizador de los comienzos, el de la RCA Victor que teníamos en Columbia, capaz de producir voces humanas desde los años 50. Cuando se prescindió de ese aparato, sentimos que éramos nosotros los que no sabíamos qué hacer con él.

Sólo he sido compositor. «La noche de las alegorías», «Tres ambientes coreográficos para Sonia Sanoja», «Alternancias», «Cromoformantes», «Sintagma A», «Cantos de la noche alta» son algunas obras que ratifican lo que hago. Tengo la suerte de haber hecho las obras que he querido, sin tener que dedicar tiempo a la ejecución de instrumentos. En este sentido, el piano que estudié tan sólo ha sido un instrumento básico con el que trabajo ocasionalmente, ya que la mayoría de mis obras hasta hace poco no necesitaban para nada del piano. Lo utilizo cuando se requiere para ciertas texturas melódicas o ciertos procesos armónicos que quieres definir bien; pero, para el tipo de música orquestal que hago, normalmente no me sirve. «Túpac Amaru», por ejemplo, fue hecha en mi escritorio, pues yo trabajo mucho en mi escritorio. La notación musical depende de cada obra. Trato de adaptar todo a la notación más convencional posible, que no en todos los casos se puede. La necesidad dicta lo que tengo que hacer.

Toda la vida he oído música de todas las épocas. Admiro las grandes obras, no tengo preferencia por ningún período; a cada período le reconozco un gran mérito. Todos me ayudan para dar en el centro de mis búsquedas creativas; siempre he trabajado en la sofisticación del sonido. Bien en mis primeras obras, bien en las últimas, o en aquellas intermedias con ya tres décadas de vida.

«Trópicos» tiene ya 32 años de realizada y un camino de vida bastante sugestivo. En 1972, en el mundo entero y sin ponernos de acuerdo, varios creadores de la música electroacústica por pura coincidencia decíamos que trabajábamos en una mítica de torre de marfil. Debíamos entonces bajar a la calle y hacer con los medios electroacústicos obras basadas en sonoridades de la realidad, con técnicas de trabajo totalmente nuevas para nosotros. No continuar trabajando en la tal torre de marfil, ausentes de la realidad. Ir a la calle para hacer una obra que yo llamo música testimonial; o sea que el testimonio sea la realidad misma, que la situación sea la protagonista. Así hicimos este tipo de obra documental de la realidad social, como un álbum de fotografía pero mediante sonidos grabados y procesados por nuestra sensibilidad: las campanas de la Catedral, los vendedores ambulantes, las novelas de radio, el predicador evangélico, el caos retórico de los mitines políticos; los hombres jugando dominó dominguero mientras las señoras reparten su canasta con fondo de Celia Cruz y Alí Khan con las carreras de caballos...

«Trópicos» es como una rapsodia de distintos temas que van sucediendo como un montaje, como fotografía de diferentes instantáneas que van pasando. La notación en este caso no es necesaria, en su lugar se utilizan guías. La música queda congelada en una grabación sin intérprete central. Como en casi todas las obras de electroacústica, la impresión sonora queda fijada en el soporte de la grabación procesada, como el libro queda fijado en su impresión en papel, y su ejecución es la lectura de la grabación.

Estos procedimientos ciertamente tienen elementos de *collage*, pero la técnica del *collage* depende de la intención que quieras hacer, porque con un *collage* puedes realizar una composición abstracta, o también puedes hacer una obra comprometida, de denuncia. Todo lo que pasa en «Trópicos» son cosas que yo presencié, las viví; así me queda testimonio de ese momento que, a la vez, es el testimonio y la denuncia de lo que sucedió y todavía, tres décadas después, está sucediendo.

Las formas musicales occidentales vinieron de la oratoria y de la retórica, esto muy pocos músicos lo saben. La retórica y la oratoria en la antigüedad no eran expresiones despreciables. En la antigüedad un retórico era un organizador del discurso; en ese sentido, el concepto ha quedado firme hasta nuestros días: no importa lo que tú hagas, en cuanto a lo creativo siempre estás organizando el discurso griego.

Lo que hace un profesor cuando dicta una clase no es sino repetir el orden griego. En Grecia y en el Imperio Romano la oratoria y la retórica tomaron un orden inmenso, porque no era retórica la habladera de paja de hoy en día. La retórica significaba la manera de organizar las ideas para exponerlas. Significaba un orden positivo, un desarrollo y exposición. Si te pones a ver, todas las formas musicales vinieron del ejemplo organizativo de la retórica en su acepción más clásica.

Primero siempre surge la obra original, la forma acopiada va después. Nunca se hizo un arte nuevo con base en las recetas; por el contrario, fue el arte nuevo el que modificó las recetas y creó la necesidad de nuevas teorías. Nadie dijo hasta aquí el Renacimiento, ahora comienza la Edad Media. Cuando Beethoven escribe la «Heroica» no dice: «a partir de hoy voy a abrir el romanticismo», y traza una raya. No. Esa idea estaba flotando en el ambiente de este gran artista quien, por su parte, bien pudo haber anotado que su revolución más profunda estuvo en el ensanche de la forma orquestal y la creación de los *scherzos* sinfónicos.

De vuelta al tiempo de hoy, vale la pena hablar de un creador contemporáneo que, algunas veces hasta por contraste, ayuda a recordar la diversidad de los caminos en la composición musical. Se trata de John Cage, a quien conocí mucho en Nueva York. Cage es Cage. Es el azar puro en que nada debe estar predeterminado. No se debe de intervenir para nada el azar; esta conversación en este restaurant, este sitio con sus sonoridades, según él, es ya una obra: es la música que suena del señor conversando por el teléfono, del mesonero tomando la comanda o de la parejita riéndose. Esa es la obra, uno no debe intervenirla. El oficio de compositor desaparece, el oficio de artista desaparece. Lo más interesante de Cage no está en su obra musical propiamente dicha, sino en una especie de arte de la situación que con ella se produce. Cage es un precursor de lo conceptual dentro del pop art; trabajaba entre el sonido del ambiente y la visión plástica, con una visión de que su obra se puede percibir teatralmente... Mis obras, por el contrario, son obras de orquesta, obras de cámara, escritas con el detalle de quien no quiere dejar las cosas creativas al azar.

Hace varios años que estoy volviendo a usar la melodía. Todas mis obras últimamente tienen melodía, solamente que es tímbrica, no convencional. Elaboro actualmente algo que parece una apología del tango, pero que no es un tango de melodía tradicional. Una obra con recursos orquestales muy modernos; una alegoría donde no se siente el tango de forma evidente, pero está allí casi como un fantasma. Allí el reto de hacer algo sugerente, pero que no sea copia, repetición. A lo mejor crear la melodía tanguera, pero no dentro de un tango cuadrado por sus naturales fórmulas y recetas. ¿Me explico?

Violeta Alemán
(Caracas, 1956)

Tengo tiempo tratando de saber quién soy, creo que al fin estoy dilucidándolo. En principio, yo soy Violeta Alemán. Miriam Violeta Rondón Alemán, el nombre que me asignaron mis padres, pero mucho más importante es saber quién soy internamente. En este sentido, puedo definirme como alguien que ha puesto y pone al arte como elemento central de su vida, y con ello marca el camino a seguir.

Sí, el arte me juega papel en todo; porque en la música, en la actuación, en el canto, me va la vida. Entonces, si lo digo corto, digo que yo soy canto, música, teatro; es más, desde pequeña no recuerdo ni querer, ni saber hacer otras cosas distintas. Pertenezco a una familia de nueve hermanos –soy la octava– donde siempre reinó un clima de música, de juegos. Recuerdo a uno de mis hermanos mayores vestido de cura bautizando una muñeca mientras los otros cantábamos; los actos del Día de las Madres cuando invitábamos a nuestros amigos y familiares... a mi padre llegando a la casa con algunos amigos de Los Antaños del Stádium, y yo levantada de madrugada dándoles serenata.

Especialmente me llega la imagen de mi mamá en la mañana cuando, al levantarnos mientras hacía las arepas, cantaba canciones venezolanas y tangos dificilísimos de entender por el lunfardo de su lengua. Aquellos tangos me dejaron una enseñanza: desde entonces sé que si no entiendo una canción, pues no la puedo cantar.

En el arte uno debe comprender bien lo que quiere transmitir, de lo contrario... Una clave del camino a recorrer, creo, está en saber lo que se quiere expresar para entonces sentirlo, transmitirlo. Me inicié de niña como cantante de música criolla y solista de conjuntos de aguinaldos. Mis raíces están en la música popular venezolana que cantaba de pequeña. Tenía un estilo parecido al de Olga Teresa Machado: un pedacito de mujer con un vozarrón a quien veía interpretando música venezolana en los programas del canal 5 de la televisión. Al comienzo viajé muchísimo con Trino Muñoz e hice muchos programas a la manera de Olga Teresa, hasta que, a los quince años, descubrí el mundo de la formación académica, de los conservatorios.

Entré al Conservatorio Prudencio Esaá; también estuve en el Coro del Liceo Fermín Toro dirigido por Servio Tulio Marín, quien me llevó a una audición para la Coral Filarmónica de Caracas, a cargo de Vinicio Adames. Allí, de la mano del maestro Adames, experimenté la hermosa experiencia de formar parte de una coral: tienes que controlarte el ímpetu, ese ego; adaptarte a una masa vocal, al colectivo. Una enseñanza muy útil, por demás. Carmen Teresa Mercado, mi maestra del liceo, ya fallecida, me enseñó muchas cosas sobre la respiración, sobre la línea vocal. Luego trabajé con el profesor Luis Contreras, quien insistió muchísimo en la técnica a la italiana. Después me fui a Nueva York; allí estudié por dos años y medio con Rose Bampton, la intérprete del «Fidelio» grabado y dirigido por Arturo Toscanini, en la Julliard School of Music. Con la profesora Bampton estuve dos años y medio; aprendí muchísimo: el arte del legato, de las notas sostenidas, dicción alemana o francesa y, sobre todo, las enseñanzas vitales de una dulzura de mujer. Hice tal avance con ella que hasta gané un concurso de canto.

Fue en esa época –principios de los años 80– cuando regresé a Caracas para cantar «La Traviatta» en el Teatro Municipal. Ya para aquel entonces había hecho un «Rigoletto» en el Aula Magna. Vinieron los roles centrales de «La Traviatta», «Lucía de Lammermour» y «Don Pascuale». Un concierto en la Alianza Francesa me marcó muchísimo porque fue la primera vez que afronté música francesa verdaderamente difícil; hubo también presentaciones como solista en el Aula Magna acompañada por la Orquesta Sinfónica Venezuela. Después estuve en Italia, donde estudié con Yolanda Magnoni y me presenté dos veces interpretando arias de Mozart. Fue un periplo muy rápido, porque tuve que regresar a Venezuela debido al problema de la moneda de 1983, pero aun así me mantuve ofreciendo conciertos afuera, donde me invitaban; estuve en España, Italia y Checoslovaquia.

Digamos que un poco obligada por las circunstancias de la vida, viendo que aquí no se desarrollaba una larga temporada de ópera, atendí el llamado de ese gusanillo de la actuación que siempre he tenido. Porque un cantante de ópera, valga decirlo, debe hacerse en el escenario. Tú no puedes cantar un día y luego pasar seis meses, uno o dos años sin cantar. Tiene que haber cierta continuidad, presentaciones, conciertos, de lo contrario tu condición artística sufre, tu instrumento vocal se oxida. Yo eso, lamentablemente, lo he comprobado; hasta hubo un período de mi vida en que tuve que dejar de lado la carrera lírica y encontrar otro cauce. Dijo entonces la crítica que el teatro le había robado una cantante a la ópera. Yo respondí que no. El teatro no le robó la cantante a la ópera; el teatro y la televisión me dieron, sí, la oportunidad de continuar expresándome.

Allí no me cerraron las puertas, como lo hicieron en el Teresa Carreño cuando iba a hacer «La Traviatta» en una oportunidad y sufrí una traquiatitis con orden de reposo médico por quince días. Luego, a pesar de la constancia médica y ya curada, el director español no me permitió cantar. No me dejaron entrar a los ensayos. Nadie ayudó. Literalmente me cerraron las puertas. Eso me dolió muchísimo; fue una de las causas por las cuales decidí retirarme temporalmente del canto lírico e iniciar la carrera de actriz profesional.

Afortunadamente el germen de la actriz ha estado siempre dentro de mí; de lo contrario jamás hubiera podido enfrentar un rol operático. Es más, cuando soy actriz lo disfruto al máximo tanto como cuando soy cantante. Combino ambas actividades sin problema alguno, hasta me dan soporte metodológico. Aquí vuelvo a insistir en cuán importante es para la expresión artística saber lo que se dice. Tanto el actor como el cantante se transforman en emisores del mensaje del autor, al punto de tener que replegarse; es decir, de poner su voz y presencia cual instrumento al servicio de la escena.

En la televisión me hecho un nombre del cual me siento orgullosa; también en el teatro y en el cine. El paso tomado en ese sentido, digo, ha sido muy beneficioso. Las cosas pasan por algo, yo nunca le echo la culpa a nadie. Uno es responsable de todo lo que sucede en su vida y eso lleva su tiempo entenderlo, aprenderlo... Cuando recuerdo los aplausos del público en el Teresa Carreño, en el Teatro Municipal de Caracas que fue mi teatro, me convenzo que debo seguir adelante. Pero seguir de acuerdo con las oportunidades, con lo que la vida trae. Uno tiene que desempeñarse bien; si una cosa no la realizas de acuerdo con tu máxima capacidad, pues es preferible no hacerla.

El canto lírico requiere de un conocimiento muy profundo de la técnica; el cantante lírico estudia para saber cómo colocar la voz. El cantante popular no necesita nada de eso, al menos conscientemente no lo necesita; si es bueno, lo hace espontáneamente y de mil maravillas. Creo que el cantante lírico puede también hacer lo popular si lo hace con toda honestidad, con toda naturalidad.

Cuando decidí hacer boleros, entendí que no podía cantarlos con impostación porque sonaba raro, extraño o, peor aún, ridículo. Para los boleros tengo que arriesgarme a utilizar el registro grave, mi voz central que es buena, y así acercarme a una interpretación no lírica, pero convincente.

Hay diferencias entre el canto popular y el lírico. Claro que las hay. Lo bonito está en que el cantante lírico ponga al servicio de lo popular su técnica, su conocimiento, y acepte también que lo popular es hermoso, maravilloso; en mi caso, ya lo dije, es la esencia.

Pienso que en música no hay nada regular, las cosas son buenas o malas, y uno –aquí termino– debería esforzarse en no discriminar géneros sino en tomar con seriedad e ilusión todas las oportunidades que se van presentando, para así conseguir la mejor expresión posible en el área que le toque desempeñar.

Andy Durán
(Caracas, 1949)

Hay un momento en la vida en que uno descubre quién es realmente. Lo digo porque en un principio tomé formación como administrador trabajando en bufetes y oficinas de auditores, participando en todo lo que era la carrera administrativa.

Desde finales de los años 60 hasta 1982, tuve una vida laboral de pura administración entre balances consolidados, auditorias, haberes o deberes. Y aquello no estuvo mal, porque de la formación gerencial le queda a uno cierta disciplina que siempre va a ser útil. Sin embargo, por encima de esa consideración positiva, hoy veo mi paso por la administración como parte de un proceso de descubrirte a ti mismo que, como sabemos, muchas veces puede llevar al riesgo de tomar o cambiar una decisión vital: ¿Hacer lo que me había recomendado mi familia, o atender a lo que sentía cada año con más fuerza como verdaderamente mío? ¿Abandonar la administración y dedicarse a la música...? Yo lo hice y tuve que pagar un precio un poco duro, pero de resultados satisfactorios.

Al iniciarme en la profesión de la carrera musical, nadie me conocía; ni siquiera yo mismo me conocía. Pasé necesidades, perdí la tarjeta de crédito, me cortaron el teléfono. Me iban a quitar el apartamento y desesperado enviaba cartas ofreciendo servicios o solicitando ayuda. La familia, por su parte, sentía que había cometido un error al cambiar de profesión: «¡Conchale, músico! Pero si mi hijo es preparado; qué va a estar inventando a estas alturas, casado, con 33 años, esposa y tres niñas; eso es una locura...». Me miraban con el cariño familiar, cierto;

querían para mí lo mejor, cierto, pero las cosas al final eran como tenían que ser.

Para aquel año 1982 ya había realizado algunos estudios de música en la Escuela Superior José Ángel Lamas y aprovechando el cierre de una empresa donde trabajaba, me dije: éste es el momento de dedicarme de lleno a ser un profesional de la música, lo cual significa que los alimentos, la vivienda, el colegio de los nietos, de mis hijos, lo que sea, vendrá del arte musical, mi verdadera vocación. De modo que la música ya no era cosa de aficionado; se trataba de una nueva profesión lejos del «hobbie» de un oficinista con llave del baño de los ejecutivos, puesto para parar el carro, del hombre de gerencia con firma en los cheques de la empresa y cosas por el estilo. No más el tipo que sentado en su escritorio soñaba con los estudios de grabación, con los ensayos, las orquestas, los arreglos; con los discos de Tito Rodríguez, los mambos, «chachachá» o el jazz latino. Había llegado el momento de comenzar por cumplir con el oficio del copista musical.

Un copista en música es quien redacta de forma legible cada una de las partituras que previamente el arreglista escribe. En el difícil momento del comienzo, pude abrirme paso ofreciendo mis servicios de copista y, afortunadamente, cumpliendo con ello eficientemente. Por ejemplo, el maestro Aldemaro Romero me daba sus partituras y yo tenía que sacar cada una de las partes, que se llaman «particellas» o partituras, para una flauta, el saxofón, la trompeta, para lo que fuera. Asimismo sucedía con Billo, Eduardo Marturet o Eduardo Cabrera. Además, como algo sabía del arte de arreglar, de pronto descubría uno que otro detalle en el arreglo a copiar y lo corregía con el visto bueno del maestro, e iba así aprendiendo más de este arte de ordenar los sonidos en un grupo orquestal para que suene adecuadamente y los instrumentos cumplan su función: las trompetas, tal vez dando fuerza; los saxofones o los violines, quizá acompañando la función del ritmo al establecer el pulso... Un buen arreglista ordena todos esos sonidos, todas esas funciones de los instrumentos, según el criterio que tenga; según su formación aderezada con una buena porción de intuición que siempre hace falta cual el sexto sentido necesario para arreglar, dirigir y, sobre todo, componer.

Mi máxima ilusión era tener una banda como la de Tito Rodríguez o la de Billo. Una banda de saxofones, trompetas, trombones y sección rítmica, tal cual me la había estimulado sin querer mi papá, quien compraba muchos discos y a mí de pequeño me transmitía la afición, el interés por la música. Era la época de los discos de Pérez Prado, Fajardo, Tony Camargo, la Sonora Matancera, Chucho Sanoja y especialmente Tito Rodríguez, no solo por su calidad musical, sino por la calidad en todo: aquellos músicos elegantes, el sonido, la carátula «Live at Palladium in New York»... yo era un muchacho quizá de diecisiete años y desde entonces quería ser un personaje como esos de la fotografía, todos vestidos de rojo, bien peinados, una cosa especial: ser un músico es algo especial, me decía mientras aquello se convertía en un imán irresistible.

En los años 80 trabajé con orquestas bailables ejecutando el timbal, la percusión, arreglando y, sobre todo, ordenando las presentaciones. Tocábamos un repertorio de guarachas, merengues, mambos, salsa, boleros, todas esas cosas que tradicionalmente se bailan aquí en fiestas, graduaciones, bodas o eventos de empresas. Y por fin llegó el día en que tomo la decisión de convertir la banda de baile en banda de jazz latino. Ser líder, me digo, a la manera de Tito Rodríguez ofreciendo orquestaciones elegantes, repertorio de buen gusto, excelentes músicos. La idea me viene clara y necesito de un nombre para la banda, pero también para mí como artista. Porque debo decir que mi nombre de bautizo es Nelson Valor quien, como músico, ya en los años 60 había participado con un conjunto de «hobbie» musical en compañía de Nelson González, que posteriormente se conocería como «Nelson y sus estrellas».

En ese entonces el nombre Nelson era muy popular en nuestro ambiente y creaba confusiones: Nelson Henriquez, Nelson Aliso, Nelson Figuera, Nelson González, Nelson Valor... Llegué así a la conclusión de que para abordar mi nuevo proyecto, debía ubicar un nombre artístico personal y otro para la orquesta, entonces llamada Palladium. Busqué entre mis libros un nombre que fuera fácil de recordar, de pronunciar y de escribir incluso por extranjeros: Andy Durán suena internacional es bonito, corto; fácil de decir en esas cuatro sílabas ligadas estratégicamente a la música que hoy estoy haciendo; es decir, jazz, que debe asociarse a estrategias para facilitar las cosas, penetrar mejor en los aficionados y en los mercados latinos (recuerdo a mi papá diciendo en tono de reclamo: «Cónchale, ¿ por qué este muchacho se va a cambiar el nombre? Si es que nosotros somos Valor a mucha honra»).

Era el tiempo de los festivales «Venezuela Jazz Festival» o «Caracas Jazz Festival». Notaba mucha aceptación para la orquesta, tal vez porque sonaba con muchas potencia, con sonoridades bien logradas. Sucedía que muchos de aquellos arreglos estaban escritos especialmente para la banda por un icono de la música latina, el maestro Ray Santos, a quien contraté no sólo para que escribiera para la banda, sino para aprender a escribir como él. En cierto modo un complemento importante a los conocimientos musicales que siempre deben seguirse enriqueciendo.

El maestro Santos nos hizo diez arreglos de números clásicos en el jazz latino. Yo quería tocar sus partituras, atestiguar cómo escribía el arreglista que había participado de las tres grandes *big bands* de todos los tiempos –Machito, Puente y Rodríguez–, y por ello fui a Puerto Rico. Le llevé los dólares pactados –un tipo muy amable– y recogí mis arreglos. De vuelta me puse a analizar esos arreglos, a ensayarlos, a copiarlos de puño y letra, porque una fórmula para aprender está en tomar un arreglo de un maestro y copiarlo nota a nota; es como si el pollo pisa su misma huella, ¿quién entonces hace la huella del pollo?

Llega un momento en que el alumno ya no necesita más al profesor. El alumno llega a sus propias conclusiones; entonces la frase que posiblemente la orquesta de Puente trabajaba en armonía se escribe en unísono, según uno mismo. Consigues tus colores, tus matices; así ya estás tomando tus propias conclusiones, definiendo las intenciones de acuerdo con tus capacidades y tu entorno.

No es lo mismo que vivas en Nueva York, toques música allá o que lo hagas aquí en Venezuela donde vas a tocar al mismo tiempo que ellos, sí, pero haciéndolo según tu entender, de acuerdo con tu punto de vista, en este ambiente, con excelentes músicos venezolanos: David González, Julio Flores, Robinson Ramos, Carlos Gómez, un bajista como José Vicente Muñoz, «Mortadelo», un pianista como Carlitos Pérez; una sección rítmica ajustada, perfecta –Daniel Cádiz, en el timbal, Rafael González, en las congas, Richard Pacheco–, todos ellos a la par de cualquier constelación de estrellas niuyorquinas o de cualquier parte, y a la prueba me remito (oiga cómo sonamos y luego hablamos).

Creo que el haber pertenecido a una plana gerencial te da mucha disciplina para manejar una banda. ¿Qué es una banda?, yo la definiría como una empresa de servicios. ¿Qué servicios da?, un servicio artístico musical. Sin embargo, una banda debe tener como una gerencia, una recepción. Cuando va a tocar, uno ve los músicos, pero antes tiene que llamar a coordinar los ensayos, el uniforme, el transporte, los atrileros, el sonido, las luces o quizá la tarima; entonces se necesita a alguien que pueda coordinar todo eso. Luego viene la disciplina para que los músicos sean respetados y ellos respeten la organización, reciban su pago adecuado, se sientan bien... En eso, haber estado en una empresa como gerente, administrador y contador me ha dado muchas ventajas, porque normalmente el artista tiende a ser un poco bohemio, un poco informal y muchos colegas que han comenzado proyectos de tener orquestas y cosas por el estilo, a pesar de tener las condiciones musicales y artísticas necesarias, no han llegado muy lejos.

Un líder que sabe arreglar, dirigir, ser ejecutante, tiene también que saber de fotografía, saber vestirse, saber hablar en público. Debe cultivarse, ir a ver una buena película o leer un buen libro, ir a un buen restaurant. Todas esas actividades paralelas van a enriquecer tu espíritu o tu nivel para que lo que tú produces musicalmente sea cada día más depurado, más sobrio.

Otro de los secretos de una buena banda es la selección del repertorio. Para grabar un disco, no podemos buscar cualquier cosa, hay que buscar buenos compositores, temas que valgan la pena desde el punto de vista melódico, armónico y rítmico, pero también que históricamente tengan un significado para la gente.

Sé que no soy el mejor músico del mundo, pero sí soy organizado. Y el que organiza bien tiene ventajas: gana tiempo, rinde y cumple. En un programa de televisión, por ejemplo, tienes que estar todos los días, no puedes fallar con el compromiso; entonces la organización musical debe acompañar a Violeta Alemán o a Ilan. El arreglo a veces me lo dan, pero a veces no –hay que organizarse, insisto. «Mañana viene Violeta»... y son tres arreglos para ella, que deben ajustarle bien, según su estilo, su tendencia y su disco. Acometer ese trabajo sin ser organizado es imposible.

Cuando comencé en el mundo de la música yo quería ser un líder profesional y hoy todavía quiero seguir siéndolo. Continuar en esto, pero ya con otra estrategia: quiero ser una estrella. Esto significa que mi nombre tiene que estar al lado del de Paquito D'Rivera en la marquesina, y para lograrlo requiero de una estrategia especial que poco a poco se va diseñando. Mientras tanto, tengo que seguir trabajando, grabando discos para garantizar presencia y vigencia; seguir trabajando en la televisión, en el radio; continuar con los arreglos, con las investigaciones en busca de repertorio, en fin, seguir adelante por todos los medios a mi alcance.

Creo que terminaré mis días siendo músico integral, abierto, sin amarguras, o, si no, por el contrario, muy feliz por vivir de la música. Porque para mí esto no es un trabajo, es un verdadero placer convertido en lo mejor que puede conseguir un ser humano: hacer la actividad que más le gusta y transformarla en su medio de vida.

Ilan Chester
(Tel-a-Viv, 1952)

¿Quién soy? Soy el alma que reside en un cuerpo compuesto por los elementos básicos: la tierra, el agua, el fuego, el éter, la mente y la inteligencia. Pero estoy condicionado a pensar que soy venezolano de origen israelí, de padres europeos, y con una convicción filosófica originada en la India milenaria. En esta oportunidad, también soy un músico de corazón sensible y variadas influencias: clásico, pop, blues y jazz. Mi dedicación a la música me ha llevado a muchos paises, y he podido compartir escenarios con importantes artistas que admiro. Mi primer disco como solista salió en 1973 y he presentado casi un disco por año desde esa fecha. He compueto unas cien canciones a lo largo de esta carrera, y he experimentado emociones extraordinarias, de las cuales la más importante está en la reciprocidad amorosa humana. De allí que estuviera un tiempo ocupado en la actividad de la propagación del conocimiento de los Vedas, en una actitud misionera.

Yo estoy endeudado con mis padres, con el doctor Fernando Rísquez, con el público que durante treinta años me ha recibido en sus corazones, pero sobre todo con mi maestro espiritual, A. C. Bhaktivedanta Swami Prabhupada, quien me ha enseñado todas las verdades de la vida. Lo mío se dirige a la producción cuidadosa del mejor material musical posible, tratando de ser cada vez un mejor ser humano, hasta que la hora llegue de asumir una actitud renunciada, esperando calificar ante los ojos de Dios, y así aguardar a la muerte en completa actitud de entrega.

Hay una tremenda creatividad simultánea en esto de la música. En el momento en que yo escucho, con una parte del cerebro, como que a la misma vez produzco con la otra parte. Es algo parecido a lo que me sucede cuando alguién requiere una canción para un comercial o una promoción, y mientras me están hablando de la música, de lo que se quiere, pues estoy produciendo ideas sonoras. Sobre esto no tengo control: una vez que se me activa la capacidad creativa, quiéralo o no, ya no paro. Y así es como me funciona.

En lo que se refiere al canto, creo que lo primero es seleccionar el repertorio, para luego encontrar la manera de cantarlo, especialmente cuando se trata de una canción que no es propia. Allí hay un reto, una aventura. ¿De qué manera se puede hacer esta canción? De los cientos de formas posibles, ¿cuál escojo yo? Tal es para mí la aventura interpretativa. Para abordar un proyecto disquero creativo hay que ubicar tanto el concepto musical como las canciones adecuadas a tu voz. Mis *Cancioneros de amor* –los discos venezolanos y el puertorriqueño– tienen como objetivo presentar música ligada a la relación amorosa entre dos personas. No se trata del sentimiento hacia la patria, la geografía, o hacia otros aspectos importantes de la vida; el tema es el amor de pareja. De allí que magnificas canciones latinoamericanas que no tienen esa característica conceptual no aparezcan, ni se consideren en los contenidos de los canciones.

En la melodía está ochenta por ciento de la canción. Las letras son ñapas, porque la melodía es suficiente lenguaje para expresar cualquier sentimiento. No hay mucha necesidad de palabras para expresar los sentimientos, la melodía es suficiente, pero tenemos la añadidura de poder tener poesía de palabras, y tal vez la gracia de juntar esas palabras con lo que ya se puede expresar en música. Cuando la canción es buena, está bien compuesta, la letra en sí se hace reveladora, sugiere la manera de cantarla, de respetar la melodía que la marca.

El toque en los piano-bares fue mi escuela dura. Cantar todo tipo de música, para todo tipo de gente. Desde... *óyeme, Cachita...* hasta las cosas propias. Conseguirme a los 19 años en un club llamado Sunset, por decir algo, tocando piano y secuenciadores y cantando para complacer al público. O en la terraza del Hotel Tamanaco, con trío de bajo y batería, donde podía darme la licencia de tocar un repertorio internacional ligado a otros idiomas, a géneros no bailables como el jazz; a gente que prestaba atención especial a lo que uno hacía, como aquel tipo que solicitaba canciones y que luego resultó ser Rubén Blades... La experiencia de los toques nocturnos no es indispensable, pero es conveniente. Le da ruedas al artista, lo hace codearse con otros músicos y con el público más diverso: te conviertes en un *entertainner*, una persona encargada de hacer feliz a los demás, de animarles la vida, hacerlos bailar al momento en que se apagan las luces y quedan frente a un momento de ensueño en sus vidas.

¿Causa extrañeza que no toque el piano en mis últimos proyectos, a pesar de que lo hago en mis presentaciones en vivo? Lo que pasa es que la personalidad musical que combina a Ilan con su piano es otra: ése es el cantautor, y creo que el piano estaría muy celoso de verme tocar cosas de otros compositores. Entonces, de una u otra manera me siento mucho más cómodo dejando el piano cuando se trata de abordar todos los otros aspectos de producción de estos proyectos en los cuales, ciertamente, me involucro. No le encuentro una explicación muy racional, pero al momento de la ejecución del piano, prefiero en esos casos que lo haga otro. ¿No es magnífica la intervención de Otmaro Ruiz al piano en el dueto de «Tú no comprendes», del *Cancionero de amor puertorriqueño*?

En el caso del *Cancionero de amor puertorriqueño*, y como consecuencia de los proyectos que realizamos con nuestra música venezolana, hicimos una visita a Puerto Rico, invitamos a amigos con profundo conocimiento musical –entre ellos Ángel «Cucu» Peña, coproductor del disco, a quien enseñé «The look of love», de Diana Krall, alma gemela inspiradora de este proyecto–, e inventamos una noche de bohemia y canto con una encuesta de canciones importantes, según el gusto de los invitados. Y entre cientos de temas bellísimos quedaron once para el disco, con el agregado de «Ausencia», de Rafael Hernández, escogido por el puro gusto propio: ¿habrá alguna canción que exprese mejor el desconsuelo de la soledad?

Luego vino el proceso de ajuste de los temas a la voz; eso de sentarse al piano con un metrónomo, a ver cuál era el tiempo y el tono adecuados a cada tema. También hubo que ubicar la atmósfera que se debe crear para dar unidad dentro de la variedad; porque si hay algo que a mí me gusta dentro de la unidad de un disco es la variedad. El disco puede ofrecer entretenimiento, pero debe tener una dinámica, debe llevar al oyente a diferentes emociones y hacerle sentir diversas sensaciones. De eso, al final de todo, es que se trata.

María Rivas
(Caracas, 1960)

Mi nombre es María Asunción Rivas Castro. Cuando comencé a pintar firmaba MAR; después, cuando le tocó al canto, llegó el María Rivas, nombre de caraqueña nacida en la parroquia la Candelaria, que desde muy niña ha dado su enfoque artístico a través de la pintura, del dibujo y, por supuesto, del canto.

Desde chiquita tuve los anhelos y las expectativas de ser pintora y también cantante. Uno de mis sueños a los trece años era actuar o con Sergio Mendes o con el maestro Aldemaro Romero. Con Aldemaro el sueño se cumplió, con Sergio Mendes tengo la deuda pendiente. Debo mencionar, además, otras motivaciones familiares: mi padre era un hombre mayor –yo era casi una nieta para él–, un oriental de Caicara de Maturín con gusto, muy de melómano, por enseñarme la música americana, la mexicana, la rusa; desde lo clásico hasta lo contemporáneo. También gustaba de la pintura; leía Azorín, Lope de Vega, le encantaba estimular ese enamoramiento hacia las artes que mi mamá, una gallega de La Coruña muy femenina, coqueta, no se negaba en complementar. Será entonces que en mí se dio una fusión muy interesante globalizada a través de lo que soy y pienso.

Le debo a mis padres parte de la inspiración animada con experiencias que ellos mismos permitieron; como por ejemplo ser alumna de Pascual Navarro, un ilustre pintor venezolano quien llevaba en su espíritu siempre esa onda libre, moderna, francesa, que yo captaba a los ocho o diez años, cuando fui su alumna tres veces por semana. Él vivía en Sabana Grande (en la calle que hoy lleva su nombre) y yo en Los Caobos. A veces el maestro se comprometía a llevarme a la casa cuando terminábamos la clase, pero antes pasábamos a visitar sus amigas francesas. Esa experiencia complementaria me motivaba muchísimo porque todo en ese hombre, hasta sus piropos, era arte: «¿Cómo está mi niñita? Si ya no parece una niña, ahora parece un Renoir... ¿Quién fuera el aeropuerto que tienes en tu cuerpo para aterrizar?».

A los doce años, principios de los 70, me vuelvo señorita; también me da por ser un poco rebelde. No más gimnasia olímpica ni saltos ornamentales en la Universidad Central de Venezuela; nada de ir a clases con Pascual. Quería pintar por mi cuenta en óleo, estudiar dibujo técnico y publicitario luego de graduarme de bachiller en el colegio La Consolación y, de paso, cantar.

De dieciséis años cantaba lo de Bárbara Streisand, lo de Gladys Knight, lo de Lanny Hall, lo de Sergio Mendes. Lo hacía imitándolos, parecido a cuando de chiquita bailaba a lo Tongolele o a lo María Antonieta Pons. La misma que mi papá me mostraba en la televisión: «¡Mira, María Asunción, ven para que veas!, la Tongolele, es la Tongolele, pero la propia es María Antonieta Pons, ésa que vuelve loca no sólo a los hombres, sino también a las mujeres...». A mí me encantaba, le bailaba y en esto heredaba la echadera de broma de este papá oriental –«¡Ay, papito, cuerpo e palmera cara de coco!», le decía a mi mamá–, el gusto y talento para imitar (esto me ha servido de mucho en el aprendizaje) o el carácter de una mamá superextrovertida, todo esto contó y ayudó para definirme como mujer espontánea y valiente. Porque así como me gustaba imitar a María Antonieta Pons o tirarme de un trampolín de tres metros, así también me comportaba con la música y la pintura.

Desde mi adolescencia siempre luché por mantenerme delgada; tenía una obsesión estética. Soy muy visual y creo que me he atrevido a hacer mi voz en el jazz, porque trato de vocalizar aquellos trazos pictóricos que a los diecisiete años me hacían soñar con el dibujo publicitario de modas –veía en la revista *Vanidades* un artículos acerca de Marc Chagall y me decía: ¡Ay Dios mío!, quiero conocer un día este mundo artístico.

Es el tiempo cuando quise entrar en el Conservatorio Juan José Landaeta, pero un profesor de canto, tenor lírico español, me rechazó por tener, según él: «una pobre voz blanca». «Si quieréis, podéis estudiar música, pero jamás seréis vocalista...», eso dijo el profesor y estuve como un mes deprimida, hasta que Marisol, una gran amiga, me cuenta un sueño: «Soñé que tú estabas cantando y que tenías un vestido negro. Además, había mucha gente aplaudiéndote. No sé, yo creo que tú vas a ser cantante».

Me levantó el espíritu la premonición de Marisol, porque en esos días había buscado puesto en un concurso de Radio Capital y, justamente, tenía pensado presentarme con el vestido negro del sueño de la amiga. Llego entonces a la radio y Carlos Moreán, arreglista de los temas escogidos por los concursantes, me pregunta: «Bueno, muchachita, ¿qué tema escogiste?». «Así eres tú» de Aldemaro Romero, le contesté. «Tú si tienes ganas, tú si eres atrevida; esa canción es muy difícil...». ¡No y no! ¡Ésa es la mía! La canté pero ganó el concurso Doris Hernández: 202 puntos para ella, 201 para mí.

La época era muy *fashion*, me gustaba mucho inventar. Cosía mi propia ropa. Estaba de moda agarrar un *blue jeans* y convertirlo en falda; yo era experta en hacer ese tipo de cosas, en inventar mis propios métodos. En esa onda descubro a Bárbara Streisand y me invento una forma de estudio donde yo cantaba con su disco o, mejor dicho, con su casete. Me acostaba con los audífonos, investigaba dónde respiraba la Streisand; retrocedía, la volvía a poner. Después sacaba los audífonos, trataba sola o doblaba encima de ella. Sentía la potencia, llegaba a los tonos altos; poco a poco podía utilizar los vibratos de la Streisand. Buscaba un rincón de la casa, entre dos paredes, parada de frente como a veinte centímetros, cerraba los ojos para sentir una especie de audífono gigante y escucharme... *la... laaa... la... lara...* Pura intuición que acompañaba con ejercicios de yoga; mucho del mundo de la filosofía oriental, pero a la vez con un sabor a Cristo –soy muy fanática de Jesucristo en todo sentido–, que combinaba con el canto (!). Duré haciendo eso desde los diecisiete años como hasta los veinticuatro, que es cuando viene lo de cantar de noche como profesional.

A los diecinueve años me casé con un fotógrafo y tuve a mi hijo. Trabajaba en publicidad, como diseñadora gráfica y dibujante (tuve escuela práctica en el departamento de diseño de Sears). Un día de 1984 llega a casa Alexander Berti, contrabajista del mundo nocturno caraqueño, amigo de Roberto, mi esposo. Yo, romántica, apasionada, soñaba siempre con cantar en público. Alexander propone un trío con Andrés Briceño y el bajista Miguel Ángel Blanco; empezamos a ensayar en la casa cosas de Jazz. «Tú no deberías llamarte María Asunción, ni Mary –dice Roberto–, tú eres María antes de cantar...» Y soy entonces la María que recibe clases de Tony Bennett o de Ella Fitzgerald a través de discos prestados. Así comienzo a entender el jazz.

Para entonces no hablaba inglés. En las presentaciones nocturnas del Gala improviso hasta el idioma. «Misty» era: «Look at me... dubidubidubidui....» Puro invento que hacía a algún señor aficionado opinar: «No entendí nada, pero cantas muy bien en inglés». Luego iba a visitar el Juan Sebastián Bar, a encontrarme con Oscar Maggi, maestro pianista, a quien le pedía acompañamiento: «Bueno, pero tiene que ser jazz. Haga un blues...». Él hacía el blues; yo, como no me sabía ninguno, metía una canción de Bárbara Streisand dentro del blues y era un éxito. A Oscar Maggi le debo mucho por haberme respetado como intérprete; él es como un padrino musical.

La verdad, hasta entonces no me tomaba en serio mi carrera de cantante. Pero comencé a ganar como profesional, a ver que me iba mejor que trabajando de dibujante. Fui dejando la pintura, el dibujo; volví a la gimnasia olímpica, al Yoga –uno como que hace yoga cantando; tienes la conciencia de la respiración y la visualización de la voz. Total, me convencí de mi destino como vocalista.

Tuve mucha empatía con Danilo Aponte, contrabajista lamentablemente fallecido en un accidente de tránsito. Nos quisimos muchísimo. Es Danilo quien un día me invita a un trío con Silvano Monasterios y Gustavo Calle: Le Cardiú, conjunto de una imagen muy elitesca contratado para el Piazza o la Búsola, cerca del Gran Café de Sabana Grande.

En aquel tiempo, años 80, necesitaba modelos a seguir, artistas afines. Rubén Rebolledo un día me prestó un casete de Elis Regina; se me dispararon los tapones, porque me identificaba totalmente con ella: la locura, hablar del mar, de estrellas. Sentía como el vibrato no era tan necesario al cantar –a veces yo vibraba demasiado–, debía tratar de dar más dinámica, usar líneas suaves. En Elis Regina empecé a reconocer esos mensajes: la sutileza brasileña de Astrud Gilberto, pero con pasión y locura latina.

En el momento que estoy en La Búsola, con Le Cardiú, también trabajaba como corista para Sonográfica. Debía movilizarme todo el día de aquí para allá, rápido, efectivo; por eso compré una moto y empecé a manejarla. El 27 de febrero de 1987, en uno de esos viajes diarios de trabajo tengo un accidente con la moto que me obliga a estar durante tres meses en una cama: me atropelló un carro por detrás; tuve fractura de fémur y clavícula. Durante esos meses de cama retorné a la pintura y al dibujo con la intención de buscar un estilo paralelo al canto.

Pintaba escuchando jazz hasta que al fin me recupero. En muletas vuelvo a la carrera del canto en la noche, pero de una forma distinta (cuando tú tienes un accidente en donde estás a punto de morir, tu vida cambia, se centra, tomas conciencia muy seria de tu profesión; te enfocas en aprender). Empecé a esmerarme, quería hacer bien mi trabajo, lo único que tenía para pagar mi operación. En las noches iba al club –Copas y Algo Más– a cantar en muletas y mensualmente llevaba un cheque a la clínica.

Una noche, esperando al contrabajista, llega un suplente que de paso viene a ser suplente del suplente. ¿Quién es?, ¿qué toca? Tiene un bajo Fender; dice que lo hace bien, que no hay rollo para tocar lo que le digan. Le comento a Rubén Rebolledo: pero este tipo es como colombiano, ¿más bien andino? ¿será uno que se llama Miguel?... En ese momento interpretan un instrumental que suena como el cielo. Siento mariposas en el estómago. El bajista mira y mira ¡qué cosa tan bella! Es Miguel Chacón quien toca, me estremece y enamora totalmente. Después del accidente la vida tenía otro enfoque, como una esperanza con este nuevo compañero, mi esposo actual, quien desde entonces me ha prestado soporte en el desarrollo musical.

Mi cultura viene de muchas partes. Soy de la generación de los Bee-Gees, de Génesis, de escuchar «Escalera al cielo». También tengo lo que es del barrio; ese mundo de motorizados al cual pertenecí –me decían La Catira–, de la salsa brava, amigos míos, panísimas a quienes dediqué la canción con que me dí a conocer popularmente.

Me llevo bien con la gente humilde de Caracas; me gusta mucho San Agustín, Cotiza, la Bombilla de Petare; no sé, hay algo bonito, siento allí la química necesaria para generar el acto artístico. Algo parecido a la vez que, estando en terapia de rehabilitación en Capaya, oigo los tambores barloventeños de San Juan, y me viene el «Manduco» que luego arregla Gilberto Simoza y grabo con éxito.

La gente creativa también te llega si estás dispuesta: cuando el accidente, en plena recuperación, tenía un visitante nocturno muy amado. Era, ni más ni menos, Aldemaro Romero con quien desde entonces he tenido la inmensa suerte de trabajar («Hablaré catalán», «Como lo haces tú», «Quien» son regalos de su pluma para mi voz). También está Víctor Mestas, tremendo pianista, quien se unió a nosotros para conformar el repertorio del concierto homenaje a Elis Regina; fue un momento aprovechado para hacer los dibujos de la promoción y ponerle al estilo gráfico utilizando el nombre «Urbismo» (una forma de caligrafía, inspirada en la obra del caricaturista RAS, que te dibuja el cuerpo humano).

Todo uno lo toma, todo vale. En una larga estadía en Aruba confirmé el estilo, trabajé a fondo el jazz, la música brasileña, los experimentos con música latina que luego me sirvieron para realizar la magnífica experiencia del disco con el maestro Alberto Naranjo –el propio «Swing con son». Con Gilberto Simoza fusioné música venezolana. He vivido el placer de verme acompañada por el maestro Chico O'Farrill y su orquesta en el Birdland en Nueva York, o por la Sinfónica Mariscal de Ayacucho de la mano del maestro Rodolfo Saglimbeni aquí en Caracas. Pronto ofreceré un nuevo disco con Miguel Chacón, una grabación de atmósfera *world music* que viene por allí. Sigo dibujando con la voz y con los pinceles; cierro los ojos, trazo colores sobre la base musical y continúo improvisando, como siempre he hecho.

Biella da Costa
(Curazao, 1960)

Yo soy Biella. Sí, Biella con «B» de Bolívar, «I», «E», «LL», «A». Biella Da Costa Gómez, apellidos que vienen siendo uno solo por parte de mi papá –de origen curazoleño– y que acompaña un Aguillón de Coro, estado Falcón, por parte de mamá.

En estos momentos, vivo en plan de mamá muy dedicada a su hija y a su familia, pero interesada en la música, como siempre. Trato así, desde mi casa, de ensayar, de informarme y aprender cada día más oyendo a mis compañeros músicos, quienes me ayudan en una búsqueda permanente de mejora como artista y persona. En esto estoy y creo haber estado desde el comienzo.

En mi infancia hacía ballet clásico, eso era lo mío a los diez años. E iba bastante bien, la profesora decía que tenía ritmo, que podía llegar a ser una buena bailarina. De hecho siempre había algo artístico en casa, siempre se manifestaba interés por la música, por el ballet. Tengo una hermana mayor que es bailarina profesional y quien me llevaba siempre a los conciertos en el Municipal a las 11 de la mañana; ella, Flor Alicia, bailaba en lo que después fue la Compañía del Teatro Teresa Carreño.

Mis otros hermanos mayores tenían instrumentos musicales. Con diez años de edad la agarro con una batería de ellos y también con una guitarra eléctrica. Pero no podía participar en sus conjuntos rockeros, estaba muy pequeña para eso. Los oía tocar, aprendía cómo podía a darle a la batería así, muy escuálidamente... No pude continuar en el Ballet de la Academia Americana y a los doce años terminé aquella feliz etapa de aprendiz de bailarina.

Mi mamá muere cuando tengo cinco años. Hubo un lógico desbarajuste familiar; mudanzas, cambios de lugar en lugar, hasta que formamos nueva familia con la esposa de mi papá. Aquellos ajustes duran unos cuatro años, hasta que termino el bachillerato.

En el bachillerato del Liceo Gustavo Herrera daba clases una maestra de coro muy interesada en que yo cantara, Consuelo Bariteau. En algún momento la profesora Bariteau me escucha acompañada con el piano del teatro del liceo, e intuye que yo desde pequeña estaba rodeada de un «quiero hacer música» inevitable. Porque ya entonces el interés había cambiado hacia el canto.

Afortunadamente me escogen como solista del coro y, al mismo tiempo, formo grupos de rock para gritar bastante; pero la profesora Bariteau resulta una persona tan entusiasta que entiende mi inquietud juvenil y, con todo y los gritos rockeros, me enmarca en el canto. Ella, sin duda alguna, fue un personaje clave para mi posterior desarrollo.

No estudié música de niña. Empecé formalmente a los 18 años cuando resuelvo que mi meta es la escuela de música, no la universidad. Es mi decisión. Mi papá, como todos los padres, me cuestiona: «¿Cómo vas a estudiar música? Es muy riesgoso...» Sin embargo, los contactos con grupos de rock y pop se multiplican; el interés está en esos estilos. Trato de cantar donde se puede, cuando se puede... en locales nocturnos, bares, en el Teatro Santa Sofía... Corre el año 1980 y un grupo llamado «Estructura» queda sin cantante; entro en su lugar. Luego viene «Etzal»; las ideas de Antonio Razzi, el guitarrista... por otra parte, sigo adelante con mi formación en la Escuela José Ángel Lamas: la teoría, el solfeo, el canto formal. Estudio con Federico Ruiz, un profesor especial; con Francisco Kraus, quien en esa época me decía: «¡Estás cantando rock-and-roll! Eso, Biella, no se combina bien con lo que aquí estás haciendo».

Fue una época muy rara porque había mucha confusión en mi cabeza. Estaba la parte de la música clásica que me gustaba y gusta muchísimo; pero yo no quería esa tendencia solamente, también me interesaba lo otro. La gente no lo entendía muy bien; por ejemplo Sarah Caterine, mi compañera de estudios, soprano hoy día muy destacada, era ordenada, controlada, hacía todas las tareas y además me ayudaba. A diferencia de Sarah, tan ordenada en todo, yo era un desorden, un desastre total, su propia contraparte. También tuve una maestra extraordinaria en Yoshiko Miki, una persona dedicada a la parte espiritual; esa parte que cuando uno está en la tarima, tanto se necesita y no se ve.

Siempre pensé que yo no tengo la voz como para ópera; no tengo esa condición. Hay que dedicarse mucho, es mucho el esfuerzo físico-mental, y ni tengo la fortaleza necesaria, ni la disciplina que tienen ellas... Se debe practicar para fortalecer o mejorar el canto, ¡y lo hago!, pero no estoy 8 horas como hacen las cantantes de ópera, como debería ser. Es muy difícil en estos tiempos y yo voy sobre la marcha. Mi espíritu está con la música, pero es una cosa que voy haciendo poco a poco, todos los días.

Llega el año 1981 y la gente de Fonotalento me propone hacer un disco. Acepto. Estoy en la época de Franco De Vita, de Ilan, de Daiquirí; el tiempo de oro de Sonográfica. No me doy a conocer porque al grabar siete temas decido que no quiero salir en programas de televisión sabatinos. Tengo miedo, me da temor todo aquello. Tanto Álvaro Serrano como Álvaro Falcón, quienes se habían dedicado a producir el proyecto, insisten. Les digo que me voy a dedicar a mi escuela de música, a mi cosa clásica; que no quiero nada con aquella farándula, que a mí no me gusta eso (los siete temas grabados nunca salen, pero toda aquella gente involucrada en el contrato me entiende yse portan de mil maravillas conmigo).

Sigo entonces en mi escuela de música y trabajo en una tienda de antigüedades. Al tiempo me llama Álvaro Falcón preguntándome si todavía quería cantar; le digo que sí, pero sin salir en televisión. Trabajo para Franco De Vita y con su grupo hago una gira por toda Latinoamérica. Empiezo a salir con Álvaro quien me introduce en algo de mi absoluto gusto: el jazz.

No terminé el conservatorio –¡nunca termino nada!–, pero sí comencé con el jazz de la mano de un conductor excelente: el mismo Álvaro Falcón que dirige, arregla, toca guitarra, compone y con quien hasta he formado una familia. Yo había oído jazz de pequeña, por mi papá, pero es Álvaro quien me lo redescubre. Es el tiempo de cantar con él los lunes en la noche; años del conjunto Casablanca de Álvaro, Luis Emilio Mauri, Iván Velázquez, Nené Quintero, Wolfang Vivas. Con Casablanca canto blues, rock y, poco apoco, me transformo para el jazz.

Diez años pasan desde el frustrado proyecto de Fonográfica. Al fin llega la propuesta para el disco «Solo Jazz» en 1992. El disco es consecuencia de lo que tocábamos en el Lobster Bar del CCCT: viernes y sábados ofrecíamos blues y rock, cierto, pero todos los lunes se hacía jazz porque era lo que realmente me interesaba.

La gente de la cerveza Solera costeó el proyecto con dirección, guitarra y arreglos de Álvaro Falcón. Se grabó en dos días en los Estudios Anide de Los Ruices; el repertorio fue de «standards» jazzísticos muy bien ensayados. No me cabe duda, grabamos porque era la oportunidad precisa de hacerlo.

La emisora de radio Jazz 95.5 FM fue la primera en apoyarnos; Moraima Blanco, musicalizadora de la emisora en ese momento, fue persona clave al creer en nuestra música, sonar el disco y dar difusión no sólo a mí, sino a cantidad de propuestas venezolanas que surgieron en la década de los 90. Aquella etapa fue muy bonita porque Jazz 95.5 FM y su gente –Jacques Braunstein a la cabeza– tuvo mucha receptividad para con los músicos venezolanos que hacíamos jazz; un género que no se grababa en el país sino muy ocasionalmente y que, desde entonces, ha tenido una mayor exposición.

En 1999 nació mi hija. Nunca pensé en tener la función de mamá, función muy grata por demás. Esta vida familiar, como todas las cosas que me han sucedido, me ha traído cosas artísticas en su momento preciso: el disco de Navidad, muy oportuno, grabado cuando mi hija Valeria es todavía una niñita; aquel disco de «Jazz and Blues», hecho justamente mientras estábamos en la onda del blues... son trabajos con la energía puesta en ellos, con toda el alma, que llegan en su turno, ni antes ni después... tal vez eso lo percibe la gente; quizás también sea la causa de no hacer discos anuales (nos tardamos dos años en recuperarnos...).

Yo hago lo que se me va dando. Tal vez no sea ésta la mejor manera de vivir, pero lo cierto es que no me programo mucho. Tampoco es cosa de ser irresponsable o incumplida; no, de ninguna manera: si se trata y trabaja con gente seria, capacitada, las cosas se irán realizando correctamente y la música resultará el mejor trabajo posible. Habrá un esfuerzo grande, es verdad, pero será algo que tenga que ver con tus capacidades dedicadas a que los demás reciban algo bien hecho.

La música, como dice un maestro, «es una misión de vida» y yo definitivamente tengo esa misión de vida. A veces quise huir por aquí, salirme por allá –me escapé de Fonotalento–, pero siempre hay algo que me lleva a seguir adelante. No es cosa fácil (ningún trabajo lo es), esto va ligado a las emociones, a las vivencias, al espíritu.

Evité la universidad, cierto, pero la cambié por algo muy sentido, que quería y debía hacer a pesar de los riesgos existentes. Porque en esto tú no sabes si vas a tener éxito, pero sí sabes de seguro que el éxito no es constante.

Los conciertos no son todos los días y viene un momento en el que te puedes deprimir. La emoción sentida cuando vas a dar un concierto lleno de esfuerzo, de repente termina, se acaba. Al día siguiente sigue tu vida normal y, luego, a tratar de no deprimirte.

Esta no es una profesión fácil, insisto; entre concierto y concierto, entre toque y toque, debes esperar oportunidades, conservar el afecto del público. No, no es nada fácil. Sé que el éxito no es para todo el mundo; para mí ha sido una bendición, así lo siento cuando veo que a la gente le gusta mi canto.

He tenido presentaciones en el Festival de Jazz de Montreaux, Suiza (alterné con Phil Collins, Oscar Peterson, Quincy Jones, en un sitio donde los músicos son reyes, y la gente te hace sentir reina del lugar); también en Holanda, Alemania, España, las islas del Caribe, en Estados Unidos... La verdad he tenido mucha suerte. Donde nos hemos presentado el público ha sido muy receptivo; inclusive en Estados Unidos, donde les ofrecimos jazz, su propia música... ¡Una cantante venezolana cantándoles jazz a los norteamericanos! es como raro, pero la gente lo acepta y aplaude con cariño y naturalidad (hasta grabé un especial de una hora en el canal televisivo Bet on Jazz, conducido por Ramsey Lewis).

No soy la persona más apropiada para dar consejos disciplinarios porque, como ya dije, no soy muy ordenada; pero como cantante le sugiero, a quien quiera dedicarse a esto, estudiar piano para tener base, practicar vocalización diaria (así desarrolla las condiciones naturales), escuchar mucha música y cuando se monte en la tarima, pues a olvidarse de todo y hacer lo que sientas que debes hacer.

María Fernanda Márquez

(Caracas, 1953)

Cuando me fui de Venezuela a los 24 años –finales de la década de los 70– le escribí una carta a mi país donde ingenuamente expresaba algunos sentimientos heridos en aquel momento: mucho dolor por dejar la familia, mis amigos, los recuerdos de niñez y dirigirme a una tierra extraña con una hija de tres años, sin saber qué traería para las dos el futuro cercano.

Lloré en el avión, lloré desconsoladamente con la cara pegada a la ventana viendo el paisaje del litoral alejarse porque sabía que no regresaría por muchos años, quizás nunca más.

En alguna parte de aquella carta de despedida decía que sólo volvería a Venezuela un día lejano, cuando pudiera hacerlo con un escudo protector que me diera la fortaleza para enfrentar lo que fuera. Y en ese escudo estaría mi educación, mi profesión, la seguridad dc saber quién yo soy y de lo que soy capaz. Me era entonces muy difícil ver y vivir tanta injusticia, racismo, desprecio clasista, abandono de los valores maduros propios de una gente sensible, civilizada, de una comunidad entera *in touch* y unida.

Ciertamente no quería privilegios en mi juventud idealista, hasta izquierdista. No quería ver ranchos, pobreza, mendigos, enfermos en las calles, desdén, separación entre nosotros mismos debido al «qué dirán». Pero, por otra parte, nunca entendí el facilismo, el vivismo, la guachafita, el «y qué» a todo lo que pareciera irresponsable e indulgente. La corrupción generalizada al nivel de «chaos» o ineficacia, la carencia de educación y principios, todo aquello me incapacitaba para ser o funcionar en un ambiente semejante y así, cargada de ideales frustrados, me fui del país a educarme, a dejar de ser inútil. A enfrentar la vida sin privilegios, yo sola con mi chama.

Me costó sobrepasar esos traumas familiares propios que vienen de generaciones. Sabía que no tenía por qué cargar con un peso de mi papá, mi mamá, mis abuelos, etcétera, pero nunca mío. Suficiente ya el peso de una joven madre sola tratando de hacerse una carrera en un país extraño. Aquellos Estados Unidos donde me encontraba sin idea ni de por dónde empezar, de cómo lavar la ropa, limpiar una casa, hacer una cama o cocinar. Veía las paredes del cuarto alquilado y con la mente en blanco pensaba: «Bueno, he visto a la sirvienta hacerlo mil veces, pero nunca le presté atención. Su oficio era tan insignificante para mí y sin embargo mira dónde me encuentro... sin saber algo tan esencial para la supervivencia». Al menos allí nadie sabría quién era mi familia –me decía–, no tendría privilegios, aprendería a ser yo.

Mi hija cambió mi vida drásticamente. No había urgencia de crecer y concientizarme antes de que ella apareciera en el panorama. Me casé a los veintiún años, ella nació y el matrimonio duró un poco más de un año. Hoy duele cuando pienso lo duro que fue la vida para nosotras, lo poco que pude ofrecerle en cuestiones de estabilidad, sobre todo porque uno siempre quiere lo mejor para sus hijos. Pero cuando trato de ubicarme conforme con un matrimonio basado en un sentimiento falso, en el miedo a estar sola, creo que hubiese resultado mucho peor, pues siendo una persona no conformista, curiosa y reaccionaria a todo lo que fuera «no, no puedes», era mejor quedarme sola y así toparme con la posibilidad y la urgencia de estudiar una carrera.

Por cierto, el hecho de ser no conformista y rebelde, no da crédito de nada en particular; tal era el signo de la época, de mi generación, de aquellos héroes en pensamiento y música que a muchos de nosotros nos convirtieron en rebeldes «con causas».

Sin duda una resolución de vida ligada a la mano del destino me impulsó a hacer todo lo posible para que me aceptaran en el famoso Berklee College of Music, en Boston, algo nada fácil para una persona que a los veintiún años tomaba la decisión de estudiar música en serio sin tener noción de casi nada.

Tan sólo había tomado un corto curso básico de piano en la escuela Wurlitzer de El Rosal con niñitos de 6 y 7 años. Para que me aceptaran exageré los conocimientos musicales en la planilla de inscripción, contando para ello con mi querido amigo, gran músico, Vytas Brenner (cómplice número uno en esta historia), y con la destreza de la muchacha encargada del curso, quien me enseñó lo que pudo e incrédula me vio partir casi con lagrimas en los ojos («¡Qué riñones tiene ésta!», se decía). Para mi sorpresa, seis meses después la maestra, inspirada por mi situación, se presentó en mi apartamento... ¡también lista para estudiar en Berklee!

En Boston hice de todo para mantenerme: tigres musicales, modelo de algunos comerciales para la televisión y otros trabajitos de subsistencia. Permanecí en la escuela cinco años sobreviviendo con lo que podía añadir a unos cuatrocientos cincuenta dólares mensuales de becaria y, a duras pena, me gradué.

Desde entonces siento una alegría inmensa cuando puedo más o menos seguir la música en el papel, y me deslumbro al pensar en la dicha que es escribir música sin necesidad de un instrumento, sabiendo dónde y cómo van las notas de cada instrumento en una orquesta. La delicia misma de comunicarse, ganarse la vida, leyendo e interpretando todo tipo de partes musicales... Qué profesión tan noble la del músico, y qué poco respetada está en nuestras culturas a pesar de lo significativo e impactante de su impresión en lo más profundo de nuestro ser.

Es raro el talento de componer o interpretar música bien hecha, con toda su complejidad melódica, armónica, emotiva y técnica. Resulta difícil producir cierta expresión que toque los corazones de miles de personas de diferentes conocimientos, etnias y experiencias. Aún más raro y difícil resulta que la música sea tan maravillosa que traspase la prueba de años y hasta siglos.

En mis primeros intentos artísticos nació un sueño con la visión completa del arreglo al «Canto de pilón» que, de algún modo, me dio a conocer. Una noche tuve que levantarme urgente de la cama en la madrugada, sin luz, tomar un pedazo de papel y escribir el arreglo musical para que no se me olvidara. Luego llegó «Campesina», de Juan Vicente Torrealba según otra inspiración muy particular que no lograba explicarme.

¿De dónde viene esto?, ¿por qué el «Canto de pilón» o «Campesina» para hacer realidad el sueño de la creación musical primera? No lo sé, pero desde aquellos años 70 siempre lo que sale de adentro, cuando viene la hora de grabar lo mío, es algo del terreno popular venezolano. Una expresión de recuerdos y vivencias en Macuto con mi abuela y Quintín Longa, el célebre salvavidas de toda la vida; mis experiencias juveniles, por supuesto manifestadas con grandes tintes de las influencias recibidas en Berklee; cientos de tigres dentro del jazz, el pop, la música brasileña y todo tipo de expresiones *world music*. Pero sobre todo, insisto, siempre sale el profundo amor a la familia, a mis padres, una grandísima fuente de inspiración en lo que soy como artista.

Vi hace un tiempo un documental de Ken Burns acerca de Mark Twain, el célebre hombre de letras norteamericano. Una belleza de documental que no sólo trata de mostrar de una manera reveladora el alma de un ser brillante y humano, con sus debilidades y grandezas, sino que nos identifica con su amor por los paisajes pintorescos de una época, las amistades en tiempos difíciles cuando aún reinaba la inocencia y, sobre todo, el amor a las cosas sencillas que los hace ser únicos como pueblo y gente con una historia común.

El documental me enseñó tanto, llegó tan adentro, que centró mucho de lo aprendido de Estados Unidos y –¿por qué no?– de mi propia experiencia de vida aquí y allá: el repudio al racismo como algo más salvaje que el propio «salvaje», como el mismo Twain dijo; el amor a lo educado y sensible de esas bellas personas humildes de quienes nace tanto lo folclórico como la riqueza de nuestra cultura por medio del arte (y, por cierto, dentro de todo eso sí paga tener sueños grandes y ambiciosos).

¿Cómo es que todas estas ideas de Mark Twain las encuentro al recitar refranes aprendidos en boca de mi abuela, mi mam{a, mis tíos, o de sabias cocineras a quienes seguramente les brotaba sabiduría popular sin ninguna dificultad? ¿De dónde viene eso?, ¿acaso se estará perdiendo?

Mucho me duele que estén pasando tantas cosas negativas en nuestro país. Que tanta negatividad acumulada y acrecentada nos llegue en este nuevo milenio como una triste demostración del «a dónde hemos llegado». Desde afuera donde vivo, nuestra circunstancia venezolana se siente muy fuerte. Es algo impresionante –al menos en mi caso lo es– porque las razones que me obligaron a salir del país hace más de veinte años, las mismas que me han mantenido fuera todos estos años de exilio voluntario, hoy se muestran de una manera clara ante mis ojos y ante los de todos quienes quieran ver: una Venezuela pobre, producto de la indulgencia, el abandono, el facilismo, de la visión de dirigentes corruptos, ignorantes y egoístas que por tantos años han reinado tan sólo pendientes de su «cambur», sin dar ni un segundo de recapacitación a las consecuencias nefastas de su proceder en un futuro no muy lejano.

Hoy, a los cincuenta años de edad, todavía en el exilio voluntario, aprecio más que nunca los valores inculcados en mi niñez; valores buenos, sanos, duraderos. El amor a la tradición venezolana, el amor a la familia con o sin problemas, a los tíos, padrinos, abuelos, amigos. Amor a la tertulia sana y honesta, a personajes interesantes, históricos; a los olores y paisajes, a la inocencia pura de una gente y un país joven con su propia tradición y cultura con el cual uno, a pesar de todo, todavía se puede identificar.

María Eugenia Atilano
(Caracas, 1958)

Siempre quise ser músico. De niña quería tocar piano y nada más. Luego con la adolescencia, en los años 70, llegó el bachillerato y entré al Conservatorio Juan José Landaeta. Estudiaba, me esforzaba, pero no veía el provecho. ¿Será que no sirvo para esto?, era la pregunta existencial en una época en que los hijos le decíamos los padres «quiero ser músico», y los padres, después de pensarlo dos veces, respondían: «¡Cónchale, qué hago con mi hijo!». Tales las angustias de los padres para la escogencia de cualquier carrera, pero en la música y en aquella época, el asunto podía ser preocupante al punto de graduarse de bachillerato sin ni siquiera querer terminarlo: «Tú estudias bachillerato y nosotros te dejamos estudiar lo que tú quieras». Terminé así, bajo presión familiar. Ser músico para mí era todo, no quería nada más.

La familia se instaló en distintas partes del país. Cuando nos mudamos a Caracas, mis hermanos también quisieron estudiar música y ocurrió lo típico: visitas al conservatorio, audiciones de prueba... y de allí la primera razón por la que poca gente persiste en la carrera: los estudios iniciales de solfeo. Quieres entrar en el instrumento, aprender canciones. Esa es la idea que tiene todo niño, y al no poder cumplirla de inmediato se produce una frustración muy grande. Te dicen: «Tienes que esperar un año». ¿Cuánto es un año para un niño, si ya esperar una tarde es algo inmenso? De cualquier manera, entré al proceso normal del conservatorio. Estudié piano en la escuela José Reyna y ya desde el principio, en los procesos de aprendizaje, sentí incoherencias; un algo que carecía de sentido. En 1976, al graduarme de bachiller, fui a Estados Unidos a estudiar en Berklee College of Music, Boston. Conseguí una escuela distinta porque no seguía la trayectoria normal de los conservatorios. Se estudiaba jazz, música moderna, rock... distintas tendencias. Aquello me gustó. Era tan diferente a todo lo que había estudiado aquí. Luego de cinco años, allá me gradué en composición en 1981.

«Un día voy a aprender esto, se lo voy a explicar a la gente, porque no puede ser tan complicado. Tiene que haber alguna manera más sencilla de entender...» Eso pensaba como estudiante. No era un problema de entendimiento, sino que no había algo de que asirse. No dependíamos de textos realmente útiles; tal vez libros donde está la música escrita, pero no claramente explicada. Tampoco la mayoría de los profesores explicaban mucho; decían: «vamos a hacer esto, de esta manera... lo van a pensar así y a practicar asao... Bien, vamos a solfear». El profesor mueve la mano y uno la mueve también, más por un proceso de imitación que por otra cosa. ¿Estarían las personas dedicadas a la enseñanza movidas por la vocación, o porque era un medio de vida como cualquier otro? La duda me quedó de tal forma que debí respondérmela al volver a Venezuela en 1983 y comenzar a trabajar como profesora de escuelas y clases particulares.

Diría que soy profesora por vocación, o sea, que desde muy adentro quería ser profesora de música. Ciertamente, el haberme dedicado a la docencia, a la fundación y desarrollo de la escuela Ars Nova, hizo que suspendiera las actividades como compositora o pianista. Dar clases, querer hacerlo bien, poco a poco te va robando el tiempo: debes preparar material escrito, generar un apoyo teórico y práctico para que no le pasara a los estudiantes lo que a mí me había sucedido, involucrarte a fondo... Creo en la enseñanza discipular del arte. El verdadero maestro pasa años con sus alumnos. Tal cual cuando se va a una universidad y tienes muchos profesores, pero de todas maneras escoges a ciertos maestros y los sigues; el alumno trata de cursar con ellos sus materias, de mantener contacto personal, tutelar.

Es gracioso y paradójico cuán implícita está la cuestión del maestro en la educación del artista. La música no se hace en solitario, se hace en conjunto, pero tú tienes que estudiar solo, practicar solo, hacer tus lecciones solo, llegar a tus conclusiones solo. Creo que la única persona con la que uno termina comprendiendo algo más allá es con el maestro comprometido como guía. Inevitablemente la formación implica la búsqueda de ese maestro, y –ojo– más vale toparse con un buen maestro, porque el maestro equivocado puede dar al traste con la vida de uno.

Todo aprendizaje, por más que tú quieras construirlo sobre bases firmes y cubrir todos los ángulos, es limitado, no es lineal. Hay tropiezos, no todos aprendemos al mismo paso. En mi escuela Ars Nova, definitivamente ofrecemos una especie de educación discipular, garantizada, porque en el programa o plan de clases los objetivos de instrucción están planteados para que los alumnos los puedan cumplir, a pesar de las angustias existenciales típicas de los estudiantes, quienes pasan años yendo a clases y –como fue mi caso– se preguntan una y otra vez: ¿cuándo será que uno de verdad aprende?, ¿será que yo no sirvo para esto?, ¿será que esto es más complicado de lo que uno cree?, ¿será que no comprendo...? Es como no verle el queso a la tostada. Vas y vas a clases y siempre es como un misterio... ¿Será que algún día yo aprenderé la música?, ¿será tan coherente como cuando uno aprende, qué se yo, lenguaje, matemáticas o física...? Fuiste a un colegio, a un bachillerato, para aprender cualquier cantidad de cosas que a lo mejor no te interesan y, al final, terminate aprendiéndolas; ¿entonces?

El alumno interesado tiene una idea general, pero toma un libro de música y no entiende una gota de lo que allí dice. El proceso de aprendizaje debe enseñar a leer, por decirlo así. Tal cual el caso de alguien que toma un libro de cualquier cosa, lo lee y entiende lo que allí dice, a menos de que sea un tratado muy especializado. Tal cual leer una novela y entenderla al relacionar las idcas y disfrutarla. La tarca dcl macstro, dcl profcsor, está en dar coherencia y facilitar a los métodos de aprendizaje de esa complicada lectura.

Trabajé con niños por muchísimo tiempo y me encanta trabajar con ellos. Es una especialidad; hay que jugar, se requiere muchísima energía. Muchas veces el problema de los niños son ciertos padres, que se sienten en condiciones de juzgar algo que desconocen. Suben el nivel de expectativas, presionan al hijo y le hacen muy difícil el trabajo tanto al niño como a quien le enseña. Los niños son usualmente unas esponjitas. A ellos les gusta, pero no les agrada cuando los obligan.

Nuestra escuela, Ars Nova, está conformada para bachilleres. Sin embargo, hay casos de hijos de compañeros músicos o de mis propios alumnos. ¿Cómo les voy a decir que no? Además, para los niños es mucho más fácil que para los muchachos, porque van a clases sin darse cuenta; mientras que un muchacho de cierta edad requiere de concentración, de luchar contra el fantasma adolescente de «tengo 15 años y ya es tarde...» (¡Qué tarde va a ser!)

En nuestra escuela todo el mundo tiene que hacer una audición para ver si tiene «oído». Usualmente todo el mundo lo tiene, muy raras veces alguien no lo tiene. Ahora, hay niños que, increíblemente, nunca cantaron y de adultos menos todavía. Existen casas en las que no se oye música; gente que jamás en su vida pone música en su casa. Esto hace que, de cuando en cuando, el talento esté oculto, quizás demasiado oculto. Inclusive, puede darse el caso de alguna persona que en su vida ha cantado y cueste mucho saber si tiene o no «oído», porque al no haber usado la garganta canta como con un instrumento oxidado: le das una nota y te canta otra. Eso puede suceder, pero como es largo el proceso para el aprendizaje de la entonación de las notas, pues el tiempo pone el talento en su lugar.

Superada la audición de ingreso, el alumno en la medida en que va estudiando tiene que ir rindiendo. Si una persona tiene un talento innato, resulta mucho más fácil la tarea; se le va llevando y ella misma se va tallando. Hay también otras personas de gran tesón, quizás sin tanto talento innato, que al final se tallan de igual manera. Y es que, con buenos métodos de enseñanza, no debería sentirse la diferencia entre el que ha ido logrando el talento a fuerza de trabajo y quien de plano ya lo tenía. Para eso justamente está la escuela. Ahora, hay algo muy claro: en esto de aprender todos deben trabajar; no hay otra manera,

Si vas a estudiar, tienes que estar dispuesto a estudiar seriamente. Yo no voy a perder mi tiempo. Puedes tardar en comprender ciertas cosas, pero poniéndole trabajo, bueno, ahí vamos, a lo mejor más lento que otros, pero vamos. Si la persona quiere aprender, yo no tengo ningún problema, pero nada hago con aquellas personas que no tienen ningunas ganas de aprender y van a la escuela a matar el tiempo: «Profesora yo le estoy pagando». ¿Sí?, le contesto, pues si quieres te devuelvo todos los reales y ya, ¿me comprendes?

Toda relación se basa en el respeto, y de donde yo vengo el respeto se gana. Una de las maneras de demostrar el respeto es cumpliendo con la palabra empeñada. Un alumno dice: «Profesora, quiero estudiar con usted». Uno contesta OK, se compromete con el «te voy a enseñar». Pero en verdad no enseñamos música, porque la música la trae cada quien consigo. Enseñamos la técnica de la música. Eso nos liga, todo lo demás viene por añadidura. Y por cuanto la misión está en enseñar la técnica, sus vías, en el momento en que la persona deja de estudiar, estoy en la obligación de romper nexos; debo hacerle saber que no está cumpliendo con lo mínimo, con el compromiso que hicimos al principio. Podemos seguir siendo amigos, pero ésa es una cosa muy distinta a las exigencias de nuestro pacto inicial. Así como los padres que van a formar a sus hijos quieren darles todo para cuando tengan que defenderse, así a mis alumnos tengo que llenarles el bulto completico.

Música popular, jazz, rock... ser bueno, en el género que sea, requiere trabajo. No es al maestro a quien le toca decidir a qué se va a dedicar el estudiante. Muchas veces el estudiante viene con una idea preconcebida: «Yo quiero ser pianista de jazz». A veces la idea le viene porque eso es todo lo que ha oído, no ha escuchado con interés otra cosa. Luego, a medida que va estudiando y conociendo, a lo mejor cambia de actitud. Tal vez al final ni quiera ser pianista. El joven entra en un mundo desconocido y el maestro jamás debe cerrar las distintas puertas de ese mundo, porque cada cual tiene derecho de decir adónde quiere ir. El solfeo, la armonía, el contrapunto, la historia –por decir– parecen pasos iguales pero, bien entendidos, terminan siendo reglas para traspasar todas las puertas.

La música es una sola que cada cual con sus talentos o facilidades puede hacerla de distintas maneras. Yo quisiera que, cuando tú escojas –les digo a los estudiantes–, escojas porque conoces y no por desconocimiento.

En un principio, cuando comencé a dar clases, centraba en los alumnos las expectativas de lo que hubiese querido que pasara conmigo. Este esfuerzo de guía es cosa muy difícil, porque existen personas que tal vez no van a alcanzar aquello que uno les había preparado. Era un modo tutorial demasiado acérrimo o vengativo; te quiero sólo si estás llenando mis expectativas, si no... Tiempo después me di cuenta de que no son mis espectativas las que los estudiantes deben llenar, sino las suyas porque ellos, todos, un día se van a ir.

Aprender a despedir a los estudiantes después de que han pasado tantos años contigo es durísimo. Con mis primeros estudiantes simplemente no lo asimilé; era una ruptura dolorosa con una querella de por medio: «Te enseñé, te vas, me has traicionado». Yo era muy joven también. A medida que pasó el tiempo caí en cuenta de la conveniente realidad: todos se van a ir, tienen que hacer sus vidas, ninguno debe quedarse. Hoy les digo a los estudiantes: por cada día que pasen conmigo, cada día estaremos más lejos, porque cada día les daré más herramientas para que puedan depender de sí mismos.

Unos se van y otros vienen; allí siempre está la esperanza para el profesor. Mientras viva la escuela seguirá adelante y, cuando toque la coda, pues ahí quedarán los alumnos.

Saúl Vera

(Caracas, 1959)

Yo soy Saúl Vera: músico, compositor, interprete de la mandolina y de la bandola venezolana en todas sus variantes. Me he dedicado a la interpretación de este instrumento desde 1976 y hoy, afortunadamente, cuento con un trabajo de varios discos grabados producto de una actividad fundamentada en los ámbitos de formación musical que atendí.

Primero menciono la formación académica. Eduardo Plaza, compositor sobrino de Juan Bautista Plaza, fue uno de mis primeros profesores al igual que el maestro Eduardo Serrano, con quien estudié las primeras clases de solfeo cuando tenía unos catorce años. Para ese momento ya tocaba mandolina y el cuatro, instrumento que conocí en el kinder: tocar cuatro y cantar, pero como cantaba muy mal fue cuatro y, sí, mandolina.

Empecé relativamente tarde a estudiar música académica formal en la escuela Salvador Llamozas y en los conservatorios Lino Gallardo y Juan Manuel Olivares. Aquí debo mencionar la influencia muy positiva de la compositora Beatriz Lockhart, maestra uruguaya de armonía, compositora, quien estudió mucho la música venezolana y llegó a dominarla al punto de componer joropos y valses muy interesantes desde el punto de vista armónico. Fue ella mi maestra de armonía en la escuela Salvador Llamozas por tres años, muy bien complementada por las enseñanzas del maestro Piero Pezutti. Dos maestros con dos maneras de entender la armonía; una, desde la onda de enlaces diatónicos; la otra, en la interpretación del bajo cifrado; entre las dos, recibí una interesante formación complementaria a lo que viene después y a lo que venía de antes.

Debo decir que desde niño vi a mis hermanos tocar y apreciar la música venezolana. Especialmente a mi hermano mayor Alberto, quien me hizo conocer la música venezolana tradicional. De hecho, conocí primero nuestra música que la música académica, ya que en casa se escuchaban grabaciones nacionales *in situ*, realizadas por el alemán Luis Laffer o por Oswaldo Lares; aquellas grabaciones que se hacían para el Instituto de Musicología y Folklore, con el sentido de preservación de nuestros toques autóctonos propios. Allí, diría, está mi otro ámbito de formación musical.

Porque no sólo fue la enseñanza de Beatriz Lockhart o del profesor Pezutti en la academia; también hubo los complementos de la información casera o de la profesora Modesta Bör, quien me impulsó a escribir fugas y otras formas complejas. La profesora Bör estudió con Kachaturian en Rusia, sí, pero era una profunda conocedora del folclor y tenía una manera de ayudarte a aprender la composición muy particular, muy vivencial. Trataba a cada alumno por separado e impulsaba el conocimiento folclórico en lo que cada quien llevaba dentro. En mi caso, ese conocimiento también estuvo aderezado por un interés muy particular en el jazz que me enseñaba Gerry Weil, lo que significó una tercera aproximación a la armonía musical: El análisis de los cifrados y la utilización de la armonía extendida; los acordes en bloque armónico superior extendido; notas tensas, de larga extensión, novenas, trece, once... con Gerry aprendí cómo todo eso se utilizaba en el concepto del jazz y también se podía utilizar en la música popular.

La mandolina, ya lo mencioné, fue mi primer instrumento formal. Comencé a estudiarla en la estudiantina escolar y después seguí con Cristóbal Soto, hijo de Jesús Soto, quien desarrolló una tremenda técnica, autodidacta pero bien lujosa. De él aprendí mucho, también de Iván Adler quien, al contrario de Soto, tenía una aproximación completamente académica al instrumento. Por impulso de Adler llegué a tocar en la mandolina conciertos de Vivaldi propios para el violín. De hecho este tipo de aproximación a la música académica es el gran aporte de Iván a los mandolistas venezolanos que ayudó a formar; tocamos así el «Concierto en mí mayor para violín y orquesta» de Bach, por ejemplo, y así mismo fue como me acerqué a las «Partitas» de Bach que ahora ejecuto con la bandola llanera al ritmo de joropo.

También tuvo una gran influencia en mi desarrollo la participación en ConVenezuela. En 1978 trabajé en el archivo de Oswaldo Lares como musicólogo, y manejé toda la información de grabaciones *in situ* que capturaban a muchos artistas tradicionales de nuestro folclor. Ya para 1980, integrado a ConVenezuela, comencé a viajar por el mundo: Norteamérica, Centroamérica, las islas del Caribe; varias veces a Europa, a los festivales de verano en Francia, en Inglaterra... Para entonces me había iniciado en la interpretación de la bandola, instrumento que interpretaba en ConVenezuela por influencia de Anselmo López, precisamente el maestro barinés que evitó que la bandola se muriera.

Anselmo López con un virtuosismo muy especial logró desempolvar, preservar más bien un instrumento que era una especie de ancestro que tocaban los conuqueros cuando terminaba la cosecha. Un instrumento muy rústico, olvidado, tal vez el último recurso del músico interesado en la mandolina. Conocí a Anselmo gracias a Oswaldo Lares en Barinas, en 1977. Un año antes había comenzado a trabajar con sus grabaciones porque mi hermano hizo que lo escuchara, y la sorpresa fue enorme. Aquello sucedió con una grabación casera, ni siquiera un disco, que mi hermano Alberto había hecho con su grabador: ¡Qué vaina es esta, Alberto! Yo creía que no era posible con cuatro cuerdas hacer sonar lo que hacía sonar Anselmo López.

Como pude arreglé un cuatro con cuerdas de bandola; después fui a Barinas y al fin pude tocar el verdadero instrumento, porque en esa época no se podían comprar bandolas en Caracas... Total, conocí a Anselmo, nos vimos con alguna frecuencia y él me fue dando algunos datos, algunos «tumbaos»; fue explicándome cómo grababa en su disco tal cosa, cómo lograba los efectos, los trucos. Creo que después de tocar con Anselmo, de aprender a tocar como él, comencé a sentir la necesidad de querer expresarme en el instrumento, sí, pero como músico nacido en Caracas, con estudios académicos formales. Allí doy entonces inicio al proceso de composición y de dirección por y para el instrumento.

Veía que con la bandola todo estaba por hacer. Sentía en ella una gran potencialidad que no había sido explotada: En la bandola no se modulaba, siempre se tocaba en un solo tono; los instrumentistas cambiaban la afinación de las cuerdas para poder tocar en otros tonos, porque se sabían una sola escala. La música que de ella salía tenía la misma antigüedad del instrumento; es decir, cuatrocientos años o más de historia dentro de nuestra música tradicional, con ancestros españoles del siglo XVI. Entendí entonces una constitución armónica y tonal muy primaria y dije, bueno, si se pueden hacer estas cosas, también se podrán hacer otras: música que module, con un interés armónico mucho más profundo.

Vuelvo por un momento al recuerdo de aquellos músicos que conocí de niño o de muchacho. A mi casa iba Carlos Enrique Reyna, el Octeto Académico de Voces, Oswaldo Lares, todos amigos de mi hermano Alberto, quien entonces estaba casado con Lilia Vera, una extraordinaria cantante. Conocí al maestro Freddy Reyna quien me invitaba a tocar bandola y me recordaba cómo tradicionalmente el cuatro es el instrumento de inicio. Todo venezolano que guste de la música empieza con el cuatro, un instrumento importantísimo porque crea conciencia armónica, te da la capacidad de entender la armonía cromáticamente, desarrolla una intuición interesantísima para ser instrumentista o solista con una bandola o una mandolina. Y lo cierto es que pude disfrutar del arte y la sabiduría musical de Freddy Reyna, insuperable maestro en desarrollar esa intuición armónica indispensable para improvisar, porque si no la tienes olvídate, no tienes vida al momento de improvisar y la música tradicional es toda improvisación. Aquí hay un vínculo importante con el jazz: en un «pajarillo» o en cualquier género del llano, tú tienes una secuencia armónica igualita que en el jazz. Sobre esa secuencia armónica se improvisa; también puede evocarse una línea melódica que se haya hecho famosa por alguna razón azarosa (porque la puso de moda en 1950 Ángel Custodio Loyola, por ejemplo), pero en el fondo lo de la ejecución siempre referirá una secuencia de ciclo armónico sobre el cual se improvisa. Por eso se llaman géneros sobre los que cada cual hace una melodía distinta, pero siempre con el mismo ritmo, con la misma secuencia armónica.

Además del cuatro como instrumento típico nacional está el arpa. Quizás se parezca a la bandola desde el punto de vista tímbrico; en ambos casos su ejecución supone las cuerdas pulsadas, pero el arpa tiene una gran desventaja con respecto a la bandola: el arpa tiene una sola afinación, de forma que se toca generalmente en un mismo tono en sus distintas instancias armónicas (tónica, dominante, subdominante), mediante pequeñas modulaciones; tal vez por esa limitación del arpa fue que la bandola no se modulaba; es decir, se tocaba en un solo tono.

Nadie le sacaba provecho al cromatismo del instrumento, ni mi maestro, Anselmo López, quien siendo uno de los virtuosos del instrumento a estas alturas del partido toca en una sola tonalidad de acuerdo con secciones armónicas muy características, propias de quien aprende la música por tradición oral.

En 1985 me planteé en firme lo siguiente: ya aprendí del maestro Anselmo, ahora necesito expresarme con mi propia sonoridad. Estudiaba orquestación con Modesta Bör y decidí escribir música académica con la sección rítmica tradicional (la bandola, el cuatro y las maracas) y que estos instrumentos influyeran en los instrumentos clásicos de la orquesta. Con la influencia y los buenos consejos de la profesora Bör hice música para cuarteto de cuerdas y bandola llanera, («Caras nuevas»), después mezclé otros instrumentos de la orquesta con el sonido de la bandola. En 1986 fue el primer concierto con el Ensamble en la sala José Félix Ribas. En 1989, patrocinado por Seguros la Previsora, logro mi primera grabación con el Ensamble, ya para entonces tenía conclusiones musicales importantes: primero escribí para cuartetos de cuerda y bandola, luego mezclé tríos de cuerdas con flauta, clarinete y fagote, porque la sonoridad de las maderas complementaban muy bien. Cosa de entender que la música venezolana es muy subdividida, rítmica, muy percutiva en algunos casos, y las cuerdas con arcos generan texturas melosas, suaves, mórbidas; hacía falta ataque, fuerza. Poco a poco fui cambiando de las cuerdas con arcos al quinteto de maderas, que tenía mayor «stacato». La flauta, el oboe, el clarinete, el fagote, el corno francés, daban una riqueza tímbrica enorme que, además, daban la posibilidad de articular percutivamente los arreglos. De estas conclusiones nació el Ensamble: un quinteto de vientos con sección rítmica, es decir, maracas, contrabajo, cuatro, y la bandola llanera o la mandolina.

El período que va de 1989 a 1993 fue de trabajo con Gerry Weil. En ese tiempo la sonoridad del Ensamble tenía mucho que ver con música de compositores tradicionales venezolanos, a pesar de grabar un disco en donde mostraba el trabajo de composición para bandola mediante seis temas propios. Era, por ejemplo, componer y grabar dentro de los cánones del vals tradicional caraqueño, del vals de salón; impregnarse del espíritu de las orquestas de salón de los años 40, 50; por ello mucha gente me decía que reconocía texturas de Aldemaro Romero en la música. Pero después de trabajar con Gerry Weil me interesó desarrollarme mediante conjuntos más pequeños, más rítmicos; así introduje el bajo eléctrico, la batería, y di énfasis a la percusión afro-venezolana mediante el profundo conocimiento que de ella aportó el maestro Alexander Livinalli.

Saúl Vera y Ensamble hace al fin su primer viaje a Casa de las Américas en La Habana, Cuba, en 1991. La respuesta fue estupenda. Después fuimos a Centroamérica; el Caribe, Puerto España, República Dominicana, Brasil en 1994. Puedo decir que desde entonces el proyecto musical se afirma; las presentaciones y grabaciones son más frecuentes, la gente escribe por el correo electrónico pidiéndome discos, libros, música escrita, dónde conseguir bandolas... Por cierto hoy día hay tiendas y «luthiere» caraqueños que las hacen, pero puedo recordar que la primera bandola producida en Caracas la hizo Ramón Blanco en 1985, por un encargo que le hiciera.

Un importante aporte personal está en el repertorio que he escrito para la bandola. Nadie había escrito –notación musical– para el instrumento, hasta que escribí un libro editado por Fundarte en 1991: *Método para el aprendizaje de la bandola llanera*. Allí utilicé lo que había aprendido del método de Freddy Reyna para cuatro, donde el utilizaba la tablatura de cuatro órdenes propia de los guitarristas barrocos del siglo XVI, y la adapté a la bandola. Ese libro es producto de mi cercanía con el maestro Reyna, a quien de hecho le mostré los manuscritos y me hizo algunas observaciones, y de las clases impartidas desde el primer taller de bandola organizado para los talleres de cultura popular de la Fundación Bigott, en octubre de 1982. Con tres años de experiencia en la Fundación, seguí como profesor de bandola en la escuela Llamozas donde yo había estudiado; di también cátedras populares en distintos barrios marginales de Caracas, mediante una labor promovida por Fundarte que tenía perfil social-educativo.

Todo el trabajo docente dio fundamento a sistematizar escalas, arpegios, acordes, un sistema progresivo de aprendizaje de técnicas de la bandola que después utilicé en el libro.

Creo que a partir de nuestros esfuerzos la bandola tiene hoy un repertorio especialmente escrito para ella, que va desde esa mezcla con ensambles, hasta el concierto de bandola y orquesta que grabamos en 2002 con César Iván Lara. Pero, afortunadamente, uno nunca siente suficiente el trabajo realizado. El arte es un reto permanente, todos los días hay que levantarse a ver qué compones de nuevo, qué aporte haces, cómo sientes que has crecido como compositor, como instrumentista. Todavía queda un largo camino, un largo camino para componer cosas nuevas. Me interesa muchísimo en este momento presentar trabajos de bandola sola con un lenguaje armónico contemporáneo, vincular la politonalidad, las escalas extrañas, exóticas, de tonos completos, escalas árabes; inclusive la ruptura con la tonalidad, el valor serial y su estética. Uno lo ve en la música japonesa: cómo hacen música contemporánea con sus instrumentos tradicionales, pero el lenguaje ni es tradicional japonés, ni es absolutamente académico tipo Stockhausen. Hay un elemento estético que proviene de la academia, sí, de la abstracción casi filosófica que viene de creadores como John Cage, y ese conocimiento, ese macromundo de cosas, los creadores japoneses lo combinan con elementos de su tradición. Todo esto forma parte de mi motivación actual para seguir adelante.

En diciembre de 2002 cumplí seis años con un programa radial al aire. Cuando muchacho no me perdía uno de los programas de Oswaldo Lares –La Revuelta–, con él aprendía muchísimo; sí se puede hacer radio que informe y entretenga, me decía; sí se puede buscar en el espectáculo algo de buen calibre. En 1996 viví un período en el que hacía música, pero además abordé la parte de producción de espectáculos. Produje un concierto para Iván Lins en el Teresa Carreño, otro de Eddie Palmieri en el Poliedro. Conjuntamente con Chuchito Sanoja asumimos la producción artística de un local en Altamira. Al cabo de un tiempo entendí que había algo más que me hacía falta: la posibilidad de decirle a la gente lo que yo había podido aprender. Entonces fui a la radio (Jazz 95.5 F.M) para acometer la producción artística desde un ángulo diferente; porque un programa de radio también hay que producirlo en todos sus aspectos: mercadeo, búsqueda de clientes, organización del tiempo de grabación, contenidos éticos y estéticos... en esto último creo que uno no puede negociar con la convicción artística. Lo que para ti tiene valor estético proviene de una apreciación personal, que tienes dentro de un marco filosófico estético, subjetivo, para decirte a ti mismo y a los demás lo que te parece artístico.

Esto de las apreciaciones estéticas me lleva a los productos discográficos que uno propone y ciertas posiciones recalcitrantes. De hecho existe un cierto segmento de opinadores de la música tradicional, muy aferrados a su purismo, han reaccionado frente a las propuestas discográficas diciéndome que la bandola que yo tocaba no era una bandola auténticamente llanera, que si estoy corrompiendo el sonido de lo nuestro, etcétera. Oye, les digo: pero si es que yo puedo tocar una bandola como se toca en el llano, allí está el disco que grabamos con Anselmo López de música auténticamente llanera, como se toca en el llano, bien recio y «chaparreao» según dicen. Pero también hay otras búsquedas, otros intereses, otros caminos tan válidos como ése... cuidado y más.

El purismo en arte es una aberración, porque estamos hablando de manifestaciones de colectivos que son dinámicos y varían en todo, hasta en los giros del idioma, en las organizaciones geográficas, urbanas. Todas las expresiones del hombre a lo largo de su historia van cambiando y también tienen que cambiar en el arte. Asimismo debe cambiar también lo que forma tradición. Quienes tienen que preservar son los museos, no los artistas.

Sea entonces que los museos se preocupen por preservar para la historia una grabación bien buena del «Indio» Figueredo (la de Oswaldo Lares en el 69, por ejemplo), o la de Anselmo López que yo hice. Pero los artistas ojalá y se dediquen a crear, a asumir riesgos, transformar; hacer de la expresión de su vivencia personal algo artístico.

Creo que, si yo hubiese nacido en Barinas y no en Caracas, a lo mejor yo tocaría la bandola totalmente distinto, y seguro haría un trabajo musical totalmente diferente. Seguro que sí.

Rodolfo Saglimbeni
(Barquisimeto, 1962)

Rodolfo Saglimbeni es mi nombre y en esto de la identidad, no sólo se trata de decir quién soy, sino quién trato de ser. La vida es muy corta y uno tiene que ocuparse realmente de ser una persona dedicada a lo primordial; en mi caso la familia y la música.

Quiero y trato de ser un músico honesto. Es lo que me han implantado mis padres, los maestros, los amigos, los colegas. Honestidad como el gran valor que puede existir en la actividad del músico: tratar de hacer las cosas lo mejor posible; hacer música buena, con el corazón y no simplemente por compromisos económicos. La música debe ser un arte y, sobre todo, quienes nos dedicamos a ella tenemos la misión de cultivar ese arte con empeño, con integridad.

Mi vida musical se la debo en mucho a mi padre, quien no fue músico pero siempre insistió en que en la familia estudiáramos música. Al principio sospecho que era cosa de someternos a una disciplina, de la misma forma como también hacíamos deportes y otras actividades, pero muy pronto el amor y la pasión por la música en mi papá, se convirtió en algo proyectado en nosotros sus hijos, quienes también descubrimos que él sería un hombre feliz al vernos a nosotros como músicos.

Mi papá es de esos inmigrantes italianos que a los diecisiete años, después de vivir en un pueblo muy sencillo, Límina en Sicilia, Italia, pues llega a Venezuela en los años 50. Como comerciante hizo mil cosas, pero siempre quiso ser pianista. El abuelo, cuenta emocionado mi papá, era lo que ahora llamamos percusionista, pero que en los años 40 se decía platillero de la banda de Límina, aquel pueblo siciliano con dos mil habitantes que en nada se parece a la Barquisimeto de nuestra infancia o al Puerto Cabello y a la Valencia que conoció mi papá de joven (en los años 50, Puerto Cabello era puerta de entrada a Suramérica y, por ello, recibía rutilantes figuras del canto lírico).

En casa siempre se escuchó música muy buena. Fue la colección familiar de discos, estoy seguro, un impulso definitivo para prcticar, como en buena casa de italiano, el acordeón. También estuvo presente la influencia de mi mamá, española de la provincia con recuerdo de las zarzuelas itinerantes de una España de posguerra: las romanzas de «Los gavilanes», de Luisa Fernanda, que empezamos a tocar en el acordeón convertido entonces en un instrumento familiar de proyección para mi hermano y para mí.

El dúo de los hermanos Saglimbeni/Muñoz tuvo su renombre en la Barquisimeto natal de los años 70. Realmente era un tremendo dúo, nos llamaban los virtuosos del acordeón y tocábamos en el Palacio Radial, Radio Barquisimeto, Radio Universo... Nos contrató la Universidad Centro Occidental para una serie de diez conciertos en todo el occidente del país por seiscientos bolívares, nuestro primer toque pagado con papá como agente que buscaba afiches, los pegaba en las noches con sus empleados y procuraba la mejores condiciones no sólo a mi hermano mayor del dúo, José Felipe, sino a mi hermano menor, Pedro.

El dúo tenía intención académica pero, obviamente, tocábamos música popular internacional. Al provenir de una familia europea nos era natural un buen pasodoble, una tarantela. También estábamos dentro de la música venezolana, que de ninguna manera se nos negaba y de hecho significaba una novedad escucharla en dueto de acordeones, pero pasaba a un segundo plano por el interés de interpretar clásicos académicos.

Los tres hermanos varones somos músicos profesionales. José Felipe vive ahora en Barquisimeto, pero por más de diecisiete años fue miembro de la Orquesta Sinfónica Simón Bolívar; ahora trabaja como director académico del conservatorio de Lara. Volvió a tomar el acordeón después de mucho tiempo, dándole hoy día un lugar bien interesante en lo que es la música venezolana. Pedro, el menor, es el primer violista de la Orquesta del Teatro San Carlos de Lisboa; vive en Portugal con su esposa y sus dos hijos; su esposa es Ana Beatriz Manzanilla, hermana del trompetista Eduardo Manzanilla y además violinista.

Para rematar, a mi esposa Maritza la conocí en la Orquesta Sinfónica Gran Mariscal de Ayacucho mientras ella estudiaba su postgrado de Medicina Interna. Hoy día hemos llegado a una feliz unión y tenemos dos lindas niñas, Daniela y Manuela. Maritza, por su parte, ejerce la profesión de médica pero... pero también se entiende con la flauta, ¡y de qué manera!

De modo que la música es casi un estigma familiar al cual nos debemos, pero que también proviene del sentido casero de disciplina estricta aplicado a lo que hacíamos. Un excelente maestro de acordeón, el maestro Ángelo Antonio Buda, por ejemplo, le dijo a mi papá que si nosotros hacíamos escalas todos los días teníamos asegurada la técnica del instrumento –cosa que era verdad. Aquella opinión se convirtió en ley marcial y no nos acostábamos nunca sin hacer todas las escalas mayores y las menores. Un ejercicio de disciplina pura, muy efectiva, aplicada en la casa, pero también en nuestros viajes a Cúcuta, Cartagena y Barranquilla; en cualquier hotel que estuviéramos de vacaciones o de gira, antes de dormir, escalas.

Un buen día nos inscribieron en la Escuela de Música de Barquisimeto, hoy Conservatorio Vicente Emilio Sojo. Entramos, a la cátedra de solfeo; a mi hermano le asignaron el violín y a mi la trompeta. Así de sencillo.

En la escuela de música, un buen día, Héctor Gutiérrez, clarinetista, director de orquesta y pedagogo uruguayo, creó una banda de instrumentos de vientos y comencé a tocar la trompeta con otras personas al lado. Esto de tocar con otras personas era algo muy diferente a tocar con el dúo de acordeón, donde teníamos la melodía y el acompañamiento en la propia maleta del instrumento. Con la trompeta en la banda, un instrumento melódico, empezabas a escuchar contrapuntos que venían de todas partes, colores de otros instrumentos: un bombardino, una tuba, un clarinete, un saxofón; un oboe que no reconocí cuando lo escuché por primera vez. No podía creer la dulzura de su sonido.

En 1977 el doctor José Antonio Abreu ofreció un concierto con la Orquesta Nacional Juvenil de Venezuela en el teatro Juárez de Barquisimeto. El programa incluía el «Concierto para dos violines» de Bach, la «Tocata para percusión» de Carlos Chávez, «Los Maestros Cantores» de Wagner, y el «Romeo y Julieta» de Tchaikovsky. A los catorce años de edad era la primera vez en mi vida que yo veía una orquesta sinfónica. Un sonido que jamás en la vida olvidaré; especialmente la precisión y potencia de la percusión (no sabía que esos instrumentos, tambores, platillos y timbales, se llamaban percusión).

La orquesta era un animal desconocido. Escuchar «Romeo y Julieta», presenciar la energía del doctor Abreu y ver a los jóvenes tocando me hizo buscar una grabación entre los miles de discos de mi papá, y escucharlo qué... ¿mil veces? Y no sólo era cosa de escucharlos, sino de dirigirlos imaginariamente con espaguetis de la cocina de la casa que convertía en batutas (hace poco mandamos a tapizar unos viejos muebles caseros y el tapicero los encontró llenos de espaguetis por dentro...).

Con mi fórmula de batutas espaguetosas dirigía música que ofrecía la televisión: Festivales de la voz de oro, orquestas acompañando a cantantes inolvidables: Héctor Murga, Héctor Cabrera, Mirtha Pérez, Mirla Ríos, Alfredo Sadel, el tenor más grande de América. Mientras tanto, aprovechaba los efectos de la visita del doctor Abreu a Barquisimeto quien, al escuchar nuestra banda juvenil, con ella abrió el núcleo Lara, módulo Barquisimeto de la Orquesta Nacional Juvenil. Allí mi hermano mayor empezó a tocar en los violines, el pequeño en la sección de violas, y yo para las trompetas, pues.

Un ejemplo de la eficacia administrativa de José Antonio Abreu está en que a los dos días de la fundación del núcleo, ya teníamos una sede. Doralisa de Medina, pianista formadora de grandes artistas venezolanos, había muerto y los buenos oficios del doctor Abreu hicieron que la profesora Medina continuara entre nosotros a través de su casa viejita, convertida en sede de la orquesta. Gestas de esa naturaleza han sido repetidas una y otra vez por José Antonio Abreu, quien ha sembrado este país de músicos, no necesariamente profesionales, sino personas sensibles, educadas, mejores ciudadanos y ciudadanas.

Comenzó la vida en la Orquesta Nacional Juvenil. Llegábamos del colegio a la una de la tarde, íbamos a la casa a la una y media, almorzábamos y a las dos estábamos en la orquesta hasta las nueve de la noche. También recibía clases de trompeta del profesor José Ferlita, primera trompeta de la banda del estado Lara, maestro y modelo al tocar el gran solo del himno nacional.

Vivíamos y estudiábamos en Barquisimeto, pero el sistema formativo de la orquesta nos obligaba a viajar continuamente. Un seminario en Los Caracas con el maestro Gonzalo Castellanos, dirigiéndonos; viajes de fin de semana por seis o siete semanas consecutivas para, al final, dar un concierto en la iglesia de Don Bosco de Caracas, o en la Sala José Félix Ribas con el maestro Antonio Estévez conduciéndonos en «Romeo y Julieta... Aquello significaba estar cerca de verdaderos maestros, iconos que han dado de verdad a nuestro país.

Con mi trompeta participé en una de las primeras formaciones de la Orquesta Nacional Juvenil. Fuimos para la Academia Internacional de verano de Niza en Francia. Nosotros unos chamos de quince, dieciséis años, con una chaperona que nos metía en el cuarto a las ocho y media de la noche, pero recibiendo el enorme beneficio de viajar, recibir cultura, ver a gente grande. Por efectos de la educación en la música vivimos cosas muy buenas, formativas a más no poder.

En ese entonces los viernes en el colegio me daban permiso para salir una hora antes. Tomaba con los compañeros el vuelo del mediodía, llegábamos a Maiquetía e íbamos sin escala a la sala Ribas, que no estaba totalmente construida. Allí, en el tierrero, teníamos clases de análisis musical con Humberto Sagredo, de trompeta con Rafael Zambrano, y también con el maestro Eduardo Marturet, quien realmente me inspiró para que yo fuera director de orquesta.

Conocer y recibir enseñanzas por año y medio de Eduardo Marturet fue una inspiración. Es más, creo que la escogencia de ir a Inglaterra a estudiar dirección, tuvo mucho que ver con Eduardo, porque obviamente él me guió para ir a los lugares donde había estado. Yo era una esponja, hiperquinético a fondo, y quería hacer todo lo que iba llegando de la información de los profesores y de los sueños propios.

Comencé a amar la música apasionadamente. La trompeta y la dirección orquestal, eso de verdad era lo que yo quería. En la orquesta de Lara rogaba que el director no apareciera, porque había un acuerdo tácito entre los alumnos: si el director no llegaba, me ocupaba del ensayo. Sabía el repertorio, había dirigido «Los Maestros Cantores» de Wagner unas setenta mil veces con los discos y los espaguetis caseros. Tal era la afición controlada y ni tan controlada.

Por fin me vengo a Caracas una vez terminado el quinto año del bachillerato. La Orquesta Filarmónica de Caracas había convocado a un concurso de jóvenes directores. El premio era ser director asistente por un año. Conjuntamente con Pablo Castellanos fuimos honrados con el primer premio. Ese primer premio compartido nos dio el derecho a ser directores asistentes de una orquesta de excelente calidad, con profesores profesionales de primer orden que el maestro Aldemaro Romero había contratado en Estados Unidos.

Conocía al maestro Romero más por la onda nueva, que por sus otras facetas musicales. Eran frecuentes sus apariciones en la televisión debido a los festivales de Onda Nueva de principios de los años 70. Tal vez por eso siempre se asociaba a Aldemaro Romero con la música popular: ¿por qué Aldemaro Romero, un músico popular, hace una orquesta sinfónica?, ¿qué lo califica...? Así era la crítica en el ambiente: «...Vale la Sinfónica de Venezuela, la de Maracaibo... ¿pero esta orquesta importada...?». A pesar de los detractores, lo cierto es que la Filarmónica era una orquesta excelente a la cual accedí como director asistente. Y con ella bajo por primera vez la mano inexperta y empieza a sonar ese monstruo... Todavía escucho esas grabaciones y... ¡guao! «Un Americano en París», el 12 de julio de 1980 en el Aula Magna; la obra y fecha de mi primer concierto con la orquesta... y también del estreno de mi primer frac, asesorado por Rosalía Romero. Y no un frac cualquiera sino importado de la misma Nueva York que había servido de puerto a los profesores de la orquesta.

Fui un par de veces a Nueva York y compartí muchas cosas tanto con el maestro Aldemaro Romero como con los otros dos directores asociados que tenía la orquesta, Eduardo Marturet y Carlos Piantini. La experiencia en la Filarmónica de Caracas fue muy intensa; vivía de sol a sol metido en los ensayos, en las reuniones; hacía de todo, hasta de chofer, además lo hacía con mucho gusto (Rosalía Romero, responsable administrativa y hermana de Aldemaro, siempre me llamó con todo cariño «mi recogecable favorito»).

Aldemaro hizo un esfuerzo muy grande por convertirme en director. Había que salir a perfeccionarse y la Orquesta Municipal, a cargo de Carlos Riazuelo, me había invitado a una primera gira por Italia. Allá atendí a un curso con Franco Ferrara en la Academia Santa Cecilia de Roma. En esa gira, además, hice lo que hacía todo el mundo: alargar el pasaje y quedarse cuarenta días más en Europa. Fui a ver lugares aquí, allá, y llegué a Inglaterra, al sitio donde estudió Eduardo Marturet; dije: este es el lugar.

Al regresar le hablé a Aldemaro acerca de mis intenciones. El maestro dijo: «¿Cuál es el problema? Tienes un sueldo de cuatro mil bolívares como director asistente, te lo subimos trescientos bolívares y con esos cuatro mil trescientos bolívares (al cambio increíble de cuatro treinta bolívares por dólar), pues tienes por la orquesta una beca de mil dólares. Y con mil dólares en Inglaterra, Rodolfo, hasta en taxi te montas».

La Filarmónica se comprometía a pagarme mil dólares mensuales. Aldemaro, Piantini y Eduardo Marturet estaban felices de que yo me fuera. Al enero siguiente, chao todo el mundo: me fui para Inglaterra. Tres años estuve sin volver a Venezuela.

Hice mis audiciones en la Real Academia de Música de Inglaterra. Audicioné para la trompeta y después para el curso de dirección. Nunca me imaginé que era la escuela más antigua de toda Europa. No hablaba inglés, mejor dicho, hablaba tan mal que en la entrevista, cuando el profesor se movió un momentico, traté de leer en sus anotaciones y decía: «English ??» (así, con dos marcas de interrogación)... Afortunadamente estaba bien afilado en la ejecución del instrumento, conocía a fondo los conciertos de Haydn o Vivaldi; hice la audición de trompeta y logré la admisión.

Pero en verdad yo quería entrar al curso de dirección. Pero tenían por principio terminar primero un instrumento: ¿Quiere estudiar dirección? Tiene previamente que entrar a la academia y graduarse de trompetista. Es más, la carta de admisión decía: «Nosotros le recomendamos, le sugerimos, que usted esté un año como trompetista y después, sólo después, de que conozca la mecánica de nuestra academia, pues atienda a la audición para el curso de dirección, etc.».

A pesar de que en aquella época vivía en Cambridge, fui a Londres a decir «NO» en persona a los maestros: Discúlpenme pero no sigo su sugerencia, quiero hacer ya la audición de dirección. Accedieron no sin antes recordar sus advertencias, pero finalmente hicimos la audición para tres puestos con otros sesenta aspirantes: un examen escrito (menos mal que era en música y no en inglés), un examen de piano donde toqué la «Sonata en re mayor» de Mozart (el hecho de haber tocado mucho acordeón me había dado agilidad para la mano derecha), un examen auditivo... todo ello para seleccionar doce aspirantes a dirigir la orquesta en la tarde y de allí establecer los tres cupos definitivos. Esa tarde dirigí «Los Maestros Cantores» y a las veinticuatro horas recibí una carta: «Usted fue aceptado, va a estudiar dirección... y trompeta».

Creo mucho en Dios, en ese poder divino que existe y ayuda la constancia de cada cual. Algo hace que la vida te lleve hasta un lugar y te diga: la Real Academia inglesa y a estudiar dirección de orquesta con maestros de la talla de Colin Metters, John Carawe y George Hurst.

En la academia siempre fui, junto con los otros dos compañeros, director asignado para dirigir junto con los maestros. Allá, debido a la cantidad de alumnos, había bastante movimiento orquestal y, por tanto, mucho trabajo para nosotros: ópera, ensambles de todos los tamaños, grupos para cualquier tipo de cosas; conciertos para estudiantes y público en general con música de Beethoven, Mozart, Tchaikovsky, Haydn, Brahms, Stravinsky, o sea, los grandes compositores del repertorio «standard» de la música académica. Con esa experiencia desarrollamos a fondo el oficio.

Durante mi estancia en Inglaterra, el coro de la orquesta Philarmonia de Londres, una de las grandes orquestas del país, me ofreció una beca complementaria para hacer el postgrado. Pero las circunstancias políticas hicieron que, de ser un venezolano de la época de la Venezuela Saudita, pasara a ser un venezolano del «viernes negro». La Filarmónica de Caracas desapareció por efectos de nuestra economía, y con su desaparición se perdió la beca. Hubo una llamada de Rosalía Romero diciéndome: «Regrésate que se acabó. Vamos a empezar a recoger cables otra vez». Pero aguanté lo que más pude, ocho meses que me llevaron a participar en un concurso internacional para resolver el problema económico personal. Fui así al concurso Bensacon en Francia, de los más importantes de Europa, en competencia con 73 concursantes de los cuales yo era el más joven.

Pasé la primera ronda del concurso. La segunda ronda trataba de una prueba auditiva endemoniada. La orquesta había introducido diez errores en una de las sinfonías de Mendelssohn; uno dirigía y, al mismo tiempo, debía corregirlos. Pude encontrar todos los errores y pasé a la tercera ronda: dirigir un movimiento de la «Octava sinfonía» de Beethoven. La superé y llegué a las finales con un pequeño pero importante inconveniente: no tenía frac. Conseguí uno en una tienda de disfraces de un pueblo suizo cercano y con él me fui a la prueba definitiva. No gané, fui el primer finalista. Regresé a Inglaterra con mil quinientos dólares de premio y un fino reloj de oro, precioso.

Con los dólares del premio y sin la beca de la Filarmónica de Caracas, apaleada por el viernes negro, costeé otro año de postgrado y, gracias a Dios, me vine de vuelta a Venezuela en 1986.

Al regresar lo primero que hice fue buscar a Aldemaro, a Rosalía, a Eduardo Marturet para agradecerles su apoyo y ponerme a su orden (aunque nunca puede agradecerse suficientemente el beneficio de vivir y aprender). Tenía el diploma bajo el brazo y casi de inmediato hubo oportunidades para dirigir. Acaso tan sólo un tiempito de impaciencia, cuando quise producir algo de dinero y enseñé inglés; pero pronto los colegas, maestros y amigos (Alfredo Rugeles, Carlos Riazuelo, José Antonio Abreu y, desde luego, Eduardo Marturet), me abrieron puertas por todas partes. Así comencé con la reestructuración del núcleo de La Rinconada del Sistema de Orquestas Juveniles, que eventualmente dio nacimiento a la Orquesta Sinfónica Gran Mariscal de Ayacucho con sus años iniciales de graduaciones, conciertos exitosos, de grandes cosas realizadas.

Estuve por cinco años en la Sinfónica de Venezuela. Paralelamente tuve invitaciones para dirigir la Orquesta Sinfónica Simón Bolívar, la Orquesta Sinfónica Municipal, la Orquesta Sinfónica de Maracaibo, las orquestas más importantes de Venezuela, las de mayor tradición y también los grupos emergentes como la Orquesta Sinfónica de Lara, la Orquesta Sinfónica de Mérida.

Venezuela dio la oportunidad para sembrar y sembré: eso es dirigir a la Sinfónica Venezuela en «Petrushka» de Stravinsky o la «Turangalila» de Olivier Messsiaen; eso es acompañar a Arnaldo Pizzolante y crear una relación fructífera con Carlos Duarte que duró hasta su muerte. Eso también es trabajar con solistas de talla internacional como June Anderson y nuestros Aquiles Machado o Gabriela Montero; poder viajar todos los años dos o tres veces al extranjero, invitado a dirigir en países de Latinoamérica, en España, Inglaterra o Italia... Pero nada se compara a la oportunidad de ayudar a construir en el país una orquesta como la Sinfónica Gran Mariscal de Ayacucho (doce años y doce discos); de estar ahora trabajando en plan de director artístico de la Orquesta Sinfónica Municipal de Caracas. De haber trabajado tanto con la Sinfónica Simón Bolívar como con la Sinfónica Venezuela; de ayudar a crear nuevos sonidos, como el de Gurrufío con la Orquesta Sinfónica Gran Mariscal de Ayacucho, o el de El Cuarteto con la obra de Pedro Mauricio González... Rescatar muchas de las obras, participar en aquel bello homenaje que se hizo con motivo de los setenta años de Aldemaro Romero, donde desempolvábamos por primera vez, después de mucho tiempo, su «Canto a España» e hicimos el concierto de las dos Marías (María Teresa Chacín y María Rivas).

Caracas me ha dado una posición que me permite actuar con la obra de grandes artistas que han dado muchísimo por este país: Inocente Carreño, Juan Carlos Núñez, Gonzalo Castellanos, Aldemaro Romero... pero también de hacerlo con los compañeros alumnos del Instituto Universitario de Estudios Musicales (Iudem), con los músicos de esta generación, los de generaciones anteriores. Abordar con entusiasmo el tiempo reciente cuando fui director musical del Teatro Teresa Carreño, un cargo de alta carga burocrática, que también trajo la organización de buenas temporadas de óperas y la posibilidad de dirigir aquel «Rigoletto» con elenco internacional. Esta oportunidad no se me hubiese dado nunca ni en Nueva York, ni en Londres, ni en París, y menos con la calidez que se dio aquí.

He hablado de los músicos académicos, pero cuando hablamos de los músicos populares reconozco que acompañar a Oscar D'León ha sido uno de los momentos más felices de mi vida. O, muy recientemente, participar con Rafa Galindo en un rescate de la música del maestro Billo Frómeta para la ciudad. Estar con Frank Quintero, Biella Da Costa, María Rivas, Los Cuñaos, Serenata Guayanesa; tocar los arreglos de Alberto Naranjo en el homenaje a Duke Ellington; participar con Ilan Chester en el disco de Navidad... El hecho de abrirme al campo de la música popular, que amo, mediante músicos con honestidad a prueba de balas, es algo que para mí significa mucho, muchísimo, a la hora de volver a pensar en la honestidad cual concepto esencial para abordar lo que uno hace.

Un intérprete honesto, reitero, es quien conoce y ha estudiado a fondo lo que es el tema musical. Después, cuando va a la partitura del compositor o se enfrenta al acompañamiento de un artista, según el caso, ese músico puede reproducir y producir como una recreación –«re-creación»–; no en una mera interpretación más o menos eficiente, sino mediante el acto de recrear las intenciones del compositor: allí es donde tenemos un verdadero artista de talento, quien puede recrear con alta estética y buen juicio lo que hizo Beethoven, lo que hizo Inocente Carreño, Juan Carlos Núñez, o Aldemaro Romero. Recrear, sí, es un término clave.

Cuando se abre una partitura, uno ve si un compositor tiene oficio o no. Eso lo dice la orquestación, la armonía, el contrapunto, elementos que por oficio desarrollan cierto oído interno en favor de escuchar bastante lo que está sucediendo. Pero cuando suena la música es que se siente la esencia de cada una de las cosas: la «Novena sinfonía» de Beethoven, lo máximo, pero también un buen bolero cantado por Daniel Santos; cosas artísticas de una esencia diferente, pero de un alto nivel dentro de sus respectivos géneros.

Siento amor y respeto por los grandes maestros como Beethoven, Mozart o Brahms. Ciertamente son músicos que lo hacen sentir a uno realmente un átomo frente a su grandeza creativa, pero, debo reconocerlo, yo también he sentido una gran magnitud al lado de Oscar D'León, por ejemplo. En Londres pude ver a Ella Fitzgerald y, semanas después, a un Simon Rattle, insuperable director sinfónico; en ambos percibí un enorme nivel de grandeza creativa. Otro caso parecido ocurrió cuando conocí el «West Side Story» de Leonard Bernstein mediante un arreglo malísimo que, por supuesto, no me gustó. Pero escuché la obra en buenas grabaciones, vi la película y no lo podía creer. Desde entonces comprendo el valor de conocer a fondo; ir a la esencia para conseguir lo que en verdad hay.

El director de orquestas sinfónicas, debido a su oficio introspectivo, pasa mucho tiempo solo. Hasta que no me casé y tuve una familia, puedo decir que no vivía en una casa; vivía en un lugar amplio, cómodo, que al final era un gran depósito de partituras y de elementos de dirección. Un ambiente para el estudio del repertorio en soledad. Pero la dinámica de la vida, el interés en tener familia propia, hace que las cosas cambien para bien. Ahora comparto más: un día cualquiera estoy estudiando «Vida de Héroe» (Richard Strauss en un alto nivel de complicación). Voy con mis marcas en la partitura y de pronto, en lo que me descuido, mi hija agarra un color y me pinta la partitura «Vida de Héroe»... Y es una belleza estar dirigiendo y de repente encontrar una página con unos garabatos hechos por mi hija.

La dirección orquestal supone constancia y estudio, nunca quedarse satisfecho con lo que se sabe, vivir escudriñando. Y no solamente sobre dirección de orquesta, sino acerca de la comunicación social, de la psicología para la relación con los músicos mediante el buen trato que procure un ambiente de trabajo agradable. Si uno está al frente de cincuenta, ochenta o cien personas profesionales, listas para el comando artístico, obviamente tu adrenalina irá muy rápido y tal vez podrás cometer ciertos errores, pero... ¿por qué no asumir las limitaciones y disfrutar la bendición de hacer música?

Hay una anécdota muy buena del director que concede una entrevista después del concierto. Y este director empieza a hablar de sí mismo como del único que lleva el control de la orquesta; si no fuera por él todo fuera un caos, etcétera. Al día siguiente el director se presenta, la orquesta afina, él baja la batuta pero no suena nada. Vuelve a intentar y, otra vez, nada. Un músico entonces le dice: «No, maestro, es que solamente queríamos saber cómo sonaba la batuta...».

Siento que los músicos son mis colegas musicales. Algunos me dicen maestro, otros de mi generación me tratan de Rodolfo. Insisto en esto de ser todos colegas musicales, participantes importantes de la música que juntos producimos y, en consecuencia, disfrutamos. Eso busco con la actual dirección de la Orquesta Sinfónica Municipal de Caracas al interpretar una semana, digamos, «El Mandarín Maravilloso» de Bela Bartok, uno de los iconos importantes del siglo XX, y a la semana siguiente un valse de Juan Carlos Núñez, los arreglos del «Dinner en Caracas» de Aldemaro Romero, o acompañar al maestro Rafa Galindo, cantante también icono de nuestra música popular caraqueña del siglo XX.

En estos momentos estoy estudiando un postgrado de gerencia en la Universidad Simón Bolívar que ayuda a conocer importantes elementos de administración útiles para las orquestas y, al mismo tiempo, deja saber puntos de vista de profesionales no músicos: economistas, periodistas, ingenieros brillantes, empleados y desempleados... Siento que este paso por la universidad me hace mucho mejor músico, pues la vida, nuestra vida artística, se nutre de una cultura que también abarca otro tipo de cosas. Las charlas, las conferencias, los foros, todo es muy importante.

El músico no es solamente notas, es parte de un entorno al que hay que conocer en profundidad: saber entender de artes, sí, pero también saber entender de tantas otras cosas que hay en el mundo; cosas complementarias a una actividad musical que debería procurarnos felicidad, buenas relaciones y el disfrute apasionado de una vida plena.

Hoy, año 2003, de nuevo en Caracas luego de un viaje a Inglaterra, gracias al *jet lag* pude ver el amanecer. Y esa imagen trajo a mi mente la última grabación con la Orquesta Sinfónica Municipal de Caracas, algún verso en la voz misma de Rafa Galindo cantando en Caracas de Billo Frómeta:

Cuando Dios hizo el mundo
Con inmenso esplendor
A mi linda Caracas
Le dio su bendición

Y por eso Caracas
Convertida quedó
En pedazo de cielo
Por mandato de Dios.

Alfredo Naranjo
(Caracas,1962)

Desde siempre he tenido la necesidad de ser libre en el mejor sentido de la palabra; ese sentido que tiene una relación muy estrecha con fundamentos de una conducta llena de amplitud y con el sueño de ser músico. Quien tiene ese sueño siempre se plantea metas y cuando las ve concretadas, así sea parcialmente, se le produce gran regocijo al ver cómo por el camino de la libertad creativa su sueño puede cumplirse.

La música es un reflejo de alcanzar lo soñado y, a la vez, de transmitir expresión de lo que uno es. Mi naturaleza de ser libre me orientó a tomar el camino de la perfección en música, que significa hacerla lo mejor que se puede.

No tengo familiares que sean músicos profesionales, pero todos son melómanos empedernidos y oyen una gran diversidad musical, pero toda buena. He tenido suerte en eso. Mi mamá escuchaba mucho Tito Rodríguez. La recuerdo con el tema que dice... *yo no sé cómo puede tu vida brillar...* Mis tíos escuchaban rock muy bueno. Mi hermano jazz y rock, que me prendaba también. Mi abuela, Alfredo Sadel y Luisín Landáez: ella cantaba, yo acompañaba. Después, de grande, pude estar junto a Luisín y fue un fenómeno del destino de gran regocijo para mí.

En el ambiente en el que me crié eran rumberos: una lámpara guindando, fingiendo un micrófono y todo el mundo haciendo el coro. Baile, rumba, conciertos; me prestaban una cédula para poder entrar. Todavía conservo fotos firmadas por Papo Lucca, Tito Puente, Johnny Rodríguez, Sonny Bravo; gente que tuvo su oportunidad en el Poliedro. A Oscar D'León y Daniel Santos los vi muchas veces.

A los diecinueve años, ingresé a estudiar música en el conservatorio, en La Rinconada. Antes había aprendido dibujo, practicado el basquetbol, había hecho muchas cosas, pero nada concreto; no me llenaba nada. El paso por la orquesta fue una experiencia muy linda, porque nunca me había sentido útil en el ambiente donde me crié. Allí comienzo con la percusión, una gran experiencia de la que conservo muy buenos amigos, hoy profesionales de la música.

En La Rinconada me concentré mucho en formarme, tuve buenos ejemplos de conducta que fueron determinantes. Comenzó el interés en la música clásica, mientras que, siendo percusionista dedicado al ritmo, también me cautivaban la melodía y la armonía. Por eso sentí la necesidad de tocar un instrumento melódico. Aprendí el clarinete y el vibráfono, pero comencé a tocar el teclado y me di cuenta de que tenía habilidad. Por ahí empezó la cosa.

Soy miembro fundador de la Orquesta Gran Mariscal de Ayacucho organizada por Rodolfo Saglimbeni. De allí la primera beca que tuve; de allí el entrenamiento orquestal, por toda la música que escuché y porque ha sido parte integral de mi experiencia.

Con Alberto Vergara hicimos un proyecto que desafortunadamente se quedó en el camino. Era el grupo Percusión Venezuela. Se hizo un junte de músicos que abordaban toda una panorámica de géneros donde se usa la instrumentación de la percusión.

Alberto Vergara, que ya para esa época era una persona cotizada dentro de los grupos importantes venezolanos, tenía una agenda de trabajo muy copada y necesitaba suplentes para algunas de sus actividades. Gerardo Rosales, por su parte, buscaba un vibrafonista y como Alberto no podía, me llamó a mí. Gerardo fue la primera persona con la que toqué profesionalmente; tuve unas oportunidades muy simpáticas de hacer arreglos. Recuerdo que él me preguntaba de dónde sacaba esas ideas. Luego, estuve un tiempo con Andy Durán. En esos finales de los años 80, principios de los 90, comencé paralelamente a desarrollarme en plan de arreglista y director de agrupaciones propias.

La música me dio oportunidad de conocer cosas en mí que haciendo otra actividad jamás hubiera descubierto. Yo hago lo que hago porque la vida me llevó ahí. Descubrí que llevar la batuta ha sido punta de lanza de mi destino; no sólo en música, sino en mi vida en general.

Obviamente tengo mis fuertes: la salsa, lo que he desarrollado en composición, el intento de querer ser un solista de jazz: acudo a los elementos de improvisación como los he aprendido, pero todavía debo madurar. Tengo el ímpetu juvenil que puedo depurar en la medida en que pueda estudiar más.

La salsa me cautiva porque veo cómo, sin ningún tipo de límites, en este género se produjo una gran cantidad de genialidad y calidad de música. Te hablo de Joe Cuba, Tito Puente, Irakere, Oscar D'León, Larry Harlow, Celia Cruz, Jonnny Pacheco, Andy González, Chico O'Farril, Dimensión Latina, Rubén Blades... Uno va a Nueva York, los ve tocando lo suyo en el Carnagie Hall y después, sin ningún complejo, haciéndolo con igual dignidad para el bailador, en un botiquín. Este tipo de músicos, maestros de antaño, han entendido bien que hay que vivir de esto, y que de esto también se vive dignamente.

En los sitios nocturnos no se cobra como para comprarse un carro, pero se hace música muy buena. Tocar en El Maní es Así es un postgrado: con toda la interacción que se da con la gente, con todos los fenómenos de creatividad que se dan diariamente y que ninguno se parece de una noche a la otra. Muchas veces, lamento que se me haya olvidado algo que pasó –un coro, un golpe–, algo buenísimo para incorporarlo en cosas futuras. ¿Qué se le hace?

Desde el punto de vista creativo, El Maní es una fluidez constante. Creo que allí se hace arte. Creo que tenemos músicos que compiten con quien sea: con los más grandes del negocio que ganan dinero o Grammys, con los pianistas más conocidos del jazz. Créanme, estamos haciendo música de alto nivel en El Maní.

Música de salsa, jazz, clásica, rock... No sé quién se ha encargado de poner en departamentos diferentes expresiones que, por esencia, son lo mismo. Cuando uno oye la historia de un músico como Mozart, te das cuenta de que padecía y sentía las mismas sensaciones artísticas existenciales que puede tener un músico de cualquier género. El parto de una composición propia es posible que tenga el mismo nivel de dignidad y de esfuerzo que pudiera imprimirle cualquier gran compositor a lo que hizo.

Si uno trabaja con profundidad, el arte se da con características dignas, sentidas en la música bien hecha, conózcala la humanidad o tu familia nada más.

Yo prefiero el alcance de la trascendencia; no el alcance terrenal, a mediano o a corto plazo: esa es mi naturaleza. Así soy con las mujeres, así soy con mi hijo, así soy con la música. yo pienso eso.

Gabriela Montero

(Caracas,1970)

Uno es como toca y uno toca como es. No hay distinción posible entre tu toque y tu persona. De nada sirven las trampas y las poses que, al menos en mi caso, no son sino recursos inútiles al momento de tener la música como centro importante de la vida. Jamás he comprendido las actitudes de poses o divismo artístico tonto; me parecen posturas falsas, bobas, alejadas de la comunicación con un público a quien tú quieres, con quien siempre necesitas relacionarte a fondo para que lo tuyo funcione y, además, funcione con el mismo grado de entrega mágica de aquel primer día en que te dedicaste a esto.

«Un pianito de juguete para la niñita Gabriela», cuentan que pedía mi abuela Giovanna Osorio a mi mamá, al verme de tan sólo siete meses dándole con el dedito medio a las teclas en vez de aporrearlas con los puños. Y desde entonces algo se formó dentro de mí, algo reforzado por una mamá que me cantaba largo rato todas las noches antes de acostarme. Al cabo de un tiempo, muy chiquitica, ya tocaba en el piano cosas que escuchaba de aquí y de allá: el Himno Nacional, el «Arroró mi niña», los temas del programa «Sopotocientos». Mi mamá grabó y conservó casetes de ese tiempo que, afortunadamente, hoy ayudan a recordar las cosas tal cual fueron al comienzo: la niña que toca de oído y a quien presentan por vez primera, a los tres años, en concierto para los amigos de la casa quienes, a su vez, tienen que cerrar los ojos y darme la espalda por lo penosa que era. Luego llegaron las clases con la profesora Lyl Tiempo y un primer recital; el debut en un concierto público con la Orquesta

Sinfónica Simón Bolívar, a los ocho años, con interpretación de Haydn bajo la tutela y dirección del maestro José Antonio Abreu; algo después, una mudanza familiar a Estados Unidos y la continuación de estudios con maestros en conservatorios norteamericanos y europeos –Royal Academy of Music del Reino Unido–, presentaciones, concursos, premios... en fin, todo un etcétera lleno del entrenamiento formal necesario para desarrollarme como pianista y entender que el don de tocar es algo que está muy dentro de uno.

Mi manera de ver la música es muy poco convencional. Nunca he sido persona de estudiar horas. No va conmigo. Veo la música como un lenguaje que manejo y conozco, que forma parte de mi ser sin necesidad de esforzarme. El esfuerzo enorme está, sí, en el sacrificio personal que la música supone; en la entrega personal exigida por el intelecto: tu cabeza siempre en función del trabajo musical; todo el día pensando en el repertorio, arreglando el cómo hacer una frase, un «tempo», improvisando, tomando decisiones interpretativas... Este compromiso, increíblemente, te lleva a escuchar un radio íntimo en tu cabeza las veinticuatro horas del día, un radio con muy poco espacio para otras cosas musicales distintas a las propias.

Aprendí de mis profesores a resolver los problemas técnicos del piano como problemas personales. La técnica se va descubriendo según tus posibilidades; te vas puliendo al hacerte muchas preguntas que respondes con soluciones sonoras encontradas en el instrumento. Existe el entrenamiento para descifrar los códigos musicales necesarios, en una actividad parecida a la que hacen los matemáticos con sus fórmulas y sus cosas, sólo que nosotros, los músicos, debemos responder a nuestros códigos físicamente, ejecutando el instrumento. La técnica se puede aprender, perfeccionar, corregir, pero tiene que haber en la persona coordinación mental y física, cierta facilidad en la comprensión artística de los códigos emocionales de la música para poder hacer algo decente, ayudado por el tiempo de dedicación, la paciencia y una guía correcta.

La lectura de la música termina siendo un instrumento técnico que cada cual usa para encontrarse con las composiciones. Ahora, en el entendimiento de una obra va también algo personal muy serio y profundo; un conocimiento sensorial, emotivo, que te lleva o no a la afinidad con el compositor, con su música. En mi caso existe empatía hacia Rachmaninoff –lleno de armonías exquisitas–, Chopin, Beethoven, Shumann, Mozart, todos afines, cómodos para ir hacia sus obras y crear ejecuciones interesantes con ellas. Haydn o Shubert, por poner algunos casos contrarios, son compositores cuyas obras respeto, pero que no están en el repertorio porque no me ha llegado el momento de entenderlos a fondo, de comprender su dimensión creativa.

Uno busca un repertorio y lo ofrece. Estudia cosas para encontrar afinidades y seguir adelante. A veces llegan retos enormes: el «Tercer concierto para piano y orquesta» de Rachmaninoff, lleno de notas y con una carga emocional que te deja exhausta, tal cual la película *Shine*, premiada hace unos años, donde el actor Geoffrey Rush representaba muy bien el papel de un pianista enfrentado a esta descomunal obra (tal vez sólo Bartok haya compuesto algo de igual dificultad).

Los encuentros de los concertistas con los pianos son tan inmediatos, tan promiscuos, que se parecen mucho a los matrimonios arreglados: hola, piano, aquí está Gabriela lista para entenderse contigo, seas como seas, y chupulún, de los ochenta y ocho tambores afinados con que alguien alguna vez comparó a las teclas del instrumento a, quizás, el sonido de ochenta y ocho latas descarriladas que muchas veces nada ayudan a interpretaciones que uno desea bellas, totales, convertidas en experiencias únicas tal vez capaces de afectar de manera importante la sensibilidad de quienes nos escuchan. Por eso cuando uno se pone exigente con la condición del instrumento, no se trata de divismos ni malcriadeces; se trata de respetar tanto a quien ejecuta con total entrega, como a quien escucha buscando un mensaje sensible que a lo mejor y hasta puede afectarlo el resto de su vida.

Nunca toco igual una misma pieza. Si la toco dos veces, son dos versiones distintas. Hay una estructura igual en las dos versiones, es verdad, esa que viene directo del compositor, pero creo mucho en la espontaneidad, en el instinto al momento de ejecutar; es allí, en ese momento y no antes, cuando debe tomarse la decisión para ofrecer una ejecución rica emocional y espiritualmente. Para esto uno necesita mucho la complicidad del director, su entrega absoluta; que asuma y me acompañe en los riesgos musicales que, por ejemplo, tomo en cadencias improvisadas al momento de tocar.

Me fascina improvisar; es algo que llevo siempre, desde chiquita, al momento de pensar en música y oír mentalmente cosas creadas en el momento, sin ninguna planificación distinta al instinto. Hoy día ofrezco improvisaciones al final de los conciertos y la respuesta del público es increíble (piden temas, cantan, se integran; como que se rompe el hielo de la formalidad...). La música popular, en la que me he interesado en serio, debo confesarlo, en los últimos años, me ha traído una increíble carga de sorpresas. Hay músicos populares del mejor nivel posible, quienes mucho pueden enseñarte de su arte de tocar con espontaneidad y destreza. El jazz y sus intérpretes resultan maestros del arte de la improvisación y su concepto. Sé de un jazzista, por ejemplo, que hablaba de la diferencia entre componer, un acto absolutamente consciente, e improvisar: en el primer caso, decía, tienes todo el tiempo del mundo para ver qué dices en tres minutos; en el segundo, al improvisar, tan solo tienes los tres minutos... Tenía razón, con la sola coletilla de improvisar, sí, porque esté dentro de tus habilidades, no por un solo afán de seducir a punta de puro talento, con malabarismos técnicos o con ese tal «profesionalismo» asesino no sólo de la improvisación, sino de toda ejecución musical. Me mueve, definitivamente, la entrega total que produce respuesta emocional en los demás, ver al público embelesado, cómplice del goce de hacer música; algo que Martha Argerich, maestra argentina del máximo nivel, logra al dejar un pedazo de sí misma cada vez que toca (jamás se debe tocar por tocar), y por esto la gente la adora.

Hace un año vivía en Europa y decidí regresar al país porque sentía una necesidad muy fuerte de regresar a casa, de encontrar estabilidad para mis dos hijas pequeñas, y porque hay que atender la responsabilidad docente hacia las futuras generaciones pianísticas. El cariño de la gente, la belleza de nuestra Venezuela, te hace recordar que uno es de aquí a pesar de que viaje mucho y tenga que cumplir con una carrera de compromisos internacionales.

Hace unos años vivir lejos de Europa, centro de las artes, era un verdadero problema para el artista que quería proyectarse internacionalmente. Hoy en día esto ha cambiado radicalmente. El mundo se ha abierto y acortado con la facilidad de las comunicaciones: es internet, y se habla directamente con el agente; un vuelo de nueve horas, y ya en París o Frankfurt lista para el compromiso artístico, y lista también para regresar pronto a casa.

Voy pronto a Stuttgart, Alemania, a tocar con la Stuttgart Chamber Orchestra un concierto de música contemporánea de Roberto Gerhard, maestro de bastante reputación a escala mundial. También está el festival de Martha Argerich en Buenos Aires, donde acepté la invitación a tocar a dúo con ella; iré a Brasil, Italia, Alemania, varias presentaciones están programadas aquí en Caracas... va un disco para el sello Emi, otro con improvisaciones en una faceta que no es muy común en los pianistas académicos; en fin, una buena cantidad de planes inmediatos que quiero y puedo continuar desarrollando desde esta Caracas actual, donde también, gracias al apoyo incondicional del maestro José Antonio Abreu y su equipo, estamos abriendo una cátedra para pianistas de nivel medio y avanzado. Una cátedra en función de ejercer docencia y hacer algo por nuestros jóvenes músicos; una cátedra en la que pido al alumno confianza total para mejorar sus conocimientos y buscar juntos las herramientas útiles para afrontar los retos de la música. De esta forma, según el talento individual despojado de poses o divismos falsos, pues también uno podrá tener el gusto de ayudar a cada cual a llegar al tope de lo que pueda lograr.

VII
Recorridos

OCTUBRE, 1978

Nada más difícil que el examen de locución. Aun para el abogado de la República recién graduado que aspira al certificado de capacitación correspondiente: a) ¿Dónde se baila el baile de El Mono? b) Despeje la ecuación elemental siguiente: X + 3 = 2X + 8. c) ¿En que fecha abandonó el poder el Dr. Raymundo Andueza Palacios? d) ¿Sabe usted la potencia de la antena repetidora de la Radio Nacional de Venezuela?... Cultura, mi amigo, cultura general que debe usted exhibir frente a un jurado que también lo cuestiona en forma oral: «A ver, aspirante, lea usted: Imgeve, Miracielos a Hospital, Catia, Avenida España... Improvise ahora usted un discurso, amigo abogado; por decir, algo acerca del nuevo Código Civil y su importancia en el ascenso de los derechos femeninos...».

Y pensar que tan sólo quería aquel certificado para hacer programas de radio. Nada más sencillo y, a la vez, nada más complicado.

MARZO, 1980

Mientras el palo va y viene (el lomo reposa); así el dicho, así el título del poemario de Aquiles Nazoa, bien atado a esta Caracas de paseos, plazas y, especialmente, de un boulevard de Sabana Grande siempre listo a la bohemia, a poetas, locos y músicos populares con perfil inolvidable:

El hombre orquesta

¡Qué feliz debe ser el hombre orquesta!
Cañonero o juglar modernizado,
de unos ocho instrumentos anda armado
y en cualquier parte pone la gran orquesta

Con su infantil jazz, poco molesta,
pero si alguien le muestra desagrado,
se marcha con su música a otro lado
y allí vuelve a ponerle la trapatiesta

Terminado el concierto, un pote agita
entre la gente cuyo asombro excita,
y así recoge un fuerte en un instante
y todo lo demás importa un cipo...

¡Qué vida tan feliz lleva este tipo:
Me le voy a ofrecer como cantante!

SEPTIEMBRE, 1981

La Plaza del Venezolano está tomada por los evangélicos. Cantos vienen y van todos los mediodías laborales dándole curioso ambiente al sitio. Un pastor ecuatoriano, en particular, llama la atención por el método con que capta feligreses y, de paso, compone sus nuevos cantos:

> *Hermanos, la Biblia responde todas las preguntas que nos angustian y atormentan. ¿Mucha soledad por la mujer que te dejó?, ¿tristeza profunda por familiares enfermos o necesitados?, ¿sufrimiento por penurias económicas y falta del golpe de suerte? Atención porque tu congoja, sí, lleva al milagro... Alabaré, alabaré, alabaré... Ea, milagro puro. Mande lo que quiera. Recoja respuesta superior, celestial, a la pena que acongoja. Abra la página sagrada al azar. ¡Abra la Biblia dondequiera hermano! Mande, vea...*

El pobre hombre del público abre en la página equis y deja caer su dedo sobre los versículos del libro de Los Jueces, siempre apropiados para cualquier caso imaginable:

... Alabaré, alabaré, alabaré... Dios le habló para aclarar. ¡Milagro que responde a la pena del prójimo beneficiado!... Alabaré, alabaré, alabaré.... Palabras sagradas consagradas a resolver confusiones, malquerencias, extravíos. Mentalidad eterna, superior, librada de inmundicias. ¡A cantar hermanos, a cantar las enseñanzas! ¡Mande la guitarra el tono superior del Cielito lindo y, justamente, miremos lo lindo del cielito mientras todos a uno alzamos la voz de alabanza! ¡Todos a una!, ¡que jueces nos escuchen en Pajaritos! ¡Mande!

DICIEMBRE, 1987

Daniel Santos en Le Cachet, avenida Libertador, Caracas. El show es con sonera en vivo –Coco y su Sabor Matancero–, el público lo más variopinto imaginable; se exige consumo mínimo para entrar.

La mesa con mantel de cuadros acompaña una silla en el centro del escenario. Con la «Virgen de medianoche» entra el de la melena blanca peinada, correa gruesota y, como siempre, *bigote 'e gato*. Es el Inquieto Anacobero, Daniel, tan sólo acompañado de una botella de ron y su correspondiente vaso.... *Virgen de medianoche, virgen eso eres tú...* canta el profeta. Aquello se viene abajo en aplausos. Sigue «el duro» firme todavía a sus x años, con leyendas que hasta pueden desembocar en la terrible persecusión cultural del año 78, con Salvador Garmendia y el propio doctor Isaac Pardo defendiendo los requiebres del mítico Daniel («Esa palabra no se dice», escribió el doctor Pardo).

Boleros de repertorio van acompañados de tragos que Santos celebra con la audiencia desde la mesita del escenario. «¡Salud mi gente! Maestro, venga lo de Linda...». La gente de la barra brinda y celebra; allí contertulian profesionales universitarios, estudiantes, contadores, motorizados, secretarias, intelectualosas, vividores y una que otra niña de sociedad (las señoras de la casa brillan por su ausencia).

Algún cambio de seña entre dos aficionados procura voces subidas de tono y prolegómenos de trifulca. De pronto el show se ve interrumpido. Alguien pide por el responsable del negocio, otro por el portero; una mujer llorando dice que llamen a la policía mientras A enseña la botella carajeando a B, quien a su vez advierte que tiene alborotado el salvaje que lleva por dentro, y se arma con tenedor y cuchillo.

–Nada de nada, mi socio –dice Daniel por el micrófono–.

Esto lo resuelvo en un instante. Esto es lo mío. Nada de tombos, vigilantes ni autoridades que pajeen el show... ¡Salud! Un instrumental del maestro Coco y ya yo vuelvo.

La pista queda vacía por un momento. Coco marca un instrumental suavecito. Daniel –imponente *bigote 'e gato*, sí–, pues da calma a los duelistas brindándoles un trago de su propia botella. Aplausos de aprobación no se hacen esperar. Los aficionados apoyan al artista experto en cosas de la noche. La sonora vuelve a la carga con un «Recordar es vivir» –casi el Cicerón de «pensar es vivir dos veces»–, que recibe el *Anacobero* ahora sereno, quieto, con su más vital expresión.

NOVIEMBRE, 1986

El restaurant El Parque es centro de los más rumbosos viernes capitalinos de que tenga noticia:

> La ilusión campestre que crean una terraza adornada con palmeras y otros afeites tropicales, la carpa traslúcida que apenas filtra el sol meridiano, la aligeradora presencia en el mobiliario de la rejilla, el mimbre y el rotin –que nosotros hemos nacionalizado como ratán–, el beige y el marrón de manteles y servilletas en la sala de grandes paredes de vidrio y la alfombra de intenso verde del jardín artificial de afuera, hacen de este restaurante, algo tan diurno como una pamela, tan solar como una pajilla, tan luminoso como el mundo sin sombras del mediodía.

Así el verbo descriptivo de Ben Ami Fihman en una de las páginas de sus *Cuadernos de la gula*, así también Ligia Feo y Floria Márquez –todavía en sus primeros pasos como cantante *entertainer*– cual anfitrionas de gente perfumada, dispuesta al disfrute de la buena compañía y mejor música cuando los mediodías dejan de ser tan solares como ciertas pajillas diseñadas para la noche.

Ricardo Viloria, el hombre de la música del sitio, explica a quienquiera la procedencia intelectual, dadaísta y parisina del nombre de su conjunto, mientras el Cadáver Exquisito se da a conocer a fuerza de toques, casi siempre como contrapartida de Nancy Toro o Hedy Baena y sus boleros de mano de Chicho Barbarrosa.

«Viloria, tu conjunto tendrá mucho de cadáver, pero de exquisito nada», y que le dijo una señora a Ricardo cuando escuchó el afinque salsero proveniente de las voces de Nano Grand y Durbin Espinoza, quienes de alguna forma nos dejaban saber cómo la gran fiesta del Cadáver la terminaríamos celebrando con Alberto Vergara y Maigualida Ocaña, a comienzos del siglo XXI, en compañía de Tulio Hernández, en la propia terraza del Ateneo de Caracas. Digamos, una forma de preservar en disco aquellas rumbas irrepetibles de El Parque con Nano Grand y su tumbadora dándole a lo de... *Llegó Supermán, bailando el guaguancó...*

ENERO, 1989

Nancy Toro se queja de la velocidad de los tiempos, del barullo vital existente. De la premura en todo y para todo.

–Falta calma, sosiego –dice–, reposo en uno mismo para, justamente, producir reposo en los demás. Eso se agradece mucho, en especial si uno, artista, quiere que lo comuniquen bien con su público.

Muy a propósito cuenta entonces nuestra amiga cómo fue citada a cierta entrevista en un programa de radio mañanero de corte juvenil. Más que puntual, como procede en estos casos, compareció ella y se le recibió en una sala de espera apretada, mínima, impregnada del agite propio de algunos animadores veinteañeros de esos programas matutinos.

–Faltan quince, diez... siete minutos... –advertía una y otra vez el asistente de producción, mientras, en la mitad de una corredera, le ofrecía café y conversación acorde con el interés de quien por fin no está acostumbrada a gozar la mañana antes del mediodía.

Llevado a cero el tiempo de espera, por fin se anuncia el turno y pasa al aire cual invitada especial. El entrevistador, que habla apurado, rapidito la saluda y le pregunta:

–Hola Nancy, bienvenida Nancy... ¿Y tú a qué exactamente te dedicas Nancy?

–Te contesto también rapidito –dice la cantante con su tono más agrio–. Si tú no sabes bien lo que yo hago, cuál es mi asunto, tampoco yo sé qué cosa hago aquí.

Y, como es natural en esos casos, entra de pronto en el dial una música de otra gente y, por supuesto, allí mismo termina la entrevista.

OCTUBRE, 1990

Una mudanza siempre está ligada a un adiós. Se deja el viejo apartamento por el nuevo, se promete cercanía para con vecinos que ya no se frecuentarán. Los destinos quedan a la espera de ciertos reencuentros sólo posibles por un interés común –en nuestro caso por la música– que se realiza una década después. Tal el caso del vecino Roberto José grabando un disco de rancheras que procura cercanía no sólo en el estudio de grabación, sino en un evento de «Arranca en fa» en los Espacios Unión (el amigo está preocupado porque lo quieren retratar disfrazado de charro para la portada del disco...).

La situación no es nada extraña: William De Sola, amigo melómano, administrador y cantante, busca complicidad para reconocer la deuda que tiene para con la música. Tarda también una década pero cumple al grabar su disco de boleros, casi en el mismo tiempo que Roberto José lo hace. ¿Coincidencias? ¿amistades afines al asunto musical? Qué cosa esta del arte amarrando desde un comienzo destinos futuros y, a lo mejor, tragedias del pasado.

Un viaje a París sin la compañía ni de Roberto José, ni de William, me lleva a una sala de Louvre con enormes pinturas de Pieter Paulus Rubens. Se trata de «Las historias de las ilustres gestas heroicas de Henri IV», encomendadas para el palacio de Luxemburgo donde María de Médicis, reina, residió. Allí uno admira los veinticinco paneles y hasta se le llega a ocurrir que el panel veintiséis de las gestas de Henry IV pudo ilustrar aquella tarde de viernes caraqueño, ni tan lejana, en la que un portugués dueño del restaurant con el nombre del rey, harto de tener que enfrentar embargos que le resolvían el fin de semana al abogado contrario, al propio, a la jueza y demás funcionarios de cierto tribunal, pues optó por no resolver la cosa ni con la música jurídica, ni con la del pianista, sino a tiros que lo llevaran directo a la cárcel. En fin, una gesta medio heroica que produjo la resolución firme de nuestro Consejo de la Judicatura, prohibiendo la práctica de los embargos de «resuelve» los días viernes en la tarde, cuando los momentos de absoluto solaz de clientes melómano-culinarios deben ser protegidos por portugueses francamente responsables (¿o no, William y Roberto José?).

Estelita Del Llano es capaz de grabar con público presente, «en vivo», tal cual un show o una fiesta. Estelita es capaz de eso y de mucho más: canta en un concierto, en un teatro (la gente se impresionaba con sus apariciones en «Esperando el italiano»), en un bar, una reunión de amigos, el cumpleaños o algún matrimonio.

Lo suyo es cantar. Donde sea, con quien sea. Abrir la boca imponente y poner al servicio del canto todas los destrezas posibles –quejidos, media voz, registros altos y bajos, modulaciones, rubatos, etcétera–, al servicio de quienes aprecian impresionados el arte maestro de una gran cantante (esa impresión, debe decirse, centuplica su poder si el oyente no la ha escuchado nunca en vivo).

–¿Voy frente a cien personas sin equipo de sonido, ni micrófono? –reclama Estelita con toda razón–. Pero bueno, chico, yo ya no tengo 18 años... Vamos a hacer una cosa: busca la botella de anís El Mono, sello azul, eso sí. Tráela y vas sirviendo poco a poco. Deja al pianista tocando al fondo y cuando yo diga ya, vamos al piano con el servicio de la botella allí en tus manos pero a mi disposición. El resto, Dios lo dirá.

En el momento preciso se para Estelita de su sitio y, frente al piano, arranca el silencio colectivo con... *Como en un sueño, sin yo esperarlo, te me acercaste...* Es la magia de un vozarrón que sale de su elegantísima presencia aquella noche de anoche. Trajeada de pana negro, dice un semicronista social presente, parece la encarnación contemporánea de una diva de los 40. Y es «Noche de ronda», «Cenizas», «Otra copa» –va saliendo, va saliendo–... *Tú sabes que te quiero...* Llega la seña del adiós, la despedida graciosa de un «Cumbanchero» que baila con los viejos presentes cual una María Antonieta Pons repotenciada. Y chao.

–A mi casa en directo –susurra entre las felicitaciones–. Nunca más me hagas esto de cantar sin micrófono frente a un público grande, mi amor. Ya no estoy tan muchachita y, no me quejo, porque quien no llega a vieja, mi amor, se muere joven... Pero esto así, a pura voz en cuello frente a un gentío, ya no lo hago desde hace años... ¡Ay chico!, me obligas al viejo repertorio de ciertos truquitos profesionales para sacar la voz, que más nunca en la vida. Más nunca.

MARZO, 1993

Delia está grabando su disco de boleros. Llega Carlos «Tabaco» Quintana al estudio y nos viene a la memoria el año 1972, cuando aquello de «Mi calvario» se incrustaba en el alma del venezolano del tiempo. No había autobús, carrito por puesto, oficina, apartamento o bar donde aquello no se escuchara en versión del Sexteto Juventud con vocalización de Tabaco, su compositor.

Luego de veintiún años toca revisar el tema a dúo: Delia le da una introducción suelta, con algún toque malandroso y le deja el grueso a Tabaco... *porque te fuistes y me dejastes...* Alberto Naranjo, director musical del proyecto, corrige: –Fuiste y dejaste, Tabaco. Sin las «eses». –Pero es que la composición es así Alberto –replica Quintana–, que te lo digo yo, el propio, el compositor... (Al final, como siempre, gana Alberto y Tabaco canta su cosa en correctísimo castellano, tal cual un Oscar D'León corrigiendo su... *Así te darás de cuenta...*)

AGOSTO, 1994
(RECUERDO DE ALEJANDRO SALAS)

Llega a la oficina el joven señor de barba caprina y lentes miopes. Saca de la carpeta un libro antiguo que pone encima de la mesa: *Viejo jazz*, obra del poeta Otal Susi, heterónimo de Salustio González Rincones, en su edición original de 1930, año en que todavía el jazz ni era viejo, ni acaso era jazz. Poemas de avanzada, onomatopéyicos, con el ritmo frenético metido en los versos y alguna imagen de improvisación en la apariencia del texto.

La sonrisa cómplice acompaña la marca en una página precisa, que se atreve a leer el joven señor de la barbita caprina:

Accidente

Tlin!
Taf! Taf! Taf!... Tlin... Hu! Hu! Hu! Hu!

Sangre de brasas... Astillas... Lloros.
Dos manos como saludo de amistad.
Lenguas dispersas muertas de sed.

Un ojo atisba del ventanillo.
La locomoto muriendo bufa:

Taf! Taf! Tlin! Hu!

Paris-Nice... I... III... Wagon.
Rauchen verboten... Ay! Virgen santa!
Un pie cortado holla un cerebro.
Quijada rota se ríe... se ríe...
Goddam! Ay!... Secours!... Au secours!

Taf! Taf! Hu! Hu!

El trata de levantarla... Grita ya ronco.
Ella lo apenas puede mirar...
Ambos contemplan el foco eléctrico
Que con la muerte ya se les vidria.
Luna de miel... Luna de miel eunuca...

Taf! Taf! Hu! Hu!

–Allí está el Viejo Jazz *que buscaste y buscaste. El mismo que refieres en tu borrador de* Jazzofilia *y que tal vez merece interpretarse en «performance» con voz y batería de Alberto Naranjo, al más puro estilo «beat» de los poetas norteamericanos de la costa oeste. ¿Qué tal? Es más, te cambio la idea por tan sólo un capítulo de la* Jazzofilia *dedicado al cine. Algo breve, no enciclopédico. Propio del jazzófilo que bien te puede coger la gotera de no mencionar en el capítulo a Woody Allen, aunque es más que conocido, amigo Federico, que los melómanos por lo general no somos cogedores de goteras. Para nada. Goteras aparte, cine y música son temas que un libro de jazz puede proponer. Tanto como el interés en tender puentes hacia la poesía y literatura: George Steiner defendiendo la postura de cero rock y mucho jazz, el papel de Boris Viam al frente de la revista* Le jazz hot *en la Francia de posguerra; los encuentros de Kerouac, Ginsberg, Burroughs y compañía. Bien. Hay además detalles que podrían no pasarse por alto, como la conversión de Leroy Jones en Amiri Bakara, para gusto de aquellos que decían «poder negro al poder» y clamaban recompensa por el tono de piel del genuino jazz.*

(Salen de la carpeta de Alejandro dos libros de edición limitada, producto de su habilidad como editor y traductor. Leroy Jones, el uno, y John Ashbery con su «Autorretrato», el otro. Ambos quedan consignados en favor nuestro.)

–Cosas de mundo, Federico, cosas de mundo para el que quiera saber de estos y otros asuntos que conectan sabrá quién adónde, pero que ciertamente conectan. Fíjate: si los libros se inspiran en otros libros, si los poemas provienen de otros poemas entonces nuestros jardines personales, nuestros más íntimos juegos intelectuales, provendrán de sus predecesores. Tú y el jazz, González Rincones convertido en Otal Susi para propiciar este encuentro. ¿Me explico? Bien, hablemos del poeta Pope. ¿Sabes que Alexander Pope ofrecía a los amigos sus jardines, cual grutas de placer enjoyadas por su imaginación? El poeta utilizaba pedrería de colores en sus jardines, de acuerdo con...

(Alejandro utiliza los jardines de Pope como tema de conversación para un par de horas de la visita mañanera. En ello le va el interés de investigación y un ensayo que prepara. Al finalizar, se alisa la barbita caprina, ajusta los pequeños anteojos y propone temas leves, de gusto común, muy favorables a la amistad honrada en la hora del almuerzo.)

–De nuevo a las cosas de esquina que compartimos y gozamos. A la gorda Myrta Silva tan de tu gusto, Federico, a esa propia «Chencha, la gambá» inspiradora de Emilita Dago, acaso se le olvidó recomendar su otro lado, el canto amoroso del que fue magnífica compositora: ese... Qué sabes tú, lo que estar, enamorada... *tal vez acompañado de la recomendación central de recordar siempre que así como a uno no le gustan los retratos fotográficos –nunca uno mío–, así mismo a las mujeres no les gusta el mediodía. Jamás. Ni que el poeta Oliveros confiese preferir el amor antes o después de la siesta. Son cosas de poeta, créeme, pero no de mujer con el ensueño puesto en las sombras de la noche con luna, la que busca la erotia en los coloquios debajo de un piano. Tal cual los poemarios míos que a veces recuerdas, querido amigo, y dan turno a leerte algo de sabor propio: «Extravío final para encontrar repose y alejar la pena del mundo que pudo ser conciliado cuando los jardines eran aún alfombras de plegarias».*

MAYO, 1995

Aldemaro Romero llega a los estudios de grabación de Intersonido. Lo recibe Alberto Naranjo quien ha sugerido su participación en el disco «Los cantos del corazón». –Acepté –dice el maestro Romero al piano–, porque le debo a Graciela Naranjo mis primeras intervenciones como pianista profesional acompañante. Ella, hace como mil años me estrenó «Como yo quiera» y todavía recuerdo el tono exacto; es decir ¡este..! Aldemaro hace un arpegio dando entrada a la cantante, pero, en lugar de recibir la primera frase de la canción, recibe un comentario: –Pero, Aldemaro –contesta Graciela–, es que han pasado unos añitos que hacen que los tonos se bajen y ya allí no se puede cantar «Como yo quiera» (el maestro se ríe, baja la tonalidad y queda el registro de un mosaico donde Graciela, Estelita Del Llano y el propio Aldemaro dejan saber quiénes son primeras damas en la materia bolerólogа nacional).

AGOSTO, 1995

Una visita al estudio de grabación de Maurice Reyna evidencia la condición de su padre, el maestro Freddy Reyna.

Mientras escuchamos las grabaciones solistas del hombre que dio cualidad concertística al instrumento, aparece el propio maestro quien tan sólo pide silencio con el dedo índice y se sienta a escuchar en silencio. –Papá tiene Alzeheimer –comenta Maurice dedicándole una suave sonrisa–; siempre se angustia un poco cuando escucha sus cosas.

En efecto, la música impulsa en el viejo maestro la pulsación de un cuatro imaginario en la medida en que se van produciendo los sonidos: –Maurice, Maurice, ven acá... ése que toca soy yo, estoy seguro. Lo que pasa es que no me acuerdo cómo lo hacía, Maurice... No puedo. De verdad ya no me acuerdo... (No importa maestro, la grabación preservó su arte hasta para quienes sólo podemos aprendernos su credo: «El juego para los niños es fuente de alegría y para los adultos es el enlace con ese mundo mágico del cual no queremos separarnos».)

MAYO, 1996

Fuimos a buscar a Manolo Monterrey en su casa de Horizonte. El hombre estaba enfermo y Rafa Galindo, una vez en la entrada de la casa, sugirió que mejor le dejáramos la responsabilidad de convencerlo.

Así se hizo. Manolo, adolorido, en el carro hizo el papel de cascarrabias por no quejarse y así volver a lo de toda su vida, cantar y grabar en el estudio donde lo esperaban Alberto Naranjo y Gustavo Carucí con su guitarra.

–Oye, Rafa, este Carucí sí toca... este pone los dedos donde es, 'ñooo... –dice Manolo y Naranjo sonríe en silencio mientras se cuadran en el estudio los dos llaves de casi sesenta años cantando juntos. –No me sé muy bien «Caracas vieja» –dice Manolo–, pero si me escriben la letra y me dejan ver de frente a Rafa, olvídense... de una le pongo segundas y terceras voces. –Rafa celebra el comentario y saca del pantalón una bolsita con azúcar. –Te acordaste, Rafa, te acordaste; azucar para las encías y para aclarar el canto... gracias, mi vale.

–De nada, mi llave –contesta Galindo–, si tienes cincuenta y tantos años cuidándome, quién quita que ahora me toque a mí... (la versión de «Caracas vieja» arranca lágrimas a los presentes y resulta ser la última grabación de Monterrey. De hecho se incluye en el disco «Swing con son», con todo y los comentarios de los ilustres invitados).

SEPTIEMBRE, 1996

Juan José Capella tiene un dueto con Huguette Contramaestre. Sus voces y guitarras interpretan en el restaurant del Museo de Arte Contemporáneo (Maccsi) canciones propias o de un repertorio latinoamericano escogido con un gusto muy especial: «La dama de la ciudad» –Frank Quintero– en voz de Capella toma dimensión de balada punzopenetrante y Huguette, por su parte –¡Ay Huguette!–, tiene un *feeling* capaz de redimensionar hasta una contradanza maracucha como «La reina».

Nada, vamos al estudio de grabación con la propuesta de música ligada a la poesía, a poetas del calibre de Yolanda Pantin y William Osuna. –Que ellos, los poetas –dice Juan José–, lean «Vitral de mujer sola» o «Carta de un joven portugués desde Caña Clara street. 24-2-1989»... Huguette, Gustavo Carucí y yo daremos complemento con guitarra, bajo y voces. «De músico, poeta y loco», sea entonces el nombre del proyecto.

Apostilla: Tres años después hicimos una segunda edición en la que participaron, entre otros, los poetas Miguel Márquez y Rafael Arráiz, los músicos Luis Julio Toro y Carlitos Pérez; Julie Restifo, Juan José y Elba Escobar cantaron (¿De dónde ese canto de puro decir la letra, de puro feeling, Elba? «Una vez Estelita Del Llano me regañó porque hasta me tragaba la voz del miedo: "Mija, ¡pero párate en el escenario a disfrutar! Hasta que tú no disfrutes no vas a poder hacer esto". ¿Cómo lo voy a disfrutar si estoy aterrada?, le respondí. Estelita dijo: "¿Tú no eres intérprete, pues? ¿No y que eres una actriz a la que le roncan los motores? ¡Actúa, interpreta! No te preocupes por cantar, el bolero es muy generoso". Allí entendí –ella fue mi gran maestra en ese sentido–, capté su consejo, me paré en el escenario y me dije que iba a asumir un personaje de bolerista para echar el cuento que tienen las canciones. A partir de ese momento lo disfruto muchísimo. Es más, creo que puedo hacerlo hasta que sea viejita).»

DICIEMBRE, 1996

Gisela Guédez tiene en su casa un pequeño lugar de encuentros. Músicos, poetas y locos se reúnen del mediodía en adelante para dar el mejor tono de bohemia: tertulia, buen beber, mejor comer y música por y para melómanos emperdenidos o entrometidos.

Allí, donde Gisela, se organiza una reunión de fin de año para que el talento fluya según dicte el ambiente. Porque, bueno es decirlo, muchos de los mejores cantos y toques urbanos provienen de atmósferas íntimas, bohemias, ajustadas a los boleros que entonan Juan José Capella, Rafael Tovar Herrera, Huguette Contramaestre, Estelita Del Llano y, sí, la misma Gisela responsable como la que más.

De pronto el poeta Alfonso Montilla toma la página de una agenda que marca viernes 14, y le da rienda suelta a su respuesta al ambiente de los cantos:

Mujeres tan sólo
Ellas,
Mi alrededor

¡Para qué beber
si el devenir
se extiende!

Mujeres rápidas
Profundas, agrestes,

Mi entorno
Casto de un amor.

Apostilla: Gisela graba en marzo de 1998. Entonces algún duende deja saber que la noche tropical puede cargar con la belleza de los mejores «lieder» clásicos, mediante canciones amorosas de calibre indiscutido. Tan sólo se necesita de un pianista acompañante diestro, cercano a la cantante de probada nocturnidad, y de un tercer participante activo, el silencio.

El silencio es música, han dicho y siguen diciendo, pero qué mejor manera de demostrarlo que buscar al dueto de Gisela con José «Cholo» Ortiz para grabar temas de María Greever, Agustín Lara, Sylvia Rexach, o «Una semana sin ti» de Vicente Garrido, la quintaesencia de balance entre poética de letra y música en un bolero:

Esperando en silencio que vuelvas
De nuevo conmigo
Van pasando las horas y siento,
Que al fin llegarás

Borrarán tus palabras,
el tedio fatal de la ausencia
Al calor de tus besos, podré,
Renacer

Cuánta falta me has hecho estas noches
De espera incesante
Cuántas cosas se pierden en una
Semana sin ti

Pero a veces quisiera volver
A sentirte, tan lejos
Porque nunca, te tuve tan cerca
de mí

(Gloria eterna a José «Cholo» Ortiz, el más artista de todos nuestros pianistas de la noche.)

ENERO, 1997

El día 22 se graba en los Estudios de Intersonido el recital «Nueve poetas en góndola». Márgara Russotto, William Osuna, Armando Rojas Guardia, Blanca Strepponi, Igor Barreto, Yolanda Pantin, Verónica Jaffé, Rafael Castillo Zapata y Alicia Torres son los nueve poetas que ofrecen sus voces y poemas en el disco producido por Obeso&Pacanins para el sello editorial «Pequeña Venecia», bajo la curaduría crítica de Antonio López Ortega..

Durante la grabación del recital, un poema de Igor Barreto produce reflujos en Blanca Strepponi: «En voz de Igor, parece una película», dice. Poco después cuenta Barreto que la Ciudad Alianza que da título e inspiración a su poema, hoy urbanización dormitorio de Valencia, fue bautizada en un acto de verdadera película musical, entre toldos, multitud y cielo abierto, presentando como estrellas al presidente Betancourt y al mismísimo John Fitzgerald Kennedy. Habló así Betancourt, medio habló Kennedy y un orador espontáneo, nadie sabe cómo, también por el micrófono habló (y hasta cantó):

–Yo por mi parte deseo... que esta ciudad sea.... ¡tan grande como Nueva York! –así dijo entre la salva de aplausos y, por supuesto, hasta ahí llegó.

MARZO, 1997

Una conversación entre melómanos bolerólogos puede cargar esencias literarias insospechadas. Saber, por ejemplo, algo de la potencia lírica de canciones como «Cenizas», calibrada de poema cantado por la sapiencia de Jesús Rosas Marcano, o de las trampas ortográficas de una cubanísima «Convergencia», tema que habla de la línea recta que convirgió, cuando bien pudo haber dicho, sin ningún problema, que la tal línea pues tan sólo convergió (ambas conjugaciones pretéritas del todo correctas, quizás por la validez de converger y convergir cual infinitivos verbales de igual significado).

Va en esto de las tertulias bolerísticas mucho juego de trasfondo para favorecer afinidades con la noche bohemia, o de conseguir un pedazo de tropicalidad literaria convertida en parte de la música misma. Preciso así el caso del poeta amigo que refiere a La Freddy, cantante cubana de los años 50, como máxima intérprete de «Noche de ronda». Nadie, dice el hombre convencido, nadie como ella para cantar lo que Agustín Lara escribió. Olvídense de Toña La Negra, Olga Guillot, Elvira Ríos y otras divas de nivel. Es La Freddy quien de verdad decía con el corazón y «feeling» necesario, etcétera, etcétera.

¿La Freddy? ¿Quién es La Freddy? ¿Dónde están sus discos?, ¿cuáles son sus éxitos y su imagen? ¿Quizás tan solo se trata de la musa de Guillermo Cabrera Infante, utilizada para perfilar al personaje de La Estrella en sus *Tres tristes tigres*? ¿Será que la escritura de ficción reinventó un personaje de la vida real para llevarlo a una dimensión casi inmerecida? ¿O que nuestro crítico poeta se obnubila por enésima vez al creer ciegamente en cosas que lee y relee?

Y mire, pues, cómo por las respuestas a las interrogantes es que caminan estas sorprendentes cosas. La novela de los tigres de Cabrera Infante ciertamente crea la cantante que abre el apetito melómano por un vozarrón de contralto bajo el cielo encapotado de La Habana vieja. Y aparece allí La Estrella, con sus solitarios paseos nocturnos por el malecón, cantando a voz en cuello sin acompañamiento alguno. También en ella toma perfil la resurrección discográfica de La Freddy, mientras alguien del negocio disquero se contenta por reeditarle una decena de canciones empolvadas desde hace décadas. Un alguien por demás listo a entrever en el impacto literario, ciertas posibilidades de difusión de la artista desaparecida, fantasmagórica, que hace cincuenta años no alcanzó ninguna notoriedad económica.

Compro al fin el disco compacto. Imagino al poeta lector de los tigres escuchando fascinado. Arrullado con su Freddy convertida en Estrella –¿o al revés? Convencido de haber descubierto en cuatro temas del disco lo que su entrañable libro le sugiere: Hacer que La Estrella –¿o La Freddy?– se salga de las hojas para meterse en los audífonos, dándole gracia a la mágica y muy bella mentira de invocar a la bolerista de las boleristas. Acaso allí el secreto resguardado por un Cabrera Infante transmutador de la una en la otra, al punto de darles paridad (!) con los legendarios legados sonoros de la Guillot (Olga Guillotina, según él), Dipiní, Landín, Toña La Negra y compañía. Pero no se crea que aquí concluye este fenómeno de alquimia melómano-literaria. Hay más, mire que todavía hay más.

Con el pasar de los años, tal vez debido a este logro de letras que encarnan en música, *Tres tristes tigres* terminó luciendo como una novela desguazable, susceptible de reinvención con sólo extraerle los pedazos que aparecían como subtramas. La idea, quién quita, pudo partir de un editor atrevido a la mutilación más terrible pero, afortunadamente, Cabrera Infante todavía puede transitar en el mundo que le preparó a La Freddy y a La Estrella. Y capaz es de responsabilizarse. De hecho aprobó la disección literaria y dio un visto bueno convertido en prólogo justificatorio que bien pudiera parafrasearse así: A Vargas Llosa le gusta, a Javier Marías también («... por afán de simetría eliminé de *TTT*, ese metafinal que he publicado por separado...»). ¡Arriba la vieja pero nueva novela! Sea que «Ella cantaba boleros» viva ahora donde viven los textos que nacen, crecen, florecen y se reproducen en favor de los catadores de boleros literarios bailados al ritmo de un «corre lento, lento jinete de la noche».

JULIO, 1997

Judit Jaimes cree en la composición venezolana. La evidencia está en el repertorio escogido para un disco patrocinado por la Gobernación de Caracas: obras para piano de Juan Vicente Lecuna, Antonio Estévez y Antonio Lauro, que se grabarán en tres días en el auditorio del Colegio Emil Friedman.

El día pautado llega la profesora Jaimes y exige mayor precisión al balance y afinación del piano, condiciones de acústica, poca presencia de asomados, agua, pastelitos y café. Luego nos ofrece su mejor disposición con una sonrisa (hasta acepta ciertas interrupciones causadas por el canto de un pajarito que se cuela en el teatro) y centra los fragmentos de las obras: cinco sonatas de Altagracia, diecisiete piezas infantiles (miniaturas, eso sí) y tres movimientos de la «Suite venezolana para piano».

–Tres tomas para cada fragmento –dice la profesora–, es decir, veinticinco fragmentos por tres... setenta y cinco tomas, ¡eso! A razón de veinticinco por sesión de cinco horas, con todo y pajarito incluido. Y ya.

(Nunca vimos tal despliegue de destreza. Ni Alejandro Rodríguez a cargo de la ingeniería de grabación, ni Rosalba León en el papel de músico fiscal, partitura en mano, ni Josefina Benedetti, productora asociada... ¡Bravo por la amiga artista!)

SEPTIEMBRE, 1997

Quizás su nombre –Manuel Dagoberto Alemán Monterrey, «Manolo Monterrey»– podría aparecer en el libro Guiness como uno de los cantantes de más apariciones profesionales en la historia del radio y la televisión. En todo caso, nadie en Venezuela grabó y cantó profesionalmente tantas veces, ni por tan largo tiempo: desde al menos 1937 –léase bien, 1937, hace sesenta años–, hasta bien entrado el presente año. Billo, Los Melódicos, Chucho Sanoja y la mítica orquesta de Luis Alfonzo Larrain, entre otras reconocidas orquestas del patio, le atestiguan esas mil y una noches como personaje central para la música bailable venezolana.

Ni Benny Moré, ni Miguelito Valdés, ni Tito Rodríguez, ni «Maelo» –quizás Oscar D'León–, lo superan en eso de haber popularizado aquí música afrocaribeña. Si habláramos de cincuenta éxitos radiales nos quedaríamos cortos; tal vez ese número se complete en la sola década de los 40 o en la de los 50: «Caminito de Guarenas», «La burrita de Petare», «Las muchachas caraqueñas», «Dímelo Manolo», «Cosa linda», «Guarachona», «Swing con son», «Ariel»; el propio «El manicero», «Ya Don Rafael habló», son apenas una muestra suficiente para asegurar permanencia en la memoria de nuestra cultura musical, especialmente en lo que a música popular se refiere. Bien. Pero es que, además, la melomanía se manifiesta de forma muy personal, mediante aspectos que generan especial afinidad con el artista.

Tuve la suerte de culminar mi admiración fanática al grabarle el año pasado para el disco «Swing con son» de Alberto Naranjo, a dúo con Rafa Galindo, una versión definitiva de la «Caracas Vieja», su último testimonio como cantante profesional. Otro aspecto, aún más personal, está referido a esa apasionada familiaridad –«filia»– que uno inventa con los artistas predilectos; en mi caso, el nexo creado por discos, radio, televisión y bailes, se veía reforzado por el increíble parecido físico de Manolo con el más querido de mis amigos jazzísticos, Dan Kovacs.

Hace poco leí a Lil Rodríguez mandando un sentido SOS en favor de Manolo. Luego el llamado se convirtió en pésame. Creo firmemente en el parentesco de afición profunda que dejaba ver su entrelíneas y como ese tipo de afinidades, si no iguales a las nuestras al menos de índole parecida, son las que terminan asegurando trascendencia para quienes apuestan por ser artistas.

Naranjo, Galindo, Carucí, Lil... *Se murió Camilo.*

MARZO, 1998

La revista *Imagen* quiere hacer un número dedicado al bolero. Así lo sugiere Maribel Espinoza, así lo aprueba Luis Alberto Crespo y el consejo editorial de la revista.

Comienzan los preparativos del disco que acompañará al número en cuestión. Una antología de boleros, pero desde el punto de vista de nuestros compositores e intérpretes.

Viene una labor de revisión, corrección y edición de textos: –Federico –me dice Maribel–, en «El beso que te di», el acento no va en el «di», solo está en el beso... Otra labor consiste en el rescate de antiguas grabaciones nacionales, complementadas con la incorporación de algunas nuevas grabaciones: Elisa Soteldo sorprende con su «No vuelvas más»; Rosa Virginia y «Mi propio yo», por su parte, congela a la audiencia presente en el estudio de grabación. Es evidente la afinidad entre la guitarra de Gustavo Carucí y la cantante; de hecho, hasta se aprovecha para grabar «Necesito pensar» y precisar un par de fechas más con destino a un disco íntimo.

Rosa Virginia graba así con el solo acompañamiento de la guitarra. Vienen versiones de boleros, tangos o de clásicos compuestos para ella por Chelique Sarabia. Es música con la transmisión emocional de una estilista concentrada en expresar:

–Rosa, la versión está buenísima, pero ¿por qué no repararle un pedacito en el que la afinación como que no fue tan buena? –Escucha Rosa Virginia con atención y contesta dulce pero firme. –Si quieres hacemos otra versión, pero reparar no... Aquí dejo el alma cada vez que canto, y eso, eso, no acepta reparación, ¿ves?

MAYO, 1998

Para unos es cosa de despejar el panorama de comederos y comedores; ir eliminando hasta llegar a los meros centros de buena mesa con alguna metodología: fuera queden los reinos de la fritanga, aquellos que cocinan con manteca resobada o reciclada, los tales «internacionales», esos de lujo pacotilloso y ciertos caros placeres portugueses. El proceso eliminatorio, además debe incluir las cocinas sabrosas pero sometidas a los caprichos de algún dueño con delirios de grandeza o pura y simple malacrianza (¡Y usted cómo va a venir aquí a la una de la tarde hombre!). Nada de súplicas o carantoñas para conseguir la atención, nada de nada procurando el cariño del dueño: al final termina siendo tan absurdo como jalarle a un heladero.

Digamos también que el camino de despeje, además de eliminar, aclara conceptos: atención, sabor, sinceridad de la relación presentación/precio, como cualidades centrales de la búsqueda: en términos concretos, se trata de un almuerzo en el bar Carso del edificio Galipan. Otro bajo la supervisión y buen gusto de Jacky Traverso en el Hotel Ritz; tal vez la comida italiana de Da Guido, la árabe del Beirut, la japonesa del Ávila Tei –ojo con el precio–, el cariño casero de La Paninoteka o el menú de crisis de la Herradura: a lo mejor el chupe de El Tizón. Un *entrecotte* del Lutece u otro buen pedazo de carne en el Shorthorn Grill, si tiene suerte.

De resto ¿cómo negarse la propia condición de melómano –muchas veces contraria a la idea misma de las buenas mesas–, que nos hace incluir en la lista alguna sopa de cebolla del Juan Sebastián Bar o, quizás, la parrilla de lomito de La Peña Tanguera como platos exquisitos, sino en la realidad al menos en nuestra imaginación?

JUNIO, 1998

Desde hace seis años transmitimos la Cuarta Noche por la emisora de radio Jazz 95.5 FM. Hablo en plural porque el programa es a dos voces e incluye la intervención decisiva del colega, socio y hermano Roberto Obeso. Jueves a jueves, en horario cercano a la medianoche, departimos y compartimos música dulce o ácida, jazz y no jazz, de antes o de ahora. Las emisiones, afortunadamente, son aceptadas por una audiencia lista a participar en la misma medida que los artistas invitados; por decir, una Piedad Bonnett, poeta antioqueña-bogotana de visita en Caracas, quien nos arma un programa donde impone un tono sencillo pero exquisito, de la más pura feminidad imaginable.

–¿Te gusta que te digan poeta, Piedad?

–Preferiría que me llamaran poetisa, pero entiendo que todavía la palabra está como que encajando.

–¿Qué es más difícil, Piedad, ser músico o ser poeta?

–Se me ocurrre que tanto el músico como el poeta deben tener espíritu y algo que decir. Por más destreza y técnica que se desarrolle, si no tiene una cosa honda que transmitir, todo se puede quedar en lo puramente formal, ¿no?

–¿Es importante la música en el poema?

–Muchísimo, muchísimo. Yo siempre me sentí negada para la música y ahora he venido a descubrir que no, que el poema es otra forma de música... Siempre estoy escuchándola, mis días no pueden pasar sin música.

–¿Algo que particularmente te interese de Caracas?

–Aquí hay un aire caribeño y una particular mezcla racial. Nosotros en Bogotá somos más homogéneos, tenemos otro tono. Hay en Venezuela mucha belleza en el mulataje, en el muy particular mestizaje de ustedes.

–Por cierto, Piedad, por allí tenemos las misses siempre ganando concursos...

–Y también los «misteres», Federico... y mejor les leo:

La cicatriz en el espejo

Empotrado en la noche de la alcoba,
el espejo
tiene la lucidez de los oráculos.
Sobre la superficie de su luna
la muchacha desnuda
va escribiendo los signos del deseo.
Abre a sus aguas duras los muslos, y en la sombra
del reflejo se busca, sorprendida.
Sobre el seno, como un pequeño oprobio,
brilla un cicatriz. Y pareciera
que en su mórbida carne adolescente
la muerte hubiera dado su primera dentellada.

(«Para Federico, por la dicha de este encuentro entre la poesía y la música, con afecto, Piedad. VI,23,98»: así la dedicatoria del libro de la poeta en aquella memorable Cuarta Noche.)

JULIO, 1998

Una vieja guaracha de Billo dice que... *en la esquina de Las Gradillas sale un muerto...* El dicho musical viene de la década de los 40 pero tal vez hoy se aplique mejor que nunca en la vida. Porque ahora es cuando el centro de Caracas resulta un espacio laboral, diurno, muy alejado de las ofertas de atractivos espectáculos teatrales o musicales. De hecho, cualquier tránsito nocturno nos deja ver avenidas silenciosas, sin transeúntes, con el destino siempre apostado a la aparición de un vivo-vivo, más que del espanto aquel de Las Gradillas.

¿Queda entonces algún reducto que acompañe la dignidad solitaria de un Teatro Municipal al que nadie visita? ¿Sirve con alguna mediana prestancia el Teatro Nacional? ¿Es el centro de la ciudad un espacio sólo útil para los espectáculos culturales propios de cines marginados, bares, tascas y cervecerías? Afortunadamente una alentadora excepción apunta a la Esquina del Chorro donde, a un costado de la sede del Banco Unión, funcionan los Espacios Unión dedicados a la activa difusión de las artes en casi todas sus variantes: pintura, escultura, danza, fotografía, literatura y cine allí son manifestaciones que reciben continuas propuestas semana a semana.

Bien cabe allí un ciclo de cine conviviendo con recitales de poesía los días jueves, o conciertos alternados con piezas teatrales los domingos al mediodía, mientras que, simultáneamente, también se desarrollan exposiciones de artes plásticas, publicaciones de colecciones literarias –los Cuadernillos–, tienda de objetos culturales y un generoso etcétera.

Para quienes tenemos interés en estos asuntos, no nos queda sino estar atentos a la potente oferta cultural que Vilma Ramia, Clara de Salvatierra, María de Jesús Sánchez y su equipo, nos proponen con tanta vitalidad como sentido de permanente excepción. Y es que nunca un espacio tan pequeño tuvo tan excepcional e importante actividad en el centro de Caracas. Nunca.

JULIO, 1998

El domingo 19 de julio de 1998 comenzó el ciclo «Arranca en fa» auspiciado por los Espacios Unión. En compañía de Alberto Naranjo, tuvimos el placer de conversar de boleros y presentar a Graciela Naranjo y Rafa Galindo, en un ambiente de «performance» teatral, en un todo fundamentada en la empatía de temas y amistad profunda que tenemos con el maestro Naranjo.

El éxito del primer Arranca se vio proyectado en otros encuentros ese mismo año y, sí, la programación de otros dos ciclos los años subsiguientes: tres años y once eventos en total conformaron esta experiencia donde desarrollamos temas ligados a los géneros musicales, mediante conversaciones propias de dos amigos sentados en la sala de su casa –en este caso, el proscenio del teatro de los Espacios–, quienes tienen la suerte de recibir visitas de destacados músicos del ambiente para ilustrar la conversa: Graciela y Rafa –los iniciales–, seguidos de María José Mentana, Víctor Cuica, Gustavo Carucí, Raúl Abzueta y sus cañoneros, Ofelia del Rosal, Nené Quintero, Maigualida Ocaña, Nano Grand, Alberto Vergara, Ricardo Viloria y su Cadáver Exquisito, Domingo Sánchez Bör, Estelita Del Llano; Benjamín Brea, Gerardo Chacón, Gisela Guédez, José «Cholo» Ortiz, Alberto Lazo, Juan José Capella, Carlitos Pérez, Virgilio Armas, Frank «El Pavo» Hernández, Frank Carreño, Joanna Vegas, William D'Sola y Roberto José... casi todos los nombres de estas «performances» realizadas a un público fiel, que plenaba el auditorio los domingos en la mañana para oír conversación, vacile y musica de boleros, jazz, rock, tango; música de Colombia, Cuba, México, Brasil y, claro, de nuestra Caracas en sus vertientes cañoneras y actuales.

AGOSTO, 1998

Como género de nuestra cultura popular, trascendiendo su naturaleza íntima, el bolero venezolano ha ofrecido al menos dos canciones de consecuencias insospechadas: un «Cumpleaños feliz» compuesto por Luis Cruz *–Ay que noche tan preciosa...–*, siempre presente en las voces de todos aquellos invitados a fiestas o reuniones aniversarias; a su lado, con vigencia de decreto promulgado por alcaldía competente, desde un pasado 17 de julio propio de «...188 años de la Independencia y 139 de la Federación, se declara como himno oficial de la ciudad de Puerto Cabello, la memorable canción «Mi Puerto Cabello», cuyo autor de la música y letra es el ingeniero Italo Piazzolante, hijo ilustre de nuestra ciudad, quien ha contribuido a través de los años a la difusión de nuestros valores culturales, siendo sus aportes de invalorables beneficios a la región porteña...».

Sea entonces, por fin, una primera aceptación oficial que marca al bolero como género urbano, contemporáneo, popular a más no poder, en un todo complementario a los joropos, valses, merengues, serenatas y demás especies que ciertamente conforman nuestro acervo cultural. Y toque ahora el turno a la «Caracas vieja» de Billo.

ENERO, 1999

–Aló, ¿quién llama?

–Buenas tardes, ¿hablo con Emilita Dago?

–Así es mi vida, esa soy yo.

–Hola, Emilita, te habla Federico Pacanins desde Caracas. Tu número de Miami me lo dio Aquilino José Mata, quien, además, te manda saludos y recuerdos.

–Ay, Federico... ¿y qué tal las cosas por Caracas? Yo cada vez que recibo llamada de ustedes lo que me provoca es montarme en un avión y ya: ir con mi gente caraqueña que me quiere y me recuerda. Te digo sinceramente, Federico, por aquí se está bien con la familia, con lo de mis ventas de seguros, con los recuerdos, pero no es lo mismo, tú me entiendes, no es lo mismo.

–Y el canto Emilita, Aquilino me dice que no has perdido nada de nada. Estás intacta, eso dice Aquilino, ¿por qué entonces no grabamos un disco parecido al de Graciela Naranjo con Rafa Galindo?

–Rafa dijiste, ¿y cómo está?, ¿cantando igualito? ¡Qué bello Rafa! Con él es verdad que se paró el reloj encima de los bigotitos perfectos y dijo: Hasta aquí llegué con este señor, pero lo que es contigo Emilia... ¡Ay Dios! ¿intacta dices? No, si así es... menos mal que estos teléfonos no tienen cámara porque de una vez se le revienta el lente. Federico, que te digo yo que se revienta. Ahora, en lo de cantar no sé. Tal vez unas cosas suaves, boleros, cuplés. Lo del «Son se fue de Cuba» ni se te ocurra, mira que ya yo como que estoy pasadita para buscar líos de opinadera política. Menos todavía estoy como para cantar frente a un público lo de... *yo siento una bolita que me sube y me baja*... ¿Te imaginas qué horror? (Oye, llama de vez en cuando y me cuentas, ¿sí?).

Apostilla: Aquilino, nuestro amigo, quiere mucho a Emilita. Además, bien le aprecia y admira la condición artística. En la edición aniversaria del vespertino *El Mundo*, correspondiente al 24 de mayo de 2004, Aquilino le rindió el homenaje de destacar su historia conjuntamente con la de Estelita Del Llano. El texto, afortunadamente, fue puesto a la orden por Aquilino:

Como muchas otras importantes figuras de su país, Emilita Dago sale de su isla natal en 1960, huyendo de la revolución castrista. Vino con una visa de trabajo gestionada por el empresario Guillermo Arenas y, una vez en Caracas, Renato Capriles la contrata para su orquesta Los Melódicos, iniciando así una nueva y fructífera etapa profesional. Desde el primer momento impactó y el éxito no se hizo esperar.

La simpática cantante y vedette cubana desarrolló entre nosotros una carrera meteórica, repitiendo el mismo suceso que ya había logrado en su tierra, donde debutó a la muy temprana edad de cuatro años, en el programa de aficionados La Corte

Suprema del Arte, cantando la música que sus padres españoles le habían enseñado.

Su adolescencia transcurre actuando como vocalista en los centros culturales españoles y en logias masónicas (a las cuales pertenecía su padre). La zarzuela y la comedia no tuvieron secretos para ella. A los dieciséis años debuta como actriz en el cine, alternando con la pareja cómica de Garrido y Piñero en Cuando las mujeres mandan. Posteriormente hace otro filme con ellos, Misión al norte de Seúl. Ambas películas fueron éxitos de taquilla y constituyeron el trampolín a través del cual dio el gran salto a la televisión.

A la pequeña pantalla entra por la puerta grande, vía CMQ TV, compartiendo con Germán Pinelli la animación del programa meridiano «El show de las 12», de enorme sintonía en la Cuba de entonces. Lo hizo tan bien que la contratan para conducir, ya en horario nocturno, el «Álbum Phillips», en el que también canta.

Ya consolidada en el ámbito artístico cubano, complementa su actividad de cantante y de actriz cómica y dramática con la de locutora de comerciales. Su presencia se hace frecuente en numerosos espacios de radio y TV, y tal es su gracia y dinamismo que no cansa a los televidentes.

Incursiona también en espectáculos teatrales de revista, algunos de ellos bajo la producción del legendario músico Ernesto Lecuona. Su próxima meta es el disco. Tras la fiebre creada por la película española El último cuplé, graba varias canciones de este género con la orquesta de Gerardo Timor, todos éxitos de difusión y venta en la Cuba prerrevolucionaria.

En 1952 actuó en Venezuela y había quedado prendada con nuestro país. Aquí cosechó grandes amistades, entre ellas el inolvidable tenor Alfredo Sadel, con quien cultivó una larga y estrecha relación de camaradería.

Fueron casi cinco años (principios de los 60) los que Emilita Dago estuvo como cantante en Los Melódicos, pero su paso por esa orquesta resultó tan contundente y arrasador, que aún hoy se le recuerda con el mayor de los cariños. Los programas radiales especializados en música tropical constantemente colocan su larga lista de éxitos con la agrupación –temas emblemáticos de su repertorio como «Canuto», «Nada», «Qué gente averiguá», «Por un maní», «El veneno de los hombres», «El sucusucu», «Así soy yo», «Negro note vayas», y muchos otros– y cada vez que visita Venezuela aún la abordan en la calle para salu-

darla o pedirle autógrafos. De ello somos testigos. Recordamos hace un par de años, cuando un grupo de amigos y colegas almorzábamos con ella en un restaurante de la Castellana, y varios de los mesoneros se le acercaron para testimoniarle su cariño y admiración, algo realmente sorprendente tomando en cuenta que hace ya más de tres décadas que dejó de formar parte de la banda de Renato Capriles.

Después de su feliz paso por Los Melódicos, organiza en 1965 su propia agrupación, Emilita y su Combo Gigante, hasta que en 1970 se retira para radicarse, primero, en Nueva York y. desde 1974, definitivamente en Miami. Hace un breve regreso en la década de los 80 para reverdecer sus triunfos a través de La Grande, otra orquesta de Renato Capriles, hasta que hace un alto definitivo en sus actividades musicales para regresar a Miami y dedicarse a otros menesteres, como ejecutiva de una compañía encuestadora.

Pero no sólo como cantante destacó esta artista en Venezuela. En rol de animadora, junto con el «Musiú» Lacavalerie, condujo el popular espacio de Venevisión «Compre la orquesta», que se mantuvo varios años en el aire, y también tuvo su propio programa de comedias, «Emilita busca un novio», en el que, entre otras cosas, debutó un niño actor que con los años se convertiría en una gran estrella: Orlando Urdaneta.

MARZO, 1999

La plaza de la Castellana es un lugar central en el noreste de Caracas. Su ubicación conforma el eje mismo para un sector residencial-comercial con la fama del municipio más pudiente del país y, por ende, uno de los que en principio debería dar asiento a variados espacios culturales.

Pero del dicho al hecho, se sabe, a veces hay mucho más que un buen trecho, y lo cierto es que la oferta del municipio Chacao en esta materia hoy viene siendo tan pobre en cantidad, como escasa en calidad. Acaso esa Plaza de La Castellana, por vía de honrosa excepción, puede reafirmar presencia mediante la sala de exposiciones y conciertos de la Fundación Corp Group, ubicada en la torre financiera que desde una esquina le da nombre y vida propia a una oferta cultural de muy cuidado diseño: ciclos que presentan teatro, música o danza; exposiciones que señalan la potencialidad museística de un espacio curioso, subterráneo, hoy definitivamente artístico, siempre demarcado por el imponente portón escultórico con firma de Carlos González Bogen; programas, catálogos y libros ofrecidos para asentar la importancia de una labor encomiable de Corp Group a través de Guadalupe Burelli de Arráiz, María Francisca Mayobre, Betsy Cáceres, José Luis Ventura, John Lange y un inspirado equipo con ese destino noreste totalmente claro (a ellos debemos el apoyo para realizar los ciclos «Swing con son: El jazz en Venezuela», en marzo 1999 y «Los caminos del bolero», en junio del mismo año).

JUNIO, 1999

La tarde del domingo 27 nos procura el tema de la poética del bolero en la sala de conciertos de la Fundación Corp Group. Presente José Balza, nombre central de nuestra literatura contemporánea, aprovechamos sus observaciones a viva voz para contrapuntearlas al canto de Nancy Toro y Juan José Capella:

> El bolero es nuestro canto de cuna, como decía Rafael Cadenas, y también es nuestro canto de cama. Yo no creo que exista alguna pareja de lengua española que alguna vez no haya hecho el amor envuelta en el sonido de un bolero... Sí, hemos nacido dentro del bolero y creo que el género seguirá nutriéndonos por muchísimo tiempo; tal vez tanto como lo hizo con la mujer latinoamericana de principios de siglo, totalmente limitada en su expresión pasional literaria, y que, sin embargo, conseguía liberación mediante la composición de boleros con firmas de María Greever, Isolina Carrillo, Consuelo Velásquez o María Luisa Escobar.

También se hace presente en la sala el poeta y crítico Luis Pérez Oramas, quien habla de sus boleros literarios cual evocaciones de canciones mundanas contrapuestas a sus salmos de casa. Boleros que le significan, al igual que a José Balza, canciones de cuna negociadas desde la infancia, con las cuales nos criaron y que terminan siendo una suerte de memoria vieja inspiradora de nuevos poemas, al ritmo acompasado a los puntos suspensivos... *cun-cún/ cun-cún...* de las tumbadoras y el bongó de Carlos «Nené» Quintero»:

> *Tuyas son las canciones*
> *que me visten.*
> *Tuyos los edificios*

que no vimos:
Talmond, la piedra blanca
el mar sonoro de Santiago en la plegarias.
Tuya Roma y la ceniza ardida
que yace al fondo del Gerona.
Tuyas son todas las ciudades
a las que solo fui
persiguiendo el sueño circular de los retornos.
Tuya es la serenidad
del cuarto oscuro
y solo no es tuya
la pesadilla de eucalipto y fuego
que me vela.
Tuyas son las playas, los desiertos
que me ignoran.

(El bolero aquí transcrito según el ritmo recitativo del poeta, y de su indiscutible maestro percusionista acompañante.)

NOVIEMBRE, 1999

«Sin duda alguna, la lexicología del castellano en América reserva hallazgos y recompensas a quienes quieran estudiar las particularidades expresivas de vocabulario en las distintas repúblicas hispanoamericanas.» Tomamos la frase prestada del intelecto de don Pedro Grases, maestro en la materia, para defender un tema literario con ciertos detractores, si no declarados, hoy de seguro existentes: la Biblioteca Nacional de Venezuela, órgano fundamental de intelecto y cultura (así más o menos rezaría la queja), ha presentado en la última Feria Internacional del Libro de Caracas... ¡un *stand* dedicado a la salsa!

Pues bien, el dicho es tan cierto como absurda su valoración negativa. Esta vez el término salsa en su acepción musical, esa misma salsa que salpica nuestra escena urbana, ha dado pie a revisar hallazgos y recompensas propios del idioma español en una América tal vez norteamericana o norteamericanizada, pero hispana a más no poder. Porque, una vez delimitada la procedencia del fenómeno (la salsa-salsa es originaria de Estados Unidos) uno se pregunta, ¿qué otra cosa distinta a hispanoamericanidad cultural, interesante y prolífica, puede resultar del estudio de la lexicología musical castellana más popular de estos tiempos?

Oír las voces de la tribu, recomendaba Ezra Pound para acaso dar sustento imaginativo a circunstancias tales como un coro, procedente de nuestra mismísima biblioteca, que cante sin pena... *Esta es mi imagen latina, este es mi nuevo cantar...* ¡Vaya!

DICIEMBRE, 1999

Víctor Mendoza está preocupado. La mesa de concreto de Intersonido (espacio de reposo para músicos y productores del estudio de grabación) ahora le sirve como barra para confesar cuitas y penas musicales:

–El muchacho que me encargaron en el canal de televisión es buena gente. Quizás demasiado buena gente. Tanto que ni bravo me puedo poner con él. Viene a la hora, es educado, nada pretencioso, pone esfuerzo en lo que uno le dice, PERO (después del «pero» viene lo bueno), pero... mira que he tratado con él todo lo aprendido en cuarenta años de componer, arreglar y dirigir musicalmente a talentos de todo tipo. Y nada de nada. Nunca en mi vida, te digo, nunca me la pusieron más difícil. Fíjate: lista la pista del arreglo voy con el muchacho para que cante los temas y no puede completar ni uno. Lo intentamos entonces por partes, por pedacitos. Nada. Se confunde el muchacho al punto de no pegar una frase ni en afinación, ni en rítmica. Le pido a otro cantante que colabore grabando los temas para que así este pupilo lo imite y se los aprenda. Tampoco sirve. Canto con él, poco a poco, abrazados, agarraditos de la mano –hasta allí llego–, lo que sea... Le insisto en las ilusiones de los ejecutivos de la televisora, que quieren verlo como gran figura del canto, que no le podemos fallar al canal. Lo regaño (no mucho porque, ya lo dije, es demasiado buena gente), me contento, uso trucos psicológicos. Le hablo de gente creída, sin talento, que le echó bolas y pudo; de gente buena confiada en la ayuda que uno, modestia aparte, puede y sabe dar. Lo sermoneo acerca de la vergüenza profesional y personal, de los retos de uno en la vida, etcétera. Vamos al piano y cantamos cositas fáciles juntos (en una de esas casi completó... *me pongo a pintarte, y no lo consigo...*), lo trato hasta mejor que a mi hijo favorito... ¿Qué te pasa mijo?, ¿dime sinceramente por qué no lo podemos hacer más o menos? Anda, dímelo... El muchacho me contesta: «Maestro yo le pongo y le pongo, pero es que a mi, en verdad, no me gusta cantar (lagrimones)... no me gusta nada de nada, ni un poquitico (llanto fuerte, abrazo al pupilo, vista al cielo que le manda esos contratazos y, por supuesto, hasta la próxima sesión).

ENERO, 2000

Cualquier encuesta en busca de aliento financiero para instalar un parque bucólico en la avenida Francisco de Miranda tendría el mismo resultado. No, nunca, jamás; se trata de un área estelar de comercios y oficinas caraqueños. Apunte para otro lado.

¿Cómo se entiende, entonces, que a media cuadra de la Plaza Altamira subsista una estructura de vieja hacienda colonial, con todo y sus cuidados jardines, convertida en museo de diseño y parque público?

Respuesta puede dar algún directivo de Pdvsa con ganas de explicar cómo la mayor empresa del país asume una función social, cultural, realizable por tener medios suficientes para trastocar cualquier realidad en el mejor sentido imaginable (*la plata no lo hace todo, pero casi todo...*). También es probable conseguir contestación en voz de cierto responsable de la prevención inicial del sitio –el arquitecto Ramón Paolini, por decir–, quien tal vez se detendría en la necesidad de salvaguardar ese espacio por razones de hidalguía caraqueña que nos atañe a todos, ancestros reencontrados, importancia del diseño como arte autónomo, jardinería en función pública y, de seguro, un generoso etcétera.

Por las razones que fueren, buenas todas, allí está la antigua hacienda de los Sosa transformada en jardín-museo que genera aceptación masiva mediante la música ofrecida en conciertos al aire libre. Y señalo la música, inclusive por encima de interesantes exposiciones de diseño, porque La Estancia ha girado su perfil hacia el parque público que obsequia conciertos gratuitos las tardes de los días domingo, para todos aquellos caraqueños en busca de un espacio grato, divertido y con sabor auténtico.

FEBRERO, 2000

El día 23 se le dio formal bautizo a la Fundación para la Cultura Urbana. Un concierto de presentación en sociedad en la sala de Corp Group fue la forma escogida para dar bienvenida a la nueva institución. La «Suite urbana» –suerte de obra musical que revisa el devenir de géneros caraqueños a cargo de los certeros arreglos del maestro Juan Carlos Núñez, con textos de quien esto escribe– tuvo esa noche un momento estelar que luego, cuatro años después, daría origen a la presentación de «Cien años en una noche», cual temporada teatral a cargo del equipo Arte e Integración en el Centro Cultural Trasnocho.

La «Suite urbana», primer disco compacto de la colección «Siglo XX revisitado», fue grabada la noche del concierto y un par de semanas después en los Estudios de Intersonido, esa vez a cargo de la ingeniería activa de Jesús Jiménez:

–Maestro– le sugiere Jiménez a Núñez–, ¿por qué no grabar todos de una; sin montajes, ni recursos de sobreposiciones *overdubbing*?

–Magnífica idea –responde Núñez–. Orquesta: todos a sus puestos; mucha concentración en las entradas y los solos... Atención.

–Maestro –una vez más habla Jiménez–, perdone la interrupción, ¿pero para qué grabar con audífonos si su orquesta está llena de leones afeitados que saben tocar en sección, oyéndose los unos a los otros y que pueden darle todo el matiz requerido al toque?

–Bien por Jiménez... Benjamín Brea, Domingo Pagliuca, Rafael Rey, Cheo Rodríguez, Oscar Rojas, Carlos Rodríguez, Edgar Saume... vamos a oírnos y gozar el toque sin audífonos, tal cual es... tomas completas, lo que salga bien queda y lo que no también... ¡Que se llene de verdad esta grabación!

JULIO, 2000

Gonzalo Micó graba cuatro jóvenes voces femeninas: Joanna Vegas, Raquel Cepeda, Karina Stone y Antonia Toro. «Juegos de playa» lleva como título este proyecto discográfico dirigido a ofrecer nuevas figuras nacionales del canto, listas a emprender carrera en la música popular «culta», ligada a reconocidas expresiones del jazz y pop.

«Cada una cantará cierto *standard* de jazz, algo mío y, ¿por qué no?, algún ejercicio que dimensione la música en nuestro idioma... ¿Qué tal la traducción de "Inside a silent tear" de Blossom Dearie, dicha por Raquel cual preludio con intervención *ad libitum* de César Monge el saxo tenor?» Así va la idea del maestro Micó en directo a la sensibilidad de Yolanda Pantin, poeta, quien entrega una impecable versión en favor de la libertad interpretativa de Raquel y César:

Dentro del silencio
de una lágrima callada
tengo sueños que atraviesan
los silencios de mi alma

Por silencios me persiguen
los sueños que se esfumaron
hasta que a solas, me encuentro
dentro de una lágrima

A veces disimulo
para esconder el vacío
y distraer la soledad
con una carcajada.

No puedo nunca decir
lo que realmente quisiera.
Es tan difícil hablar
sin encontrar las palabras

Encuentro siempre el amor
donde no hay amor de verdad
pero, ¿cuál es la verdad,
y quién la puede definir?

Eres tan tonto como yo,
mi amor, mi realidad...
Tienes sueños sin palabras, también
Dentro de una lágrima.

(Versión transcrita, según y como la lectura *jazzy* grabada por Raquel Cepeda y César Monge.)

SEPTIEMBRE, 2000

Pienso en música, luego existo en mis orejas... (!) Un ensayo de la orquesta de Andy Durán hace pensar en que Canelita Medina tiene cualidades afines a ciertos vinos exquisitos y, también, a los instrumentos musicales del más fino linaje: el paso de los años, lejos de destruirlos, ennoblece y les asienta el duende.

La prestancia de Canelita va en su porte señorial que acompaña la voz de gran anchura armónica, fuerte en su emisión, perfecta en la afinación y del todo conocedora de los requiebres del soneo afrocaribeño.

Verla –oírla– cantar en estos comienzos de siglo, tiene el encanto de descubrir un secreto por ella misma resguardado: se trata de la mejor sonera venezolana de todos los tiempos.

OCTUBRE, 2000

Xariell Sarabia ajusta toques de Tropicalia Caraqueña en la Sala de Conciertos de la Fundación Corp Group. En el entretanto le entrega a Maite Espinasa un manifiesto de lo que será el ciclo de conciertos Tropicalia Caraqueña:

Nombrar a casi todos, o casi todos (los nombres) entre nosotros. Los productores –Pacanins y Sarabia– hicimos eso y pensamos un diseño musical urbano caraqueño para la interpretación o la reinterpretación de fenómenos musicales caribeños originados en Caracas, basados en las composiciones y en los personajes que han puesto a bailar a la gente de la otrora ciudad de los techos rojos.

Sin el lamento que nos ha caracterizado a los venezolanos, pero con la disposición de reivindicar a esos personajes poco reconocidos en los últimos tiempos y que en el pasado fueron ídolos populares, invitamos a varios esenciales. Tal es el caso de Rafa Galindo, el más prolífico de nuestros boleristas, eterno ruiseñor de la radio; a José Rosario Soto quien después de abordar el son callejero le llegó su cuarto de hora a finales de los años 70 con el Sonero Clásico del Caribe, pero pasadas ya casi dos décadas también perdió la nombradía, lo mismo que nuestra sonera mayor, doña Canelita Medina. Y todavía hay más.

Para estas noches también nos encontraremos con Graciela Naranjo, la decana bolerista del país, bien en pie, aún enamorándonos, dejando saber que fue ella quien despertó la mayor de las curiosidades en los últimos tiempos, desde algún underground *o en alguna mecedora de cierta abuela querida.*

No tan olvidado, pero no tan reconocido por sus hazañas musicales, vendrá Aldemaro Romero. Con él sobran los adjetivos y si está acompañado por nuestro emblemático percusionista, el «Pavo» Frank Hernández, la cosa arderá como es debido. También nos acompañará un competidor por el Grammy, filósofo de los arreglos y la composición, un animador y estudioso incansable: Alberto Naranjo y su Trabuco de siempre.

Hay también espacio para la gran orquesta de Andy Durán. Brillante, gruesa, elaborada y consecuente, la banda de Durán obsequiará acompañamiento a los reconocidos y a ciertos por conocerse: par de «gallos tapaos» del canto tropical como Oswaldo «Papelón» Martínez o Juan José Hernández. Otro cuento será el de Juan Carlos Núñez, maestro siempre listo, para abordar cualquier cosa que suene bien, más aún, casi cualquier género sobre la faz de la tierra, especialmente si del Ávila se trata.

¿Y qué decir de los nuevos (inventando con lo viejo otra vez para ser nuevo)?, en eso se encuentra Amanda Soriano, capaz de dar pulimento a las voces de un coro moderno, pero con afinque tropical; Alexander Livinalli maestro de tambores de aquí y de allá; Raúl Abzueta queriendo abordar todo con sólo dos manos, para su guitarra; el sutil y rápido vibráfono de Alfredo Naranjo, el artificio percusivo de Carlos «Nené» Quintero y la guitarra inteligente y amable del profesor Gonzalo Micó... También Víctor Mestas, tranquilo virtuoso de muchas causas; Rodolfo Reyes, Benjamín Brea, y Rafael Rey vientos que apuntan lejos desde hace ya bastante tiempo. Las voces tentadoras, enamoradas e inquietas de tres damas que pensaron para la gloria: María Fernanda Márquez, una voz que nos visitará desde Estados Unidos para decirnos nuestras cosas de otra manera, María Rivas, última musa de Aldemaro y Gisela Guédez bolerista mayor de estos tiempos. Con ellas, además, Ignacio Izcaray cantante, compositor...

Apostilla: Rosa Virginia Chacín, Deborah Sasha, Bacalao Men, Bailatino, Gonzalo Micó fueron algunos de los artistas ofrecidos en la segunda edición, al año siguiente. Y así, con el apoyo audiovisual de la Universidad Nacional Abierta (Xavier, que no Xariel, Sarabia), por dos años consecutivos presentamos en la sala de conciertos de la Fundación Corp Group, la oferta musical de queridos nombres que recuerdan cuanto de trópico específico, propio, tiene nuestra Caracas. Fue cosa de agruparlos, alentarlos, reconocerlos, escucharlos; tener a todos los que son, o a casi todos al menos (que nos perdonen los otros, los que afortunadamente faltan, y que fueron objeto de una denuncia por fax de un amigo como que muy pendiente de nuestras cosas).

OCTUBRE, 2000

La buena amiga Stefania Mosca habla con el señor embajador de Colombia, don Germán Bula, y me recomienda para intervenir en una presentación de intercambio cultural plena de porros en el Celarg. Lo cierto, Stefania, es que poco, muy poco, sé de porros, pero igual trato el asunto según el siguiente esquema expositivo:

1. Agradecimiento a la embajada, al embajador... hablar del programa y la exposición, etcétera.

2. Utilizar una cita que acaso ya sea lugar común para los presentes... *En Venezuela se baila el porro de una manera muy singular...* Pero lo bueno es que no sólo se baila el porro; también es la cumbia, el paseo, el paseíto, el vallenato, por hablar de algunos géneros de baile colombianos... o el danzón, la guaracha, el son, la plena, el calipso, por mencionar géneros afrocaribeños que también nos son afines y que constituyen parte de aquello que por fin nos conforma como pueblo, bla, bla.

3. «Venimos a lo de los porros y hacia los porros vamos.» Jamás conviene perder el tema de vista, por ello me atrevo a subrayar la importancia del género en nuestro país a través de dos porros clásicos en nuestra cultura urbana: primero, «El caimán» (Peñaranda); la Billo's de principios del 40 con Víctor Pérez, la orquesta que había aprendido de las estructuras de la *big band* de jazz aplicada a lo afrocaribeño (Flether Henderson vía Casino de la Playa; aprovechar, sí, algo de disquisición jazzófila...). ¿Que los sones se parecían a las cumbias? ¿Las cumbias a las gaitas tamboras del sur del lago de Maracaibo? ¿Los porros lucían cual sones tanto en sus letras, como en su estructura rítmica? ¿Puede esa afinidad extrañarnos a la hora de poner la oreja al servicio de los pies? Si alguna vez se necesita demostrar lo de aprender de otras culturas musicales, de incorporarlas popularmente a lo propio, pues venga el caso de este Caimán tan arraigado en nosotros desde hace tanto tiempo, que es cosa común, tradicional, no solo bailarlo como propio sino adicionarle versitos según el gusto del bailador de turno... *Al dueño de este negocio... mucho le gusta el pan duro.... que se lo pongan cerquita... y turún tun tun tun turo...*

4. El porro «San Fernando»... *San, San, San Fernando...* que abrió las puertas de Colombia a nuestra Billo's Caracas Boys en los años 50, recibe y devuelve la influencia de Pacho Galán y Lucho Bermúdez, cultores colombianos del arte de la *big band*, en una suerte de panamericanismo musical muy saludable a la integración de culturas. Me explico: se escucha a la Billo's caraqueña con Manolo Monterrey, cubano, cantando el porro de Lucho Bermúdez, colombiano, en una primera visita a Colombia de la orquesta dirigida por Frómeta, dominicano-venezolano, tal cual el trompetista Cecilio Comprés, primera silla de la fila y solista de la orquesta. De esta forma se presenta el compositor colombiano, el director dominicano, el cantante cubano y la orquesta, pues, la más popular de Venezuela. ¿Me explico?

5. ¿Más ejemplos de cercanía o de discurso panamericano que ligue nuestras culturas? Aquí luce mucho mejor recordar el carácter de especialista de nuestro invitado de la noche, el señor Raúl Fortiche, quien de seguro disertará con la propiedad de quien tiene años averiguando y constatando los cómos y los porqués. Las letras, los ritmos, la poética; las intenciones evidentes y, como todo asunto musicológico, segundas y hasta cuartas intenciones...

Tan sólo me resta agradecer nuevamente la iniciativa de la Embajada de Colombia, y acaso recordar que todo discurso en torno a música no puede sino complementar, ayudar, jamás sustituir la experiencia auditiva. Y es que, como decían los sabios griegos, la música es tan sólo una entelequia hasta que alguien la suena... Bienvenido el maestro Pablo Flores, encargado de la dirección del grupo que nos acompaña esta noche, y sea para mejor el turno del toque de los porros... Muchas gracias.

Apostilla: Presente en el Celarg la orquesta del maestro Pablo Flores, nos dimos el gusto de escuchar su porro «Sonia»... *Conocí una flor, allá en Valledupar...* y, de paso, ver al embajador Bula en un acto insólito para el legendario recato de los representantes de la hermana república en nuestro país: bailar en el escenario un porro con la cantante de la orquesta (!)

NOVIEMBRE, 2000

El amigo Javier Alquatti sorprende por su destreza en el uso de la computadora al momento de editar grabaciones. Quizás Stephan Gosewinkel, Daniel Grau o Mary Marrero tengan una habilidad similar. Quizás.

–Javier, ¿cómo puedes lograr tanta efectividad con algo tan complicado, si tú no eres ingeniero de computación ni nada que se le parezca?

–¿Complicado esto? –repregunta Javier mientras manipula su aparato–. Recuerda que yo soy trompetista y nada, nada en el mundo es más complicado que tocar trompeta. Nada.

DICIEMBRE, 2000

Hace un mes estuvo Fernando Trueba en Caracas. Los rumores hablaban de una visita para oír nuestro jazz y dar a conocer su más reciente película, *Calle 54.* Y lo cierto es que bien decían los rumores porque el famoso director del cine español, a pesar de que no dio a conocer su impresión exacta sobre nuestro toque, sí dejó exhibir su película quienes tenemos la fortuna de gustar la pizca latina adicionada al jazz.

Las exhibiciones concretas ocurrieron en el Aula Magna de la Universidad Central de Venezuela y en el cine La Previsora. El público asistente, si no masivo, tuvo al menos la suerte de contar con la presencia Trueba ofreciendo opiniones corroboradas a plenitud en la pantalla: cine documental entregado a su música favorita, cine que pretende dignificar y difundir el arte de Puente, O'Farrill, Patato, D'Rivera, Barbieri, Domínguez, Elías, «Cachao», los Valdés –Bebo y Chucho– y los hermanos González –Andy acompañado, por su puesto, al temerario Jerry del Fuerte Apache.

Decir que la película es buena es quedarse corto. Pedir su exhibición comercial inmediata nos resulta una obligación. Encontrar el disco con la música en alguna discotienda caraqueña –¿Esperanto?–, pues, acaso un tremendo regalo del Niño Jesús.

ENERO, 2001

Violeta Alemán y Gilberto Simoza van en el carro rumbo a los estudios de Intersonido. La pesada cola los hace repasar ciertos temas pendientes de grabación.

Un recuerdo acá, otro más allá, hace que Violeta revise sus comienzos: –Saben, al principio como figura infantil televisiva, al igual que Raquelita Castaños y Caridad Canelón lo mío era la música venezolana de joropos, valses y merengues. Me cansé de cantar cosas como... *Tengo mi rancho en el monte...* de Lorenzo Herrera.

La potente voz de Violeta de pronto nos timbra la imaginación. –Mira, al llegar te grabamos la canción; asimismo como la estás cantando en el carro, sin ensayo, sin acompañamiento... te vas de una, de pura voz, «a capella», con ese don innato que tienes para desdoblar a la intérprete operática en una imponente cantante de música criolla (la única que en verdad puede hacerlo, por demás).

MARZO, 2001

Oscar Maggi tiene casi cuarenta años como profesional del piano dedicado al jazz y a la música popular refinada. Cuatro décadas en que el circuito caraqueño nocturno se ha visto enriquecido por su presencia; porque decir Las Cien Sillas, Barcelino, Juan Sebastián Bar, El Parque o La Confiture, es tan sólo abrirle el compás a los etcéteras de quienes hemos compartido nuestra bohemia con su música, y que jamás imaginamos la tamaña sorpresa que Oscar Maggi, «El Negro», nos reservaba: día, sábado 3 de marzo de 2001; hora, 11:00 am; lugar, automercado Excelsior Gamma de la urbanización Manzanares.

Allí en el pasillo más concurrido por las señoras, entre lechugas, tomates y repollos (la sección de Hortalizas, también le llaman), pues, allí, desde hace un año está ubicado un piano Yamaha de cola, nuevo, dispuesto para el acompañamiento diario de carritos cargados de frutas, pesas que hablan y pitos de máquinas registradoras. El silencio no es absoluto, pero sí hay cierto respeto de la clientela; acaso mucho mayor que en los piano-bares.

Las habituales del automercado dejan saber sus temas predilectos (una doña hasta canta «Dominó» en francés); la gente de la administración y los empleados de turno centran los éxitos con papelitos de peticiones: «Conticinio me recuerda mis quince años... *Una rosa pintada de azul es un motivo...* De pronto alguien hasta lo reconoce y salpica con un comentario pícaro:

–Pero, bueno, Negro, ¿y tú qué haces aquí entre las legumbres? Por más que nombre y apellido más o menos te acompasen con ciertos productos del automercado, lo tuyo siempre ha estado en el departamento de licores... –Ni te creas –le dice Maggi de reojo–, tiene lo suyo cambiar las horas de la noche por las de la mañana; cansa menos, pagan mejor, y de paso le doy chance a un repertorio propio de estos otros interesantes frutos de la bendita tierra (¿quieres que te toque «Llora, cebolla, llora»).

ABRIL, 2001

Nos viene la imagen de una Julie Restifo haciendo el papel de bellísima dama de sociedad caraqueña (¿acaso representándose a sí misma?), que hasta baila *tap-dance* para la reciente obra teatral de Isaac Chocrón. Es la misma Julie de la televisión, el cine o el teatro; una primera figura de la actuación quien, luego de veinte años en el medio, no reniega de nuevas posibilidades que ahora también incluyen continuas incursiones profesionales en el arte del canto: una noche en el Nerone la semana antepasada, otra a la semana siguiente en el Génesis; este sábado le toca al Kandidos de la avenida Francisco de Miranda.

Lo mejor está en que la Restifo cantante ni es novelería, ni es atrevimiento; es cosa de toda la vida. Del tiempo colegial, propio de una muchacha estudiante de conservatorio e integrante de coros. Del tiempo universitario cuando, por fuerza de Javier Vidal, cambió el rumbo hacia la actuación y, de paso, relegó el perfil a esa otra faceta que hoy día ve al fin llegar su turno. Porque, necesario es recalcarlo, Julie tiene sobrada razón al agregar un nuevo foco profesional a su carrera artística: música con formación académica; informada en las peculiaridades de la afinación, dicción, respiración y otros importantes etcéteras relativos al canto.

Muy capaz, Julie, es de ofrecer buenas trazas del café-concert propio de las mejores actrices, con el beneficio adicional que significa estar plenamente facultada para el complicadísimo oficio de hacer interesante música popular contemporánea.

JUNIO, 2001

Un concierto de gala supone algo más que una mera denominación graciosa. Gala significa lo más esmerado de una cosa, su aspecto sobresaliente; en materia de músicos académicos supone cierto particular cuidado en la apariencia, el repertorio, el momento y espacio escogidos para la presentación: Sala José Félix Ribas del Complejo Cultural Teresa Carreño, día sábado 9 de junio de 2001, 5:00 pm, la Orquesta Sinfónica Juvenil de Chacao dirigida por el maestro Juan Cristóbal Palacios, ofrece un programa con obras de Johannes Brahms –

Obertura Festival Académico–, Nicolai Korsakov –el Capricho español– y de Piotr Ilych Tchaikovski su Cuarta Sinfonía.

El programa se llevó a cabo en los términos comprometidos; los jóvenes intérpretes concurrieron con la seriedad y preparación necesaria para una ejecución que no requería de esa piedad auditiva propia de muchas audiciones juveniles. Así, la Obertura Festival Académico encontró la perfección formal que la música de Brahms pretende; el Capricho de Korsakov reflejó el tinte popular hispánico adecuado a este tipo de fantasías; la Cuarta Sinfonía de Tchaikovski consiguió su toque apasionado, acorde con un romanticismo afín a los espíritus juveniles que la interpretaron. El director sacó máximo provecho de la orquesta, los solistas brillaron en sus partes; en especial, Gianluigi Pignatari en el clarinete y, con imponente presencia sonora, la flauta de Claudia Lugo.

El público asistió entusiasmado y tanto la fundación a cargo de la orquesta como la Alcaldía de Chacao pudieron, una vez más, corroborar la importante magnitud de un proyecto que involucra el mejor aspecto de esta gala: «¿Saben ustedes por qué la gente aplaude sus conciertos?», muy a propósito preguntó el maestro Palacios a sus músicos durante un ensayo; «no sólo por la bondad del toque o para llenar de orgullo a los familiares presentes. Hay mucho de un sentido de admiración de la gente hacia eso que ustedes pueden hacer; hacia la especial cualidad que como músicos han desarrollado para convertirse, por intermedio del arte, en individuos admirables (uno de ustedes de cada diez mil, si acaso), siempre lejos del montón que nada deja y, sobre todo, que nada ofrece».

JULIO, 2001

Casi siempre la muerte es cosa seria; o al menos así debería serlo. Vale aquí repetir el perogrullo de los perogrullos, porque el maestro Inocente Carreño, vista puesta en el disco compacto con sus obras, refiere en chanza la vez que lo mataron a través de un obituario más o menos del tenor siguiente: «Ha fallecido cristianamente el maestro compositor de música venezolana Inocente Carreño. En tal razón esta institución...».

Bastantes fueron las llamadas a su casa en aquella semifatídica mañana. Tantas que no le quedó otro recurso que llamar a la institución compungida al punto de haberle ordenado el obituario.

–Algo les agradezco el gesto, pero resulta que estoy vivo y bien de salud –así dijo el maestro al personero de relaciones públicas de la institución–. Ahora, tal vez ustedes quisieron fue llamar la atención sobre la muerte de Inocente Palacios quien, tengo entendido, sí falleció en el día de ayer. No sería ni malo, digo yo, publicar una aclaratoria en el periódico de mañana; no tanto por mí, sino por los dos...

Pues le tomaron la sugerencia a Carreño y al día siguiente apareció un nuevo obituario anunciando la muerte de Inocente Palacios, con el solo detalle de dejar intacto lo de «maestro compositor de música venezolana...» (!). Más nada.

AGOSTO, 2001

De visita en la Feria Internacional del Libro de Bogotá, se da un encuentro con el poeta Darío Jaramillo Agudelo. El poeta amablemente nos guía por el museo donde se aloja el ejemplo del pintor Fernando Botero, quien no conforme con la cantidad y calidad de sus entregas escultóricas a plazas y espacios públicos, donó en favor de la comunidad de Bogotá su colección de arte internacional contemporáneo; vale decir, obras de Corot, Monet, Renoir, Maillol, Bonnard, Vuillard, Matisse, Picasso y Botero –por supuesto– encabezando un generoso etcétera, expuesto dentro de una casa colonial ubicada en el típico barrio de la Candelaria bogotana.

Luego de la visita toca el almuerzo para corresponder a las atenciones del poeta. Comida y conversación que deberían entrecruzar los mejores sabores se ven agriadas por ciertas posturas políticas de algún invitado, que sin ninguna consideración confronta a Jaramillo. Herman Sifontes, hombre de dos manos izquierdas, media en el conflicto ordenando otra botella de buen vino. Pasa el mal tiempo, toca el hasta luego. El poeta, sensible al fin, luce una distante amabilidad mientras camina de regreso por las calles de la Candelaria.

–Darío, la Fundación para la Cultura Urbana está grabando un disco con música arreglada por el maestro Juan Carlos Núñez. Cosas del siglo que van desde nuestros viejos valses, pasando por Billo...

–¡Por Billo! –el comentario le enciende la vena–. ¿Recuerdan por casualidad aquel mosaico que comenzaba con... *La palidez de una magnolia invade...*

–*Tu rostro de mujer, atormentada...* –le contestamos a

coro. Jaramillo tararea, se ríe, recupera el talante de amistad franca y remata–. ¿Se han dado cuenta ustedes de cómo la música viene siendo lo único que en verdad nos une a todos los latinoamericanos?

OCTUBRE, 2001

La noticia de la designación de los premios nacionales de la cultura inspiró un raro sentido de justicia artística nunca antes experimentado. Algo extraño, justificador por no decir justiciero, tuvo que suceder para explicar la reacción colectiva de las personalidades convocadas al Hotel Ávila, cuando dejaron saber los nombres elegidos en cada área. Se dijo allí: EL PREMIO NACIONAL DE MÚSICA CORRESPONDE A ALDEMARO ROMERO, y el aplauso general, casi eufórico, no se hizo esperar.

Por fin llegaba un nombre con respuestas coherentes a muchas interrogantes conceptuales que, hasta ese cercano ayer, no conseguían soluciones satisfactorias en la mente de muchos melómanos.

¿Cuántos años vivirá el absurdo debate de música «culta» vs. música «inculta»? ¿Cuántas exclusiones vergonzosas nos ha traído ese criterio a través del tiempo (Billo, Alfredo Sadel o Luis Alfonzo Larrain? ¿Quiénes pueden trazar linderos conceptuales de géneros que, a su vez, pretendan agrupar con fundamento al «esto mejor, más elevado, que aquello»? ¿La música de maestros universales, tales como Bach, Mozart, Beethoven o Verdi, debe reputarse académica o popular? ¿Quizás académica ligera, o clásica popular? ¿Será entonces que el valor artístico de la música depende del grado de complejidad de las composiciones y sus respectivas orquestaciones? ¿Una sinfonía de X, por ejemplo, viene siendo mejor que una sonata de XX que, a su vez, es deleznable frente al oratorio de XXX? ¿Estará bien la programación de ópera, jazz, sinfonías o boleros en un mismo teatro? ¿Hoy Claudio Abbado, mañana Dave Brubeck, pasado mañana Omara Portuondo? ¿Puede alguna vez un buen joropo ser algo más artístico que una mala sinfonía? ¿No tienen los clásicos «lieder» alemanes de, digamos, Schubert la misma calidad de un clásico bolero de Rafael Hernández o Agustín Lara?... ¿Estará mal, muy mal, que Aldemaro Romero haya desarrollado una dilatada carrera proponiendo arte a partir de las expresiones musicales populares afines a su espacio y a su tiempo? ¿Que se haya atrevido a renovar la música venezolana en su concepto y dimensión con base en mucho de lo que de verdad somos?

Señores del jurado (y del gobierno): gracias por despejar dudas y dejarnos saber que aquí mismo, en Venezuela, también contamos con criterios amplios, bien acompasados a los signos propios del siglo XXI y, tal vez, con orejas parecidas a las de un Aquiles Nazoa, que hace ya un montón de años se atrevió a escribir lo siguiente:

> ... muy pocos artistas han comprometido tan íntimamente su destino con el de la música venezolana, como Aldemaro Romero, que la recibió como una herencia familiar, que para adueñarse espiritualmente de ella la fue a buscar a sus más remotos hontanares del ancestro y la tradición, que la sufrió como lo que se ama, y que técnicamente la ha sometido en estos tiempos a la revolución más espectacular de toda su historia. Tan entrañables son en su caso los nexos entre el artista y su arte, que la larga búsqueda por Aldemaro Romero de un estilo original, de un lenguaje autárquico para disparar su mensaje, ha redundado en el hallazgo de un acento absolutamente nuevo para la música popular venezolana. Con el advenimiento de Aldemaro Romero, nuestra música de ese género ha inaugurado una época. Movilizando novedosísimos procedimientos de orquestación que no tienen antecedentes en el país; poniendo en juego conocimientos y experiencias largamente entrenados en famosas organizaciones orquestales del exterior, fue el gran reivindicador de esa expresión espiritual del pueblo, que desde principios de siglo parecía tenazmente rezagada con respecto a casi todas sus congéneres en el resto de América.

DICIEMBRE, 2001

Biella Da Costa accede a grabar con nosotros un disco de tradición navideña. Esto significa oírla cantar en español y corroborar lo que de sobra sabemos: una voz privilegiada susceptible de colmar de arte no sólo una interpretación de jazz o blues, sino de cualquier estilo y cualquier lenguaje (no en vano el recuerdo de un «Diablo suelto» magistral, a dúo con el maestro Alirio Díaz, en el concierto que ofreciera la artista en junio de 1998).

> La navidad representa un tiempo de celebración y ofrenda; de compartir con la familia y los seres queridos aquelllas tradiciones que marcan esencias mismas de lo que somos: música,

música navideña en clave de aquellas canciones que conocemos de nuestra infancia, o de algunas otras que deseamos agregar en razón de contenidos liados al sentido de esperanza propio del tiempo decembrino (*Biella*).

ENERO, 2002

El maestro y poeta Jesús Rosas Marcano regala un pedazo de su memoria durante la edición aniversaria correspondiente al año pasado, del programa radial Noches de Mercurio que conduce su hija Serenella Rosas.

Preguntó el poeta a la espera de su intervención noctámbula en la radio: –¿Cómo presentan el programa?, ¿quién crea la atmósfera apropiada para la música?, ¿qué hace el locutor para seducir al escucha? –el asistente de producción, cansado por el agite del día, creyó que se trataba de una posible descarga de conversación pesada, para nada interesante–. Mire, se dice lo que dice el guión; se repite lo de ayer y anteayer. Se procede exacta, profesionalmente, según pide el patrocinante, ordena la producción o manda el oyente. Y ya.

Contesta entonces Rosas Marcano con palabras que parecen páginas...

> Pero un radio, mijo, es una caja de sueños. Va mucho más allá de los comandos y las planificaciones exactas. Es la voz del tiempo mismo que pasa a través del oído del oyente y le trae presente, apunta el futuro o, tal vez, le revive el pasado: aquella infancia mía en Margarita, donde la noche estrellada marcaba la hora de dormir, con la voz de un locutor que casi venía del más allá para decirnos: «Ha llegado a la mitad de la noche, el ensueño os invita; las preocupaciones que os atormentaron durante el día, como los árabes, levantarán sus tiendas y partirán en mudas caravanas».

ABRIL Y MAYO DE 2002

(Diario de una visita a la Feria Internacional del Libro de Santo Domingo.)

Lunes, 1 de abril

Recibo la llamada telefónica de Maribel Espinoza, directora del Centro Nacional del Libro (Cenal). Trata ella de llevar genio y figura de Billo Frómeta como atracción del pabellón de

Venezuela en la próxima feria del libro dominicana, evento que recibirá a nuestro país en condición de invitado central. ¿Billo entre libros?, pregunto. Sí, me contesta la amiga; Billo entre libros cual artista integrador de culturas caribeñas, vía música popular, especialmente en lo que a Venezuela y Santo Domingo toca. Un artista con evidencias únicas, mejor que ningún otro para representar la hermandad creativa entre los dos países (el mismo Billo quien fuera sustento de toda una edición de la revista *Imagen* hará cosa de cuatro años, por cierto).

Lunes, 8 de abril

Casualidades de la vida, concomitancias coincidentes, diría Lezama Lima: resulta que voy por el Ateneo caraqueño en compañía de Alberto Naranjo y nos conseguimos a Katyna Henríquez, también amiga organizadora del Cenal, preparando todos los particulares de la presencia nacional en la feria dominicana. ¿Quiere Alberto encargarse de montar la música de Billo de acuerdo con el proyecto discográfico «Swing con son»? ¿Podemos aceptar una invitación para hablar del tema conjuntamente con Tania Ruiz, experta billóloga? ¿Vamos entonces en compañía de una distinguida comitiva que cuenta con Yolanda Pantin, Antonio López Ortega y el mismísimo Rafael Cadenas como calificados representantes literarios? Será cosa de seguirle los pasos al verso de Yolanda Pantin que recomienda nunca negarse a una invitación a viajar. Será.

Miércoles, 1 de mayo

Luego de eficientes trámites burocráticos, la comitiva criolla logra su feliz embarque y desembarque. Santo Domingo luce ordenado, mejor que hace veinte años. Sus calles hablan de próximas elecciones municipales, mientras los organizadores de la feria justifican la fama de buenos anfitriones que los dominicanos tienen con quienes venimos de estos lados. En siete palabras: todo funciona de acuerdo con lo prometido. Las reservaciones de hoteles, comidas, traslados, encuentros programados, y un importante etcétera marcado por la cortesía en el trato. Satisfecho el gusto, creo, el espíritu de los invitados queda listo a dar lo mejor de sí.

Jueves, 2 de mayo

La feria está en un parque justificado por el Conservatorio Nacional de Música. Quiero decir que la actividad académica musical preside y titula varios kilómetros de naturaleza –hasta una cueva existe allí– con aulas, teatros, auditorios, caminerías, kioscos hoy en función de la exhibición y venta de libros. Podría esto parecerse a nuestro Parque Los Caobos destinado a una feria popular, donde muchísima gente –miles de personas– de todas las edades y proveniencias sociales, se reunieran a festejar en torno a un evento de cultura. De esta manera, música, cine, recitales y charlas vienen siendo aderezos bienvenidos y ajustados a un especial tono, único, de fiestas patronales pero intelectuales (!) que para nada desafina la sobria exhibición de Billo, su música e historia, organizada por Katyna y Tania en la sede principal del Conservatorio. Una vez más queda respondida la pregunta de por qué un músico popular entre libros (se ofrece además, en plan estelar, la biografía del maestro Frómeta publicada por Alter Libris).

Viernes, 3 de mayo

La actividad del pabellón venezolano es intensa y concurrida. Estudiantes de primaria con sus maestros solicitan información; llega gente a escuchar música facilitada por la Fundación Bigott, o a presenciar variados documentales que ilustran acerca de nuestro país mediante televisores dispuestos para ello. El cine nacional y conjuntos de música vernácula ayudan a la muestra. Los libros, materia central del evento, son honrados por los comentarios e intervenciones de los importantes escritores presentes; en especial, nos carga de prestancia la esperada lectura de Rafael Cadenas: profunda, esencial, despojada de histrionismos (*Cuadernos del destierro*, *Amantes* o *Memorial* son fuentes que consiguen la aprobación silente de Antonio López Ortega). Una lectura también provocadora de cierta petición recurrente en los recitales del maestro: «*Derrota*, poeta. Por favor, léanos *Derrota*», solicita así un aficionado. Pero el poeta se excusa con elegancia: «Ese poema repite mucho los "que". Es difícil leerlo». El hombre de la petición, dominicano de pura cepa, se levanta de su asiento y lee la *Derrota* en voz alta, clara e inteligible. Al terminar el recitativo del espontáneo, Cadenas en lugar de aplaudir comenta: «Saben, hace poco tiempo Manuel Caballero, mi amigo de infancia, me presentó como un individuo que no reconozco. Porque no soy el muchacho atlético que daba jonrones, ni el afiebrado universitario, ni el tipo deprimido que, de vuelta en su país luego de un exilio, recitaba su fracaso en la década de los 60... De aquella confesión formulada en *De-*

rrota, que acabo de oír, hoy tal vez sólo me falte cumplir, sí, con aquello de no haber ido nunca a la India...».

Sábado, 4 de mayo

Una *big band* se parece a un elefante blanco. Grande, digno, parsimonioso, en peligro de completa extinción. La imagen de esta idea me llega a las ocho de la noche, en la cueva de la Plaza del Conservatorio –sitio concertístico de la Feria– con la orquesta dominicana lista para que Alberto Naranjo dirija su homenaje sonoro. Tan sólo dos horas antes hemos tenido el gusto de compartir un foro donde doña Haydée Frómeta, hermana del maestro, resume y termina disquisiciones e historias al cantar «Quisqueya Linda» («Por favor, toquen mi música», decía la atinada exigencia del viejo maestro Irving Berlin, en el homenaje que le rindieran por su centenario). Viene entonces el turno de Javier Plaza, Arturo Guaramato y María Rivas –diva por derecho propio– quienes prestan sus voces para esta experiencia armada con cinco saxofones, cuatro trompetas, cuatro trombones y sección rítmica completa. La imagen de una señora gorda bamboleante, bailando pesado pero sabroso –acaso complementaria al elefante blanco–, surge del sonido de la enorme banda alineada por secciones (adelante los saxos, en el medio los trombones, atrás las trompetas). Nada que ver con el ágil sonido de una «jazzband», o sea, la orquesta de baile de dos filas (cuatro saxos adelante, tres trompetas y un par de trombones atrás), ágil, segura y hasta cierto punto poderosa, pero que viene a ser intermedio entre la formación pequeña propia de los combos y este elefante capaz de competir con la carga de una orquesta sinfónica: la Billo's Caracas Boys, siempre una «jazzband», queda ahora evocada por el «Swing con son» tipo *big band*, de un Alberto Naranjo capaz de combinar la destreza de los músicos dominicanos con nuestros cantantes venezolanos. Tal cual un Luis María Frómeta Pereira, pues.

Domingo, 5 de mayo (madrugada)

Arturo Guaramato, guarachero, sabe de los secretos del canto tropical; de esos verdaderos poderes seductivos de un bolero cantado en el ambiente preciso. Claro, Guaramato, cantante con años en el oficio de dar voz a grupos y orquestas de la nocturnidad caraqueña, bien sabe cómo culminar su participación dominicana con una serenata en la propia Plaza Colón de

Santo Domingo. Allí, luego del concierto de la cueva y acompañado por los guitarreros de la zona, el cantante se encarga de evidenciar la potencia poética de un bolero bien dicho... *Me gusta todo lo tuyo, todo me gusta de ti...* así la letra interpretada con emisión fuerte e impecable sabor; asimismo la reacción inmediata de una linda negrita encargada de atender a los amigos de farra: –Preséntemelo, por favor preséntemelo que todo lo que canta me lo está diciendo a mí. Y Guaramato tan sólo responde... *tu risa, tu cabello y tu rítmico andar... el dulce sortilegio de tu mirar...* La muchacha suelta la bandeja, le manda un besito y se atreve a decirle de frente: –De donde quiera que seas, mi negro precioso, deja esta gente, vente a mi casa y sígueme cantando con esa sonrisa que me arrebata... (razón tenía Rafael Cadenas cuando, apremiado por una perodista que le insistía en el asunto, concedió potencia poética a ciertos boleros... bien cantados).

Martes, 7 de mayo

El viaje llega a su fin. La República Dominicana ha cumplido con esas promesas que secretamente uno se formula al arreglar maletas viajeras. Las expectativas, al menos las de los compañeros de comitiva, no llevan mayores enmiendas: los vuelos fueron puntuales, transportes y hoteles atendieron las reservaciones; cada cual recibió conforme su cada cual acordado. Supe tan sólo de cierta queja por cambio de hoteles (de muy bueno a bueno, decía la agraviada); quizás otra reclamación menor por cruce de horarios al momento de presentar la disertación, ligada a un aparato de aire acondicionado del cuarto que al parecer sonaba como el bombo de la bateria de Alberto Naranjo. El maestro Naranjo, por su parte, congenió con los músicos dominicanos y mejoró sustancialmente ciertos achaques físicos (al fin volvió a ensayar su contagiosa risa). López Ortega, Antonio, lucía rosado, casi turístico, con cachetes afines a las opiniones dispensadas por los invitados a la presentación de su libro *Ajena*. María Rivas, convertida en musa billófila, tuvo la oportunidad de recuperarse de un accidente e hizo magia con una «Noche de ronda» íntima, dedicada al escritor mexicano Jorge Volpi en plena Plaza Colón cargada de luna llena. Javier Plaza, salsero venezolano radicado en Colonia, se vino desde Alemania para cantar en el concierto que, de paso, le sirvió de reencuentro con Guaramato.

Por mi parte, también pude disfrutar la coincidente visita de amigos, en plan laboral o turístico, muy dispuestos a compartir un adiós a Santo Domingo con el gusto de ver cómo los libros pueden ser objetos de culto popular masivo –hasta armonizan con un Billo bien interpretado, decía uno–, mientras se opinaba que los eficientes funcionarios enviados por el Cenal, pues, hacían su trabajo de difusión de cultura venezolana dentro un ambiente electoral dominicano que, para nuestra sorpresa, jamás produjo ni desesperanzas, ni angustias, ni desencuentros. (¿Se podrá hoy día impresionarnos con algo más contundente?)

31 de diciembre (1 de enero de 2003)

La Autopista del Este es escenario de una insólita fiesta de fin de año. Alrededor del tema político se arma la tarima en el distribuidor Altamira y la gente concurre a celebrar el fin de año. Billo's, la Billo's Caracas Boys, toma el toque central y enciende los fuegos reales que la gente tiene adentro.

Tomo así ventaja de una película acerca del maestro Billo Frómeta que estamos realizando en compañía de Rafael Marziano y, cámara en mano, voy al compás del gentío que baila el pasodoble... *Bella Caracas, bajo tu cielo, tu luna y tu sol...*

¡Qué cosa tan increíble! La música ayuda y supera con su mensaje el tono político del evento; de hecho lo deja en un segundo plano por fuerza de la alegría del baile, o tal vez de la carga emocional que supone esto de enfrentarse a la más viva de nuestras tradiciones musicales urbanas: baile con Billo's en un año que viene, y otro que definitivamente se va.

FEBRERO, 2003

La memoria, o mejor el buen ejercicio de la memoria, es capaz de regalarnos el sentido del humor de un Carlos Moreán jovencito, dispuestísimo a meter la mano en lo que se le pidiera, con tal de participar en los festivales anuales de onda nueva organizados en la década de los 70. Poner y quitar partituras, llevar o traer invitados, copiar partes, ordenar cables, micrófonos, trajinar de ayudante calificado o raso... lo que fuera.

Por fin, al tercer año de actividades, Moreán recibe la oportunidad de arreglar y dirigir la orquesta. Moreán, Carlitos, ahora con su nombre en la puerta del camerino del Teatro Municipal de Caracas. Moreán fumándose sendo cigarrillo en el pasillo del teatro, mientras luce un *smoking* que ha comprado para su estreno absoluto (del director y del *smoking*, digo). Pero pasa

Aldemaro y le pregunta: «¿Carlitos el *smoking* es tuyo? Te lo digo porque el cantante fulano, que actúa justo antes que tú, no lo trajo. Hazme el favor y se lo prestas». Y queda Moreán en calzoncillos en el camerino. Otro cigarrillo mientras espera que fulano termine y finalmente le toque su turno, por cierto muy criticado por una señora que en primera fila le comentó a su amiga: «Ay, pero mira tú lo mal que están estos directores jóvenes... Este Moreán hasta le viste el *smoking* al cantante anterior...» (*Cosas veredes*, Aldemaro).

AGOSTO, 2003

«Todas las artes propenden a la música, en que la forma es fondo.» Tal el dicho de Jorge Luis Borges al momento de calibrar categorías estéticas, alumbrar cosas del arte con la inteligencia o, quizás, tan sólo deslumbrar de puro golpe con su imponente destreza de improvisación verbal: ¿la música a la cabeza de todas las expresiones artísticas por su capacidad de independencia expresiva?, ¿por encima de su literatura misma, maestro...?

Ni Borges está con nosotros, ni nos está dado un puesto en los juegos del intelecto de los talentos extraordinarios dotados para nombrar afinidades sensibles y agrupar intenciones colectivas. PERO, pero a pesar de las limitaciones en cuanto al ejercicio de discriminación de géneros referidos al arte, qué duda cabe respecto a nuestra legítima condición de espectadores interrogantes; de individuos expuestos y acaso masajeados por una experiencia artística que termina dando condición para alertar (tan sólo alertar) de la porción de posibles aciertos y desaciertos existentes en todo afán de imbricación al momento de precisar los casos concretos.

Pregunte(se): ¿Puede la pintura acercarse a la música? ¿Hay conexión suficiente entre estos dos lenguajes en apariencias inconexos? ¿Cabe la impresión de estímulo-respuesta entre los sonidos y las formas visuales? ¿Tiende por fin a la música el arte de los impresionistas (o viceversa)? ¿Entronca con naturalidad el discurso musical de Debbusy, digamos, en las mismas intenciones de los cuadros de Monet? ¿Quiso Mussorsky realmente crear «cuadros» al momento de hacer su exhibición musical? ¿Va Mondrian, años después, de la mano de los vertiginosos *boggie-woogies* de los jazzistas niuyorquinos? ¿Tuvo Jackson Pollock o nuestro Francisco Hung, inspiración musical al momento creativo de sus respectivos *dripping*? ¿ Por cuál causa dio Matisse nombre de *Jazz* a su serie de collages?

Recuerde(se) a D'Ors, Eugenio: «Donde no hay tradición, hay plagio». Confíe(se) la respuesta a preguntas diletantes en la tradicional relación música-pintura que resultados visuales procura. Mejor deje(se) de lado la especulación pura de nuestra condición de espectadores, para favorecer evidencias pictóricas centradas en reverenciales cuestiones del hoy y aquí, mucho mejor que del ayer y lejos: Caracas, 2003. Onofre Frías, pintor de la República, dice hacer música con la pintura. «Hasta mejor que muchos músicos», confiesa no sin una pizca de ironía cuando presenta una serie de cuadros cargados de caribe en el color y las formas que alertan y encienden la imaginación activa del espectador diletante.

¿Son rayas del pentagrama acompañadas de puntos y signos las que inducen el carácter musical a los cuadros? ¿Va el color, la forma y su técnica detrás o delante del interés en ritmos, armonías y melodías? ¿Queda al descubierto en las pinturas una relación musical de inspiración que, ciertamente, consigue en ellas su respuesta visual? ¿Será que comemos colores, formas misteriosas y de color profundo que entran en el ojo a través de sonidos, despóticamente? ¿Acaso se trata de líquenes perfumados que engañan el oído y desplazan los otros sentidos? ¿Habrá algo de vitalidad sonora desconocida llena de ideas y sensaciones? O tal vez, ¿una doctrina del color que delira sobre espirales infinitas, musicales, de la vida como cierta evocación mágica que nos ha mirado de frente? ¿Existirá entonces alguna clase de floración espontánea de colores inquietantes lista para la memoria cargada de recuerdos, de mujeres de exótica belleza indígena y hombres que vibran siguiendo en el aire de la música cierta vitalidad universal...?

Por fin, ¿se trata del tambor, la flauta, la maraca o el cuatro percutiendo en el pincel para disparar al cuadro o viceversa? ¿Vale por fin el ojo ligado al oído? ¿Vale?

OCTUBRE, 2003

La Fundación del Banco Industrial de Venezuela da calurosa acogida a la exposición «Perfiles de la música caraqueña en el siglo XX». Su sala central se ve transformada en sala de conciertos con memorias individuales, afectivas, de los artistas a quienes rendimos homenaje en *Primera Persona*. Complementariamente, los artistas han sido sujetos de retratos fotográficos por parte Nelson Garrido, Luis Lares, Vasco Szinetar, Luis Tomás García, Enrique Lares, Sara Maneiro, Natalia Brand, María Fernanda Di Giacobbe, Richard Alvarado, Carlos Márquez y Raúl Corredor.

La utilización del recurso fotográfico, mediante estudios individuales que profundizan en los rasgos personales de cada personaje, resulta a la vez complemento y materia esencial para delinear cada perfil ofrecido. Asimismo, son centrales las intervenciones de Rayma Suprani, artista plástico que presenta bajo forma de viñeta humorística cierta consecuencia visual de su acercamiento a cada perfil, y de Yoyi Ana Ahumada, quien con un acucioso trabajo periodístico resume las informaciones biográficas.

Tanto los retratos fotográficos como los textos en Primera Persona fueron reproducidos en el libro de igual título, que formó parte de esta exposición cuyo sentido sincrético, de integración entre la música y la fotografía, dio lugar a doce conciertos dominicales de cálida aceptación popular (¿cómo fallar con Aldemaro, Elisa Soteldo, Rafa Galindo, Chuchito Sanoja, Benjamín Brea, María Rivas, Andy Durán, Canelita, Alberto Naranjo, Juan Carlos Núnez, Gisela Guédez, Rosalba León, Mary Olga Rodríguez, Violeta Alemán, Gilberto Simoza, Saúl Vera, Rosa Virginia Chacín, Biella Da Costa, Álvaro Falcón, Rodolfo Saglimbeni con la Orquesta Sinfónica Municipal de Caracas y los grupos musicales del banco alternando la escena?).

OCTUBRE (MEDIADOS), 2003

Alberto Naranjo tiene el don de agrupar músicos y crear con ellos atmósferas de descarga. Mucho y muy variado público trae su concierto dominical de «Jazz latino», dentro del ciclo «Perfiles de música venezolana del siglo XX» en la sala de la Fundación Banco industrial de Venezuela. En el momento final, luego de un discurso de agradecimiento, Alberto pide por la presencia en tarima de músicos que se encuentren en el público. Suena «Imágenes latinas». Se van integrando timbaleros, percusionistas, líderes de otras bandas. Carlos Rodríguez, bajista que ha llegado luego de su concierto sinfónico en el Teatro Municipal, intenta subir a la tarima. Alberto lo ve desde su timbaleta y con la baqueta le niega la oportunidad.

«Pero ¿por qué?», se pregunta Rodríguez, virtuoso del instrumento por derecho propio. «¿Tan bajo me tiene Alberto? ¿Será que lo que viene es muy complicado?, ¿o la pura acidez del maestro?» Finaliza «Imágenes latinas». Naranjo presenta los músicos, de nuevo agradece y vuelve a dirigir la mirada a Rodríguez, esta vez para decirle:

–Perdona, Carlitos. No te dejé subir a escena a tocar el bajo porque... el bajista es zurdo.

NOVIEMBRE, 2003

Un calor de baño sauna sofoca al auditorio de la Fundación del Banco Industrial de Venezuela. Doscientas personas del público aguantan las inclemencias de reflectores acostumbrados al balance de poderosos aires acondicionados, desafortunadamente descompuestos. Un par de recomendaciones generales llegan del boca a boca: moverse poco y usar los programas de mano como abanico, mientras ocurre la más curiosa reunión de la República del Este.

Juan Carlos Núñez y sus músicos recrean canciones de Adriano González León, Orlando Araujo o Caupolicán Ovalles, interpretadas por Rosalba León y Gisela Guédez... González León se hace presente e interviene; otro tanto sucede con Alfonso Montilla (alguien dice que La Ponderosa, catirota central en la República originaria, también ha pedido puesto escénico). Mirian Labarca obsequia vino a los invitados y Rubén Osorio Canales, por su parte, le retribuye con un poema que da pie al más furioso jazz de Núñez, cual trasfondo a una recarga interpretativa por parte de Fanny Arjona:

Hay trompetas roncas
que desgarran el aire.
El viento se hace garfio
y araña las flores.
La tierra se hace remolino
y de polvo enceguece toda vida
que a su paso toca.
Se ha creado el escenario
para la gran matanza.
Los disparos comenzarán
a una hora sin nombre.

En sucesión vendrán:
manojos de flores muertas,
el tiempo herido de tiempo,
la vida tirada por los pies
y el silencio del ruiseñor.
Nada saciará su sed de sangre.
Entonces echarán sobre nosotros
el dolor de los días,
el puñal del otros por la espalda,
todas viejas, dolorosas costumbres.

Tenemos que echar esa alma enferma
que sin piedad nos sitia.
Para ello llevamos siempre
la poesía enredada en los dedos,
en los ojos, en el alma,
el fulgor de la palabra,
la fuerza del silencio,
la reciedumbre de la espera.

La hora se ha vuelto gris y sofoca.
Van a disparar, nada los detiene,
Irremediablemente van a disparar.

Entonces,
bajo la estricta protesta de Dios,
¡Que disparen, pues, que disparen!

DICIEMBRE, 2003

2003 fue el año de Rafa Galindo (¡quién lo hubiera dicho!). Con ochenta y dos años encima Rafa aceptó la invitación-reto de presentarse con la Orquesta Sinfónica Municipal de Caracas, dirigida por el maestro Rodolfo Saglimbeni, y cantó entonces como nunca lo había hecho en su larga carrera: bajo forma de una decena conciertos, frente a numeroso público que lo celebraba una, otra y otra vez en nuestros mejores teatros y salas musicales.

«El ruiseñor, Rafa, El ruiseñor...» Galindo complacía al público, al maestro Saglimbeni, a los miembros de la orquesta y, por supuesto, a sí mismo. Sonaban por millardécima vez «Noche de mar», «Ven», «Caracas vieja», «Paraíso soñado», dentro de un selecto etcétera que, en voz del cantante, dejaba cierto sabor de un antaño, sí, pero muy arraigado en quienes lo escuchaban y comentaban: Tulio Hernández, Milagros Socorro, Einar Goyo Ponte, Carlos Fenández, entre otros, dedicaron artículos periodísticos a la inolvidable experiencia; Carlos Ortega, Alberto Naranjo, Charlie Frómeta, Andy Durán aplaudieron con entusiasmo, mientras Marisela Leal y Biella Da Costa lloraban y lloraban.

«Música para una ciudad» llevó por título el proyecto conducido y apoyado por los profesores Mercedes Otero, Alain Troudart y Javier Alquatti. Música para nuestra ciudad, sin distingo de etiquetas, llevada a plazas y salas de concierto, en favor de quienes querían procurarse identidad amable con la Caracas, representada por su Teatro Municipal testigo del primer encuentro de Rafa con la orquesta, una mañana de día miércoles de agosto de 2004:

–Buenos días, profesores, con nosotros en el ensayo de esta mañana está el maestro Rafa Galindo. Vamos con «En Caracas», de Billo Frómeta –así dijo el maestro Saglimbeni mientras Rafa se acomodaba a los compases instrumentales del comienzo de la pieza.

Y no le fue mal a Rafa, pero... –Sabes, Pacanins, aquí entre nos y mientras la orquesta busca el número que sigue... todavía no estoy con ellos; ese que oíste no soy yo... hasta una gordita que toca viola la orquesta se andaba como riendo... (llama Saglimbeni «Caracas vieja»)... ¿Le doy con todo Paca?, ¿con todo? *Se va un idilio, se va un romance, se va un recuerdo, de nuestro ayer...* La orquesta aplaude de pie, Saglimbeni voltea y pica el ojo. Técnicos y personal del teatro silban, gritan vivas. Rafa comenta satisfecho: –Esto como que va bien... ¡Si es que hasta la gordita reilona dejó de reírse!

ENERO, 2004

El maestro Alfredo Rugeles nos deja saber que Gabriela Montero quiere improvisar. Digamos, hacer lo mismo que enloquece al público en sus conciertos, pero ahora hacerlo en privado; con un buen piano, en una casa de amigos donde el ambiente invita a la nocturnidad, al toque íntimo.

–Tráeme discos, pasapalos y buen vino; el resto, déjalo de mi cuenta. Confía en mi instinto. Nos acompañan Tomás Cardona, Goyo Azpurua, Eduardo Dávila, Freddy Roldán, Elisa Vegas. Los discos de Bill Evans, de Art Tatum, de Brubeck, hacen que Gabriela busque la música en el ambiente. Toma una copa, se ríe de los comentarios, va al piano, intenta algo y de pronto... –¡Ya está! A grabar, si son tan amables.

La dulzura de la voz se convierte en inspiración, destreza creativa pura. El tema puede ser una variación de lo que se escuchaba en el ambiente, o una improvisación sobre una frase melódica, o una creación de la nada (*impromptu*). Freddy Roldán, listo para complementar el pianismo de Gabriela con su percusión, contempla extasiado y, además, comenta: –Me dijeron que tocaba mucho y, nada, yo les creo. Pero se quedaron cortos... corticos.

FEBRERO, 2004

> Hoy es domingo de carnaval. Ustedes lo sabían sin que yo se los dijera, pero no está de más repetirlo, porque sólo repitiendo mucho que es carnaval, que ahora vamos a gozar un montón, que va a ser como antaño, que ahora sí que va a ser un carnavalazo, es como, por lo visto, podremos comenzar a creeer que este no es un domingo como cualquier otro, si acaso un poco incómodo por la animación artificial de ciertas calles y ciertos sitios de la ciudad, y por un desfile de carrozas mamarrachadas que congestionan el tránsito...

Así comienza un recuento Sofía Imber en sus memorias de *Yo la intransigente*, recuento por demás útil para preludiar una anécdota carnavalezca que involucra al poeta Pablo Neruda: «Me contaba recientemente Alfredo Boulton cómo bañaron en Pampatar a Pablo Neruda, que en un carnaval, hace algunos años, era huesped de Alfredo. De nada valieron las protestas de que era un señor extranjero muy importante, un poeta, el autor del *Canto general*. –¡Que cante mojado! –respondieron los jugadores de carnaval venezolano, y bañaron a Neruda de agua con azulillo».

Cayito Aponte, presente en la casa de Rodolfo Saglimbeni, no recuerda la anécdota, pero sí la presencia del poeta en su casa paterna en aquella década de los 60, cuando lo pusieron a jugar carnaval a juro tal vez acompañado de algún bolerito inspirado en... *Puedo escribir los versos más tristes esta noche...*, asunto este que, por cierto, regaló a Cayito (y a nosotros) la siguiente lección en voz del propio poeta: «El pueblo no conoce a Neruda. El pueblo conoce bien a Ginette Acevedo. Si Ginette Acevedo conoce y canta a Neruda, pues, querido Cayito, el pueblo conocerá y cantará a Pablo Neruda».

ABRIL, 2004

«Es mucho más elegante un director que toca su instrumento frente a su orquesta, que uno que no lo hace.» Eso dice el maestro Porfi Jiménez, de visita en nuestro programa «Pensando en jazz» para promocionar un concierto de su orquesta de jazz. «Algo distinto, muy diferente a la orquesta de baile que, por cierto, cumple cuarenta años... Con el jazz los músicos tocan por disfrutar y uno arregla, dirige, con la misma motivación. Falta tan sólo convocar la audiencia que nos siga, nos apoye, así hoy día ya no toque la trompeta al frente de la banda... Fue que guardé unos meses de reposo tras una operación hace unos cuatro años y cuando traté de tocarla de nuevo me di cuenta que no podía. Era ella, la trompeta, la que me había abandonado para siempre y me dejaba solo frente a la orquesta, aunque en esta música, insisto, siempre sea más elegante un director a quien su instrumento no lo haya abandonado».

MAYO, 2004

Oscar D'León se presenta en el Aula Magna universitaria, al frente de un espectáculo con la Orquesta Sinfónica Municipal de Caracas dirigida por Rodolfo Saglimbeni, con Canelita y Trina Medina, coros, estudiantinas, etcétera. Oscar D'León de sesenta y dele años, no sólo listo para la audiencia universitaria enorme, sino todavía capaz de imponer un número uno en la cartelera popular de los éxitos radiales: aquella «Mazucamba» que cantaba Celia Cruz hace un montón de años, ahora bailada con el fervor que sólo la juventud puede dar.

D'León, como nadie en nuestro mundo salsero, ofrece un nivel que sorprende a todo aquel oído capaz de discernir el arte de afinar e improvisar, dentro de las dificultades que presenta la rítmica latina. Luego del concierto quedan las impresiones. La improvisación en él, por decir, es tan natural que excede la ejecución musical. Le marca el baile, el toque del bajo, la misma escogencia del repertorio en la medida en que utiliza su orquesta y va ofreciendo sobre la marcha canciones que se van hilando al momento del espectáculo: «Mi bajo y yo» respondiendo a la sola indicación gestual a su muy despierta banda, de repente se convierte en una versión exultante de su antiguo «Cachumbambé».

El público del Aula Magna delira y baila de manera parecida a otro público distinto atestiguado años atrás: Nueva York, Lincoln Center, principios de los años 80. D'León en concierto como telonero de Tito Puente All Stars. La sala llena de público puertorriqueño, cubano, dominicano, uno que otro venezolano. Oscar presiente al público, busca dentro de sí mismo lo que de él esta gente espera; aplica allí su instinto para improvisar repertorio cubano-puertorriqueño años 50-60. Viene «El manicero», «Mata Siguaraya», «Cachita», «Cachumbambé» y veinte más.

Los All Stars centrales quedan relegados en el aluvión de aplausos recibidos por el telonero. Tito Puente, veterano de mil batallas, entiende que su noche sin Oscar no es nada. Lo llama a escena y D'León, una vez más, hace lo que mejor sabe hacer: aplicar su tremendo instinto musical al momento para complacer al público. Improvisar en el mejor sentido del espectáculo, hacer de lo suyo algo común, nuestro en el mismo sentido en que Sadel nos hacía sentir iguales a los mejores. Tal cual D'León, o Billo con Aldemaro –quién lo diría. Como Soledad con el Willie. Quizás en porciones semejantes a la entrañable cursilería de Andrés Cisneros, proyectada en las quejas de Pirela que, a su vez, vienen a ser propias lagrimas de D'León en escena.

Y uno aplaude. Cree en la importancia de los nuestros. Gusta de sus músicas aprendidas y compartidas. Quiere más, mucho más de lo que fue y será. Quiere con todo, de puro corazón que acepta cómo las apariencias algunas veces engañan, pero, afortunadamente, en estas cosas lo hacen con cierta especial gracia que por fin llevamos adentro.

MAYO, 2004

El maestro Aníbal Abreu grabó en 2003 un disco con Ofelia Ramón, cantante de aquella radio caraqueña de mediados del siglo XX. Volvieron la voz y el piano compañero de siempre a recrear el acto de interpretar en duetos y dar nueva vida a canciones casi desaparecidas o en peligro de franca extinción. «De qué sirve soñar» de José Delfín Ramón, hermano de doña Ofelia, uno de los mejores boleros que se hayan compuesto en el país, se presenta en una extraña y estrecha relación con «Brumas», con un sabor «metafísico» descubierto por la habilidad crítica de José Balza cuando lo escuchó en voz de Rafa Galindo, durante uno de los espectáculos de la Fundación Corp Group.

El disco, sin editor a esta fecha, me llega en copia casera por la dulce cortesía de doña Ofelia, quien con la grabación deja saber que merece presencia en la crónica de su tiempo, amén de que la interpretación del tema de la película *La balandra Isabel llegó esta tarde* («Canción de la esperanza» con letra de Aquiles Nazoa y música de Eduardo Serrano). En lo que toca al maestro Aníbal Abreu, uno se pregunta cuánto de resumen puede abarcarse en una sola llamada telefónica y trata en firme de resover la incógnita:

> Hay etapas que uno cumple. Del pianista con toque especial que mis amigos y hermanos –Aldemaro, Chucho Sanoja y Stelio Bosch Cabrujas– me reconocían a mediados de los 40, al compositor de canciones y arreglista que utiliza la orquesta con todo placer. Como quien pinta un cuadro. Y voy poniendo colores ajustados al tema a la orquesta, a su sección de cuerdas que me encanta. Así lo he hecho mil veces, y cada vez que lo vuelvo a hacer de nuevo me fascino con el proceso (...) No, no abandoné el piano; sencillamente cambié de instrumento, tal cual lo hicieron mis compañeros de siempre, Aldemaro, Sanoja y Stelio, con quienes compartí la inspiración de un maestro común injustamente olvidado, José Pérez Figuera.
>
> Trabajando yo en Ondas Populares, muchacho aprendiz del piano si acaso, escucho a un pianista de sonido impecable en el estudio de ensayo. Allí estaba Pérez Figuera, elegante y bohemio, sacándole magníficos sonidos al cajón de madera con cuerdas y teclas. Porque, si te pones a ver, un piano no es más que un cajón de madera que depende de quien lo toque. ¿Conoce usted «Rapsody in blue»?, le pregunto y de respuesta el maestro me responde con quince minutos de interpretación que aún hoy, casi sesenta años después, guardo en la memoria. Luego fui muchas veces a visitarlo, en compañía de Sanoja, a la buhardilla donde vivía. Fue cuestión de seguirlo, conseguir aprendizaje y consejo en aquel hombre formado en Europa pero presente en una Caracas que le oía a través de la orquesta de Luis Alfonzo Larrain –de Pérez Figuera el tema «Preludio en azul»–, o de los Hermanos Belisario y de allí a la tumba con cientos de composiciones olvidadas o, peor aún, desaparecidas para siempre (menos mal que Eugenia Méndez algo le grabó).

¡Qué cosa esta la de los compositores populares! Cuántas veces abandonamos nuestras cosas para dedicarnos a lo inmediato o, por el contrario, las guardamos con un celo absurdo. En mi caso el trabajo por y para las orquestas se impuso al oficio de pianista y al de compositor. Fueron dos décadas al frente de la dirección artística de Venevisión; cientos de proyectos y producciones disqueras... En el caso de Stelio Bosch Cabrujas, más de trescientas composiciones quedaron guardadas en un escondite secreto que no sólo mantenía al margen de su trabajo como arreglista y director musical de Los Melódicos, sino de nosotros, sus amigos y colegas que bien sabíamos de su valor como creador (¿recordaré todavía su «Año nuevo» o tal vez aquella magnífica canción de Antonio María Soteldo?, ¿podré todavía recordar?).

JUNIO, 2004

Una estrecha maleta de cuero colorado acompaña las caminatas de Saúl Vera. Asa y correas le facilitan el transporte del estuche para la mandolina y bandola propias de su arte.

Una muchacha en el semáforo peatonal rumbo a Jazz 95.5 FM lo ve de arriba abajo. La curiosidad apunta el foco hacia la maleta. Saúl aprieta la postura y ensaya su mejor sonrisa.

–¿Tú eres masajista, verdad? –le pregunta la muchacha.

–Pues, mira... y si que hay ser masajista, hasta masajista soy –contesta Saúl amenazándola con abrir el estuche.

OCTUBRE, 2004

En la tarde de viernes, toca un concierto en el patio de la Alcaldía de Caracas, en homenaje al «Pavo» Frank Hernández. La Orquesta Sinfónica Municipal de Caracas, dirigida por Rodolfo Saglimbeni, se ajusta al retraso de la presentación por un inclemente palo de agua. Al fin llega el momento del inicio. El «Pavo» recibe la Orden Guaraira Repano y, acto seguido, la señorita de protocolo de la Alcaldía me requiere como orador de orden:

> (Agradecimientos, salutaciones, etc...) Cuánta cercanía hacia el instinto musical primigenio llevan los instrumentos de percusión. Cuánto del golpear acompasadamente con palmas, de danzar con el repiqueteo para descubrir rítmica elemental en el

comienzo de la experiencia musical de cada individuo. Los tambores ciertamente se entrecruzan con los instintos iniciales de bailadores y aficionados al percuteo. La selección natural ubica sus mejores cultores. Cierta combinación de destreza con esfuerzo afina talentos, y aparece así, de cuando en cuando, algún nombre que entrega vida y obra al realce de la percusión innata: Francisco Hernández, el «Pavo Frank», baterista, timbalero, maestro de la rítmica afrolatina en todos sus posibles requiebres.

¿Qué mencionar de los medios intrumentales para el buen quehacer del artista en cuestión? Una batería, por decir, que en principio resulta ser la amalgama de granaderos, redoblantes, bombos y platillos propios de las bandas marciales. Vaya tarea la de un solo hombre, esto de hacer lo que una docena hacía: ritmo, adorno, empuje, vitalidad, artificio de matices... todos los recursos posibles en favor de un incipiente jazz nacional de mediados del siglo XX, o de aquellas orquestas de baile dedicadas a los ritmos afrocubanos y venezolanos del tiempo. En la batería, sí, se lució un «Pavito Frank» ajustado a las directrices de Luis Alfonzo Larrain o Aldemaro Romero para dar entradas y salidas a las orquestas, solos notables por su precisión, buen gusto, y de allí hasta el afinque de otro instrumento entonces incorporado al toque de la música afrocaribeña: el timbal o timbaleta.

Hay quien ayuda al desarrollo timbalero del Pavo. Siempre hay quien ayude: Ernesto «Tito» Puente crea escuela con el instrumento y cátedra a través de sus grabaciones. El Pavo lo sigue baquetazo a baquetazo; al fin Puente le conoce e impulsa en la Nueva York de Mongo Santamaría y de la propia banda del Tito, entonces patrones de Hernández. El timbal tiene un nuevo cultor que, de vuelta en su patria, dirige orquestas y apoya conceptos de jazz latino o, desde la batería, de ¿jazz venezolano?

«El Pavo había regresado de Nueva York y su viejo amigo, Aldemaro Romero, lo invitó a formar parte de la Orquesta CVTV de Venezolana de Televisión. Ambos músicos eran aficionados al jazz, y por esa época trabajaban juntos para algunas agencias de publicidad. Un día un publicista les solicitó componer "una de esas cosas casi imposibles que sólo a los creativos se les ocurre". Un ritmo moderno inspirado en la música venezolana. "Aldemaro comenzó a tocar un joropo y yo lo acompañé tocando la batería en el mismo ritmo de joropo. De allí surgió la Onda Nueva", dice el Pavo». La cita llega del profesor Jesús Mieres, también percusionista, quien en su libro Timbaleros en Caracas habla del logro en apariencias sencillo, pero de máxima importancia, de ubicar dimensión histórica de alguien con demasiada carrera, como para entregar cierto resumen breve y medianamente justo.

Francisco Hernández, el «Pavo» Frank es maestro de nuestros maestros timbaleros y bateristas. Logró incorporar su instrumento a la ejecución de la música venezolana; ayudó a crear una solución rítmica, con patrones que todavía hoy día, unos treinta años después del momento inicial, marcan pautas instrumentales a quienes en Venezuela continúan atendiendo al ancestral llamado que repiquetea en palmas, palos, tambores y platillos.

En nombre de los aficionados al arte del Pavo, llegue nuestro agradecimiento a la Orquesta Sinfónica Municipal de Caracas, a los profesores que la integran, a su presidenta Mercedes Otero, al maestro Rodolfo Saglimbeni, director, y, en fin, a todos quienes hacen posible que la percusión siga sonando en una de sus mejores claves.

Muchas gracias.

OCTUBRE, 2004

Osuna, William: Monte Ávila te ha dado la mano, ya no estamos al margen. El romántico encanto de la maldición lírica ha quedado definitivamente roto (¡qué cosa!). Ahora tus poemarios y poemas sueltos, todos o casi todos aparecen recopilados bajo fórmula de antología intitulada *Miré los muros de la patria mía*. Ya no habrá que revisar en los libreros de la avenida Fuerzas Armadas, ni recurrir al profesor Castellanos para dar con *Estos 81*, por decir. La edición nueva ofrece digno formato, sendo análisis de Héctor Seijas y consta de dos mil ejemplares (enorme en términos de poesía nacional). Te la mereces, poeta; claro que te la mereces por decir pedazos verdaderos de una vida en común con nosotros, contertulios, compañeros y panas de cierta generación que en tu voz se reconoce. Todo está listo para recitar contigo –de puro unísono, William– que nada urbano, repelentemente cotidiano, nos es tan ajeno; que en ello desde siempre ha ido la solución existencial, por no decir (no te gustaría, lo sé) el ars poética del vate: cosa de mirar a fondo, con toda la reverencia puesta en los lugares más comunes imaginables, esos mismos que te han traído, si no la fuerza total del canto de nuestra tribu, al menos buena parte de su verdadera entereza:

> *Sin Lennon sin los Rolling Stones sin el duro de Hendrix*
> *Felipito Pirela El Benny Pérez Prado y aquel paso*
> *Que aprendimos de Tin Tan en el matiné del cine Baby*
> *Qué sería de esta mano en la oscuridad del ritmo*
> *Qué sería de nosotros de aquel lugar donde el amor fue*
> *Carne ron y ceniza Un estallido de tigres de bolero y rock.*

NOVIEMBRE, 2004

Un enorme pendón en la sala de conciertos deja saber que la cantante bien pudiera ser una chica Revlon. La imagen de catira sofisticada con pinta elitesca dio marco a la presentación musical del pasado jueves 4 en la Fundación Cultural Corp Group. La cantante de la noche, sonriente y vestida de vino tinto, tal cual la imagen del disco que bautiza, ofreció al público un toque lleno de enumerables sorpresas de alto calibre.

Sorprendió, ciertamente, encontrarse con una orquesta que no dependía de los recursos de amplificación electrónica. Violines, violas, cellos y cornos se combinaron con una sección rítmica completa al mando del director Rodolfo Saglimbeni; todo lujo para la interpretación de música selecta. De lujo, también, resultaron los músicos que con toda entrega, y en favor de la cantante, dirigió el maestro Saglimbeni: Víctor Mestas al piano, Carlos «Nené» Quintero en la percusión, Carlos Rodríguez al bajo, Andrés Briceño –baterista con calidades parecidas al buen viento, ese que se siente pero no molesta–, Cheo Rodríguez y Pablo Gil cual solistas invitados en la trompeta y saxo, respectivamente.

El nombre de Gustavo Carucí resultó otra importante presencia en el evento. «Uno de los amigos ausentes, pero a quien guardo un asiento en el corazón», comentó la cantante en honor de quien realizó gran parte de los arreglos, y quizás hoy la escucha desde una lejanía obligada por otros compromisos fuera del país. Los temas de amor de Henry Martínez –el punto conceptual del disco bautizado– fueron llevados a la orquesta con el dejo «a lo Gordon Jenkins», característico de ciertos clásicos de Frank Sinatra grabados hace ya medio siglo.

Parecía suficiente el cuido de música e imagen que resumen las notas anteriores, pero no, todavía cabe la mención a un par de diestros arreglos de Rafael Medina, a Guillermo Carrasco integrando su canto al dueto de «A tu regreso» y, por supuesto, al padrinazgo del maestro Aldemaro Romero, en el piano acompañando a Ofelia en el bolero «Me queda el consuelo». Asimismo, falta por apuntar la intervención de los profesores de la Orquesta Sinfónica Municipal de Caracas, del «Pollo» Rafael Brito al cuatro, o de un buen sonido de sala a cargo de Germán Landaeta y la gente de la Fundación Corp Group, entre otros importantes detalles... sin embargo, sospecho, toca rematar las impresiones con la artista central del evento; digamos, la misma cuyo retrato quedó convertido en pendón de la sala de conciertos.

Ofelia, Ofelia Del Rosal –identificación de artista y, también, de su cédula de identidad– productora, promotora, empresaria de sueños que ni pueden, ni deben quedarse en la almohada. Ejemplo del género de esos poquísimos ingenios musicales que trabajan hasta conseguir lo que se proponen, tal cual se lo proponen: sea músicos, melodías, grabación, disco –distribución de vitales música y Beatriz Pacheco– y sala de conciertos para presentar el disco (tomo aliento y sigo)... Sea también vestidos –dos cambios impecables–, zapatos, peluquería, manicurista, flores para ella y para las presentes (¡bravo!), atriles, transporte, fotos, programas de mano, invitaciones por internet y por mensajeros ordenados... cocktail después de la función, obsequio del cocktail (de nuevo ¡bravo! Por las flores para la cada cual), anfitrionas, mesoneros, vino: VINO TINTO.

El punto del Vino Tinto –título del disco y del concierto– lleva al fin a la respuesta afinada, interpretada, sentida, que da el talento de Ofelia a la música que su buen gusto y perseverante trabajo escogen. Pero, además, el calibre de la propuesta es también, entre otras cosas, una respuesta firme, positiva, ejemplar, a las carencias del ambiente: a falta de promotores con fe y empuje que pudieran amargarle la vida, pues, nada, a convertirse en un duende lorquiano productor, listo a convencernos de cómo música bien hecha hasta puede venir en empaque de bella cantante con pinta de chica Revlon (¡salud!).

DICIEMBRE, 2004

El pasado jueves 2 asistimos a la presentación de la nueva edición de *El libro de la salsa*. El Hotel Eurobuilding prestó su salón Zafiro para que César Miguel Rondón y Ediciones B.

invitaran a celebrar el evento, con todo y toque de música ofrecido por gracia del padrino, Oscar D'León.

Antes de la necesaria rumba total ocurrida, tuvimos, sí, la grata oportunidad de ofrecer ciertas palabras de presentación:

> Salsófilas, salsófilos y no tan salsófilos aquí reunidos: Buenas noches.
>
> Menuda tarea esta de decir palabras, bajo la firme amenaza de un toque de Oscar D'León con su orquesta. Y además, decir palabras que ajusten una suerte de presentación a la reconocida obra acerca de la salsa, del mejor presentador de este país: César Miguel Rondón; escritor, periodista, filósofo, hombre de medios de comunicación –lo de melómano lo dejo para después–, quien hace cosa de una semana me llamó por teléfono y, en tono de modesta confidencia, preguntó por nuestra opinión acerca de *El libro de la salsa*.
>
> ¿*El libro de la salsa*, César Miguel? Pero si es que todo salsero, salsoso, salsófilo o sencillamente melómano que en este caribe se respete debería tener ese, tu libro rojo que anuncia la «Crónica de la música del Caribe urbano». Saben, un real objeto de culto; de esas piezas editoriales que se muestran y se llevan a las peñas de los panas con el orgullo de conocerla a fondo por no sé cuántas lectura y relecturas; aunque más de un contertulio tema confesar no haberlo hecho últimamente, bien por el consabido efecto de algún préstamo infeliz, por el descuido de algunas páginas que en la antigua edición ya saltaban descosidas o, quizás, porque, sencilla y llanamente, se trata de un salsófilo joven, activo en estos últimos años, cuando el libro tan sólo se conseguía en el mingitorio librero de la avenida Fuerzas Armadas, y eso muy de cuando en cuando y bajo fórmula, como ya se dijo, de rarísimo objeto de culto.
>
> Nosotros los melómanos –César Miguel–, tu gente, siempre o hemos estado o hemos querido estar cerca del libro. De hecho hasta hoy no comprendíamos por qué estuvo tantos años a la sombra, sin reedición alguna. El bla, bla repetía que ya habías pasado la página, que los tiempos te cambiaron el foco de interés hacia la televisión, la radio, el trabajo de dieciocho horas al día, etcétera. Los tiempos, lo sabemos, claro que –te y nos– cambiaron, pero en este caso como que además decantaron y muy para bien: –Federico –me resuena la atildada voz telefónica de César Miguel–, vamos por la reedición del libro. Ediciones B, con Alejandra Balcázar Salamanca a la cabeza, le puso corazón

y acción a la cosa. El resultado, si te parece, lo vemos juntos con un cafecito mañanero el día sábado.

La sorpresa, debo confesarlo, fue enorme. Lo de «coffe table book», término utilizado para estos formatos de libros grandes con fotos, pues esta vez quedaba tan pequeño como cualquier mesita para servir café en la que repose tamaña edición. Los veinticinco años de espera transcurridos desde 1978, año del primer bautizo, recibían plena absolución por la impresión (aquí digo impresión en al menos dos sentidos), y por la cuidada devoción que esa misma impresión transmite: aquí hay editor –editora– que, amén de la poderosa presencia del nuevo formato, respetó la versión original, quizás por aquello de que los textos de culto no se tocan. Tan sólo concertó prefacio y coda complementarios, para que la pluma del César Miguel de hoy vuelva sobre el tema según y como estos últimos tiempos. Hay también aquí complicidad melómana, mucha, transmitida desde el mismo prólogo de Leonardo Padura, especie de «elogio» enunciado dentro de aquellos antiguos juegos florales literarios y que –¡vaya!– termina en clave de absoluto compinche.

Queda así –¡al fin!– nuevamente remozada, pero intacta, la pátina de la escritura original que hace veinticinco años se instaló en un muchacho con el desparpajo de valorar y revisar las cosas de su gusto; sus cosas, pues. Audaz el joven al punto de asomarse a los ensayos de la Fania All Stars, por decir, y correr el riesgo de ser un primer sospechoso por asomado, a la hora en que Barry Rogers denunciara la pérdida de su trombón. Audaz insisto, y mucho, cuando locuaz e inteligente se atrevía a ofrecer senda conferencia de salsa ilustrada por el mejor «All stars» criollo imaginable en esta materia: El Trabuco Venezolano de aquellos finales de los 70.

Las audacias, como los tiempos, si buenas dejan buenos rastros. Miren ustedes si los dejan: en escritura duradera, esas audacias van representadas en la regla de oro acuñada por el maestro Azorín: Tener un tema, aprehenderlo, poseerlo a fondo... y así dejar por escrito apreciaciones de Joe Cuba con intervención de la letra de Alafia; de Palmieri, Eddie, aporreando montunos con su mano izquierda; de Bauzá, Mario, dándose puesto que en verdad compartía con Machito, Puente y el Tito Rodríguez; de Barreto, Pacheco y Celia, Colón «El malo», Richie Ray y Rubén Blades desde Nueva York, o de Federico, el Sexteto Juventud y Los Dementes preludiando la buena nueva de la Dimensión con su Oscar.

Allá lejos en el tiempo, ciertamente, quedó el muchacho escritor comprometido a fondo con su libro de la salsa; ese quien no temía ofrecer apreciaciones, ni juicios de valor. El mismo, por cierto, a quien nuestro atildado César Miguel Rondón hoy día mucho respeta, porque acaso en sus páginas le recuerda cómo plasmar puntos de vida, escribir con fundamento en una pasión intensamente existencial, vale la pena... E imaginar –César Miguel– a Maelo, a Eddie Palmieri con sus locas visitas, a Puente con La Lupe lista para el show exuberante, a Oscar D'León con todo y orquesta de padrino presente en el bautizo de un libro, cosas todas sabrosas (por no decir salsosas) que bien, pero que muy bien siguen valiendo la pena. Muchas gracias.

(A nuestro discurso de presentación siguieron las muy sonoras palabras del padrino, Oscar D'León, afortunadamente transcritas por Katherina Hruskovec.)

¿Qué iba a pensar Antímano que iba a tener un hijo que estuviera en un libro? Sintiéndome inmortal, ustedes entenderán... Entonces me siento sumamente orgulloso, feliz. Hubiese querido que mis padres me hubiesen visto en esta posición [Oscar llora; «¡Silencio maleducados!» grita alguien y el público aplaude]... Tener una profesión que me ha permitido recorrer el mundo y ser tomado en cuenta.
César, gracias por invitarme y elegirme para bautizar esta maravilla de libro. No sé si llamarlo *best-seller*, o cómo llamarlo. Si a alguien se le ocurre un nombre para esto... [el público responde: ¡Biblia!] Vuelvo y repito, que nos inmortaliza. En nombre de todos mis colegas, quiero dar la gracias a los que colaboraron con César Miguel a elaborar dicha Biblia. Bueno, en nombre de las trompetas... [se detiene y recapacita] Voy a hacerlo como cura [canta Oscar]... ¡Que las trompetas y los trombones, y las congas y los bongoes, ayuden a este libro a venderse solo! [Todos ríen y aplauden]
¡La lógica es tener esto! Para aquellos que tenemos biblioteca y para aquellos que no la tenemos. De todos modos, hay que poseer un libro de estos [repite Oscar su canto]: bongoes, trombones y trompetas, ayuden a que este libro se venda... [el público responde, cantando también]... ¡Amén!
¡Y ahora a bailar señoras y señores!

La evocación a través del arte tiene sus mecanismos. Mire usted si los tiene: una cámara de fotos que apresa la imagen acontecida; la grabación lista a recoger el sonido de la música que acaso alguna vez acompañó a la imagen; el arte de computadores, digitalizadores y su variada parentela, hoy día útil a cierta imaginación contemporánea lista para examinar y dar nuevos planos a esas evidencias visuales y auditivas que los años no se llevaron.

¿Será que la música –se pregunta uno– tiene especiales poderes evocatorios, y por eso la incluyen cual complemento perfecto de películas, programas televisivos y otras especies dedicadas al recuento? Woody Allen, maestro de maestros, podría contestarnos con la certeza de quien mucho conoce el tema. En los títulos iniciales de sus películas, acaso aleccionaría, en los mismos títulos de presentación, el jazz da vida al fondo negro acompañado de letras sobrias que poco dirían de quedar mudas. En verdad muy poco dirían. Fracasarían sin la ambientación de la trompeta de Harry James con su orquesta, esencial para los enredos de *Hanna y sus hermanas*; de Dick Hyman (maestro pianista de toque jazzístico enciclopédico), presto a retocar la música de los hermanos Gershwin. O de ese Louis Armstrong a quien tanto añora Allen («Oír el solo de «Potato head blues», viene a ser de las cuatro o cinco cosas que de verdad valen la pena en la vida»), que de lunes a lunes le daba inspiración para tocar clarinete en el Michael's Pub de la ciudad de Nueva York.

Música, pues, al servicio del arte cinematográfico en su corriente de ficción y, ¿por qué no?, también documental. Música de antes, grabada hace un montón de años, lista a confirmar percepciones de remembranza de un ayer que, tecnología digital de por medio, bien puede traer evidencias concretas: la imagen fotográfica de Caracas en el tránsito de las décadas de los 50 a los 60. La ciudad pequeña transformándose en gran urbe. Los cambios políticos y sociales; los cambios de paisaje y de clima. El sueño urbano desarrollado en un 2 de Diciembre luego convertido en 23 de Enero. De Pérez Jiménez a Betancourt a través del ojo de un fotógrafo colombiano de renombre y prestigio –Leo Matiz–, hábil para ver las cosas en profundidad. La reinterpretación misma de aquel ojo que vio y deja ver mediante el documental dirigido por una cineasta actual –Alejandra Szeplaki–, hipersensible para estos asuntos de la percepción artística transmutada en pura cinematografía con necesidades concretas:

«Necesito música de apoyo, fragmentos que se ajusten a la dinámica de las fotos de Matiz. Música que baile el ritmo de los años 50 caraqueños. Algo parecido a Billo's, pero distinto», eso pide Alejandra. El ojo de Matiz ciertamente no está con Billo's, observan Daniel Jerozolimski y Sergio Marcano, artífices de producción y edición. Está, sí, en la vieja canción «Amapola», según la directora. En las bandas marciales y los grupos escolares. En el arte de la orquesta de Luis Alfonzo Larrain, un mago bailable capaz de convocar para nosotros a las voces y el ritmo de Manolo Monterrey, Tony Camargo, Luisín Landáez, Elisa Soteldo o de la propia Celia Cruz. El Luis Alfonzo que con su orquesta hace cincuenta años metió los merengues dentro de un frac y llevó el golpe de jazz, bolero, mambo y rumba al nivel de las más respingadas señoritas de sociedad. La obra musical de un importante a quien el tiempo no puede desaparecer así por así. O al menos no por desidia de Alejandra Szeplaki y su equipo, apoyados por la Fundación para la Cultura Urbana.

El resto es cosa del ya lo verán y, además, del ya lo oirán.

[illegible]
[illegible]
[illegible]
literatura [illegible] los [illegible]

Final

«Vengo de una tierra de montañas (Chile), de cataclismos, de sangre indígena y tragedia española, donde la amistad es un pacto de sangre, el honor y el rencor son para siempre, la hospitalidad es sagrada, los vínculos irrompibles, en fin, la vida parece contada por García Lorca.

Venezuela es verde y abierta, tiene influencia africana, sangre de piratas, aventureros e inmigrantes de todo el planeta que llegan a sus orillas buscando fortuna. Creo que lo que más me impresionó al comienzo fue el desparpajo erótico en el ambiente, la belleza provocativa de las mujeres y la forma de atacarlas los hombres, sin disímulo alguno. En Chile si una mujer tiene senos grandes, usa blusas sueltas para cubrirlos, si tiene trasero, jamás se pone pantalones. En Venezuela, por el contrario, los senos se presentan como melones en un escaparate, el fundillo, mientras más voluminoso, más apretados los pantalones o cortas las faldas.

Orgullo de la carne, sensualidad, ritmo, apertura, intrascendencia, allí todo sucede rápidamente y no deja mucha huella, como si la gente supiera que el paso por este mundo es breve y hay que aprovecharlo, somos transeúntes.

Tengo una deuda impagable con ese país: me dio el color, el sabor, el ojo para ver los contrastes, la audacia sin miedo, la alegría de los sentidos.»

ISABEL ALLENDE

A veces llega a la oficina algún músico con sueños de internacionalización. Trae bajo el brazo cierto proyecto de grabación: «un disco que será un éxito», dice animado. Algo único, según él, con posibilidades de triunfo en Estados Unidos, Europa y Japón como mínimo.

Cuesta trabajo contradecir sueños. Hasta da vergüenza descuadrarle la ilusión a quien propone lo suyo con sinceridad. Pero, ¿qué se le hace?, ¿cómo no renegar de lo que no se cree en lo absoluto?

Mi querido amigo artista, el mundo termina en el borde del Ávila. Al menos allí acaba para mí. Sitios lejanos, idiomas extraños, siguen quedando donde siempre estuvieron: a mil millas de distancia, sin posibilidad ni remota de conexión inmediata. Lo siento por mi miopía, pero es que en verdad así lo siento.

Nueva York, París, Tokio y hasta Miami pueden ser importantes sitios de proyección para otros. Bien, amigo artista. Allí están los casos de Oscar D'León, Ricardo Montaner, José Luis Rodríguez, Franco De Vita, Felipe Pirela en Puerto Rico, tal vez Cecilia Todd en Buenos Aires o Soledad Bravo en la París de toda la vida (pero París es apenas una mosca en el mapa, según el poeta-poeta William Osuna). También está el ejemplo de Sadel, de Aldemaro, un Antonio Lauro y algún otro que tal vez ha negociado con ese más allá. Puntos a favor. Pero, a pesar de los ejemplos en positivo, ¿qué se puede hacer con lo que en verdad no parece ni cercano ni, peor aún, probable?

Mucho se habla del tipo de talento que recomendó soñar

a toda vela porque nada costaba. A lo mejor ese olvidó decir que tales sueños convienen principalmente a la almohada; que resulta mejor la riqueza del sueño despierto, la que trata con cuidado el alrededor y lo ajusta según convenga al entorno real. Mejor explicar, amigo artista, con algo propio.

Cuando pequeño, el paseo al Hotel Humboldt, en nuestro cerro Ávila, estaba impregnado de neblina. Era como ir a Suiza en media hora, o al menos a lo que te imaginabas de Suiza a través de las películas. Te montabas en un funicular que parecía llevarte a una estación de esquí o quizás a un exótico lago. ¿Será que el Ávila tiene nieve?, me preguntaba entonces al ver cómo el hotel armonizaba con el sueño mediante su chimenea, los muebles bajos, paredes de piedra, mucha madera, y un concierto de arquitecturas que para nada evitaban la neblina de los alrededores, sino todo lo contrario.

Quien diseñó aquello –arquitecto Tomás Sanabria– de seguro soñó en establecer una estación invernal, sí, pero no ignoró que lo diseñaba en el lugar tropical más al alcance de lo posible. Era cosa de darnos, mediante el Hotel Humboldt, la realización de un sueño con todas las de ley: la luna de miel de un transfigurado James Bond caraqueño y ella, pues una de las chicas de la película, siempre en la medida de lo posible.

¿Lo digo más claro? Pues de vuelta al sueño para responder si funcionó o no el Hotel Humboldt. Y de pronto cae de respuesta el cuánto importa que aquí mismo, en la Caracas de comienzo de milenio, se alce este icono de miles de posibles lunas de miel, tan sólo a la espera de una activación que, paradójicamente, quién sabe si algún día llegue a darse. En todo caso, importa aún más la existencia del icono sólido, inseparable del cerro, firme como mecanismo para ubicarse, centrar espacio y probabilidades: allí está el Hotel Humboldt que alguna vez fue y quién sabe si volverá a ser. Allá, bien allá, quedan Nueva York, París, Tokio, Miami... sitios que, con todo y la era actual de comunicaciones extremas, pues nos siguen quedando a miles de millas de distancia.

Apreciado amigo artista y ni tan artista: en Miami mismo, en el Mayami nuestro de cada día, donde más cree uno ajustar fuera del país nacional, las cosas ni van suaves, ni acomodan tan bien a las ilusiones productivas. En Key Biscayne (el Cayo Vizcaíno, si prefiere), la misma costumbre tropical de pedir el café mañanero, allá servido en negocios cubanizados, bien puede llegar al colmo de forzar la lengua de una señora norteamericana ciento por ciento: «Porrrrr fa-vor...cafeé, con le-she...». Así oí alguna vez aplicarse a cierta dama ataviada en *jogging suit*, traje oficial de muchas habitantes de la otrora alegre tierra del Dorito y los centros comerciales, quien hablaba puro español a un hijo que la entendía, sí, pero también le contestaba en puro inglés: «It's lunch time. Look, má... don't you try to convince me ever again... I don't like the "Moros and cristianos" you wanna lunch every day... sorry, má...».

¿Desubicación cultural?¿Transculturación mal entendida? ¿Globalización de verdad-verdad? Pues entonces venga en refuerzo la imagen de la cuarentona amiga saludando sonreída, feliz, casi dentro de un carrito de automercado cargado con una torre enorme de bastimentos, ropa (otra vez preciso tres o cuatro *jogging suits*), zapatos (por supuesto de *jogging*), medicinas, juguetes y variados artículos para el hogar. Y sea que la memoria asocie la amiga a Astrid Haddad, «mexican showoman» de visita en el Hotel Ávila caraqueño, quien muy a propósito decía que el sentido de la vida estaba en comprar bastantes cosas en el *shopping center*: «a eso vinimos a este bendito mundo, manito... A eso».

¿A eso vinimos al mundo, manita?, ¿a eso? Creo en la risa cómplice del público presente en el show de la artista. Creo en el sarcasmo de reírnos de nosotros mismos (carrito con torre de cosas del *shopping center* de por medio), a través de una condición tercermundista cual punto de partida y tal vez de llegada. Pero hay matices, mire que afortunadamente hay matices. Los mismos que nos llevan a buscar futuro y perspectivas dentro de nosotros para luego, si tal el caso, darle la vuelta al planeta, porque... porque lo más seguro es que quién sabe... Allí, de nuevo, el punto de partida y de llegada.

Es la ciudad propia, nuestro entorno, que da y quita posibilidades. Que enseña cómo los miradores, cual los artistas, siempre varían en nombres y rumbos según el tiempo pasa. Es también la explosiva configuración urbana que, de cierto, da y diluye la fuerza de las impresiones de antaño y a uno, ciudadano acogotado por tanta cosa extraña adoptada, pues hasta le da por realizar el inventario real de posibilidades, recurriendo al viejo truco de perseguir las más reputadas visiones artísticas actuales y creyendo en que sus bordes, ciertamente, están en lo alto de la Silla de Caracas. Y nunca más allá.

Selección bibliográfica

ACOSTA, ARNALDO (1985). *Minimun Mysterium*. Mérida: Publicaciones de la Gobernación del Estado Mérida.

AUTORES VARIOS (1967). *Música popular*. Caracas: edición especial del Círculo Musical.

AUTORES VARIOS (1959). *Panorama del folklore venezolano*. Caracas: Biblioteca de Cultura Universitaria, UCV.

ALLUEVA, FÉLIX (2002). *Crónicas del rock fabricado acá*. Caracas: Alter Libris.

ARENAS, REINALDO (2001). *Inferno*. Barcelona: Lumen.

AZUAJE, RICARDO (1998). *La expulsión del paraíso*. Caracas: Memorias de Altagracia.

BALZA, JOSÉ (1998). *D*. En *Obras selectas*. Caracas: Fondo Editorial de Humanidades UCV.

BENDAHAN, DANIEL (1997). *Hispanoamérica en la música del siglo XX*. Caracas: Monte Ávila Editores Latinoamericana.

BONNET, PIEDAD (1998). *Antología poética*. Caracas: Editorial Pequeña Venecia.

BRAVO, NAPOLEÓN (1979). *Cinco voces populares*. Caracas: Libros de hoy, *El Diario de Caracas*.

BRUZUAL, ALEJANDRO (1995). *Antonio Lauro, un músico total*. Caracas: CVG. Siderúrgica del Orinoco C.A.

________ (1999). *Freddy Reyna, ensayo biográfico*. Caracas: Alter Libris.

CABRUJAS, JOSÉ IGNACIO y otros (1999). *Cuatro lecturas de Caracas*. Caracas: Fondo Editorial Fundarte.

CALCAÑO, JOSÉ ANTONIO (1985). *La ciudad y su música*. Caracas: Monte Ávila Editores.

CALCAÑO, JUAN (1968). *Cinco ensayos*. Caracas: Editorial Latina.

CALZADILLA, ALEJANDRO (2003). *La salsa en Venezuela*. Caracas: Fundación Bigott.

CARPENTIER, ALEJO (1985). *Entrevistas*. La Habana: Editorial Letras Cubanas.

CARREÑO, MANUEL ANTONIO (2000). *Manual de urbanidad y buenas maneras*. Caracas: Educen.

CARREÑO, EDUARDO (1973). *Vida anecdótica de venezolanos*. Caracas: Edición privada.

CARTAY, RAFAEL (2003). *Fábrica de ciudadanos*. Caracas. Fundación Bigott.

CARVAJAL, MORAIMA (1998). *Caracas era una rumba*. Caracas: Fundarte, colección Rescate, Nº 21.

CLEMENTE TRAVIESO, CARMEN (1971). *Anécdotas y leyendas de la vieja Caracas*. Caracas: Concejo Municipal del Distrito Federal.

CORTINA, ALFREDO (1977). *Caracas, la ciudad que se nos fue*. Caracas. Editorial Binev.

CREMA, EDOARDO (1973). *El arte como relación creacionista*. Caracas: Ministerio de Educación.

CROFTON, IAN (1988). *A Dictionary of Art Quotations*. Nueva York: Schimr Books.

CUADRO, AUGUSTO (1979). *Ochenta años de Venezuela y el mundo*. Caracas: Libros de hoy, *El Diario de Caracas*.

DÍAZ, SIMÓN (1994). *Estampillas venezolanas*. Caracas: Gráficas Armitano C.A.

DÍAZ SÁNCHEZ, RAMÓN (1965). *Paisaje histórico de la cultura venezolana*. Buenos Aires: Editorial Universitaria de Buenos Aires.

Enciclopedia de la música en Venezuela (1998). Caracas: Fundación Bigott.

FIHMAN, BEN AMI (1983). *Los cuadernos de la gula*. Caracas: Línea Editores.

FRIEDMAN, EMIL (1988). *Arte y educación*. Caracas: edición particular.

IMBER, SOFÍA (1971). *Yo, la intransigente*. Caracas: Editorial Tiempo Nuevo.

LANCINI, DARÍO (1975). *Oiradarío*. Caracas: Monte Ávila Editores.

MÁRQUEZ, ESPERANZA (2000). «Motivos, razones y placer del canto», en *Confines del placer*. Caracas: Colección Econoinvest.

MARTÍN, GLORIA (1988). *El perfume de una época*. Caracas: Alfadil Ediciones.

MARTÍNES, ROMÁN (2002). *¡Epa Isidoro!* Caracas: Vadell Hermanos.

MICHELENA, EDUARDO (1965). *Vida caraqueña*. Madrid: Taller gráfico CIES.

MIERES, JESÚS y otros (2004). *Los timbaleros de Caracas*. Caracas: Alcaldía de Caracas/Fundapatrimonio.

MISLE, CARLOS EDUARDO (1967). *Corazón, pulso y huella de Caracas*. Caracas: Ediciones de la Secretaría General.

_________ (1980). *Sabor de Caracas*. Caracas: Banco de Venezuela.

MONASTERIOS, RUBÉN (2003). *Caraqueñerías*. Caracas: Fundación para la Cultura Urbana.

NAZOA, AQUILES (1967). En *Música popular*. Caracas: edición especial del Círculo Musical.

_________ 1969. *Mientras el palo va y viene*. Caracas: UCV.

NERUDA, PABLO (1978). *Para nacer he nacido*. Barcelona: Seix Barral, Biblioteca Breve.

OLIVEROS, ALEJANDRO (2002). *El aire traspasado*. Valencia: Universidad de Carabobo.

OROPEZA, JOSÉ NAPOLEÓN (1990). *Entre el oro y la carne*. Caracas: Editorial Planeta Venezolana.

OSUNA, WILLIAM (2004). *Miré los muros de la patria mía*. Caracas: Monte Ávila Editores.

PADILLA, HEBERTO (1981). *El hombre junto al mar*. Barcelona: Seix Barral.

PARRA MÁRQUEZ, HÉCTOR (1967). *Sitios, sucesos y personajes caraqueños*. Caracas: Empresa El Cojo.

PÉREZ ORAMAS, LUIS (1999). *Gacelas y otros poemas*. Caracas: Galiardos.

PICÓN SALAS, MARIANO (1953). «Teoría de las sinfonolas», en *Obras selectas*. Madrid/Caracas: Edime.

PROUST, MARCEL (1992). *Máximas y pensamientos*. Barcelona: Edhasa.

RAMÓN Y RIVERA, LUIS (1972). *La canción venezolana*. Maracaibo: Dirección de Cultura de La Universidad del Zulia.

REYNA, FREDDY (1999). *Método de Alfa, Beta, Cuatro*. Caracas: Fundef-Fundación Freddy Reyna.

SALAS, ALEJANDRO (2000). «La gruta de Pope». En *Alrededores de la casa.* Caracas: Colección Econoinvest.

SANTANA, SERGIO (1993). *¿Qué es la salsa?* Medellín: Ediciones Salsa y Cultura.

SINATRA, FRANK (1941). *Tips on Popular Singing.* Nueva York: Embassy Music Corporation.

SUSI, OTAL (1930). *Viejo jazz.* París: Imprimerie Artististique A. Fabre.

RODRÍGUEZ CÁRDENAS, MANUEL (1967). En *Música popular.* Caracas: edición especial del Círculo Musical.

________ (1993). *El reloj en la mano.* Caracas: Colección Plural, Pen Club de Venezuela.

RONDÓN, CÉSAR MIGUEL (1980). *El libro de la salsa.* Caracas: Oscar Todtmann Editores.

SADEL, ALFREDO (1989). *Sadel en el tiempo.* Caracas: edición particular.

SALAZAR, RAFAEL (1994). *Caracas: espiga musical del Ávila.* Caracas: Ediciones Disco Club Venezolano, Discos León.

SHAPIRO, NAT (1977). *An Encyclopedia of Quotations about Music.* Nueva York: A Da Capo Paperback.

SCHAEL MARTÍNEZ, GRACIELA (1982). *En el vivir de la ciudad.* Caracas: Concejo Municipal del Distrito Federal.

SILVA, LUDOVICO (2002). *Papeles desde el amonio.* Maracay: Editorial La Liebre Libre.

________ (1987). *Filosofía de la ociosidad.* Caracas: Academia Nacional de la Historia.

STRAVINSKY, IGOR (1977). *Poética musical.* Madrid: Taurus Ediciones.

WRIGTH, FRANK LLOYD (1992). *Truth against the world.* Washington: Patrick J. Meehan, AIA, Editor.

YANES, OSCAR (1993). *Del Trocadero al Pasapoga.* San Cristóbal: Editorial Planeta.

YBARRA, THOMAS R. (1969). *Un joven caraqueño.* Caracas: Ediciones de la Biblioteca de La UCV.

Índice

TITULOS PUBLICADOS

1 Textos fundamentales de Venezuela
Selección y Notas: Rafael Arráiz Lucca y Edgardo Mondolfi Gudat
2 Historia de un archivo. Francisco de Miranda
Reconstitución de la memoria / *Gloria Henríquez*
3 Indigo / *María Antonieta Flores*
4 50 Imprescindibles / *Selección y Notas: Jesús Sanoja Hernández*
5 La ciudad en el imaginario venezolano (I) / *Arturo Almandoz*
6 Ensayos y Estudios / *Juan David García Bacca*
7 La política extraviada / *Andrés Stambouli*
8 Caraqueñerías / *Rubén Monasterios*
9 Mentalidades, discurso y espacio en la Caracas del siglo XX / *Humberto Jaimes Quero*
10 Navegación de tres siglos. Antología básica de la poesía venezolana. 1826-2003 / *Selección y prólogo: Joaquín Marta Sosa*
11 España en la escritura venezolana / *Rafael Arráiz Lucca*
12 Historia de la conquista y fundación de Caracas / *Hno. Nectario María. Semblanza biográfica y prólogo: David R. Chacón R.*
13 Poética del humo / *Wilfredo Machado*
14 Carne y hueso. Exceso en 24 semblanzas
Prólogo y selección: Ben Amí Fihman
15 Los fantasmas del Norte. Miradas al Sur
Edgardo Mondolfi Gudart
16 La ciudad en el imaginario venezolano (II)
De 1936 a los pequeños seres / *Arturo Almandoz*
17 La cosa humana por excelencia. Controversias sobre la ciudad / *Marco Negrón*
18 España y Venezuela: 20 testimonios / *Rafael Arráiz Lucca*
19 Breviario Galante / *Roberto Echeto*
20 Ensayos y Estudios (II) / *Juan David García Bacca*
21 Ciento breve / *Karl Krispin*
22 Amores públicos / *Ricardo Tirado*
23 En idioma de jazz. *Memorias provisorias de Jacques Braunstein* / *Jacqueline Goldberg*
24 Bolívar, el pueblo y el poder / *Diego Bautista Urbaneja*

Impreso en
los talleres gráficos de
Editorial Torino
Telfs.: (0212) 239.76.54, 235.24.31
Fax: (0212) 235.43.46
E-mail:editorino@etheron.net
Caracas - Venezuela